2026年度版

特別区

Ⅰ類／事務

科目別・テーマ別
過去問題集

TAC出版編集部 編著

TAC出版
TAC PUBLISHING Group

はじめに

近年就職環境が大きく変化している中で、まだまだ多くの若者が「やりがい」や「安定」を求めて公務員試験に挑戦しています。出題科目が非常に広範な公務員試験で効率的に学習を進めるためには、志望試験種の出題形式を的確に捉え、近年の出題傾向をつかむ必要があります。

このシリーズは、受験先ごとに公務員試験の過去問演習を十分に行うために作られた問題集です。

公務員試験対策は「過去問演習」なしに語ることはできません。試験ごとの出題傾向が劇的に変化することは稀であり、その試験の過去の出題を参考にすることで、試験本番に向けた対策をほぼカバーすることができるためです。

また、過去問を眺めると、試験ごとに過去の出題分布がだいぶ異なっていることに気づきます。公務員試験対策を始めたばかりのころは、なるべく多くの受験先に対応できるよう幅広い範囲の知識をインプットしていくことが多いですが、ある程度念頭においた受験先が見えてきたら、その受験先の出題傾向を意識した対策が有効になります。

本シリーズは、択一試験の出題を科目ごと、出題テーマごとに分類して配列した過去問題集です。このため、インプット学習と並行しながら少しずつ取り組むことができます。また、1冊取り組むことによって、受験先ごとの出題傾向を大まかにつかむことができるでしょう。

公務員試験はいうまでもなく就職試験です。就職試験に臨む者は皆、人生における大きな岐路に立ち、その目的地であるゴールを目指しています。公務員として輝かしい一歩を踏み出すためには、合格というスタートラインが必要です。本シリーズを十分に活用された方々が、合格という人生のスタートラインに立ち、公務員として各方面で活躍されることを願ってやみません。

2024年10月　TAC出版編集部

本書の特長と活用法

本書の特長　～　試験別学習の決定版書籍です！

科目別・テーマ別に演習できる！

本書は特別区（Ⅰ類／事務）採用試験における択一試験の過去問（2020～2023年度）から精選し、学習しやすいよう科目別・テーマ別に収載しています。科目学習中の受験生が、試験ごとの出題傾向をつかむのに最適な構成となっています。

TAC生の選択率・正答率つき！　丁寧でわかりやすい解説！

TAC生が受験した際のデータをもとに選択率・正答率を掲載しました。また、解答に加えて、初学者の方でもわかりやすい、丁寧な解説を掲載しています。実際に問題を解き、間違ったときはもちろん、正解だったときでも、しっかりと解説を確認することで、知識を確固たるものにすることができます。

最新年度の問題も巻末に収録！　抜き取り式冊子なので使いやすい！

最新の2024年度の問題・解説は巻末にまとめて収録しており、抜き取って使用することができます。本試験の制限時間を参考にチャレンジすることで、本試験を意識した実戦形式でのトレーニングが可能です。

受験ガイド・合格者の体験記を掲載！

受験資格や受験手続の概要をまとめた「受験ガイド」を掲載しています。過去の採用予定数や受験者数、最終合格者数といった受験データもまとめています。また、合格者に取材して得た合格体験記も掲載していますので、直前期の学習の参考にしてください（合格者の氏名は仮名で掲載していることがあります）。

記述式試験の模範答案も閲覧可能！

2015～2024年度の記述式試験について、問題と答案例をWeb上でダウンロード利用できます。詳しくはご案内ページをご確認ください。

問題・解説ページの見方

問題

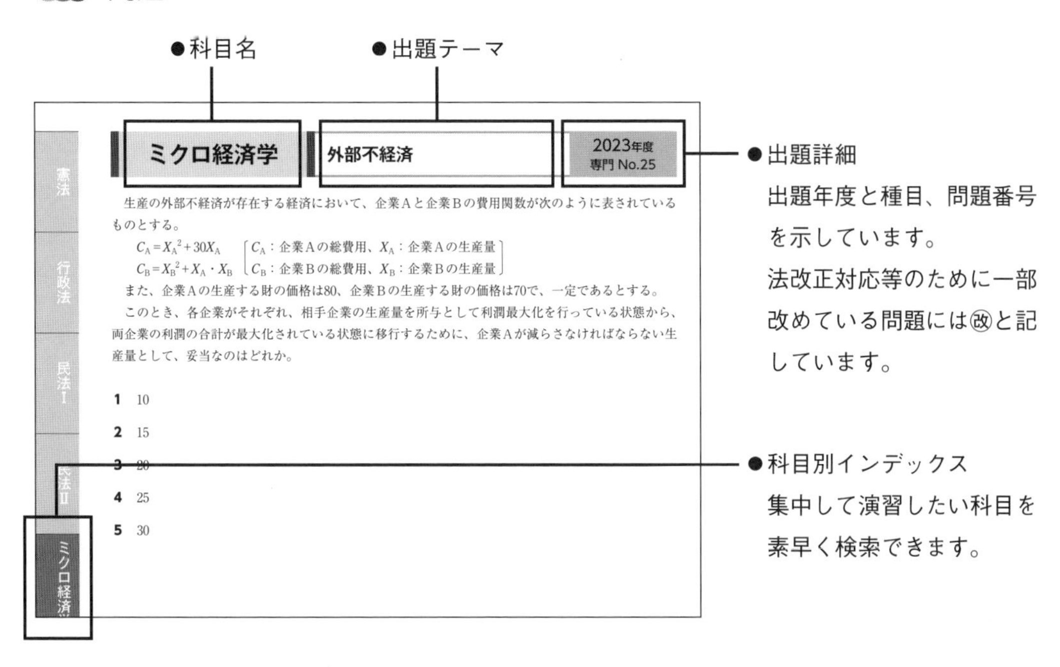

解説

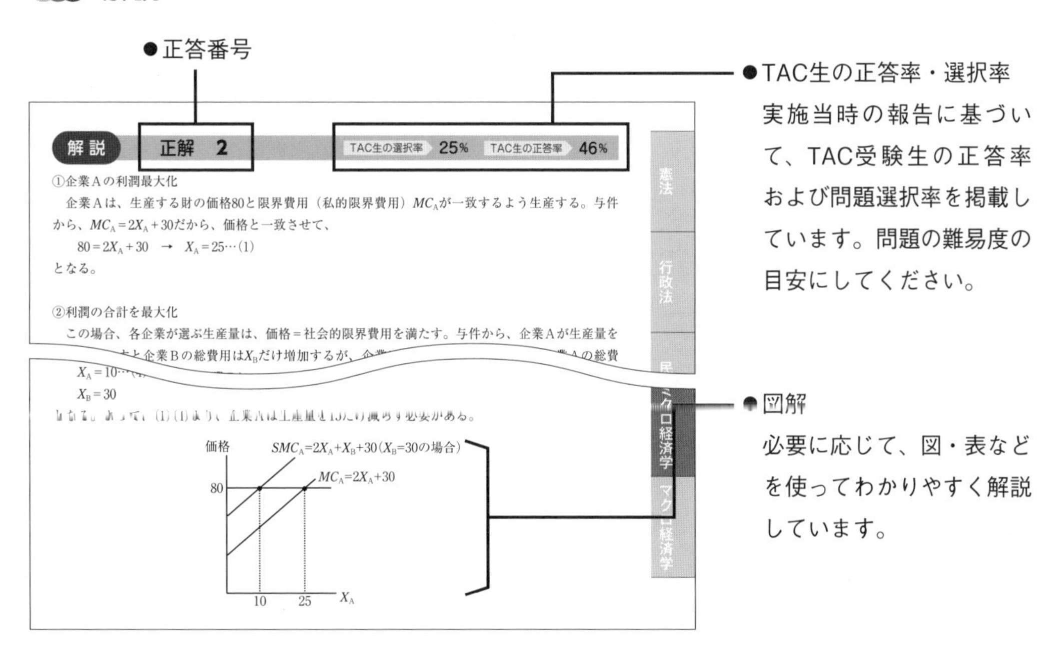

特別区（Ⅰ類／事務）受験ガイド

(1) 特別区（Ⅰ類／事務）の試験とは

特別区（Ⅰ類／事務）の職員採用試験は、区役所などで働く職員を採用するための試験で、区役所以外に特別区人事・厚生事務組合と特別区競馬組合、東京二十三区清掃一部事務組合に採用先があります。23区役所及び各組合はそれぞれ独立した地方公共団体ですが、試験は特別区人事委員会が一括して実施します。採用の有無や人数も各区・組合で異なります。

(2) 受験資格＆申込み方法

2024年度の試験では、1993年4月2日から2003年4月1日までに生まれた方が受験可能でした。

試験案内と申込用紙は特別区人事委員会または東京23区役所などで受け取ることができます。また、郵送による場合は、特別区人事委員会宛に請求します。申込みの受付期間は3月上旬～下旬になり、インターネットにて申し込みます。

(3) 試験日程＆採用になるまで

2024年の特別区（Ⅰ類／事務）の試験は、以下の日程で実施されました。

申込みから最終合格までの流れ

	日程
申込み期間	3月8日（金）～3月25日（月）
1次試験日	4月21日（日）
1次合格発表	6月14日（金）
2次試験日	7月8日（月）～7月18日（木）の間で指定される日
最終合格発表	7月30日（火）

(4) 試験内容

第1次試験は筆記試験で、①教養試験(択一式・120分)、②専門試験(択一式・90分)、③論文(記述式・80分)が行われます。第2次試験は、個別面接が1回行われます。

第1次試験の出題内訳(2024年度)は以下のとおりです。

●教養試験(択一式)

一般知能分野						一般知識分野											
文章理解		数的処理				社会科学			人文科学				社会事情	自然科学			
現代文	英文	判断推理	数的推理	資料解釈	空間把握	法律	政治	経済	思想	日本史	世界史	地理		物理	化学	生物	地学
5	4	6	5	4	4	1	2	1	1	1	1	1	4	2	2	2	2

●専門試験(択一式)

憲法	行政法	民法Ⅰ	民法Ⅱ	ミクロ経済学	マクロ経済学	財政学	経営学	政治学	行政学	社会学
5	5	5	5	5	5	5	5	5	5	5

教養試験は48題中28題が必須解答で、残りの20題の中から12題を、専門試験は55題中40題を選択解答するものです。また、論文試験も2題中1題を選択解答します。

受験についての情報は、試験案内または特別区人事委員会のホームページにより確認してください。

(5) 実施状況

受験倍率は他の地方上級試験と比較すると決して高いとはいえません。

年度	採用予定数	申込者数	受験者数	1次合格者数	最終合格者数	合格倍率
2024年度	1,312	7,580	6,868	6,323	3,035	2.3
2023年度	1,181	8,541	7,668	5,955	3,013	2.5
2022年度	983	9,374	8,417	4,246	2,308	3.6
2021年度	874	11,449	9,019	4,098	1,881	4.8
2020年度	906	14,339	8,121	4,791	1,741	4.7

合格体験記

松橋 玲奈 さん

2023年度　特別区Ⅰ類、川崎市、国家一般職、財務専門官、裁判所一般職合格

OB訪問をきっかけに特別区志望に

公務員志望を決めたのは高校２年生のころです。幼い頃児童手当の給付を受けていたので社会に恩返ししたいという気持ちがあったのと、ひとり親家庭かつ一人っ子だったので、将来自立し、安定して生きていくために公務員を選びました。

特別区志望に決めたのは試験の５か月くらい前です。その少し前に、同じ大学を卒業して区役所で働かれている方にOB訪問をしたのがきっかけです。公務員として働かれている方の生の声を聞くことができ、説明会などではいえないレベルのお話もしていただき、特別区で働きたいと思いました。

講義は休まず出席する、苦手科目はとにかく繰り返す！

TACに入会したのは大学３年次の５月だったのですが、９月までは平行して他の国家資格を勉強していたので、公務員試験対策を本格的に始めたのは10月からです。欠席したときなどのためにWeb上で動画講義を視聴できる仕組みもあったものの、私は５月の当初から絶対対面での講義を受けるようにしていて、皆勤賞レベルに休んでいなかったので、先生方の説明は10月の時点でも色濃く頭の中に残っていました。

教養では判断推理、資料解釈、社会科学、専門では憲法、行政法、社会学が得意科目だった一方、苦手な科目もありました。教養ではみんな得意な文章理解、特に英語が壊滅的に苦手で、現代文の方も内容合致問題が苦手でした。専門では民法の後半部分、いわゆる債権、親族、相続の分野と、ミクロ経済学が苦手でした。

民法では、具体的なケースに分けて結論などを押さえる場面が多くあります。このため、私は単元ごとに自分でまとめノートを作りました。例えば、「弁済」という単元で出題されるケースと、実際に出題された問題文をノートにまとめ、セットで暗記していました。この暗記のために民法はTACの問題集を最高10周しました。早めに暗記できたところは６周くらいしました。

ミクロ経済学も民法と同様で「この問題が出てきたら、この式、この公式を使って解く！」と暗記をしました。もちろんこの暗記のためにTACの問題集を10周しました。「問題集を10周」と聞くと大変に思えますが、問題集を最初から最後まで解く周回速度は、回を重ねるごとに上がっていきます。最後の方はほぼ解く前から解き方と答えがわかるレベルに達したので、苦ではなかったです。

重要な論文対策、耳を使った学習法も

特別区は択一試験よりも論文の配点が高いだろうといわれていたため、対策を万全にするため論

文対策のオプション講座を受講しました。いくつか出題予想テーマが教材に掲載されるので、その解答例を書けるようにしていました。しかし、ただ手で書いて覚えるのは疲れると思ったので、家の静かな環境でスマートフォンの録音機能を使って解答欄を読み上げて録音しました。家からTACまでの移動時間に聴くことができるので、効率がいい覚え方だったと思います。

また、TACの論文予想がほぼ完璧（80％書けるくらい）になったら、他のテーマにも取り組むようにしていました。特別区は浅く広く勉強することが大切だと先生方から日頃言われていたのですが、論文も少しテーマの概要を知っておくだけで、試験当日に応用が利きます。さまざまなテーマに触れておくことを強くオススメします！

直前期の過ごし方

勉強を始めたのが人より遅いと思っていたので、直前期は勉強をしないと不安になり、右にあるようにTACの自習室に毎日通っていました。１科目の学習時間は30分～２時間程度で、なるべくたくさんの科目に触れるようにしていました。

■直前期の１日のスケジュール例

時間	内容	時間	内容
6:00～6:30	社会科学	14:30～15:30	民法
6:30～7:00	自然科学	15:30～16:30	行政法
7:00～7:30	人文科学	16:30～17:00	休憩
7:30～8:00	朝食	17:00～17:30	憲法
8:00～9:00	TACへ移動	17:30～18:00	政治学
9:00～10:00	文章理解	18:00～18:30	社会学
10:00～12:00	数的処理	18:30～19:00	財政学
12:00～12:30	昼食	19:00～20:00	経営学
12:30～13:30	ミクロ経済学	20:00～21:30	論文
13:30～14:30	マクロ経済学	21:30～22:30	TACから帰宅

面接対策、定番の質問はしっかり対策しておこう

面接試験において「ド定番」というべき、志望理由、自己PR、自分の強み、失敗談などの質問については面接練習を重ねていたため、当日も緊張することなくスラスラと自然に答えることができました。

また、併願先を聞かれてもいいように、前もって受けた試験は全部正直に書くようにしていました。しっかり併願先の志望度を言えるようにしておいたので、怪しまれることなく面接は終わりました。

特別区の面接では想定外の場面は特になかったのですが、他の自治体の面接でアルバイト先の話題になったときに、「おすすめの商品は？」と聞かれたとき、準備をしていなかったため少し焦りましたが、なんとか答えることはできました。

受験生へのメッセージ

筆記試験は一言でいえば「暗記」に尽きます。正直、「これが出たらこれで解く」、「この問題ならこれが答え」と理数系科目、文系科目問わず公務員試験は暗記で乗り切ることができるので、効率よく暗記をしてみてください！

また、ただ書いて覚えるだけでなく、友達や家族に勉強したことを話して覚える方法や、自分で録音したものを聴く方法もあります。色々な方法で暗記を頑張ってください！！

一通り暗記するのにはとても時間がかかりますが、一度覚えてしまえば、直前期などに復習するときには知っていることだらけになっていると思います。それまでの努力と苦労は大変ですが、合格した後には将来安定という幸せな未来が待っていると言い聞かせて頑張ってみてください！

合格体験記

野口 珠梨（のぐち じゅり） さん

2022年度　特別区（Ⅰ類／事務）、国税専門官、裁判所一般職、八王子市合格

漠然とした公務員志望が、インターンシップで徐々に確かなものに

もともと両親の知り合いに公務員の方がいたせいか、将来の仕事として公務員を勧められていたので、高校生くらいのころから漠然と公務員を意識していました。大学生になり就職説明会や大学のイベントで話を聞くうちに、人を支える仕事としての公務員に魅力を感じるようになりました。また、市役所のインターンシップに参加し、実際に働くイメージができたことも公務員を志望するきっかけになりました。

受験に際して試験日程を加味して併願先を決めていきますが、特別区の試験日程は東京都としか重なっていないので、受験先として夏ごろから考えていました。説明会や街の雰囲気がとても気に入ったので、それから徐々に志望度が上がっていきました。

苦手科目の克服法

大学２年生の10月という、比較的早い時期に学習を始めたので、基本的に捨て科目を作らず対策を進めました。最終的に振り返ると、数的処理や経済学、いわゆる「学」系科目全般が得意科目でしたが、文章理解の対策に苦しんだように思います。

正直、現代文については高をくくっており、本格的に対策していませんでした。しかし過去問を解いたときに１問しか得点できなかったことに危機感を抱き、年明けから力を入れ始めました。特別区の現代文は「主旨把握」という特徴的な形式で、私はこれが苦手でした。問題を読みながら自分なりに問題文の流れをまとめ、それに合う選択肢を探す練習をしました。１か月もすると問題にも慣れ、まとめなくとも正解を導き出すことができるようになりました。現代文・英文両方で意識したことは解法パターンを理解することです。

それと、試験当日まで苦手意識のなかった民法が、本試験ではほとんど解けませんでした。問題集を解くときに選択肢の文言のまま暗記してしまい、理解していなかったことが要因だと思います。当たり前ですが本試験はほぼ初見問題であり、過去問と同じ記述の問題は少ないので、持っている知識を活用する必要がありました。

論文対策は、行政課題と区の取組みを意識しながら添削答案を改善

論文対策は12月くらいから始めました。最初は２～３時間くらいかけて、論文のテーマに関係する行政課題や実際に行われている取組みについて調べながら答案を作成しました。添削後、返却された答案を書き直すことを重ねて、自分なりの書き方を確立しました。時間内に書く練習は模擬試験でしかしていないです。

あとは、市販の論文の模範解答例集を読んで書き方を取り入れたり、特別区や他の自治体が行っ

ている取組みなどの情報を収集したりしました。最終的には、特別区の論文のために20テーマくらい書けるように準備しました。

直前期の過ごし方

直前期は短期間でなるべく多くの科目に触れること、好きな科目とそうでない科目を交互に学習し、飽きないようにすることを意識しました。例えば民法は嫌いだったので、朝一番で終わらせるようにしていました。

学系科目は主に政治学、行政学、経営学、社会学、財政学を対策していたので、２～３日で一通り触れるよう満遍なく取り組むことを心掛けました。

日にもよりますが、途中休憩をはさみながら、右のようにだいたい１日12時間程度学習に費やしていたことになります。

■直前期の１日のスケジュール例

8:30～9:00	起床
9:00～10:00	民法
10:00～10:15	文章理解
10:15～11:00	学系科目
11:00～12:00	論文
12:00～13:00	休憩
13:00～14:00	数的処理
14:00～15:00	専門記述（併願先対策）
15:00～16:00	法律系
16:00～17:00	学系科目
17:00～19:00	休憩
19:00～19:40	学系科目
19:40～21:00	経済学
21:00～22:00	一般知識・時事
25:00	就寝

特別区の面接日と官庁訪問の予約日が重なったら・・・

特別区の人事委員会の面接では３分間のプレゼンテーションがありますが、去年の受験者からの情報で時間を計っている様子はないと聞いていたので、本番はあまり時間を気にせず自信を持って話すことができました。

面接会場では基本的にスマートフォンを操作できないのですが、特別区の面接日に国家一般職の官庁訪問の予約を取らなければならない事態が生じることが考えられます。なるべく早く官庁訪問の予約を入れたくても、面接が終わって解放されるまでスマートフォンが触れません。このようなときは、信頼できる人に官庁訪問の予約を頼んだほうがよいと思いました。

すぐに結果が感じられなくても、あきらめずコツコツ続けることが大事

公務員試験はコツコツと勉強していたら、十分に得点は取れると思います。特に数的処理は「続ければ伸びる」といった話をよく聞くと思います。

私自身大学２年生の秋から学習を始め、その当初から数的処理に取り組んでいましたが、最初のころは思うように問題が解けず、「続ければ伸びる」と言われても、「そんなことない、嘘だ」と思っていました。

でも実際、毎日継続することで成果は上がりました。私の場合、実際に安定して点数を取れるようになったのは３年生の２月くらいです。人によって期間は異なるとは思いますが、結果が感じられるまでそれなりに期間を要するタイプの科目があります。すぐにうまくいかなくても毎日の学習を投げ出さず、最後まで諦めず頑張ってほしいです。

合格体験記

髙橋（たかはし） 実夏（みか） さん

2022年度　特別区（Ⅰ類／事務）、横浜市役所、国税専門官合格

市役所志望から特別区志望へ

そろそろ卒業後のことを考えなければならない時期である大学２年生の終わりの３月ごろ、就職先として公務員を意識するようになりました。住民と近い距離で働きたいという思いがあったのと、観光、健康、子育てなど幅広い分野の仕事で経験を積みながら地域に携わることのできるという点で、地方公務員をメインに志望していました。

ただ、当初は地方公務員の中でも地元の市役所で働きたいという気持ちが大きく、他の自治体の受験を視野に入れていませんでした。そこから特別区を志望するに至った理由はいくつかあるのですが、まず❶規模の大きい自治体でありながら住民と近い距離で働けることを知り、自分自身の能力や就職活動の軸と合致していること、❷受験戦略上の理由として、特別区の専門択一試験が科目ごとではなく問題ごとに選択解答でき、自信のある問題で勝負できること、❸また、祖父母が特別区内に住んでおり昔から身近な場所であったこと、などが大きなところだと感じています。

苦手だからこそ、毎日触れて克服する

３年生にあがり、５月ごろから実際の公務員試験対策を始めました。私の通う大学が公務員試験対策のカリキュラムを用意してくれており、それに参加しました。とはいってもコロナ禍であったため、動画を使った映像学習が主体でした。

私は教養科目でいえば文章理解、専門科目でいえば憲法など得意科目もあったのですが、苦手科目として数的処理、民法、ミクロ経済学、マクロ経済学などが挙げられ、どれも公務員試験では出題数の多い、重要な科目ばかりでした。

数的処理については、特に毎日触れることが大切だと考えたため午前中に毎日２時間ほどをかけて問題を解くということを、12月ごろまで継続していました。他の苦手科目についても講義映像を繰り返し見て理解を深めたり、過去問では５回連続正解するまで解き回したり、といったことをしていました。結局、何か特別な対策をしたというよりは、苦手と感じるからこそより多くの時間を割り当てた、というしかありません。

論文対策、模範答案に頼るところから始めてもいい

特別区の論文試験は試験の中で大きなウエイトを占めているといわれます。私は年が明けた2022年１月ごろから本格的な論文対策を始めました。

何でも真似をするところから始めるとよい、といわれることがありますが、論文対策についてはまさにそのような取組みからスタートしました。教材にはさまざまな出題テーマに対する模範解答例が掲載されているので、その模範解答を参考に違うテーマで文章を作り、それを添削してもらう

という方法です。これを繰り返すことで、ある程度論文構成の型のようなものができるので、過去問や狙われそうなテーマを中心に２日に１回程度答案を書いていました。手書きで書くと大変なので直前期まではWordを使っていました。

また、文章に説得力を持たせるために時事情報や特別区の取組みについて日ごろからチェックしていました。気になる取組みを見つけたら、URLをまとめておき振り返れるようにしていました。

直前期の過ごし方

直前期の時間の使い方は右のようなものです。午前中は、文章理解対策として現代文・英文を１問ずつ解いたり、英文対策として英単語を覚えたり、数的処理の問題集を繰り返し解いたりします。また、時事についてはテキストの内容を音読したりして、ちょっと違った形で脳を刺激するようにしていました。

■直前期の１日のスケジュール例

8:00～9:00	起床、朝食など
9:00～12:00	教養科目
12:00～13:00	昼食・休憩
13:00～19:00	専門科目
19:00～20:30	夕食、入浴
20:30～25:00	論文、専門記述、知識系科目など
25:30	就寝

午後の専門科目はこまめに時間を区切って取り組み、なるべく毎日全科目触れられるようにしていました。一部に偏りの出ないようにまんべんなく時間を使うのが大事だと思います。

面接待ち時間の緊張をほぐす工夫を

面接対策としては、できるだけ幅広く想定問答を作成して臨んでいたので、結果的には想定外の質問にはあまり遭遇しませんでした。模擬面接を直前にはほぼ毎日行うことで、人前で話すことに慣れるようになりました。ただ、練習をしすぎると棒読みになってしまうので、ゆっくりと会話することを意識して臨みました。

それでも当日はやはり味わったことのない緊張感を感じました。待合室が静まり返っている場所だったこともあり、自分の面接の番がくるまで緊張状態のまま臨むことになってしまいました。周りと雑談したりできない場所でも、自分なりにリラックスする方法を考えておくといいと思います。

また、一般的には和やかな雰囲気とされていますが、中には反応が薄い、表情の変化に乏しい面接官もいます。どんな状況でも落ち着いて対処できるように準備をすべきだと考えました。

日々の学習に心を折らないためにも、「なりたい自分像」が大事

公務員試験は長期にわたって対策するため、遊びやアルバイトなどの時間がどうしても少なくなってしまうと思います。そのため途中で諦めたくなったり、先が見えず不安になったりすることも多いと思います。そんな中で最終合格という目標に向かい毎日勉強や面接対策をするためにも、将来なりたい姿を想像してモチベーションを保つことが大切です。

私は区役所を巡り、実際に働く職員の方のお話を聞いたりすることで将来自分もここで働きたいという意欲を高めるようにしていました（この行動は面接対策でも役立ちます）。

公務員試験は毎日継続して頑張れた人には合格を与えてくれるものだと思います。疲れたときのひと休みを忘れずに、他の受験生のことはあまり意識せずに、模試の結果の良し悪しを気にせずに頑張ってください。

合格体験記

牧野 孝也（まきの たかや） さん

2021年　特別区Ⅰ類（事務）、国家一般職（大卒程度／行政）、国税専門官、横浜市（事務）合格

ピンとこなかった民間就活から公務員志望に切り替え

大学３年生の終わりかけのころ、周りのムードに押されて民間企業への就職活動を始めてみたものの、特にこれといって「やりたい」と強く思える仕事を見つけられずにいました。最初は父親の勧めで“公務員”という選択肢を検討するようになり、TACの講座説明会で特別区、すなわち東京23区の区役所の職員の仕事があることを知りました。

私は地方出身なのですが、仕事をするなら首都圏がいいと思っていたこと、平等な試験なので頑張り次第で採用を勝ち取れると思ったこと、人と関わるのが好きなので区民のそばで働ける点が魅力的だったこと、などから受験を決意し、なかでも特別区で働きたいという思いを強くしました。

苦手科目、最初は時間をかけてじっくりと

少し強引かもしれませんが、教養と専門の択一科目を❶暗記で対応できる科目と❷暗記しただけでは足りず、問題演習が必要な科目に分けるとしたら、私は❷の科目群を苦手に感じるタイプでした。

苦手意識を持っていた❷のタイプの筆頭が数的処理でしたが、はじめはどんなに時間をかけても自分のペースで１問ずつしっかり解いて、少しずつ自分のものにしていくのがよいと思います。私が学習を始めた段階ではすでにコロナ禍が生じてしまっていたので、TACに通ってはいたものの講義は映像授業が主体になっていました。それでも大事なのはインプットとアウトプットの往復です。新しい単元の知識を入れたらすぐに復習し、例題や過去問に取り組みます。このとき、まずは易しい問題、標準的な問題をきちんと解けるように意識します。また、解き方のヒントになるようなことは付箋にメモしてテキストや問題集に貼るようにしていました。

何より大事なのは継続です。毎日１時間以上は必ず問題を解くことに充てていました。

配点の高い論文試験、準備は万全に

論文対策を始めたのは12月ごろです。最初からまともな答案を自分で書くのは難しいので、模範答案に倣うことから始めました。合格者の論文答案を真似しながら書いてみたり、模範解答例をたくさん読んで文章構成を叩き込んだりすることなどです。構成については例えば、

> ❶序論：課題文を軽くまとめる、特別区の情報を入れる
> ❷本文：主張→現状や課題→区の具体的な取組み→その成果→区職場として今後できること
> ❸結論：具体的な取組みと自分の意見を軽くまとめる　　※❶❷は組にして２セット

というような構成案を常に試行錯誤しながら考えていました。また、課題文によっては１つの論文構成では対応できないときがあるので、ほかにも何パターンか構成を考えておき、論題に応じで使い分けられるようにしていました。

あとは、受験生どうしで論文対策をするグループに参加して、他のメンバーの書き方を参考にし

たり情報共有をしたりする機会を持っていました。

とにかく特別区は論文の配点が非常に高いといわれます。私は年明けからは１日の半分以上を論文に充てる日も少なくないほど重視していました。論文は１題答案を仕上げるのも大変ですが、書かない限り上達しません。少なくとも週に１・２題くらいは必ず答案を書くようにしましょう。

また、私は主要なテーマを18個分くらい、きちんと答案構成できるように用意して、本番までに答案の流れを暗記するほど読み込んでいました。試験時間は80分と短いため、ただでさえ緊張する本番でうろたえて時間を無駄にしないよう、できる準備はしっかり事前にしておくのがよいと思います。

対策を始めた当初、合格者の論文を読んだ私は、「こんな立派に書けるようになるわけがない」と途方に暮れていましたが、きちんと時間をかけて対策したことで書けるようになりました。論文対策のテキストやインターネットを使った情報収集、添削によるアドバイスなどを活用しましょう。

直前期の過ごし方

私はほぼTACの自習室に通って、往復の移動中も学習時間に使い、直前期は１日10時間を目標に学習していました。

基本的に数的処理から始めて次に暗記科目（法律系、政治学系）といったように計算系と暗記系を交互に演習していました。このように適度に科目を切り替えると集中が切れることなく続けられていいのですが、苦手意識の強い数的処理などの科目から始めるのがおすすめです。疲れたころに苦手科目を解こうとすると、どうしてもやる気が出ないので…。

■直前期の１日のスケジュール例

9:00	起床
9:00〜10:00	身支度、自習室へ移動
10:00〜19:00	択一対策
19:00〜22:00	論文対策
22:00〜22:30	帰宅
22:30〜23:30	食事、入浴
23:30〜24:30	復習、論文の暗記
24:30〜25:00	自由時間
25:00	就寝

論文対策は基本的に18：00以降にするようにしていました。というのも、特別区の本試験も教養→専門→論文の順に実施され、それなりに知的体力が消耗した状態で論文に臨まなければならないため、その状況に備えるつもりで普段から頭が疲れた状態で取り組むようにしていました。

面接試験対策

面接対策は１人でやろうとしないことが大事です。受験者どうしの面接対策のグループに参加したり、模擬面接で志望動機や基本的な質問への回答を練習したりするのと、過去の受験者が問われた内容をチェックしておけば概ね対応できると思います。

志望動機ややりたい仕事などの定番の質問については、スラスラ言えるようになるまで練習しましょう。逆に、人物面の質問についてはあえて暗記せず、その場で組み立てているように臨場感をもって話せるように整理しておくとよいと思います。私はルーズリーフに答える内容をひたすら書くようにしていました。何度も読み返していれば本番でも自分の言葉で話せるようになると思います。

おわりに

実は私は大学受験に失敗しており、公務員試験もまた失敗するのではないかと非常に不安でしたが、「落ちたくない！」という一心でひたすら学習していました。とはいってもやみくもに時間を費やすのではなく、「どうすれば効率よく理解できるか」を常に考え試行錯誤しながら取り組んでいました。

正しい方法で毎日コツコツとしっかり続ければ公務員試験は必ず合格できます。辛いときもあると思いますが諦めないで頑張ってください。応援しています。

合格体験記

蛸島 慶（たこじま けい）さん

2021年　特別区Ⅰ類（事務）、国家一般職（大卒程度／行政）、裁判所一般職（大卒程度）合格

地方で高校生活を過ごし、地域に貢献する特別区の仕事を志望

中学生の終わりまでは出身地である東京都で暮らしていたのですが、高校時代の３年間を島根県で過ごしました。これは島根県の地方留学制度である「しまね留学」によるものでした。

留学先のまちは少子高齢化が進んでいましたが、町の職員の方々が、地域を活気づけるために県外からたくさんの高校生を呼び込んだり、清掃ボランティア活動などを通して高校生と地域住民との交流を促したりしていました。おかげで、実際に高校生と多くの町民が顔見知りになって挨拶を頻繁に交わす、活気ある地域が実現されていたように感じました。そのような町の職員の姿を見て、高校３年生の秋ごろに、私も将来は地域のために働きたいと思うようになりました。

大学１年生の終わりごろに就職先として公務員を考え始めたのですが、そのときから特別区を志望していました。特別区では地域コミュニティの希薄化が進んでおり、このままでは将来起こり得る災害の発生時に地域内で助け合いがうまくいかなかったり、防犯対策が機能しなくなったり、子どもを産み育てやすい環境も実現できなくなるという自分なりの問題意識があったのと、地元に貢献したいという思いがあったからです。「地方留学」の経験や、大学でフィールドワーク等を通じて「地域」について学んだ経験を活かして、特別区の地域活性化を図りたいと思いました。

経済学は学習の間隔を空けないように

特別区の択一試験は選択の幅がありますが、私が解答を予定していた科目の中では、文章理解（現代文）や憲法、行政法、社会学は得意科目といえ、逆に苦手だったのが自然科学と経済学でした。

特に経済学は、学習の間隔を空けてしまうとすぐにできなくなってしまうので、毎日のルーティンに組み込んで解き方の感覚を忘れないようにすることで、合格点は取れるようになりました。いろんな教材に手を出すようなことはせず、１冊の過去問題集を繰り返し解くようにしていました。

論文答案を厚くするためにHP情報をまとめたノートを作成

論文対策は11月の終わりごろから徐々に始めていきました。まずはTACの論文対策の講義で、試験で問われるテーマを把握しました。また、日頃からニュースを観たり、新聞（電子版）を読んだりして、世の中の動きに関心を持つようにしました。実際に自分で答案作成をしてみる前に、それぞれのテーマの模範答案に目を通すことで、合格レベルの答案を知ることが近道になると感じます。

論文答案に盛り込む内容を充実させるための取組みとしては、HPを利用した情報収集があります。私は各区の重点施策を区のHPで調べ、それを自分なりに簡潔にまとめたノートを作っていました。これを行うと大量の知識が身に付くだけでなく、各区が共通して今後取り組もうとしている課題が見えてきます。おかげで、特別区全体の課題や解決策を意識した答案を作れるようになったと感じます。また、論文の中で挙げる例も、解決策としての提案も、より具体的に論じられるようになりました。

試験本番に向けた準備としては、日ごろから答案作成にかかる時間を意識することが重要です。時間を測ることで、実際の試験時間である１時間20分以内で書き切る練習になります。

直前期の過ごし方

右のスケジュールにあるとおり、学習はすべて家の外で行うようにし、生活と学習の空間を分けていました。ほとんどの時間をTACの自習室で学習していましたが、移動時間に何もしないと無駄なので、文章理解用に英単語を覚えたり、知識系科目の講義音声を聞き流したりしていました。休憩時間を除いて、学習時間の目安は１日９時間程度です。

本試験が教養科目から始まることに合わせて、午前中は必ず数的処理や文章理解に取り組むことを意識していました。

■直前期の１日のスケジュール例

7:00	起床
7:00～8:00	身支度など
8:00～9:00	自習室へ移動
9:00～11:00	数的処理、文章理解
11:00～12:00	昼食・休憩
12:00～21:00	専門科目、教養知識科目
21:00～22:00	帰宅
22:00～23:00	夕食、入浴など
23:00～24:00	自由時間
24:00	就寝

模擬面接で面接練習を入念に

面接対策としては、想定問答集を組み立てるところから始めると思うのですが、それだけでなく模擬面接のような機会を利用し、面接で“どう振る舞うか”のリハーサルもしておくことをおすすめします。これを行っておくことで、入退室の所作や声のトーン、表情など、基本的な動きは自信を持って行うことができました。また、模擬面接を何度も繰り返すと、面接官が共通して質問する内容がわかってきます。それらの質問対策を徹底すれば、最低限のラインはクリアできるようになります。

私の実際の面接では、態度をわざと悪く見せる面接官がおり、練習ではできたはずの「笑顔でハキハキ」ができない場面がありました。また、どんなに事前に準備をしても、その場で考えて対応するしかない変化球の質問も稀にあります。このような質問はだいたい、受験生が正しい回答を返せるかどうかを見ているわけではないと思います。うまく答えられなくても大丈夫ですから、極端にうろたえたり長く沈黙したりせず、堂々と何かしら答えることができれば乗り切ったといえるでしょう。

おわりに

試験に合格するためには膨大な量の学習をしなければなりません。私も何度かモチベーションが下がってしまうことがありました。そんなときは、「何のために学習しているのか」、「将来どんな仕事がしたいのか」と自分に問いかけることで、何とかモチベーションを維持することができました。「試験に合格すること」はゴールではなく、合格した後自分は何がしたいのかを日ごろから考えておくことだと思います。

また、普段からそのようなことを考えることが、面接にも活きてきます。いま、受験生の皆さんは筆記対策に精一杯でなかなか面接について考える余裕がないかと思いますが、普段から目的意識を持って学習に取り組むことで、筆記・面接ともに他の受験生よりリードできると思いますので、ぜひ実践してみてください。

皆さんに明確で強い意志があれば必ず合格することができます。最後まで粘り強く頑張ってください。応援しています。

CONTENTS

はじめに……iii
本書の特長と活用法……iv
特別区（Ⅰ類／事務）受験ガイド……vi
合格体験記……viii

文章理解
　現代文……2
　英　文……24
数的処理
　判断推理……44
　数的推理……84
　資料解釈……110
　空間把握……142
社会科学
　法　律……172
　政　治……183
　経　済……189
人文科学
　思　想……192
　日本史……195
　世界史……198
　地　理……201
社会事情……204
自然科学
　物　理……215
　化　学……221
　生　物……227
　地　学……233
憲　法……240
行政法……276
民法Ⅰ……306
民法Ⅱ……334
ミクロ経済学……364
マクロ経済学……388
財政学……408
経営学……423
政治学……438
行政学……454
社会学……470

問題文の出典について……485
読者特典 模範答案ダウンロードサービスのご案内……488

教養科目

次の文の主旨として、最も妥当なのはどれか。

人が芸術的行為をするようになって、人間は生まれました。人の間と書いて人間と読みますが、人と人の心のコミュニケーションが芸術の内実です。つまり、芸術とは人間のことと言えるのです。したがって、芸術にまったく無関係な人間は存在しないことになります。

話は少し逸（そ）れるかもしれませんが、戦争は絶対に許される行為ではありません。しかし、武器はしばしば美しく芸術的です。どこの美術館でも、鎧兜（よろいかぶと）や刀剣（とうけん）は芸術品として扱われています。これは何を意味するのでしょう。

武器は、相手を殺戮（さつりく）するよりも、「生きて帰る」という切実な生きることへの希求が第一義にあるととらえたら、どうでしょう。惚（ほ）れ惚（ぼ）れするほど美しい刀や鎧を戦場で見て、人はこれで「さて、誰を殺そうか」とは思わないものです。これを見て、とにかく美しければ美しいほど、「とにかく使わずに無事に帰りたい」と、祈るような気持ちに至るのでしょう。戦国武将の刀も鎧も、進退極まった時以外は使われていません。「刀を抜く時は最後の最後」ということです。

いつの時代も、やむをえず送り込まれた戦場から生きて帰るための、生死に関わる切実な道具が武器だったということなのでしょう。だからこそ、命を守る武器は「美しい」のです。そして「美しい」武器は、戦いを望まないのです。「美」を通してはっと我に返る、「何をやろうとしているのか」と人間の心を取り戻すために、鎧兜は美しいのだと私は考えています。

芸術はたとえ戦場においても、生きようとする人々と共にあり、その気持ちを支える道具であったわけです。無自覚であろうが何であろうが、芸術に無関係でいられる人の一生はありえないということです。

（千住博「芸術とは何か」による）

1 人と人の心のコミュニケーションが芸術の内実であり、芸術とは人間のことである。

2 武器はしばしば美しく芸術的だが、戦争は絶対に許される行為ではない。

3 武器は、相手を殺戮するよりも、生きて帰るという切実な生きることへの希求が第一義にある。

4 命を守る武器は美しいものであり、美しい武器は戦いを望まない。

5 芸術はたとえ戦場においても、生きようとする人々と共にあり、芸術に無関係でいられる人の一生はありえない。

解説　**正解　5**　TAC生の正答率　70%

1　×　第１段落の内容と合致するものの、筆者が主張しているのは「芸術にまったく無関係な人間は存在しない」という点である。その点に言及しておらず、**5**と比較した場合も、こちらは主旨とはいえない。

2　×　第２段落の内容と合致するものの、芸術と人間の関係性に言及していないため、主旨とはいえない。

3　×　第３段落の内容と合致するものの、「武器」が芸術品として扱われる意味について述べているに過ぎない。芸術と人間の関係性に言及していないため、主旨とはいえない。

4　×　第４段落の内容と合致するものの、「武器」についての言及しかないため、主旨とはいえない。芸術と人間との関係性を述べるうえで、「武器」が取り上げられたに過ぎず、「武器」そのものが主題ではない。

5　○　第５段落の内容と合致しており、第１段落においても「芸術にまったく無関係な人間は存在しない」と述べている。本文は「武器」を取り上げて、それを説明した内容であるため、主旨としてふさわしい。

現代文　主旨把握

2023年度
教養 No.2

次の文の主旨として、最も妥当なのはどれか。

子どもの本について広く行われてきたのは、子どもの本を段階的に囲って、年齢や学年によって区切って、大人の本へむかう入門か何かのように、本に親しませるための過程的な考え方で、子どもの本をとらえる考え方です。しかし、そういうふうに考えるのでなく、子どもの本という本それ自体を、本のあり方の一つとして考えなければならない。そう思うのです。

大人の本の世界の前段階にあるというのでなく、大人の本の世界とむきあっているもう一つの本の世界としての、それ自体が自立した世界をもつ、子どもの本という本のあり方です。

年齢や段階といった考え方を第一にするのは、言葉について言えば、間違いです。そうしたやり方が、どれほど言葉のありようをゆがめるか。何歳でこの文字を覚えなければいけない、あの言葉を覚えなければいけないというふうに決めるのは、逆に言えば、知らない言葉に対する新鮮な好奇心をうばってゆく危うさももっています。

何事も段階的にということを前提に考えることは、何事も制限的にしかとらえることをしないということです。そんなふうに制限的な考え方が最初に当然とされてしまうと、子どもの本と付きあうことにおいてもまた、子どもっぽさを優先とする考え方が、どうしても支配的になってしまいがちです。

子どもの本のあり方をいちばん傷つけてしまいやすいのは、何にもまして子どもっぽさを優先する、大人たちの子どもたちについての先入観だと、わたしは思っています。子どもっぽさというのは、大人が子どもに求める条件であり、子どもが自分に求めるのは、子どもっぽさではありません。子どもが自分に求めるのは、自分を元気づけてくれるもの、しかし大人たちはもうそんなものはいらないとだれもが思い込んでいるもの、もしこういう言葉で言っていいのなら、子どもたちにとっての理想主義です。

（長田弘「読書からはじまる」による）

1　子どもの本について、年齢や学年によって区切って、大人の本へ向かう入門のように捉えられてきた。

2　子どもの本自体を、自立した世界をもつ本のあり方の一つとして考えなければならない。

3　言葉について、年齢や段階といった考え方を第一にするのは間違いである。

4　何事も段階的を前提とする考えは、何事も制限的にしか捉えられない。

5　子どもの本のあり方を一番傷つけてしまいやすいのは、子どもっぽさを優先する、大人たちの子どもたちについての先入観である。

解説　正解　2　TAC生の正答率 72%

1 ×　第１段落の内容と合致するものの、その直後に筆者は「しかし、そういうふうに考えるのではなく、…」として、別の考え方を示しているため、主旨とはいえない。

2 ○　第１段落の内容と合致しており、「子どもの本」に対する筆者の考えにもあてはまるため、主旨としてふさわしい。

3 ×　第３段落の内容と合致するものの、「言葉」に関しての筆者の意見に過ぎず、「子どもの本」に対する考え方についての言及もないため、主旨とはいえない。

4 ×　第４段落の内容と合致するものの、「何事も段階的を前提とする考え」の是非が本文の主題ではない。また、「子どもの本」に対する考え方についての言及もないため、主旨とはいえない。

5 ×　最終段階の内容と合致するものの、子どもの本のあり方を一番傷つけてしまいやすいものは何かが本文の主題ではない。また、「子どもの本」に対する考え方についての言及もないため、主旨とはいえない。

現代文　主旨把握　2023年度 教養 No.3

次の文の主旨として、最も妥当なのはどれか。

乱読を通してわかったことがあります。言葉にするのも、恥ずかしいほど単純な真実です。読書とは、要するに他者を受けいれることなのです。若いときはまだ、一定の限られた状況のなかでしか、他者を受けいれることはできませんでした。しかも、その受けいれ方というのがいかにも偏っていて、どの出会いを喜ぶにしても哀しむにしても、どこかつねに排他的な感情を伴っていました。愛着のすぐあとに嫌悪が襲ってくるのです。他者を理解しようという努力を伴わないため、他者の受けいれは、つねに一方的な感情のはけ口になってしまいます。

もっとも、第一印象による好き嫌いの選別は、若い人の特権です。若い人は、逆説的ですが、往々にして防衛的です。しかし人は老いてくると、ある種の捨て身の境地に入り、他者を受けいれることに前向きになります。読書に照らしていえば、どんな文体にたいしても好みを調律させていける。苦手だ、嫌いだと最初は思った文体ほど好きになる傾向があります。川上未映子の『夏物語』では、関西弁をふんだんに取り込んだ、ダイナミックな文体の虜になりました。昔は苦手だった関西弁が、いつのまにかとても耳に心地よく響くのです。逆に、極度に人工的で、かつ巧緻をきわめた文体でつづられた二〇二一年の芥川賞受賞作、石沢麻依の『貝に続く場所にて』に対しては、つよい執念で臨みました。東日本大震災時に津波に呑まれて行方不明となった青年の霊が、ドイツ・ゲッティンゲンの町に現れる。その紹介文を読んだだけで、否も応もなく本能を揺さぶられたのです。

（亀山郁夫「人生百年の教養」による）

1　読書とは、他者を受け入れることである。

2　他者を理解しようという努力を伴わないと、他者の受入れは、常に一方的な感情のはけ口になる。

3　第一印象による好き嫌いの選別は、若い人の特権である。

4　人は老いてくると、ある種の捨て身の境地に入り、他者を受け入れることに前向きになる。

5　好みを調律させていけば、苦手だ、嫌いだと最初は思った文体ほど好きになる。

解説　**正解 1**　TAC生の正答率 79%

1 ○ 第1段落の内容と合致しており、「乱読」という「読書」を通して筆者がわかったことが本文の主題であるため、主旨としてふさわしい。

2 × 第1段落の内容と合致するものの、「若いとき」の受け入れ方が偏っていたときのことを述べた内容であるため、主旨とはいえない。

3 × 第2段落の内容と合致するものの、「若い人の特権」が何であるかが本文の主題ではない。「読書」についての言及もないため、主旨とはいえない。

4 × 第2段落の内容と合致するものの、人がいつから他者を受け入れるようになるかが本文の主題ではない。「読書」についての言及もないため、主旨とはいえない。

5 × 第2段落の内容と合致するものの、人は老いてくると他者を受け入れることに前向きになることについて、読書に照らして述べた内容に過ぎない。老いたときの傾向が本文の主題ではないため、主旨とはいえない。

現代文　主旨把握

次の文の主旨として、最も妥当なのはどれか。

ぼくは、今日の文明が失ってしまった人間の原点を再獲得しなければならないと思っている。原始時代に、絶対感をもって人間がつくったものに感動を覚えるんだ。

太陽の塔は万国博のテーマ館だった。

テーマは〝進歩と調和〟だ。万国博というと、みんなモダンなもので占められるだろう。ぼくはそれに対して、逆をぶつけなければならないと思った。闘いの精神だ。

近代主義に挑む。何千年何万年前のもの、人間の原点に帰るもの。人の眼や基準を気にしないで、あの太陽の塔をつくった。

好かれなくてもいいということは、時代にあわせないということ。

ぼくは人類はむしろ退化していると思う。人間はほんとうに生きがいのある原点に戻らなきゃいけないと思っている。

あの真正面にキュッと向いている顔にしても、万国博なんだから世界中から集まった人たちに見られるわけだね。それを意識したら、だれでも鼻筋を通したくなるだろ？だがぼくは、日本人が外国人に対してとかくコンプレックスを感じているダンゴっ鼻をむき出しにした。

ダンゴっ鼻をみんなにぶっつけたわけだ。文句を言われることを前提としてね。

好かれないことを前提としてつくったから、さんざん悪口を言われた。とくに美術関係の連中には、ものすごく――。もちろん悪口はそのまま活字にもなった。でも、悪口は言われたが、その一方では無条件に喜ばれた。

ナマの目で見てくれたこどもたちやオジイさん、オバアさん、いわゆる美術界の常識などにこだわらない一般の人たちには喜ばれたんだ。来日した外国人にも喜ばれた。ぼくに抱きついて感動してくれた人もいたよ。

（岡本太郎「自分の運命に楯を突け」による）

1　今日の文明が失ってしまった人間の原点を再獲得しなければならない。

2　万国博というと、モダンなもので占められるだろうが、それに対して、逆をぶつけなければならないと思った。

3　好かれなくてもいいということは、時代に合わせないということである。

4　太陽の塔は、好かれないことを前提としてつくったから、さんざん悪口を言われたが、その一方では無条件に喜ばれた。

5　太陽の塔は、来日した外国人に喜ばれ、抱きついて感動してくれた人もいた。

解説　**正解　1**　TAC生の正答率 78%

1　○　第1段落の内容と合致しており、筆者の主張が述べられているため、主旨としてふさわしい。第6段落にも「人間はほんとうに生きがいのある原点に戻らなきゃいけないと思っている」とあり、筆者が一貫して主張している内容である。

2　×　第3段落の内容と合致しているものの、“進歩と調和”がテーマの万国博で太陽の塔をどのような思いでつくったかを述べているに過ぎないため、主旨とはいえない。「逆をぶつける」という表現もやや抽象的であり、明確に主張を述べている選択肢を選ぶべきである。

3　×　第5段落の内容と合致しているものの、筆者の明確な主張とはいえない。「時代に合わせない」とはどのようなことを指すかの言及がないため、主旨としては不十分である。

4　×　第9段落の内容と合致しているものの、太陽の塔に対する周囲の反応を述べているに過ぎないため、主旨とはいえない。

5　×　最終段落の内容と合致しているものの、**4**同様太陽の塔に対する周囲の反応を述べているに過ぎないため、主旨とはいえない。

現代文 主旨把握

2021年度
教養 No.2

次の文の主旨として、最も妥当なのはどれか。

無所有を説いたマハトマ・ガンディーはこう言った。「自分ひとりの楽しみのためだけにモノを持つより、人のために尽くした方がはるかに人生は豊かになる」。

ガンディーほど生涯をかけて人のために尽くせなくても、確かに人のために何かすると嬉(うれ)しい気持ちになる。人のために何かをして、その人が嬉しそうな笑顔になる。その笑顔を見ると苦労して何かしてあげた人まで嬉しくなってしまうが、これはなぜだろう？

人のために何かすることが実際に幸せにつながることは、科学的にも解明されてきている。たとえば、「ミラーニューロン」という神経細胞。誰かが怪我(けが)したり、転ぶ姿を見ただけで、自分も「痛っ！」という気持ちになるが、それはこの神経細胞が働いているからだ。ミラーニューロンの働きは、他の誰かがしていることを見るだけで、まるで自分がしているような気持ちになること。

人が小説や漫画、ドラマ、映画などにハマるのもこの働きが原因だ。主人公に悲しいことが起これば自分に起こったことのように悲しくなり、ハッピーエンドでは自分に起こったことのように嬉しくなる。物語に「感情移入」できるのは、この働きがあるおかげだ。

誰かの嬉しそうな笑顔を見ると、ミラーニューロンの働きで人はそれが自分に起こったことのように感じられる。だから人の笑顔を見ると自分まで嬉しくなる。

（佐々木典士「ぼくたちに、もうモノは必要ない。増補版」による）

1 ガンディーほど生涯をかけて人のために尽くせなくても、確かに人のために何かすると嬉しい気持ちになる。

2 人のために何かすることが実際に幸せにつながることは、科学的にも解明されてきている。

3 ミラーニューロンの働きは、他の誰かがしていることを見るだけで、まるで自分がしているような気持ちになることである。

4 主人公に悲しいことが起これば自分に起こったことのように悲しくなり、ハッピーエンドでは自分に起こったことのように嬉しくなる。

5 誰かの嬉しそうな笑顔を見るとミラーニューロンの働きで人はそれが自分に起こったことのように感じられるため、人の笑顔を見ると自分まで嬉しくなる。

解説　正解　5

TAC生の正答率 69%

1 × 第2段落の内容と合致するものの、本文の主題である人の笑顔を見ると自分まで嬉しくなってしまうのはなぜか、という問いの答えには至っていないため、主旨とはいえない。

2 × 第3段落の内容と合致するものの、「科学的にも解明されてきている」とあるだけで、第2段落末尾の問いの答えには至っていないため、主旨とはいえない。

3 × 第3段落の内容と合致するものの、「ミラーニューロン」の働きについて説明しているだけであるため、主旨とはいえない。

4 × 第4段落の内容と合致するものの、「ミラーニューロン」の働きについての具体例に過ぎないため、主旨とはいえない。

5 ○ 第5段落の内容と合致しており、第2段落末尾の問いの答えでもあるため、主旨としてふさわしい。

現代文　主旨把握

2020年度
教養 No.2

次の文の主旨として、最も妥当なのはどれか。

傾聴の場で、自分の価値観に加え、もう一つ脇に置いておかなければならないのが「一般的な価値観」です。

特に傾聴の最初の段階で一般的な価値観を持ち出して諭(さと)したり、アドバイスしたりすると、相手は話す気力を失ってしまいます。

私たちは自分の価値観と一般的な価値観をすり合わせて、日々、ものごとを判断しています。

ここでいう一般的な価値観とは、多くの人が共有している最大公約数的なものです。

たとえば、自殺はよくないことだという一般的な価値観があります。「つらくて自殺したい気持ちになることがあるんですよ」といわれたとき、「命は大事にしなきゃいけない。自殺は絶対によくないものです」といったら、相手はもうそれ以上、話すことができなくなってしまうでしょう。

傾聴の場は、善・悪を判断をする場ではありません。

相手のいうことを、まずは「そのまま」「あるがまま」に受け止めて、共感してあげなければなりません。

それなのに自分の価値観や一般的な価値観を持ち出してしまい、相手を傷つけてしまうことはよくあります。

「そんな暗いことといってないで、元気を出して。もっと明るい話をしよう」などといったら、それは、とどめの一撃になってしまうでしょう。

しかし、人はそういうことをいってしまいがちです。私もたまにいってしまうことがあります。頭ではわかっていても、いってしまう自分がいるのです。

そこを私もきちんと反省していかなければならないと思っています。

（金田諦應「傾聴のコツ」による）

1　傾聴の最初の段階で一般的な価値観を持ち出して諭したり、アドバイスしたりすると、相手は話す気力を失ってしまう。

2　私たちは自分の価値観と一般的な価値観をすり合わせて、日々、物事を判断している。

3　自分の価値観とすり合わせている一般的な価値観とは、多くの人が共有している最大公約数的なものである。

4　傾聴の場は、善・悪を判断するのではなく、相手のいうことを、あるがままに受け止めて、共感してあげなければならない。

5　自分の価値観や一般的な価値観を持ち出してしまい、相手を傷つけてしまうことはよくあることである。

解説　**正解　4**　TAC生の正答率 92%

1　×　第2段落の内容と合致するものの、「傾聴の場」でしてはいけない行動についての内容であるため、主旨とはいえない。

2　×　第3段落の内容と合致するものの、「傾聴の場」でそのように行動することを筆者は推奨していない。したがって主旨とはいえない。

3　×　第4段落の内容と合致するものの、「一般的な価値観」の説明に過ぎず、「傾聴の場」という主題からも外れた内容になっているため、主旨とはいえない。

4　○　第6段落、第7段落の内容と合致しており、「傾聴の場」ですべき行動について言及しているため、主旨としてふさわしい。

5　×　第8段落の内容と合致するものの、**2**同様、「傾聴の場」でそのように行動することを筆者は推奨していない。したがって主旨とはいえない。

現代文　文章整序　2023年度 教養 No.4

次の短文A～Fの配列順序として、最も妥当なのはどれか。

A　「面白さ」の要素として「突飛」なものがある。
B　「意外性」は、なんらかの予測があるところに提示され、そのズレで面白さが誘発されるが、「突飛」というのは、もっと不意打ちに近いものだ。
C　だが、人によっては「面白い」と感じる要因の一つとなりうる。
D　多くの人はあっけにとられ、ただ驚くばかりかもしれない。
E　「突飛」な「面白さ」は、「意外性」による「面白さ」とは、少し違っているように思える。
F　予測もしないところへ、まったく違った方向から飛んでくるようなものである。

（森博嗣「面白いとは何か？面白く生きるには？」による）

1　A－B－F－C－D－E

2　A－C－F－D－E－B

3　A－D－B－F－E－C

4　A－E－B－F－D－C

5　A－F－E－D－C－B

解説　正解　4　TAC生の正答率 88%

まず、選択肢により冒頭はAということがわかる。また、Eには「『突飛』な『面白さ』」と「『意外性』による『面白さ』」が少し違うとあるため、それらの区別ができると文をつなげやすいだろう。Bでは両者の違いを具体的に述べているため、E→Bでつながると考えられる。また、Fは「予測もしないところへ…」とあり、B前半の「なんらかの予測があるところに…」という「意外性」ではなく、不意打ちに近い「突飛」についての説明であることがわかる。Dに「あっけにとられ、ただ驚くばかり」というのも、「突飛」なものへの反応と考えられる。したがって、B→F→Dとなる。最後に、そのようなあっけにとられ、驚くようなものも「人によっては『面白い』と感じる要因の一つとなりうる」という内容でつながるため、D→Cとなる。

よって、**4**が妥当である。

次の短文A～Fの配列順序として、最も妥当なのはどれか。

A　静物の構図を造るということは、それを描くということよりむずかしい気がします。
B　静物をやりたいと思いつつ、いい構図を造るのがむずかしくて弱っています。
C　静物の構図に独自の美が出せれば、もうその人は立派な独立した画家だといえると思います。
D　ちょうど、昔の聖書中の事蹟（じせき）や神話の役目を、近代においては卓（たく）や林檎（りんご）や器物がするわけになります。
E　立派な厳然とした審美を内に持っていなくては、立派な構図は生れない気がします。
F　こういう意味で近代、殊（こと）にこれからは静物という画因は一層（いっそう）重んぜらるべきだと思います。

（岸田劉生「美の本体」による）

1　A－B－C－D－E－F
2　A－B－F－C－E－D
3　A－D－B－E－F－C
4　B－A－E－C－F－D
5　B－C－A－E－D－F

解説　正解　4

TAC生の正答率　46%

文章整序問題は、ペアとなる文を見つけることがポイントになるが、今回は接続詞などのヒントが少ないため、やや解きにくい問題であった。まず、選択肢からAかBが冒頭にくることが分かる。また、各短文を話題ごとに分けると、構図について触れているのがA・B・C・Eであり、近代について触れているのがD・Fである。A～Fのすべてが短文であるため、話題がころころ変わるよりは、同じ内容でまとまっている可能性は高い。二つの話題がしっかり区別されている選択肢は**4**と**5**である。

さらに、構図について触れているA・B・C・Eを細かく内容で分けると、A・Bは静物の構図を造ることがむずかしいという内容で、C・Eは独自の美や、審美が内にあると立派な構図が生まれるという点では共通した内容である。したがって、それぞれもまとまっている可能性は高い。静物の構図を造ることはむずかしいが、こうすると立派な構図が生まれる、という流れが自然であるため、A・BのほうがC・Eよりも先にくると考えられる。C・Eについては、審美を内に持っていると立派な構図が生まれる→立派な構図、つまり構図に独自の美が出せれば、立派な画家だといえる、という順番が適切だろう（E→C）。

以上が当てはまるのは、**4**のみである。

次の短文A～Fの配列順序として、最も妥当なのはどれか。

A　生物にとって時間とは何かを明らかにするためには、まず、それぞれの生物の持つ時間の長さを比べてみる必要がある。
B　生まれてから年老いて死ぬまでの時間、つまり寿命が第一候補として挙がるかもしれない。
C　冷徹な生態学者の目で生物全体を俯瞰（ふかん）したとき、最も重要な意味を持ち、なおかつきっちりと測定可能なのは、生物が生まれてから子どもを残すまでの一世代あたりの時間である。
D　では生物にとっていちばん意味の大きい時間の長さとは、いつからいつまでの時間だろうか。
E　しかしよく考えると、人間以外のほとんどの生物は天寿を全うする前に餓死したり病死したり敵に食われたりする。
F　そういう生物が自然環境下で最大何年生きるのかを測定するのはひどく難しい。

（渡辺佑基「進化の法則は北極のサメが知っていた」による）

1　A－B－D－F－E－C

2　A－D－B－E－F－C

3　A－D－E－C－B－F

4　B－E－A－C－D－F

5　B－E－F－A－C－D

解説　**正解　2**　TAC生の正答率 97%

まず選択肢により、冒頭はAとBに絞られる。しかしBの「寿命が第一候補」というのが何の候補なのかがこの部分だけではわからないため、冒頭に置くことはできない。したがって、Aが冒頭にくると考えられる。

まず本文のテーマはA「生物にとって時間とは何か」であるため、以降はその答えを考察するという内容になる。Aの「それぞれの生物の持つ時間の長さを比べてみる必要がある」に対して、D「生物にとっていちばん意味の大きい時間の長さとは、いつからいつまでの時間だろうか」という問いを出し、B「寿命が第一候補として挙がるかもしれない」という答えを出すという流れは自然である。また、E冒頭は逆接の接続詞「しかし」があり、人間以外のほとんどの生物は天寿を全うする前に死ぬ、つまり寿命を「生物にとっていちばん意味の大きい時間の長さ」の候補に挙げたBを否定した内容となっているので、B→Eとなると考えられる。Fによると「そういう生物」は自然環境下で最大何年生きるか測定が困難なので、Eの「人間以外のほとんどの生物」を指すことがわかる。したがって、E→Fとなる。寿命という候補が否定されたうえで、最も重要な意味を持ち、測定も可能ということで、Cの「一世代あたりの時間」が「生物にとって時間とは何か」という本文のテーマの答えとなるという流れである。

以上により、**2**が正解である。

現代文　空欄補充　2023年度 教養 No.5

次の文の空所A～Cに該当する語の組合せとして、最も妥当なのはどれか。

最近、デザインの本質は、仮想的推論ではないかと考えている。簡単に言うと「だったりして」と考えてみることである。［A］でも論理でもない。誰も見たことがない発想やかたち、関係性や問題を「こうだったりして」と、仮想しヴィジュアライズしてみせるのがデザインである。

もしもすべてのクルマが自動運転で、互いにぶつかり合わず、交通状況を判断して自走することができるなら、都市や道路はどう設計できるだろうか。おそらくは、道路そのものをつくらず、フラットに整地された地面に、一定の間隔でランダムに建築が作られ、交差点も信号もない建築のすき間を、水中の魚類のようにすれ違いながら、クルマたちは最短コースを進むだろう。

マカロニは、粉体となった食物原料にかたちが与えられたものだ。これは一定の体積を持つ粘性のある物体に、できるだけ大きな表面積や、熱の通りやすさ、［B］、ソースの付着しやすさなどを見いだすデザインである。美しさや見飽きないかたちなど、美意識が付加されるところがデザインだと思っていた。

しかし、この美意識のよりどころこそ、数学的直感に近いかもしれない。うれしい［C］のある気づきであり、目覚めである。

（原研哉「デザインのめざめ」による）

	A	B	C
1	経験	生産性	緊張感
2	経験	普遍性	立体感
3	考察	生産性	立体感
4	知識	独自性	親近感
5	知識	普遍性	緊張感

解説　**正解　1**　TAC生の正答率　28%

A 「経験」が該当する。第１段落では「仮想的推論」の説明をしている。仮想とは、実際にはないことを、仮にあるものと考えてみることである。空欄直後にも「誰も見たことがない発想やかたち、関係性や問題を…仮想し」とあるので、「経験」を入れるのが適切である。実際に行動して得た知識という経験でも、思考などを進める筋道という論理でもなく、という文脈であろうことが推測できる。空欄直前に「考えてみることである」とあるので、「考察でも論理でもない」としてしまうと、内容が矛盾する。「知識」は、誤りとはいえないが、**4**と**5**はBが当てはまらない。

B 「生産性」が該当する。マカロニのかたちについて、空欄の直前直後には、熱の通りやすさやソースの付着しやすさなど、作る側にとってのよさが述べられている。したがって、生産者側の視点に立つ表現であり、労働・原材料等の投入量に対してどれだけの成果が出せたのかを指す「生産性」が適切である。他と違い、その事物だけに備わっている固有の性質という意味の「独自性」では前後の内容との関連性がない。すべてのものに通じる性質という意味の「普遍性」もつながらない。

C 「緊張感」が該当する。緊張感は、心やからだが緊張する感じ、空気が張りつめる感じを意味する。「直感」、「気づき」、「目覚め」という言葉から、はっとするような感覚に近い表現が空欄に入ることが推測でき、「緊張感」を入れるのが妥当である。一方、「立体感」や「親近感」は、「気づき」を形容する言葉として適切ではない。

次の文の空所A～Cに該当する語の組合せとして、最も妥当なのはどれか。

ミツバチは、蜜の存在に気づいたら、８の字の飛行をはじめる他はない。動物のコミュニケーションにあっては、ある対象（蜜）に接したことが原因となって、その結果として［ A ］に、それを指示する記号の役割を果たす行動が生じる。そして、仲間のそうした行動に接したなら、そのことが原因となって、それに反応する行動が生じる。ここには、飛んでいる虫が光源にむかって旋回しながら近づいていくのと同様の、因果関係（原因と結果のつながり）があるにすぎない。

長い進化の過程で、かれらには、一定の対象を認知したら、ある定まった行動をするというプログラムがインストールされており、動物における記号的行動もまた、そうしたプログラムにしたがって、いわば［ B ］に生じる。蜜が存在しないのに８の字の飛行をはじめたりすることはない。つまり、動物は、うそがつけない。この点で動物は、人間とは［ C ］に異なっている。

したがってまた、動物の記号的なコミュニケーションにあっては、「相手の考え」、「相手の意図」という概念は登場しない。コミュニケーションが、記号の役割をになう行動と、それへの反応とのあいだの因果関係によって成り立っているかぎり、そこには、そのように体を動かした相手の思いや意図を推測する、というプロセスが介在する余地はない。この点でもまた、動物のコミュニケーションは、人間のコミュニケーションとは［ C ］に異なっている。

（大庭健「いま、働くということ」による）

	A	B	C
1	偶然的	意図的	根本的
2	偶然的	自動的	表面的
3	必然的	意図的	根本的
4	必然的	意図的	表面的
5	必然的	自動的	根本的

解説　正解　5

TAC生の正答率　93%

A 「必然的」が該当する。ミツバチは、蜜に気づいたら「8の字の飛行をはじめる他はない」と述べられている。蜜という原因に対して、8の字の飛行という結果に必ず至るということなので「必然」とすべきである。「偶然」は、何の因果関係もなく、予期しないことが起こることなので、当てはまらない。

B 「自動的」が該当する。空欄直前の「そうしたプログラム」とは「一定の対象を認知したら、ある定まった行動をするというプログラム」のことである。プログラムは、コンピュータへの指示を書いたものを指すため、指示にしたがっているさまを考えればよい。原因によって結果に至る過程に「意図」は介在できないので、「自動」とするのが適切である。

C 「根本的」が該当する。本文後半は、動物の記号的なコミュニケーションと人間のコミュニケーションの違いを述べている。一つ目の空欄の直前に、「動物は、うそがつけない」とある。また第3段落に、動物のコミュニケーションには「相手の考え」、「相手の意図」という概念は登場しないとある。したがって、動物は人間とは「根本的」に異なるという表現がふさわしい。「根本的」とは、事柄の根本に関わるさまや基本的であるさまをいう。「表面的」とは、外部から見た様子のことである。本文は、外側の違いを指摘している内容ではない。

現代文　空欄補充

次の文の空所A～Cに該当する語又は語句の組合せとして、最も妥当なのはどれか。

同類の人たちで行う対話は、緻密かもしれないが、全体としては退屈なことが多い。価値観が似ていて、基本的な前提を問い直すことがないため、大枠では意見が一致しやすいからだ。

問題になるのは細かい違いだけで、それが大事なこともあるが、冷静に考えるとどうでもいいことも多い。いずれにせよ、［　A　］なことは問われない。これは哲学を専門とする人でも変わらない。

他方、いろんな立場の人たちが集まっていっしょに考えると、それぞれが普段自分では問わなかったこと、当たり前のように思っていたことをおのずと問い、考えるようになる。前提を問う、［　B　］なことをあらためて考える――それはまさしく哲学的な「体験」だろう。

誰がどのような体験をするのか、どんなことに気づき、何を問い直すのか、どのような意味で新しい見方に出会うのかは、その場にいる人によっても違う。ある人は、その人にしか当てはまらない個人的なことに気づくかもしれない。あるいは、誰もが目を開かれるような深い洞察に、参加者みんなで至るかもしれない。

その内容は、哲学という専門分野から見ても、興味深いものになっているかもしれないが、初歩的なところにとどまっていたり、粗雑な議論になっていたりするのかもしれない。哲学の専門家や哲学好きな人は、話のレベルの高さや低さに［　C　］するかもしれないが、それは専門家の勝手な趣味であって、私自身はあまり気にしていない。

（梶谷真司「考えるとはどういうことか」による）

	A	B	C
1	根本的	自明	一喜一憂
2	根本的	重要	一喜一憂
3	表面的	曖昧	一喜一憂
4	表面的	自明	自己満足
5	主観的	重要	自己満足

解説　正解　1　TAC生の正答率 85%

A 「根本的」が該当する。第２段落は第１段落同様「同類の人たちで行う対話」について述べられている。第１段落に「基本的な前提を問い直すことがない」とあるため、それと同じ内容にすればよい。「根本的」とはものごとが成り立つ基礎的なものを意味するため、適切である。

B 「自明」が該当する。空欄直前の「普段自分では問わなかったこと、当たり前のように思っていたこと」と同じ内容にすればよい。「自明」とは証明や説明、解説をしなくても、明らかなことやわかりきっていることを意味するため、適切である。

C 「一喜一憂」が該当する。話のレベルの高さや低さに対する反応を考えればよい。レベルが高くても低くても「自己満足」するというのは、反応として不自然である。レベルの高さに喜んだり、低さに不安になったりするかもしれない、という内容のほうが適切である。

英文	内容合致	2023年度 教養 No.6

次の英文中に述べられていることと一致するものとして、最も妥当なのはどれか。

From the time he was 16, Einstein often enjoyed thinking about what it might be like to ride a beam of light. In those days, it was just a dream, but he returned to it, and it changed his life.

One day in the spring of 1905, Einstein was riding a bus, and he looked back at a big clock behind him. He imagined what would happen if his bus were going as fast as the speed of light.

When Einstein began to move at the speed of light, the hands of the clock stopped moving! This was one of the most important moments of Einstein's life!

When Einstein looked back at the real clock, time was moving normally, but on the bus moving at the speed of light, time was not moving at all. Why? Because at the speed of light, he is moving so fast that the light from the clock cannot catch up to him. The faster something moves in space, the slower it moves in time.

This was the beginning of Einstein's special theory of relativity. It says that space and time are the same thing. You cannot have space without time, and you cannot have time without space. He called it "space-time*."

No scientist has ever done anything like what Einstein did in that one year. He was very ambitious. Einstein once said, "I want to know God's thoughts..."

(Jake Ronaldson「英語で読むアインシュタイン」による)

*space-time……時空

1 16歳の頃から、アインシュタインはしばしば、光に乗ったらどう見えるのかと想像して楽しんでおり、その空想が彼の人生を変えた。

2 アインシュタインは、光の速度で移動を始めることを想像したとき、時計を持つ手の動きを止めた。

3 アインシュタインが振り返ると、時間は通常どおり動いていたが、バスの中の現実の時計は完全に止まっていた。

4 アインシュタインがどんなに速く移動しても、時計からの光に追いつくことはできなかった。

5 科学者は、アインシュタインが成し遂げたことを1年でできると、意欲満々だった。

解説　正解　1

TAC生の正答率　60%

1　○　第1段落の内容と合致している。

2　×　「時計を持つ手の動きを止めた」という箇所が誤り。第3段落の「...the hands of the clock stopped moving!」は、時計の針は動きを止めたという意味である。「hands of the clock」は時計の針を意味する。

3　×　第4段落には、現実の時計を振り返ると時間が動いていて、高速で移動するバスの中では時間が動いていなかったとある。選択肢の記述は「現実の時計」と「時間」が入れ替わっているため、誤りである。

4　×　「アインシュタインがどんなに速く移動しても」という内容の記述は、本文には見られない。アインシュタインは光速で走るバスに自分が乗っているという想像をしており、時計からの光が彼に追いつかなかったと述べられているのである。

5　×　本文にはない記述である。最終段落には、アインシュタインがその1年でやったことをした科学者はいないと述べられているのである。

[訳　文]

16歳の頃から、アインシュタインは光のビームに乗ったらどんな感じだろうと、しばしば考えて楽しんでいた。当時、それはただの夢だったが、彼は夢に立ち戻り、その夢が彼の人生を変えた。

1905年のある春の日、アインシュタインはバスに乗っていて、後ろにある大きな時計に目をやった。もし、自分のバスが光速と同じ速さで走ったらどうなるのだろうと想像した。

アインシュタインが光の速さで動き始めたとき、時計の針は動きを止めた！　これは、アインシュタインの人生の中で最も重要な瞬間の一つだった！

アインシュタインが現実の時計を振り返ると、時間は普通に動いていたのに、光速で移動するバスの中では、時間はまったく動いていなかった。なぜか？　光の速さでは、時計からの光が追いつかないほど彼が速く動いているからだ。空間では何かの動きが速ければ早いほど、時間の流れは遅くなる。

これが、アインシュタインの特殊相対性理論の始まりだった。空間と時間は同じものである、というものだ。時間のない空間はありえないし、空間のない時間はありえない。彼はそれを「時空」と呼んだ。

アインシュタインがその1年でやったことをした科学者はいない。彼は非常に野心的だった。アインシュタインはかつて言った。「私は神の考えを知りたい」と。

[語　句]

special theory of relativity：特殊相対性理論

英文 内容合致

2023年度
教養 No.7

次の英文中に述べられていることと一致するものとして、最も妥当なのはどれか。

Diana was reading a book in the living room when the visitors entered. She was a very pretty little girl, with her mother's black eyes and hair, and a happy smile she got from her father.

"Diana, take Anne out and show her your flower garden ... She reads entirely too much," Mrs. Barry added to Marilla. "I'm glad she has a friend to play outside with."

Out in the garden, the girls stood among the flowers looking at each other shyly. "Oh, Diana," said Anne at last, "Do you like me enough to be my best friend?"

Diana laughed. Diana always laughed before she spoke. "Why, I guess so. I'm glad you've come to live at Green Gables. There isn't any other girl who lives near enough to play with."

"Will you swear to be my friend forever and ever?" Anne demanded.

Diana looked shocked. "It's bad to swear."

"Oh, no, not like that. I mean to make a promise."

"Well, I don't mind doing that," Diana agreed with relief. "How do you do it?"

"We must join hands, like this. I'll repeat the oath first. I solemnly swear to be faithful to my friend, Diana Barry, as long as the sun and moon shall shine. Now you say it with my name."

Diana repeated it, with a laugh. Then she said:

"You're a strange girl, Anne. But I believe I'm going to like you real well."

"We're going to play again tomorrow," Anne announced to Marilla on the way back to Green Gables.

(L. M. Montgomery：森安真知子「英語で読む赤毛のアン」による)

1 ダイアナは、父から黒い髪と目を、母から楽しげなほほえみを受け継いだ。

2 バリー夫人は、ダイアナに、アンと花壇で本を読んでくるように言った。

3 アンは、ダイアナに親友になってくれるほど好きかと尋ねたところ、ダイアナは声をあげて笑った。

4 ダイアナは、先にアンに忠実であることを誓い、次にアンに同じことを自分に誓うように言った。

5 アンは、ダイアナは変わった子だが、明日も遊ぶことにしたと帰る途中にマリラに言った。

解説　正解　3　　TAC生の正答率 77%

1 × ダイアナが両親から引き継いだものが反対である。第１段落には、母親から黒い目と髪、父親から楽しげなほほえみを受け継いだと述べられている。

2 × 第２段落がバリー夫人の台詞であるが、本を読んでばかりいるダイアナに、アンに花壇を見せてあげてと言っているのである。

3 ○ 第３段落、第４段落の内容と合致している。

4 × ダイアナとアンが反対である。「We must join hands, like this. ...」はアンの台詞であり、アンから先に誓いの言葉を言っている。

5 × 後半の内容は合致するが、前半の内容が誤り。ダイアナがアンに対して変わった子だと言ったのである。

[訳　文]

訪問者が入ってきたとき、ダイアナはリビングルームで本を読んでいた。彼女はとても可愛い小さな女の子で、母親の黒い目と髪、そして父親からもらった楽しげなほほえみが印象的だった。

「ダイアナ、アンを外に連れ出して、あなたの花壇を見せてあげなさい。…あの子はまったく本を読みすぎだわ」バリー夫人はマリラに付け加えて言った。「あの子に外で一緒に遊べる友達ができてよかった」

庭に出ると、少女たちは花の間に立って、恥ずかしそうに互いを見ていた。「ねえ、ダイアナ」とようやくアンが言った。「親友になれるほど、私のことを好き？」

ダイアナは笑った。ダイアナはいつも話す前に笑うのだ。「そうね、そうだと思う。あなたがグリーンゲイブルズで暮らすようになったのは嬉しいわ。一緒に遊べるほど近くに住んでいる女の子は他にいないの」

「いつまでも私の友達であることをswear（誓うの意味）してくれる？」とアンは求めた。

ダイアナはショックを受けた様子だった。「swear（罵るの意味）なんて悪いことよ」

「あ、いえ、そんなことではないの。約束するという意味なのよ」

「そう、それなら構わないわ」とダイアナは安心して同意した。「どうやって誓うの？」

「こういうふうに手を合わせなくちゃ。まず誓いの言葉を繰り返すの。私は太陽と月が輝く限り、友人ダイアナ・バリーに忠実であることを厳かに誓います。さあ、あなたは私の名前でそれを言って」

ダイアナは笑いながらそれを繰り返した。それから彼女はこう言った。

「変わった子ね、アン。でも、私あなたのことが大好きになると思うわ」

「私たち、明日もまた遊ぶの」と、アンはグリーンゲイブルズに帰る途中マリラに告げた。

[語　句]

entirely：完全に　swear：誓う、罵る　relief：安心、安堵　oath：宣誓

英文　内容合致

2022年度 教養 No.7

次の英文中に述べられていることと一致するものとして、最も妥当なのはどれか。

Japanese people worry too much about their own English.

Then, when Japanese people give speeches, they apologize for not being good at English at the beginning. Sometimes, they say, "I'm not good at English, so I feel nervous," so the listeners think the Japanese person has no confidence and wonder if there is any value in listening to what he or she is saying.

Be aware that when giving speeches or presentations, Japanese people and Westerners have different **tacit rules**.

Japanese people think that the person giving the speech should convey the message to the listeners clearly, and that he or she should speak with perfect knowledge and knowhow.

On the other hand, Westerners think that in order to understand the person giving the speech, the listeners have a responsibility to make active efforts to understand.

There is a difference between Japanese people, who place a heavy responsibility on the speaker, and Westerners, who have a sense of personal responsibility for understanding the speaker. This causes various miscommunications and misunderstandings at presentations which include Japanese people.

Therefore, Japanese people should not apologize for not being able to speak English. They should start by saying clearly what they want to talk about.

（山久瀬洋二：Jake Ronaldson「日本人が誤解される100の言動」による）

1　日本人は、自分の英語力を気にして、スピーチのときに、最後に英語がうまくなかったことを謝ることがある。

2　スピーチやプレゼンテーションをするとき、日本と欧米とでは、暗黙のルールに違いがあることは有名である。

3　日本人は、スピーチをする人は完璧な知識とノウハウをもって話をしなければならないと考える。

4　欧米では、スピーチをする人の責任として、聞き手に理解させるために、積極的に行動しなければならないという意識がある。

5　日本人は、英語ができないことを謝ってから、自分の言いたいことを堂々と話し始めるようにしたいものである。

解説　**正解　3**　TAC生の正答率　88%

1　×　「最後に」という箇所が誤り。第2段落には「at the beginning」とあり、「最初に」が正しい。

2　×　第3段落には、暗黙のルールに違いがあるとは述べられるが、それが「有名である」という記述はみられない。

3　○　第4段落の内容と合致している。

4　×　欧米側の記述には、「スピーチをする人の責任」についての言及はない。第5段落には「スピーチする人を理解するためには、聞き手にも積極的に理解しようとする責任がある」と述べられている。

5　×　最終段落には「Japanese people should not apologize for not being able to speak English」、つまり「謝ってはいけない」とあり、正反対の内容である。

[訳　文]

日本人は自分の英語力を気にしすぎです。

そして、日本人はスピーチをするとき、最初に「英語が苦手です」と謝ります。時には、「英語が苦手だから緊張しています」と言うため、聞き手は「この日本人は自信がないのだろう」「この人の話を聞く価値はあるのだろうか」と思ってしまうのです。

スピーチやプレゼンをするとき、日本人と欧米人とでは暗黙のルールに違いがあるので注意が必要です。

日本人は、スピーチをする人は、聞き手にメッセージを明確に伝え、完璧な知識とノウハウをもって話をしなければならないと考えます。

一方、欧米人は、スピーチする人を理解するためには、聞き手にも積極的に理解しようとする責任があると考えます。

話し手に重い責任を負わせる日本人と、話し手を理解することに自己責任を持つ欧米人の違いです。そのため、日本人が参加するプレゼンテーションでは、さまざまな伝達の誤りや誤解が生じます。

だから、日本人は「英語ができない」と謝ってはいけません。まず、自分が話したいことをはっきり言うことから始めるべきでしょう。

[語　句]

confidence：自信　　tacit：暗黙

英文　内容合致

2021年度 教養 No.6

次の英文中に述べられていることと一致するものとして、最も妥当なのはどれか。

People around the world **are impressed with** Japanese people's politeness. When foreign tourists return home, they tell their friends and family: "Japanese people are so kind and polite." If you ask for directions, someone won't just tell you; they'll walk you to your destination. If they cannot help you with directions, they will apologize seriously, maybe **with a bow**.

Also, Japanese people are always **giving compliments**. For example:

"You speak Japanese so well!"

"You look like David Beckham!"

Westerners really and truly do believe that Japanese people are polite. Most believe that Japanese people are more polite than people in their own country! You won't get compliments on your language ability in a Western country. Somebody might give you directions. Or they might say "sorridunno" (that's "I'm sorry I don't know" said very fast!) and turn away.

Most foreign people are happy to live in such a polite country—a country more polite than they could ever have imagined possible. Japan even encourages them to try harder to be more polite. What a good thing!

"If only every place in the world could be this polite," foreign visitors to Japan think.

Then a door hits them in the face.

This happens to every single Western person at least once. It is a great shock. Getting hit in the face by a door is not such a shock. It is a surprise, but one that is quickly over. But getting hit in the face by a door in "the most polite country in the world" is a shock. It is a very big shock that causes Western people deep confusion.

In Western countries, it is the custom to hold the door open for someone coming behind you.

(Rebecca Milner：森安真知子「ガイコク人ニッポン体験記」による)

1　日本人は、とても親切で礼儀正しいため、海外からの旅行者に道を尋ねられると、一生懸命になって目的地まで連れて行ってくれる。

2　欧米人は、日本人が礼儀正しいと信じており、日本人の言語能力を褒めたたえている。

3　ほとんどの外国人は、非常に礼儀正しい国に住めて幸せだと思っており、日本はまた、外国人にも礼儀正しく振る舞わせようとすらする。

4　日本人は、世界中の旅行者も日本人のように礼儀正しければよいのに、と考える。

5　欧米では、後ろから来る人のために、ドアを押さえて開けておく習慣はない。

解説　　正解　3　　TAC生の正答率 44%

1 ×「If you ask for directions, someone won't just tell you; they'll walk you to your destination.」は、ただ道を教えるだけでなく、目的地まで連れていってくれるとはあるが、「一生懸命になって」という内容は述べられていない。

2 ×「日本人の言語能力を褒めたたえている」という箇所が誤り。「You won't get compliments on your language ability in a Western country.」とあり、正反対の内容である。

3 ○ 第4段落の内容と合致している。

4 ×「"If only every place in the world could be this polite," foreign visitors to Japan think.」は、日本を訪れた外国人が「世界中のどこでも礼儀正しいといいのに」と思っているという内容である。

5 ×「習慣はない」という箇所が誤り。「In Western countries, it is the custom to hold the door open for someone coming behind you.」とあり、正反対の内容である。

[訳　文]

世界中の人々が日本人の礼儀正しさに感銘を受けています。外国人観光客が帰国すると、友人や家族に「日本人はとても親切で礼儀正しい」と話します。道を尋ねれば、ただ教えてくれるだけでなく、目的地まで連れて行ってくれます。道案内ができない場合は、たぶん頭を下げて、本気で謝罪します。

また、日本人は常に褒めてくれます。例えば、

「日本語がとても上手だね！」

「デビッド・ベッカムに似ているね！」

欧米人は本当に心から、日本人は礼儀正しいと思っています。ほとんどの人が、日本人は自国の人々よりも礼儀正しいと思っています。欧米では、言語能力を褒められることはありません。誰かが道を教えてくれるかもしれません。あるいは「sorridunno」（「分からないのでごめんなさい」と早口で言ったもの）と言って、背を向けるかもしれません。

ほとんどの外国人は、このような礼儀正しい国に住むことができて幸せだと思っています。想像し得る以上に礼儀正しい国なのです。日本では、「もっと礼儀正しくしよう」と外国人に努力を促すことさえもあります。これはいいことですね。

「世界中のどこでも、このような礼儀正しさがあればいいのに」と日本を訪れた外国人は思います。

その時、一枚のドアが彼らの顔を直撃します。

これは、すべての欧米人に少なくとも一度は起こります。大きなショックです。ドアにぶつかるのはそれほどショックではありません。驚きはありますが、すぐに終わるものです。しかし、「世界で最も礼儀正しい国」でドアに顔をぶつけるのはショックです。それは欧米の人々を深く混乱させる、非常に大きなショックです。

欧米では、後ろから来る人のためにドアを開けておく習慣があります。

[語　句]

apologize：謝罪する　　compliment：褒め言葉

英文 内容合致

2020年度
教養 No.6

次の英文中に述べられていることと一致するものとして、最も妥当なのはどれか。

Like all major cities in the world, Tokyo also has youth hostels* that serve adventurous international travelers, easily found online. But Tokyo also has a variety of inexpensive hotels and inns* that offer an interesting experience to foreign travelers. One of the most common, and perhaps least unique, is a simple "business hotel," usually located in the neighborhood of major train stations. The cost for one night is usually under 10,000 yen, and in return you get a clean but very small room, typically for one or two people, with a combined bath/shower and toilet.

A more traditional Japanese inn, called a ***minshuku***, can be found in metropolitan Tokyo, but they're more common in rural areas or small cities. You might think of a ***minshuku*** as a Japanese version of a bed-and-breakfast*, indeed, sometimes in someone's private home.

In many cases, you're expected to bring your own towel and toiletries*, or those may be available for a small price. And you may also end up sharing the inn's public bath with other guests.

Probably the most unique lodging experience you can find is in a "capsule hotel," literally just that: you will sleep in a small capsule, situated on top of the capsule of another guest. Inside your "capsule" you may have a TV or stereo, but the bath facilities are all public.

(David A. Thayne :「TOKYO CITY GUIDE」による)

*youth hostel……ユースホステル　*inn……小旅館、小ホテル
*bed-and-breakfast……朝食付き民宿　*toiletries……洗面品（類）

1 東京のユースホステルは、ネットで簡単に見つけられるため、世界で広く知れ渡っているが、冒険好きな旅行者しか利用していない。

2 東京には様々な格安ホテルがあるが、外国人旅行者が最も面白いと感じるのは、電車の主要駅の近くにあるシンプルなビジネスホテルである。

3 日本ならではの伝統的な宿泊施設である民宿は、日本式の朝食付き民宿のようなもので、田舎や小さな町にあるが、東京の都心で見かけることはない。

4 民宿では、タオルや洗面品をほかの宿泊客と一緒に使うことになる場合が多いため、持参する方が無難である。

5 ほかでは味わえないのがカプセルホテルでの宿泊で、文字通り小さなカプセルの中で寝るが、カプセルはほかの客が寝ているカプセルの上に据えられている。

解説　**正解　5**　TAC生の正答率　76%

1　×　第1段落には「インターネットで簡単に見つけられる」とはあるが、「世界で広く知れ渡っている」という因果関係は述べられていない。また「冒険好きな海外からの旅行者に役立つ」とは述べられているが、その旅行者しか利用していないという内容の記述はない。

2　×　「最も面白いと感じる」という箇所が誤り。第1段落では、ビジネスホテルを「最も一般的なもの」として紹介している。

3　×　「東京の都心で見かけることはない」という箇所が誤り。第2段落には、首都圏の東京で見つけることができると述べている。本文とは正反対の内容である。

4　×　第3段落では、タオルや洗面品の持参を勧めているが、「ほかの宿泊客と一緒に使う」としているのは「the inn's public bath（宿の風呂）」のことである。

5　○　最終段落の内容と合致している。

［訳　文］

世界のすべての主要都市と同様に、東京にもインターネットで簡単に見つけられるような冒険好きな海外からの旅行者に役立つユースホステルがあります。しかし、東京には外国人旅行者に興味深い体験を提供する様々な格安ホテルや小旅館もあります。おそらく個性的ではないけれど、最も一般的なものは、通常は主要な鉄道駅の近くにあるシンプルな「ビジネスホテル」です。1泊の費用は通常10,000円未満ですが、その代わり、バス/シャワーとトイレを組み合わせた、清潔だけれど非常に小さな部屋を通常は1人か2人で利用できます。

民宿と呼ばれる、より伝統的な日本の旅館は、首都圏の東京で見つけることができますが、田舎や小さな都市でより一般的です。民宿は、日本式の朝食付き宿といえるかもしれません。実際に、時々個人宅であることもあります。

多くの場合、タオルや洗顔品は持参する必要がありますが、少額で利用できる場合もあります。さらに、宿の風呂をほかの宿泊客と共同利用することになるかもしれません。

おそらく、あなたが見つけることができる最も面白い宿泊体験は「カプセルホテル」です。文字通りそれだけです。あなたは別の宿泊客のカプセルの上にある小さなカプセルで眠ります。「カプセル」の中にはテレビやステレオがあることもありますが、入浴施設はすべて共用です。

［語　句］

literally：文字通り

英文　内容合致

2020年度
教養 No.7

次の英文中に述べられていることと一致するものとして、最も妥当なのはどれか。

Even though touching, especially hugging, is common in American culture, dancing with a partner is much more intimate. That kind of dancing was not part of my education or upbringing, so I'm sure it felt as strange to me at first as it did to most of the Japanese dancers. The Japanese teacher, an expert salsa dancer herself, talked a lot about leading and following. I became fascinated with that dynamic.

If you think about it, learning dance is an amazing life lesson. It's all about cooperation, concentration and trust, feeling what your partner is feeling, and working through "problems" together while still having fun. And that lesson crosses cultures as well. Partner dance is partner dance, whether you're doing the tango or the Texas* two-step.

Here in Texas, everyone seems to be dancing these days. The Texas two-step, cowboy style, has always been big here, but now Latin, and in particular Tejano* dance is popular too. When I went to a Tejano music festival recently, I couldn't take my eyes off the older couples. They moved together with the kind of grace and intimacy that only comes from truly knowing your partner. After years and years of marriage, they were still enjoying the dance of life together. I couldn't help but think, hey, that's what I want to be doing at 80.

Dance lets us literally step into another culture, and, for some of us, back into life and a whole new side of ourselves.

(Kay Hetherly：鈴木香織「A Taste of Japan」による)

＊Texas……テキサス州
＊Tejano……メキシコ系テキサス州人、テハーノ

1　人と触れ合うこと、とりわけ抱き合うことは、アメリカ文化の中で珍しいことである。

2　パートナーと踊るダンスは、私の育ってきた環境にはなかったが、初めから居心地の悪さを感じることはなかった。

3　ダンスとは、協力と集中、信頼、パートナーの気持ちを感じ取ること、そして苦しみつつも共に問題を乗り越えることである。

4　音楽祭で高齢のカップルに目を奪われたが、私は80歳になったとき、ああいうふうにしていたいとは思わなかった。

5　ダンスは、私たちに別の文化に足を踏み入れさせてくれ、ダンスによって、自分自身のまったく新しい面に出会う人もいる。

解説　正解　5

TAC生の正答率 83%

1 × 「珍しいこと」という箇所が誤り。第1段落には、アメリカ文化では一般的であると述べられている。

2 × 「初めから居心地の悪さを感じることはなかった」という箇所が誤り。第1段落には、最初は奇妙に感じたとある。本文とは正反対の内容である。

3 × 「苦しみつつも」という箇所が誤り。第2段落には「楽しみつつも」と述べられている。

4 × 「ああいうふうにしていたいとは思わなかった」という箇所が誤り。第3段落の「I couldn't help but think ...」は「…と思わずにはいられなかった」という意味である。つまり「ああいうふうにしていたい」と思っていたということである。本文とは正反対の内容である。

5 ○ 最終段落の内容と合致している。

［訳　文］

人と触れ合うこと、とりわけ抱き合うことはアメリカ文化の中でよくあることですが、パートナーと踊るダンスは、それよりはるかに親密なものです。そういった種類のダンスは私の育ってきた環境にはありませんでしたから、おそらくほとんどの日本人のダンサーと同じように、私も初めのうちは居心地の悪さを感じたものです。けれども、プロのサルサ・ダンサーでもある日本人の先生がリードとフォローについてあれこれと説明してくださりました。私はそのダイナミックさの虜になってしまったのです。

考えてみると、ダンスのレッスンにはびっくりするほど人生に通じるものがあります。ダンスとは、協力と集中、信頼、パートナーの気持ちを感じ取ること、そして楽しみつつも共に「問題」を乗り越えることにほかならないからです。そしてまた、このレッスンはどの文化にも通用します。タンゴであろうがテキサス２ステップであろうが、パートナーダンスはパートナーダンスなのです。

ここテキサスでは、近ごろは誰もが踊っているような気がします。カウボーイスタイルのテキサス２ステップは変わらぬ人気ですし、今はラテン系のダンス、中でもテハノダンスも人気です。この間、テハノ音楽祭に行ったときは、お年寄りのカップルに目を奪われてしまいました。パートナーを知り尽くしているカップルにしか醸し出せない優雅さや親密さみたいなものを漂わせながら、二人一緒に動いていたのです。長い長い結婚生活を経て、彼らはいまだもってダンスのある人生を共に楽しんでいるんですね。私も、ああ、80歳になったらああいうふうにしていたいなあ、と思わずにはいられませんでした。

ダンスは私たちに、文字通り別の文化に足を踏み入れさせてくれます。そして中には、ダンスによって生気を取り戻し、自分自身のまったく新しい面に出合う人もいるのです。

［語　句］

fascinate：魅了する　grace：優雅さ　intimacy：親密
can't help but：…せずにはいられない

英文　空欄補充

2023年度 教養 No.8

次の英文の空所ア、イに該当する語の組合せとして、最も妥当なのはどれか。

When I started writing songs as a teenager, and even as I started to achieve some renown* for my abilities, my aspirations for these songs only went so far. I thought they could be heard in coffee houses or bars, maybe ［ア］ in places like Carnegie Hall*, the London Palladium*. If I was really dreaming big, maybe I could imagine getting to make a record and then hearing my songs on the radio. That was really the big prize in my mind. Making records and hearing your songs on the radio meant that you were reaching a big audience and that you might get to keep doing what you had set out to do.

Well, I've been doing what I set out to do for a long time, now. I've made dozens of records and played thousands of concerts all around the world. But it's my songs that are at the vital center of almost everything I do. They seemed to have found a place in the lives of many people throughout many different cultures and I'm grateful for that.

But there's one thing I must say. As a performer I've played for 50,000 people and I've played for 50 people and I can tell you that it is harder to play for 50 people. 50,000 people have a singular persona, not so with 50. Each person has an individual, separate identity, a world unto themselves. They can perceive things more clearly. Your honesty and how it relates to the depth of your talent is tried. The fact that the Nobel committee is so ［イ］ is not lost on me.

(Bob Dylan：畠山雄二「英文徹底解読　ボブ・ディランのノーベル文学賞受賞スピーチ」による)

*renown……名声　*Carnegie Hall……カーネギーホール
*London Palladium……ロンドンパラディアム

	ア	イ
1	earlier	small
2	earlier	traditional
3	later	formal
4	later	small
5	later	traditional

解説　正解　4

TAC生の正答率　39%

ア 「later（後で）」が該当する。空欄前後には、自分の曲が聴くことができる場所について述べられているが、前半は喫茶店やバーであり、後半のカーネギーホールなどはコンサートホールや劇場である。前者は曲を聴くことがメインの場所ではないため、自身の曲が多くの人に聴かれていく過程を考えていることが推測できる。「earlier（前に）」では、順序がおかしい。

イ 「small（少ない）」が該当する。「not lost on ...」で「…に通じる、分かる」という意味である。第3段落には、多数よりも少数の前で演奏することの難しさが述べられている。出典から、ノーベル文学賞受賞スピーチであることが分かるが、受賞したボブ・ディランは、少人数に評価されたことの意義について述べていることが推測できる。それを踏まえるとノーベル委員会の構成員の少なさを示す語句が適切である。「traditional（伝統的な）」、「formal（公的な）」では、第3段落の内容との関連性が読み取れない。

[訳　文]

私が10代の頃に曲を書き始めたとき、そして自分の能力である程度の名声を得始めたときでさえ、これらの曲に対する私の野心は広がるばかりでした。喫茶店やバー、もしかすると【後には】カーネギーホールやロンドンパラディアムのような場所でも聴くことができるかもしれないと私は思っていました。もし本当に大きな夢を持っていたら、レコードを作って、ラジオで自分の曲を聞くことを想像できるかもしれません。それは本当に私の中で大きな賞でした。レコードを作り、ラジオで自分の曲を聴くということは、多くの聴衆に届くことを意味し、自分がやろうとしていたことを続けられるかもしれないということを意味していました。

さて、私は長い間、自分がやろうとしたことを実行してきました。私は世界中で何十枚ものレコードを作り、何千回ものコンサートを行ってきました。しかし、私の活動のほぼすべての中心にあるのは私の曲です。私の曲は、さまざまな文化の中で多くの人々の生活の中に居場所を見つけたようで、私はそれに感謝しています。

しかし、一つ言わなければならないことがあります。パフォーマーとして、私は50,000人の前で演奏し、50人の前で演奏しましたが、50人の前で演奏するのはより難しいのです。50,000人は一つの人格を持ちますが、50人の場合はそうではありません。それぞれが個人であり、独立したアイデンティティを持ち、自分だけの世界を持っています。彼らは物事をより明確に認識することができます。（演奏家は）誠実さ、そしてそれが自分の才能の深さとどのように関係するかを試されます。ノーベル委員会が非常に【少数】であるという事実は、私には理解できます。

[語　句]

dozens of：数十の、多数の　　not lost on ...：…に通じる、分かる

英文　空欄補充

2020年度
教養 No.8

次の英文の空所ア、イに該当する語の組合せとして、最も妥当なのはどれか。

Jomon pottery* was once thought to look primitive and even grotesque; though an object of archeological* interest, it was not appreciated for its artistic value. Thanks in no small part to **Okamoto Taro**'s paeans* to their [ア], however, Jomon works now grace the opening pages of any history of Japanese art. While the art of subsequent eras reflected the influence of China or the West, these earliest ceramics bear designs not found anywhere else in the world.

Another hallmark of the Jomon era is the *dogu*. These extremely deformed human figures, made of clay, are known for their exaggerated hips and goggle-like eyes. Indeed, they bear an uncanny resemblance to modern abstract sculpture.

Theories abound as to the original function of the dogu. They may have been images of gods, or talismans* to ward off evil or illness, or figurines* used in rituals to ensure good harvests or fertility*. And then there are those who [イ] they are effigies* of visiting space aliens.

（三浦史子：Alan Gleason「英語で日本文化の本」による）

*Jomon pottery……縄文土器　*archeological……考古学の
*paean……賛辞　*talisman……護符、お守り
*figurine……小立像、人形　*fertility……多産
*effigy……肖像、彫像

	ア	イ
1	beauty	believe
2	beauty	reject
3	importance	reject
4	safety	wish
5	safety	believe

解説　正解　1　TAC生の正答率 68%

ア 「beauty（美しさ）」が該当する。空欄アの文には「however」があるので、直前の文もヒントになる。直前には、かつて縄文土器は野蛮でグロテスクに見えるため、芸術的に評価されていなかったことが述べられている。空欄アの文は、しかし岡本太郎の賛辞のおかげで今は日本美術史の中で評価されているという内容なので、岡本太郎がかつてとは異なる捉え方をしたと推測できる。したがって「美しさの賛辞」とするのが適切である。「importance（重要性）」、「safety（安全性）」では、直前の文の「野蛮でグロテスクに見える」という点を払拭する内容にはならないので、ふさわしくない。

イ 「believe（信じる）」が該当する。最終段落は、土偶の役目について様々な説があることが具体例を挙げて紹介されており、空欄イの文も「And」で始まるため、さらにその説の一つを述べていることがわかる。様々な説を紹介している中で、一つだけ人々が「reject（拒否する）」内容を挙げるのは不自然である。「wish（望む）」は当てはまりそうだが、**4**は空欄アが誤っているため、妥当な組合せにならない。

［訳　文］

かつて縄文土器は、野蛮でグロテスクなイメージが持たれていて、考古学の世界で発見されていても、美術品としては扱われていませんでした。しかし岡本太郎がその魅力を語ったのをきっかけに、今では日本美術史の最初のページを飾るようになりました。その後の日本美術は、中国や西洋の影響を受けたものとなりましたが、この原初の土器は、世界中どこにもない形をしています。

縄文時代にはまた、土偶といわれる、極端にデフォルメされた土の人体像も作られました。巨大な尻や、ゴーグルのような目をした像が有名で、モダンな抽象彫刻のようにもみえます。

土偶が作られた目的には諸説あって、神像や護符、豊穣や多産を祈るためのもの、あるいは地球にやってきた宇宙人の像だという人もいます。

［語　句］

subsequent：後の

英文　文章整序

次の英文ア～キの配列順序として、最も妥当なのはどれか。

ア　One of the most popular school lunch menu items for many Japanese elementary school students is *curry rice*.
イ　Of course, there are extra spicy curries in Japan, but there are also mild types of curry, which may seem contradictory.
ウ　However, Japanese curry is slightly different from the spicier Indian varieties.
エ　Most Japanese, both young and old, absolutely love this dish.
オ　Japanese curry isn't made just to be spicy—it's also made to go well with white rice, which is a staple in Japanese cuisine.
カ　This might explain its unique characteristic texture and flavor.
キ　You might even call *curry rice* one of Japan's national dishes or even Japanese comfort food.

（David A. Thayne「英語サンドイッチメソッド」による）

1　ア－イ－ウ－エ－オ－カ－キ

2　ア－ウ－オ－キ－イ－エ－カ

3　ア－エ－キ－ウ－イ－オ－カ

4　ア－カ－オ－エ－ウ－イ－キ

5　ア－キ－カ－イ－ウ－オ－エ

解説　正解　3　　TAC生の正答率 68%

まず、選択肢により冒頭はアということが分かる。アには日本人の小学生に人気のあるメニューの一つがカレーライスだとある。イ～キもカレーライス以外のメニューについては触れられていないため、全体としてカレーライスが話題になっていることが分かる。エの「this dish」も当然カレーライスを指すだろう。内容で分けると、エには日本人のほとんどがカレーを好きであること、キにはカレーライスは日本の国民食やコンフォートフードと呼んでよいかもしれないとあり、どれも人気の高さに触れている。つまり、アのあとにつながると考えられる。同じ語句を用いている文章同士は、内容的に関連がある場合が多く、前後でつながる可能性が高い。つまり「spicy」や「spicier」など辛さについて述べているイ・ウ・オもまとまって述べられている可能性が高い。この時点で、エ・キがアの近くにあり、イ・ウ・オがまとまっている選択肢は**3**のみである。

イ・ウ・オについては、日本人にカレーライスが人気であるという内容から、日本のカレーの特徴に触れていく内容に移っていくことが分かるため、ウ「しかし、日本のカレーはインドのスパイシーなカレーとは異なる」→イ「もちろん、日本にも激辛カレーはあるが、マイルドなカレーもある」→オ「日本のカレーは辛さだけでなく、白米との相性も考えて作られている」という順序が自然な流れになるだろう。そしてオを受けて、日本のカレーに独特の食感や風味があるというカにつながると考えられる。

したがって、**3**が正解である。

[訳　文]

ア　日本の多くの小学生に人気のある給食メニューの一つに、カレーライスがあります。

エ　老若男女を問わず、ほとんどの日本人が大好きな料理です。

キ　カレーライスは日本の国民食、あるいはジャパニーズ・コンフォートフードと呼んでもいいかもしれません。

ウ　しかし、日本のカレーは、インドのスパイシーなものとは少し異なります。

イ　もちろん、日本にも激辛カレーはありますが、マイルドなタイプのカレーもあり、矛盾しているように思えるかもしれません。

オ　日本のカレーは辛さだけでなく、日本食の主食である白いご飯との相性も考えて作られています。

カ　これで（日本のカレーに）独特の食感や風味があることの説明がつくかもしれません。

[語　句]

characteristic：独特の

英文　ことわざ・慣用句

次の日本語のことわざ又は慣用句と英文との組合せA～Eのうち、双方の意味が類似するものを選んだ組合せとして、妥当なのはどれか。

A　犬猿の仲　——　To set the wolf to keep the sheep.
B　吠(ほ)える犬は噛(か)みつかぬ　——　They agree like cats and dogs.
C　猫も杓子(しゃくし)も　——　Everyone that can lick a dish.
D　猫に鰹節(かつおぶし)　——　Barking dogs seldom bite.
E　窮鼠(きゅうそ)猫を噛む　——　Despair gives courage to a coward.

1　A　C

2　A　D

3　B　D

4　B　E

5　C　E

解説　正解　5　TAC生の正答率 59%

A　✕　「To set the wolf to keep the sheep.」は「狼に羊の番をさせる」という意味であり、「猫に鰹節」に類似する。

B　✕　「They agree like cats and dogs.」は「猫と犬のようだ」という意味であり、「犬猿の仲」に類似する。

C　○　「Everyone that can lick a dish.」は「皿をなめることができる者は誰でも」という意味であり、「猫も杓子も」に類似する。

D　✕　「Barking dogs seldom bite.」は「吠える犬は滅多に噛まない」という意味であり、「吠える犬は噛みつかぬ」に類似する。

E　○　「Despair gives courage to a coward.」は「絶望は臆病者に勇気を与える」という意味であり、「窮鼠猫を噛む」に類似する。

CとEが当てはまるため、**5**が妥当である。

現代文
英文
判断推理
数的推理
資料解釈
空間把握
法律
政治
経済

　ある会場で行われたボクシングの試合の観客1,221人に、応援する選手及び同行者の有無について調査した。今、次のA～Dのことが分かっているとき、同行者と応援に来た観客の人数はどれか。ただし、会場の観客席には、指定席と自由席しかないものとする。

A　観客はチャンピオン又は挑戦者のどちらかの応援に来ており、挑戦者の応援に来た観客は246人だった。

B　チャンピオンの応援に来た自由席の観客は402人で、挑戦者の応援に来た指定席の観客より258人多かった。

C　チャンピオンの応援にひとりで来た指定席の観客は63人で、挑戦者の応援に同行者と来た自由席の観客より27人少なかった。

D　チャンピオンの応援に同行者と来た自由席の観客は357人で、挑戦者の応援に同行者と来た指定席の観客より231人多かった。

1　867人

2　957人

3　993人

4　1,083人

5　1,146人

解説　正解　4

TAC生の正答率 68%

応援する選手が「チャンピオン」か「挑戦者」、同行者が「あり」か「なし（ひとり）」、席が「指定席」か「自由席」と、相反する対の3集合になっているから、キャロル図で整理する。それぞれの条件より、分かっている人数を図に入れる。また、条件Aより、チャンピオンを応援に来た観客は1221－246＝975［人］であり、条件Bより、挑戦者の応援に来た指定席の観客は402－258＝144［人］である。さらに、条件Cより、挑戦者の応援に同行者と来た自由席の観客は63＋27＝90［人］で、条件Dより、挑戦者の応援に同行者と来た指定席の観客は357－231＝126［人］である（図1）。

図1

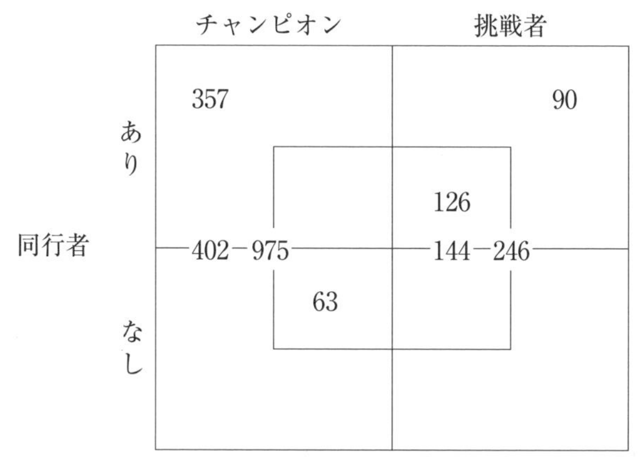

図1より、チャンピオンの応援にひとりで来た自由席の観客は402－357＝45［人］で、チャンピオンの応援に同行者と来た指定席の観客は975－（402＋63）＝510［人］である。また、挑戦者の応援にひとりで来た指定席の観客は144－126＝18［人］で、挑戦者の応援にひとりで来た自由席の観客は246－（144＋90）＝12［人］である（図2）。

図2

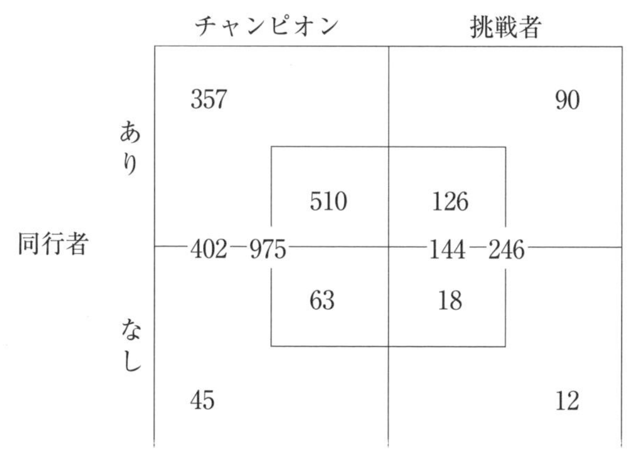

よって、同行者と応援に来た観客の人数は357＋510＋126＋90＝1083［人］であるから、正解は**4**である。

判断推理	命題	2021年度 教養 No.14

あるグループにおける花の好みについて、次のア～ウのことが分かっているとき、確実にいえるのはどれか。

ア　アサガオが好きな人は、カーネーションとコスモスの両方が好きである。
イ　カーネーションが好きではない人は、コスモスが好きである。
ウ　コスモスが好きな人は、チューリップが好きではない。

1　アサガオが好きな人は、チューリップが好きである。

2　カーネーションかコスモスが好きな人は、アサガオが好きではない。

3　コスモスが好きな人は、アサガオが好きである。

4　コスモスが好きではない人は、チューリップが好きである。

5　チューリップが好きな人は、アサガオが好きではない。

解説　正解 5

TAC生の正答率 77%

命題とその対偶を記号化すると、次のようになる。

		原命題	対偶
ア	アサガオ→カーネーション∧コスモス		
	並列化	アサガオ→カーネーション…①	$\overline{\text{カーネーション}}$→$\overline{\text{アサガオ}}$…⑤
		アサガオ→コスモス…②	$\overline{\text{コスモス}}$→$\overline{\text{アサガオ}}$…⑥
イ	$\overline{\text{カーネーション}}$→コスモス…③		$\overline{\text{コスモス}}$→カーネーション…⑦
ウ	コスモス→$\overline{\text{チューリップ}}$…④		チューリップ→$\overline{\text{コスモス}}$…⑧

1 ×　選択肢の命題は「アサガオ→チューリップ」であるが、②、④より「アサガオ→コスモス→$\overline{\text{チューリップ}}$」となるので、誤りである。

2 ×　選択肢の命題は「カーネーション∨コスモス→$\overline{\text{アサガオ}}$」であり、「カーネーション→$\overline{\text{アサガオ}}$」、「コスモス→$\overline{\text{アサガオ}}$」の両方が成り立てば確実にいえることになるが、「カーネーション」から始まる命題がなく、また、④より「コスモス→$\overline{\text{チューリップ}}$」まではいえるが、この後がつながらないので、どちらも不明である。

3 ×　選択肢の命題は「コスモス→アサガオ」であり、④より「コスモス→$\overline{\text{チューリップ}}$」まではいえるが、この後がつながらないので不明である。

4 ×　選択肢の命題は「$\overline{\text{コスモス}}$→チューリップ」であり、⑥より「$\overline{\text{コスモス}}$→$\overline{\text{アサガオ}}$」、⑦より「$\overline{\text{コスモス}}$→カーネーション」まではいえるが、それぞれこの後がつながらないので不明である。

5 ○　選択肢の命題は「チューリップ→$\overline{\text{アサガオ}}$」であり、⑧、⑥より「チューリップ→$\overline{\text{コスモス}}$→$\overline{\text{アサガオ}}$」とつながるので、確実にいえる。

判断推理 対応関係

2023年度
教養 No.12

４人の大学生Ａ～Ｄが、英語、中国語、ドイツ語、フランス語の４つの選択科目のうちから２科目を選択している。今、次のア～オのことが分かっているとき、確実にいえるのはどれか。

ア　Ａ、Ｃ、Ｄは、同じ科目を１つ選択しているが、もう１つの科目はそれぞれ異なっている。
イ　英語とフランス語を両方選択している人はいない。
ウ　ＢとＤは、同じ科目を１つ選択しているが、その科目はＢが選択している英語以外である。
エ　Ａの選択した２科目のうち、１科目はＢと同じであり、もう１科目はＣと同じであるが、ドイツ語は選択していない。
オ　３人が選択した同じ科目は１つであるが、４人が選択した同じ科目はない。

1　Ａは英語、Ｂは中国語、Ｄはドイツ語を選択している。

2　Ａはフランス語、Ｂはドイツ語、Ｃは中国語を選択している。

3　Ａは中国語とフランス語、Ｃは中国語とドイツ語を選択している。

4　Ｂはドイツ語、Ｃはフランス語、Ｄは中国語を選択している。

5　Ｂはフランス語、Ｃはドイツ語、Ｄは中国語を選択している。

解説　正解　4

TAC生の正答率 83%

対応表を作って整理する。科目の言及をせず、「同じ科目を選択している」とだけ述べている条件が多いので、科目の欄については仮に①～④としておく（表1）。

表1	①	②	③	④	計
A					2
B					2
C					2
D					2

条件アより、A、C、Dの3人は同じ科目を選択しているので、これを科目①とする。また、この3人の選択しているもう1つの科目はそれぞれ異なるので、Aは科目②、Cは科目③、Dは科目④を選択しているとする。残るBの選択科目について、条件オより科目①ではない。また、条件ウおよびエより、BはA、Dと同じ科目を選択しているから、Bの選択している科目は科目②および科目④となる（表2）。

次に、科目①～④がそれぞれ何の科目かを考える。条件ウよりBは英語を選択しているが、BとDがともに選択している科目④ではないので、科目②が英語となる。条件イより、英語（科目②）とフランス語を両方選択している人はいないので、A、Bが選択している科目①および科目④はフランス語でなく、科目③がフランス語となる。残る科目①と④のうち、条件エよりAはドイツ語を選択していないので科目④がドイツ語となり、残る科目①が中国語となる（表3）。

表2	①	②	③	④	計
A	○	○	×	×	2
B	×	○	×	○	2
C	○	×	○	×	2
D	○	×	×	○	2

表3	中	英	フ	ド	計
A	○	○	×	×	2
B	×	○	×	○	2
C	○	×	○	×	2
D	○	×	×	○	2

表3より、Bはドイツ語、Cはフランス語、Dは中国語を選択しているので、正解は**4**である。

判断推理　対応関係

2021年度
教養 No.12

Ａ～Ｄの４人は、ある週に２回、甘味屋でそれぞれ１つずつあんみつを注文した。あんみつには、アイス、白玉、あんずの３種類のトッピングがあり、あんみつ１つに対して複数の種類をトッピングすることも、何もトッピングしないこともできる。ただし、同じ種類のトッピングは、あんみつ１つに対して１人１個とする。次のア～カのことが分かっているとき、確実にいえるのはどれか。

ア　２回の注文とも、アイスは１人、白玉は３人、あんずは２人がトッピングした。
イ　Ａが白玉をトッピングしたのは、２回の注文のうち、いずれか１回だけだった。
ウ　Ｂがアイスをトッピングしたのは、２回目だけだった。
エ　２回の注文を合わせたトッピングの延べ個数は、Ｂが他の３人より多かった。
オ　Ｃは１回目に何もトッピングしなかった。
カ　１回目にあんずをトッピングした人は、２回目にアイスをトッピングしなかった。

1　１人は２回の注文ともあんずをトッピングした。

2　Ａは２回目に何もトッピングしなかった。

3　Ｂは１回目にあんずをトッピングした。

4　あんみつ１つに対して３種類すべてをトッピングしたのは１人だけだった。

5　Ｄは１回目にアイスをトッピングした。

解説　正解 2

TAC生の正答率 51%

表を作って整理する。条件ア、ウ、オを書き入れると表1のようになる。

表1	1回目			2回目		
	アイス	白玉	あんず	アイス	白玉	あんず
A				×		
B	×			○		
C	×	×	×	×		
D				×		
	1	3	2	1	3	2

表1より、1回目にA、B、Dは白玉をトッピングしたことになる。また、条件イより、1回目に白玉をトッピングしたAは、2回目には白玉をトッピングしていないから、2回目にB、C、Dは白玉をトッピングしたことになる。また、条件カの対偶を取ると「2回目にアイスをトッピングした人は、1回目にあんずをトッピングしなかった」となるから、Bは1回目にあんずをトッピングしておらず、AとDがトッピングしたことになる（表2）。

表2	1回目			2回目		
	アイス	白玉	あんず	アイス	白玉	あんず
A		○	○	×	×	
B	×	○	×	○	○	
C	×	×	×	×	○	
D		○	○	×	○	
	1	3	2	1	3	2

表2の時点でBとDは延べ3つずつトッピングしているから、条件エより、Bは2回目にあんずをトッピングしており、Dは1回目にアイス、2回目にあんずをトッピングしなかったことになる。これにより、1回目にアイスをトッピングしたのは残るAで、この時点でAは延べ3つをトッピングしているから、条件エより、Aは2回目にあんずをトッピングしておらず、残るCがトッピングしたことになる（表3）。

表3	1回目			2回目		
	アイス	白玉	あんず	アイス	白玉	あんず
A	○	○	○	×	×	×
B	×	○	×	○	○	○
C	×	×	×	×	○	○
D	×	○	○	×	○	×
	1	3	2	1	3	2

よって、表3より正解は**2**である。

A～Eは、それぞれ商品を売っており、５人の間で商品を売買した。全員が２人以上の者に商品を売り、同じ人から２品以上買う人はいなかった。また、５人とも、売った金額も買った金額も500円であり、収支はゼロだった。次のア～キのことが分かっているとき、確実にいえるのはどれか。ただし、商品の価格は全て100円単位で端数がないものとする。

ア　Cは、AとEそれぞれに100円の商品を売った。
イ　Bは、Dに200円の商品を売った。
ウ　Bが商品を売った相手は、２人だった。
エ　Eは、Bに100円の商品を売った。
オ　Dは、Aから300円の商品を買った。
カ　Dは、他の全員に商品を売った。
キ　400円の商品と100円の商品の２品だけを売った人は、１人だけだった。

1　Bは、Aに商品を売らなかった。

2　Cは、Bに200円の商品を売った。

3　Dは、Aに100円の商品を売った。

4　Dは、Eに100円の商品を売った。

5　Eは、Cに商品を売らなかった。

解説　正解　3

TAC生の正答率　51%

表を作って整理する。条件ア、イ、エ、オ、カを書き入れると表1のようになる。表の数字は百円単位で、○は1（百円）以上の数字が入り、×は0円（売買なし）であることを示す。表1より、CはBに300円の商品を売り、これにより、BはDから100円の商品を買ったことになる（表2）。

表1		買う					計
		A	B	C	D	E	
売る	A				3		5
	B				2		5
	C	1			×	1	5
	D	○	○	○		○	5
	E		1		×		5
計		5	5	5	5	5	

表2		買う					計
		A	B	C	D	E	
売る	A		×		3		5
	B				2		5
	C	1	3		×	1	5
	D	○	1	○		○	5
	E		1		×		5
計		5	5	5	5	5	

条件キについて、表2より、400円と100円の商品2品のみを売った可能性があるのはEのみである。EがAに400円の商品を売っていた場合、Aが買った商品の合計は500円を超えることになるから、Eは400円の商品をCに売ったことになり、CはDから100円の商品を買ったことになる。これにより、AはEに200円の商品を売っていたこともわかる（表3）。

条件ウより、BはAまたはEのどちらかに300円の商品を売ったことになるが、BがEに300円の商品を売っていた場合、Eが買った商品の合計は500円を超えることになるから、Bは300円の商品をAに売ったことになり、DはAに100円、Eに200円の商品を売ったことになる（表4）。

表3		買う					計
		A	B	C	D	E	
売る	A		×	×	3	2	5
	B			×	2		5
	C	1	3		×	1	5
	D	○	1	1		○	5
	E	×	1	4	×		5
計		5	5	5	5	5	

表4		買う					計
		A	B	C	D	E	
売る	A		×	×	3	2	5
	B	3		×	2	×	5
	C	1	3		×	1	5
	D	1	1	1		2	5
	E	×	1	4	×		5
計		5	5	5	5	5	

よって、表4より正解は**3**である。

あるテストでは、問1～問8の8問が出題され、各問は選択肢「ア」、「イ」のいずれかを選択して解答することとされている。また、問ごとに、「ア」、「イ」は、一方は正解で、もう一方は不正解の選択肢となっている。A～Dの4人がこのテストを受験し、それぞれの解答と正解数は、次の表のとおりだった。このとき、Cの正解数はどれか。

	問1	問2	問3	問4	問5	問6	問7	問8	正解数
A	ア	ア	イ	イ	イ	ア	ア	イ	6
B	ア	イ	イ	イ	ア	ア	ア	イ	4
C	イ	ア	ア	ア	ア	イ	イ	ア	
D	イ	イ	ア	イ	ア	イ	ア	イ	5

1 2

2 3

3 4

4 5

5 6

解説　正解　2　TAC生の正答率 65%

２人ずつ解答を比較する。

ＡとＢの解答を比較すると、問２と問５の２問だけが異なる解答で、これら以外はすべて同じ解答であり、２人の正解数の差は２である。同じ解答では正解数に差はできないので、この正解数の差は異なる解答をした問２と問５で生じたものである。よって、問２と問５はＡが正解、Ｂが不正解である（表１）。また、ＡとＢは問２、問５以外の６問中４問正解（２問不正解）していることになる。

表1	問1	問2	問3	問4	問5	問6	問7	問8	正解数
A	ア	ア	イ	イ	イ	ア	ア	イ	6
B	ア	イ	イ	イ	ア	ア	ア	イ	4
正答		ア			イ				

Ｄは問２、問５ともに不正解であるから、問２、問５以外の６問中５問正解（１問不正解）していることになる。ＢとＤの解答を比較すると、ＢとＤは問２、問５以外の６問で、２人合わせて９問正解、すなわち３問不正解していることになるが、問１、問３、問６の３問の解答は異なるので、確実に一方が正解、一方が不正解となる。よって、Ｂ、Ｄが２人合わせて３問不正解した問題は問１、問３、問６であり、これ以外の問４、問７、問８は２人とも正解したことになる（表２）。

表2	問1	問2	問3	問4	問5	問6	問7	問8	正解数
B	ア	イ	イ	イ	ア	ア	ア	イ	4
D	イ	イ	ア	イ	ア	イ	ア	イ	5
正答		ア		イ	イ		ア	イ	

Ｄは問２、問５が不正解、問４、問７、問８が正解で、正解数が５であるから、問１、問３、問６のうち２問正解していることになる。ＣとＤの解答を比較すると、Ｃは問１、問３、問６以外の５問では問２の１問だけ正解しており、Ｃは問１、問３、問６の解答はＤと同じであるから、この３問中２問正解していることになり、Ｃの正解数は1+2=3となる（表３）。

表3	問1	問2	問3	問4	問5	問6	問7	問8	正解数
C	イ	ア	ア	ア	ア	イ	イ	ア	3
D	イ	イ	ア	イ	ア	イ	ア	イ	5
正答		ア		イ	イ		ア	イ	

したがって、正解は**2**である。

判断推理 | リーグ戦 | 2021年度 教養 No.10

A～Dの４チームが、野球の試合を総当たり戦で２回行った。今、２回の総当たり戦の結果について、次のア～オのことが分かっているとき、確実にいえるのはどれか。

ア　AがCと対戦した結果は、２試合とも同じであった。
イ　Bが勝った試合はなかった。
ウ　Cが勝った試合は、４試合以上であった。
エ　DがAに勝った試合はなかった。
オ　各チームの引き分けた試合は、Aが２試合、Bが２試合、Cが１試合、Dが１試合であった。

1　Aが勝った試合は、１試合であった。

2　Bは、Cとの対戦で２試合とも負けた。

3　Cは、Dとの対戦で少なくとも１試合負けた。

4　Dが勝った試合は、３試合であった。

5　同じチームに２試合とも勝ったのは、２チーム以上であった。

解説　正解　5　　TAC生の正答率 41%

リーグ表で整理する。条件イ、オを書き入れ、さらに条件アを考える。条件ウよりCは４勝以上しているから、Cの結果は４勝１分１敗または５勝１分０敗のいずれかであり、どちらであってもAとCの対戦結果はCの２勝となる。ここまでを整理すると表１のようになる。

表1	A	B	C	D	勝	分	敗
A			×　×			2	
B					0	2	4
C	○　○					1	
D						1	

条件イについて、Bは各チームとの対戦結果は２分、１分１敗、２敗のいずれかだが、CとDは引き分けが１試合なので、BとC、Dの対戦は１分１敗、２敗のいずれかで、Bはそれぞれに少なくとも１敗している。同様に考えると、条件エより、DはAに少なくとも１敗している（表２）。ここで、Aの２引き分けが、(i)Bと２試合、(ii)B、Dと１試合ずつ、で場合分けをする。

表2	A	B	C	D	勝	分	敗
A			×　×	○		2	
B			×	×	0	2	4
C	○　○	○				1	
D	×	○				1	

(i)　Ａの２引き分けがＢと２試合のとき

Ｂは、Ａとの２引き分け以外は全敗なので、表３のようになる。

表３	Ａ	Ｂ	Ｃ	Ｄ	勝	分	敗
Ａ		△　△	×　×	○		2	
Ｂ	△　△		×　×	×　×	0	2	4
Ｃ	○　○	○　○				1	
Ｄ	×	○　○				1	

Ｃ、Ｄの引き分け１試合は、ＣとＤの対戦のものであり、また、条件エより、ＤはＡに２試合とも負けたことになる。ＣとＤのもう１試合はどちらが勝ったかは不明である（表４）。

表４	Ａ	Ｂ	Ｃ	Ｄ	勝	分	敗
Ａ		△　△	×　×	○　○	2	2	2
Ｂ	△　△		×　×	×　×	0	2	4
Ｃ	○　○	○　○		△		1	
Ｄ	×　×	○　○	△			1	

(ii)　Ａの２引き分けがＢ、Ｄと１試合ずつのとき

残る引き分けの試合はＢとＣの対戦のものであり、表５のようになる。

表５	Ａ	Ｂ	Ｃ	Ｄ	勝	分	敗
Ａ		△	×　×	○　△		2	
Ｂ	△		×　△	×	0	2	4
Ｃ	○　○	○　△				1	
Ｄ	×　△	○				1	

Ｂは残りの試合は全敗しており、条件ウよりＣは４勝以上しているから、Ｄに少なくとも１勝していることになる。ＣとＤのもう１試合はどちらが勝ったかは不明である（表６）。

表６	Ａ	Ｂ	Ｃ	Ｄ	勝	分	敗
Ａ		△　○	×　×	○　△	2	2	2
Ｂ	△　×		×　△	×　×	0	2	4
Ｃ	○　○	○　△		○		1	
Ｄ	×　△	○　○	×			1	

したがって、表４、表６より、正解は**5**である。

判断推理　トーナメント戦

2023年度
教養 No.10

A～Fの６チームが、次の図のようなトーナメント戦でソフトボールの試合を行い、２回戦で負けたチーム同士で３位決定戦を、１回戦で負けたチーム同士で５位決定戦を行った。今、次のア～エのことが分かっているとき、確実にいえるのはどれか。ただし、図の太線は、勝ち進んだ結果を表すものとする。

ア　Bは、０勝２敗であった。
イ　Cは、Cにとって２試合目にEと対戦した。
ウ　Dは、Eに負けて１勝１敗であった。
エ　Fは、１勝２敗であった。

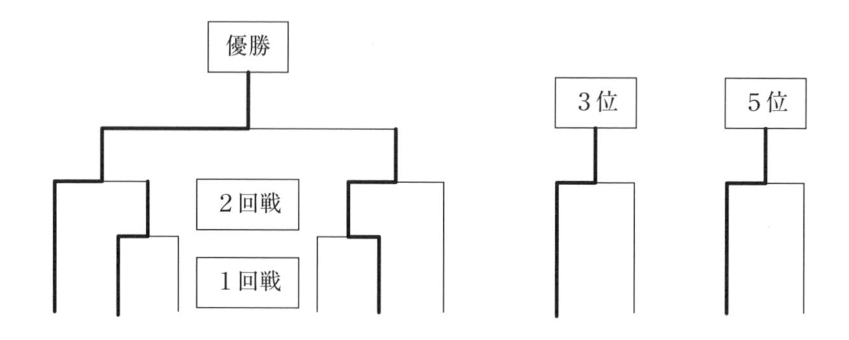

1　Aは、６位であった。

2　Bは、５位であった。

3　Cは、４位であった。

4　Dは、３位であった。

5　Eは、２位であった。

解説　正解　5

TAC生の正答率　64%

トーナメントの各位置を①～⑥とおく。

条件エについて、1勝2敗となるのは、本戦で1勝1敗になり、その後の順位決定戦で負けた場合だけである。本戦で1勝1敗となるのは、図より②であるから、Fは②で、3位決定戦で負け4位である。これにより、⑥は3位決定戦で勝ったから3位である。

条件ウについて、全部で1勝1敗となるのは、本戦の1戦目で負けた③、④、⑥が、順位決定戦で勝った場合である。このうち、③が負けた相手はFであるから、Dは④または⑥であり、どちらであっても負けた相手は⑤であるから、Eは⑤である（図1）。

条件イについて、Eと対戦したのは①、④、⑥で、このうち自身の2試合目でEと対戦したのは①だけであるから、Cは①である（図2）。

確定するのはここまでであるが、Eが2位であることは確実なので、正解は**5**である。

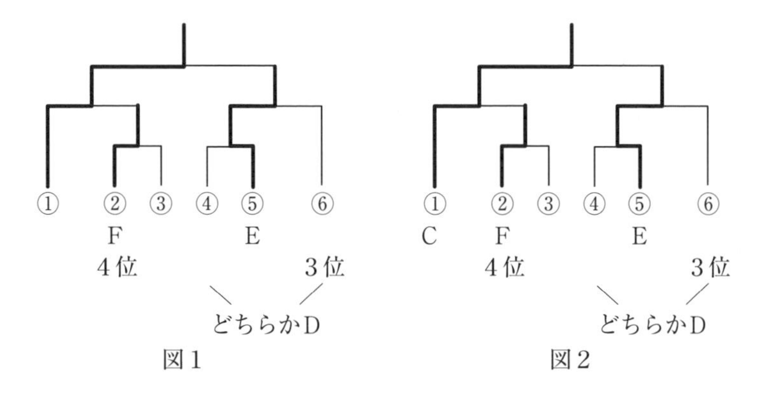

図1　　図2

なお、Dについて、Dが④の場合は図3、⑥の場合は図4となる。

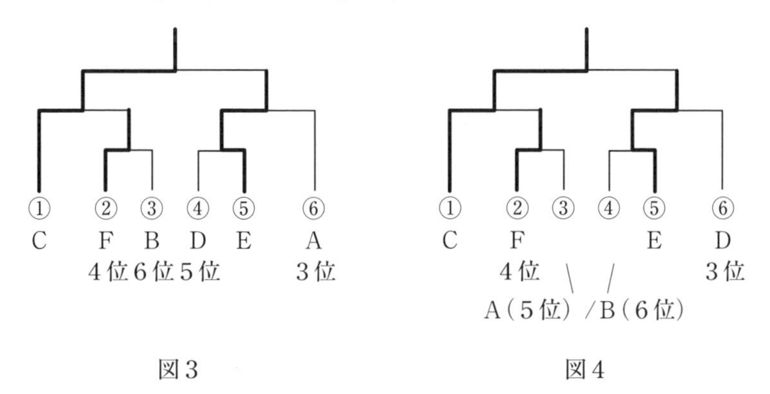

図3　　図4

A～Hの８チームが、次の図のようなトーナメント戦で野球の試合を行った。今、次のア～オのことが分かっているとき、確実にいえるのはどれか。ただし、引き分けた試合はなかった。

ア　１回戦でＢチームに勝ったチームは、優勝した。
イ　１回戦でＡチームに勝ったチームは、２回戦でＣチームに勝った。
ウ　１回戦でＧチームに勝ったチームは、２回戦でＦチームに負けた。
エ　Ｄチームは、Ｆチームに負けた。
オ　Ｅチームは、全部で２回の試合を行った。

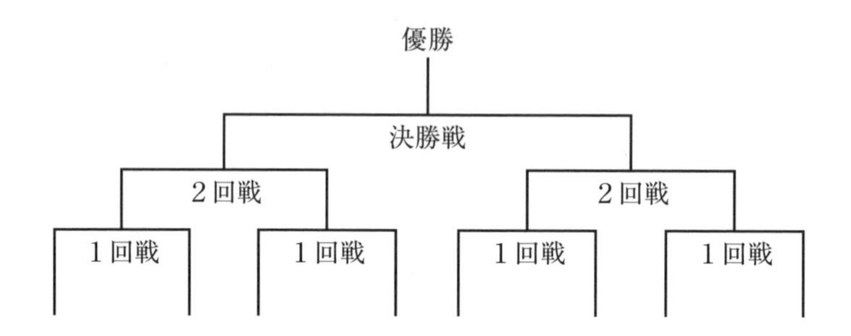

1　Ａチームは、Ｄチームと対戦した。

2　Ｂチームは、Ｈチームと対戦した。

3　Ｃチームは、Ｇチームと対戦した。

4　Ｄチームは、Ｅチームと対戦した。

5　Ｆチームは、Ｈチームと対戦した。

解説　正解　1

TAC生の正答率　78%

トーナメントの各位置を①～⑧とおく。

条件アについて、Bチームに勝って優勝したチームを①とすると、Bは②となる。また、条件イについて、1回戦でA、2回戦でCに勝ったチームは、決勝戦で①のチームと戦っているので、⑤～⑧のいずれかである。このチームを⑧とすると、Aは⑦となり、2回戦で⑧のチームと対戦したCは⑤、⑥のいずれかであるから、Cを⑤とする（表1）。

条件オについて、全部で2回試合を行うのは、2回戦で負けたチームである。1チームは⑤のCであり、もう1チームのEは③、④のいずれかであるから、④をEとする。条件エについて、D、Fは残る①、③、⑥、⑧のうちいずれかであり、このうち対戦しているのは決勝戦の①対⑧のみである。よって、負けたDは⑧、勝ったFは①となる（表2）。

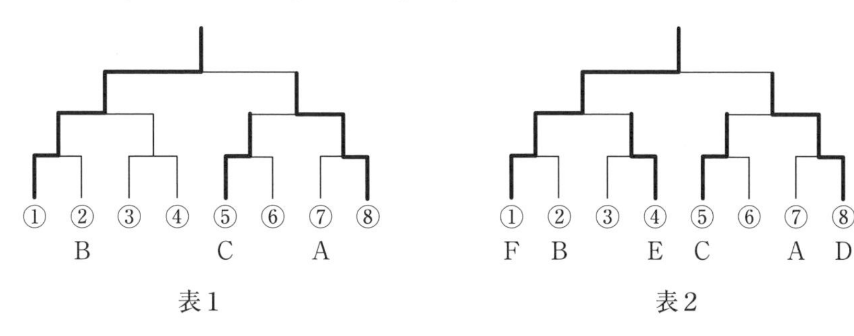

表1　　表2

条件ウについて、2回戦でFに負けたのは④のEであるから、③がGとなり、残るHが⑥となる（表3）。

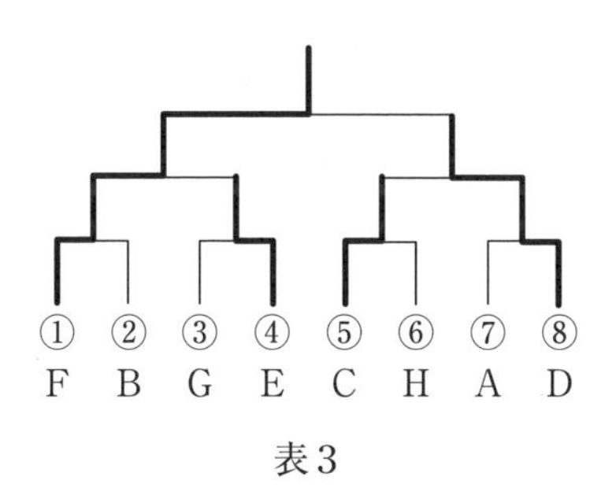

表3

したがって、表3より正解は**1**である。

判断推理　順序関係

2023年度
教養 No.13

区民マラソンにＡ～Ｆの６人の選手が参加した。ある時点において、ＤはＣより上位で、かつ、ＡとＢの間にいて、ＡはＣとＥの間にいて、Ｆに次いでＥがいた。この時点での順位とゴールでの着順との比較について、次のア～カのことが分かっているとき、ゴールでの着順が１位の選手は誰か。

ア　Ａは、２つ順位を上げた。
イ　Ｂは、３つ順位を下げた。
ウ　Ｃは、１つ順位を上げた。
エ　Ｄは、同じ順位のままだった。
オ　Ｅは、２つ順位を下げた。
カ　Ｆは、２つ順位を上げた。

1　Ａ

2　Ｃ

3　Ｄ

4　Ｅ

5　Ｆ

解説　正解　5

TAC生の正答率 56%

問題文の、ある時点において「Fに次いでEがいた」より、Eは2位以下である。そして、条件オより、Eの順位は、2位→4位、3位→5位、4位→6位が考えられるが、条件カより、Fが2つ順位を上げるには、Fの順位は3位でなければならない。よって表1のようになる。

条件イについて、Bは1位→4位または2位→5位のどちらかであるが、2位→5位の場合、条件エのDに当てはまる順位がないので矛盾する。よって、Bはある時点では1位、ゴールでは4位である（表2）。

表1	1位	2位	3位	4位	5位	6位
ある時点			F	E		
ゴール	F					E

表2	1位	2位	3位	4位	5位	6位
ある時点	B		F	E		
ゴール	F			B		E

さらに、条件アより、Aはある時点では5位、ゴールでは3位で、条件エよりDはある時点、ゴールともに2位である。残るCはある時点では6位、ゴールでは5位で、これは条件ウも満たす（表3）。

表3	1位	2位	3位	4位	5位	6位
ある時点	B	D	F	E	A	C
ゴール	F	D	A	B	C	E

よって、表3より正解は**5**である。

判断推理	順序関係	2020年度 教養 No.15

Ａ～Ｆの６人が共同生活をしており、毎日１人ずつ順番で朝食を準備している。今、ある月から翌月にかけての連続した14日間について、次のア～オのことが分かっているとき、Ａの翌日に朝食を準備したのは誰か。ただし、６人の各人は、朝食を準備した日の６日後に、必ずまた朝食を準備するものとする。

ア　Ｂは、第５火曜日と５日の日に朝食を準備した。
イ　Ｃは、３日の日に朝食を準備した。
ウ　Ｄは、水曜日に朝食を準備した。
エ　Ｅは、第１金曜日に朝食を準備した。
オ　Ｆは、月の終わりの日に朝食を準備した。

1　Ｂ

2　Ｃ

3　Ｄ

4　Ｅ

5　Ｆ

解説　正解　1

TAC生の正答率　47%

表に整理して考える。条件ア、イより、Cは翌月の３日、Bは翌月の５日に朝食を準備している。また、１週間は７日だから、ある日から６日後は、曜日が１つ戻ることになる。Bはある月の第５火曜日の６日後の翌月５日に朝食の準備をしているから、翌月の５日は月曜日である。なお、第５火曜日となり得るのは29日、30日、31日のいずれかであるから、ある月の第５火曜日と翌月の５日の間の日に朝食を準備している可能性はない（表１）。

表１

曜日					月	火	
ある月							
						B	
翌月	1	2	3	4	5		
			C		B		

表１に曜日を埋めると、条件エより、Eは翌月の２日に朝食を準備している。また、条件オより、翌月１日の木曜日の前日の水曜日にFは朝食を準備している。条件ウより、Dは水曜日に朝食を準備したが、ある月の水曜日はFが朝食の準備をしたので、Dが朝食の準備をしたのは翌月の７日である。よって、６日前の翌月の１日もDが朝食を準備しており、翌月の４日は残るAが朝食の準備をしたことになる（表２）。

表２

曜日	木	金	土	日	月	火	水
ある月							
						B	F
翌月	1	2	3	4	5	6	7
	D	E	C	A	B		D

表２より、朝食の準備の順番は、B→F→D→E→C→A→B→…、であるから、正解は**1**である。

判断推理　位置関係

2023年度
教養 No.14

次の図のように、道路に面して①～⑧の家が並んでおり、A～Hの８人がそれぞれ１人住んでいる。今、次のア～カのことが分かっているとき、確実にいえるのはどれか。ただし、各家の玄関は、道路に面して１つであり、敷地の角に向いていないものとする。

ア　Aの家は、２つの道路に面している。
イ　BとEの家は、道路を挟んだ真向かいにある。
ウ　CとEの家は隣接しており、CとHの家は道路を挟んだ真向かいにある。
エ　Dの家の玄関の向く方向に家はない。
オ　Fの家の玄関は、Eの家を向いている。
カ　Gの家に隣接する家の玄関は、Bの家を向いている。

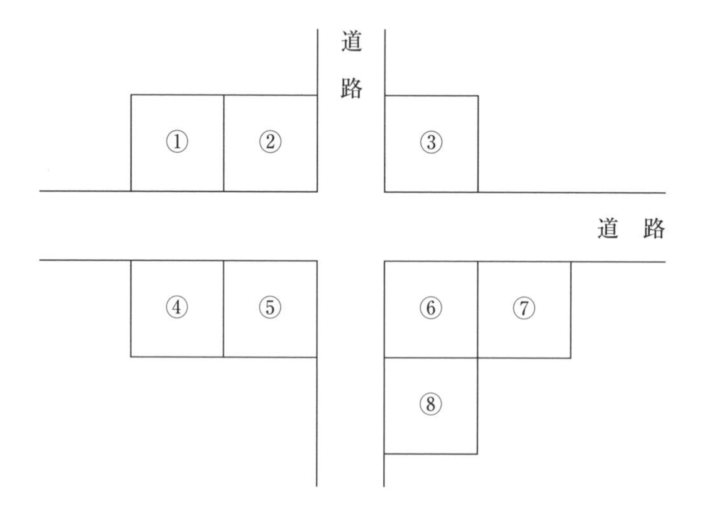

1　AとGの家は、隣接している。

2　BとDの家は、隣接している。

3　FとHの家は、隣接している。

4　Aの家は、③の家である。

5　Bの家は、⑤の家である。

解説　正解　1

TAC生の正答率 48%

頻出のEの家の位置から考える。条件イよりEは⑦、⑧ではなく、条件ウよりCの家と隣接しているから、①、②、④、⑤、⑥のいずれかであるが、⑥の場合はCが⑦、⑧のいずれかとなり、条件ウの後半と矛盾する。また、条件イより、Eが①の場合はBが④、Eが④の場合はBが①となるが、どちらの場合も条件オを満たすFの家の位置がないので矛盾する。よって、Eの家は②または⑤となる。

(i)　Eの家が②の場合

条件ウより、Cが①、Hが④となる（図1）。条件イ、条件オより、BとFがそれぞれ③と⑤のいずれかとなり、このことと条件アより、Aは⑥となる。DとGはそれぞれ⑦と⑧のいずれかとなるが、どちらであっても条件エ、条件カのいずれも満たしている（図2）。

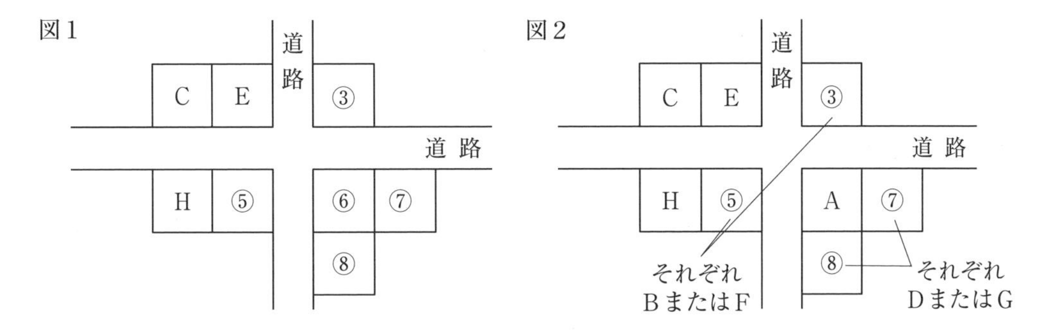

(ii)　Eの家が⑤の場合

条件ウより、Cが④、Hが①となる（図3）。条件イ、条件オより、BとFがそれぞれ②と⑥のいずれかとなり、このことと条件アより、Aは③で、残るDとGはそれぞれ⑦と⑧のいずれかとなるが、B、Gがそれぞれどちらであっても条件カを満たさないので、この場合は不適である（図4）。

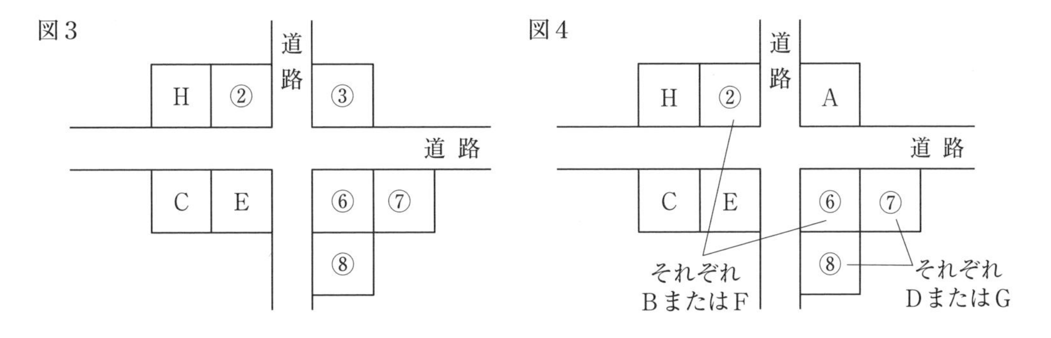

よって、図2より正解は**1**である。

判断推理　位置関係　2022年度 教養 No.15

ある地域における、区役所、図書館、警察署、税務署、駅、学校の６つの施設の位置関係について、次のア～オのことが分かっているとき、確実にいえるのはどれか。

ア　区役所は、図書館の真西で駅の真南に位置する。
イ　税務署は、警察署の真西で図書館の真南に位置する。
ウ　学校は、図書館の真東に位置する。
エ　図書館から警察署までの距離は、図書館から区役所までの距離より短い。
オ　学校から図書館までの距離と、警察署から税務署までの距離、駅から区役所までの距離は、それぞれ同じである。

1　区役所から図書館までの距離は、区役所から税務署までの距離より長い。

2　区役所から一番遠くにある施設は、税務署である。

3　区役所から図書館までの距離は、税務署から警察署までの距離の1.4倍より長い。

4　図書館から一番遠くにある施設は、駅である。

5　図書館から一番近くにある施設は、税務署である。

解説　正解　4

TAC生の正答率 58%

条件イ、ウ、オより、図書館と学校を結ぶ線分は、税務署と警察署を結ぶ線分と平行で長さが等しい（…①）。また、条件イより税務署と警察署を結ぶ線分は、税務署と図書館を結ぶ線分と直交する（…②）。よって、図書館、税務署、警察署、学校を結んでできる四角形は、①より平行四辺形で、かつ、②より内角の一つが90°であるから、長方形となる（図1）。

条件アについて、図書館と区役所を結ぶ線分の長さを基準として図を描く。図書館、区役所、駅の位置関係は図2のようになる（点線は距離不明）。

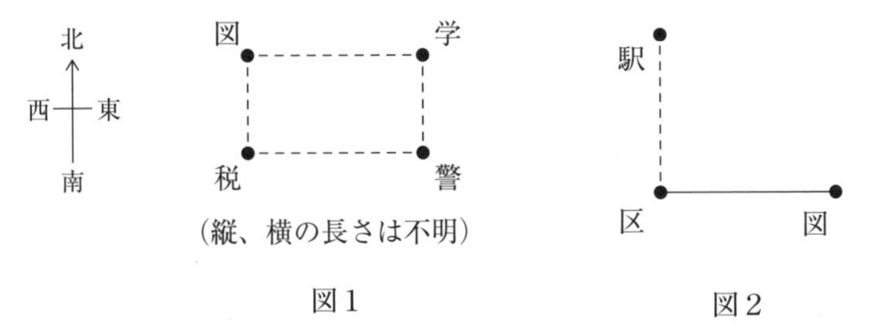

図1　　図2

図2に図1の長方形を加える。条件エより、長方形の対角線となる図書館と警察署を結ぶ線分の長さは、図2の図書館と区役所を結ぶ線分の長さより短いから、長方形はすべて、図書館が中心で、図書館と区役所を結ぶ線分が半径となる円の内部に描かれる。ただし、長方形の縦と横の長さはそれぞれ不明である。条件オより、駅と区役所を結ぶ線分の長さは、長方形の横の長さと等しい（一例として図3、図4）。

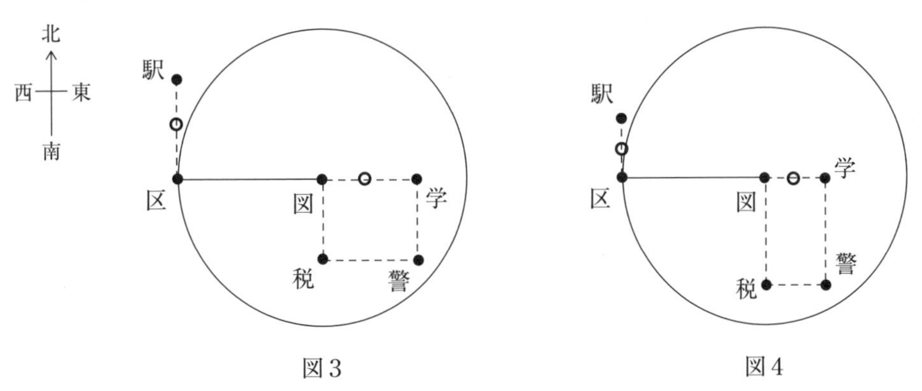

図3　　図4

以上より、正解は**4**である。

判断推理　位置関係

次の図のような３階建てのアパートがあり、Ａ～Ｈの８人がそれぞれ異なる部屋に住んでいる。今、次のア～カのことが分かっているとき、確実にいえるのはどれか。

ア　Ａが住んでいる部屋のすぐ下は空室で、Ａが住んでいる部屋の隣にはＨが住んでいる。
イ　Ｂが住んでいる部屋の両隣とすぐ下は、空室である。
ウ　Ｃが住んでいる部屋のすぐ上は空室で、その空室の隣にはＦが住んでいる。
エ　ＤとＦは同じ階の部屋に住んでいる。
オ　Ｆが住んでいる部屋のすぐ下には、Ｈが住んでいる。
カ　Ｇが住んでいる部屋の部屋番号の下一桁の数字は１である。

３階	301号室	302号室	303号室	304号室	305号室
２階	201号室	202号室	203号室	204号室	205号室
１階	101号室	102号室	103号室	104号室	105号室

1　Ａの部屋は201号室である。

2　Ｂの部屋は302号室である。

3　Ｃの部屋は103号室である。

4　Ｄの部屋は304号室である。

5　Ｅの部屋は105号室である。

解説　正解　2　　TAC生の正答率 65%

空き部屋を×で表すと、条件アは図1、条件ウ、オは図2のようになり、これらを合わせると図3のようになる。

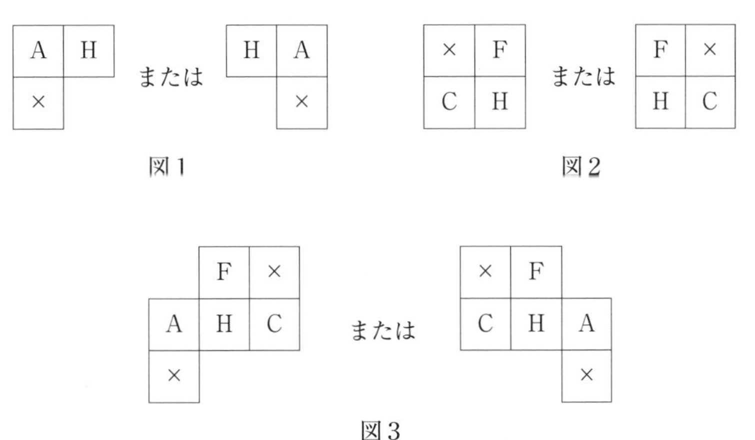

図1　図2　図3

図3の左側の配置の場合、条件イを満たす配置は図4、図5のいずれかで、図4の場合、条件エより301号室にDが住んでいることになるが、条件カを満たさない。また、図5の場合、条件エを満たさない。よって、この場合は不適である。

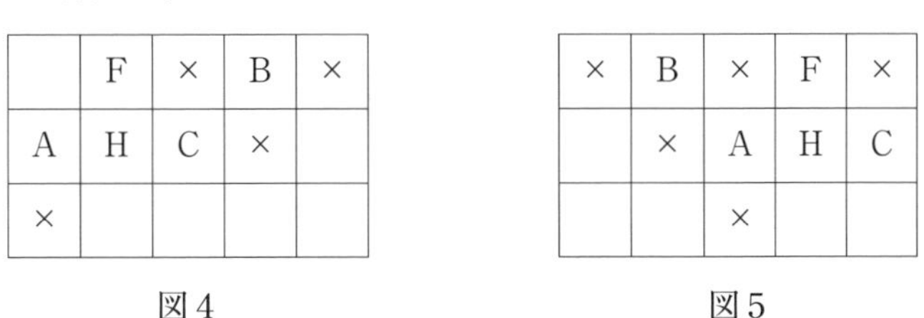

	F	×	B	×
A	H	C	×	
×				

図4

×	B	×	F	×
	×	A	H	C
		×		

図5

図3の右側の配置の場合、条件イを満たす配置は図6、図7のいずれかで、図6の場合、条件エを満たさない。図7の場合、Dが305号室、Gが101号室または201号室に住んでいることになり、すべての条件を満たす。なお、Eがどこに住んでいるかは不明である。

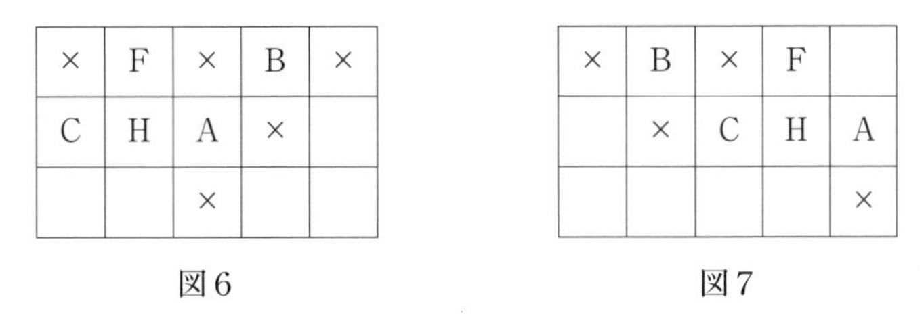

×	F	×	B	×
C	H	A	×	
		×		

図6

×	B	×	F	
	×	C	H	A
				×

図7

したがって、図7より正解は**2**である。

判断推理　位置関係

2020年度
教養 No.14

次の図のように、円卓の周りに黒い椅子４脚と白い椅子４脚がある。今、Ａ～Ｈの８人の座る位置について、次のア～エのことが分かっているとき、確実にいえるのはどれか。

ア　Ａから見て、Ａの右隣の椅子にＤが座っている。
イ　Ｂから見て、Ｂの右隣の椅子にＧが座り、Ｂの左隣は黒い椅子である。
ウ　Ｃから見て、Ｃの右側の１人おいた隣の椅子にＥが座っている。
エ　Ｄから見て、Ｄの右隣の椅子にＦが座り、Ｄの両側は白い椅子である。

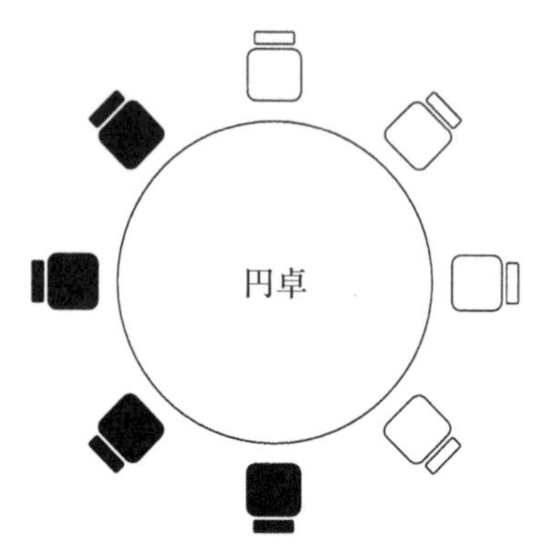

1　Ａから見て、Ａの左隣の椅子にＥが座っている。

2　Ｃから見て、Ｃの左隣の椅子にＨが座っている。

3　Ｅは、黒い椅子に座っている。

4　Ｇは、白い椅子に座っている。

5　Ｈは、白い椅子に座っている。

解説　　正解　3

TAC生の正答率　85%

椅子の色を考慮せず、８人の座席の位置関係だけを考える。

条件アとエより、Ｄの左隣にＡ、右隣にＦが座っている（図１）。

条件ウより、ＣとＥの座っている位置は、図１において（Ｃ，Ｅ）＝(③，①)、(④，②)、(⑤，③）の３通りあるが、(④，②）の場合は条件イのＢとＧが座れないので不適である。残った２通りの座り方について条件イを考慮すると、図２および図３の座り方となる。

図１

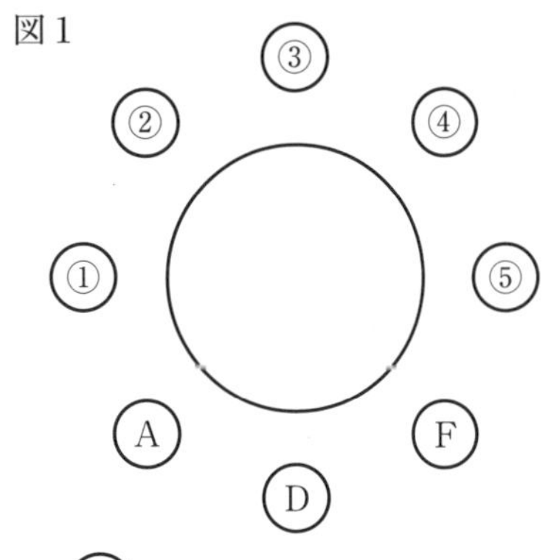

図２

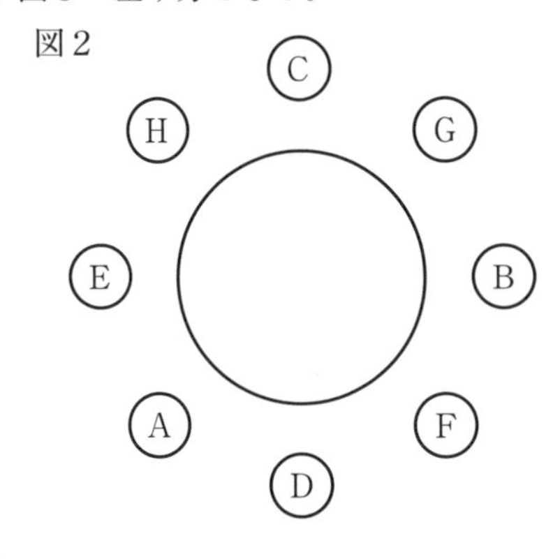

図３

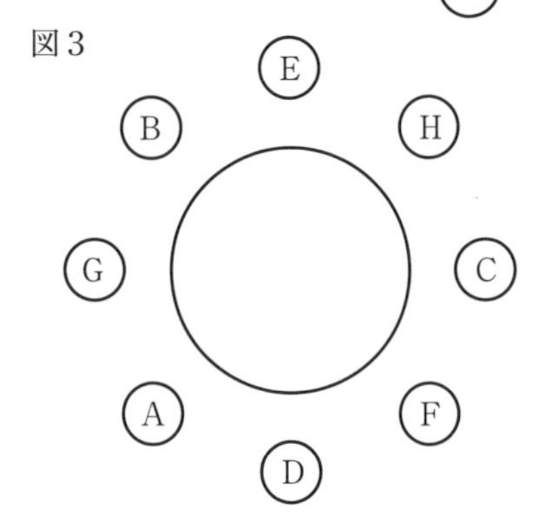

次に椅子の色を考える。図２の場合、条件イよりＦは黒い椅子になるが、条件エに矛盾するのでこの場合は不適である。よって、座席の配置は図３となり、条件エより、Ｄの両隣のＡ、Ｆと、その間のＤは白い椅子に座っていることになり、残る白い椅子はＣまたはＧのどちらかが座っていることになる。それ以外のＢ、Ｅ、Ｈは黒い椅子に座っており、これは条件イに矛盾しない（図４）。

図４

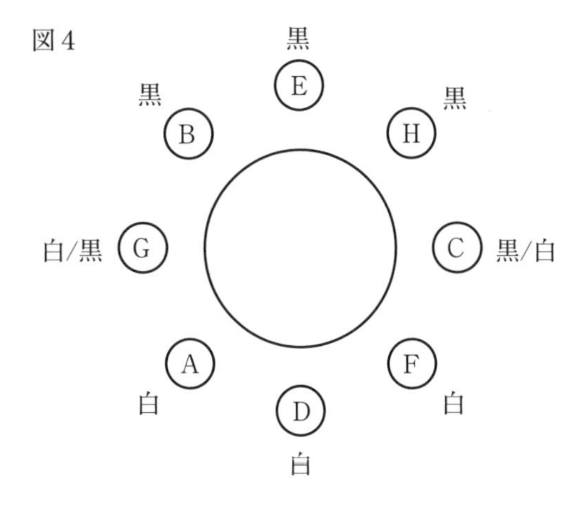

よって、図４より正解は**3**である。

判断推理　暗号　2023年度 教養 No.11

ある暗号で「えちご」が「4・1・5、7・2・10、(5・2・5)」、「こうずけ」が「10・1・10、3・1・5、(3・3・5)、9・1・10」で表されるとき、同じ暗号の法則で「1・2・5、(3・2・10)、1・2・10」と表されるのはどれか。

1 「むさし」

2 「かずさ」

3 「さがみ」

4 「いずも」

5 「さつま」

解説　正解　2

TAC生の正答率 44%

読点で分けられた暗号のブロックが、「えちご」が3ブロック、「こうずけ」が4ブロックであるから、暗号の各ブロックが「かな対応」していると推測する。

五十音表に整理する。カッコがついている部分はいずれも濁音になっているから、カッコが濁点を表し、それぞれ「5・2・5」が「こ」、「3・3・5」が「す」を表すと推測できる。

	あ行	か行	さ行	た行	な行	は行	ま行	や行	ら行	わ行	ん
あ段											
い段				7·2·10							
う段	3·1·5		3·3·5								
え段	4·1·5	9·1·10									
お段		5·2·5 10·1·10									

3つ目の数字について「5」と「10」の2種類があるので、分けて考える。条件に示されている「た行」までについて、3つ目が「5」と「10」に分けた表は、次のようになる。

表1	あ行	か行	さ行	た行
あ段				
い段				
う段	3·1·5		3·3·5	
え段	4·1·5			
お段		5·2·5		

表2	あ行	か行	さ行	た行
あ段				
い段				7·2·10
う段				
え段		9·1·10		
お段		10·1·10		

表1について、「あ行」の「う」と「え」は2つ目の数字がともに「1」で、1つ目の数字が「う」は「3」、「え」は「4」であるから、1つ目の数字は、母音の「あ段」から順に「1、2、3、4、

5」と並んでいるのが推測できる。また、「う段」の「う」と「す」は1つ目の数字がともに「3」で、2つ目の数字が「う」は「1」、「す」は「3」であるから、2つ目の数字は、子音の「あ行」から順に「1、2、3、4、5」と並んでいるのが推測できる（表3）。

表2について、「か行」の「け」と「こ」は2つ目の数字がともに「1」で、1つ目の数字が「け」は「9」、「こ」は「10」であるから、1つ目の数字は、母音の「あ段」から順に「6、7、8、9、10」と並んでいるのが推測できる。「1～5」の行方を考察すると、表2では3つ目の数字が10であることと「あ行」がすべて空白であることより、「あ行」と「か行」の2行分10字を1セットとして、1つ目の数字が「1～10」で2つ目の数字が「1」、「さ行」と「た行」の2行分10字を1セットとして、1つ目の数字が「1～10」で2つ目の数字が「2」となっていることが推測できる（表4）。

表3	あ行	か行	さ行	た行
あ段	1･1･5	1･2･5	1･3･5	1･4･5
い段	2･1･5	2･2･5	2･3･5	2･4･5
う段	3･1･5	3･2･5	3･3･5	3･4･5
え段	4･1･5	4･2･5	4･3･5	4･4･5
お段	5･1･5	5･2･5	5･3･5	5･4･5

表4	あ行	か行	さ行	た行
あ段	1･1･10	6･1･10	1･2･10	6･2･10
い段	2･1･10	7･1･10	2･2･10	7･2･10
う段	3･1･10	8･1･10	3･2･10	8･2･10
え段	4･1･10	9･1･10	4･2･10	9･2･10
お段	5･1･10	10･1･10	5･2･10	10･2･10

よって、「1・2・5、（3・2・10）、1・2・10」は「かずさ」と読めるので、正解は**2**である。

ある暗号で「ＤＯＧ」が「○Ｂｅ●Ｈ○Ｎ」、「ＪＦＫ」が「◎Ｌｉ○Ｃ◎Ｂｅ」で表されるとき、同じ暗号の法則で「◎Ｃ●Ｈ◎Ｎ●Ｃ●Ｂｅ○Ｂ○Ｈ◎Ｂ」と表されるのはどれか。

1 「ＣＯＭＰＵＴＥＲ」

2 「ＨＯＳＰＩＴＡＬ」

3 「ＭＯＮＴＲＥＡＬ」

4 「ＳＯＣＲＡＴＥＳ」

5 「ＳＯＦＴＢＡＬＬ」

解説　正解　3　TAC生の正答率 59%

暗号は、１つの記号とその後のアルファベットの１セットで１つのアルファベットを示していると推測できる。すなわち、Dが「○Ｂｅ」、Oが「●H」、Gが「○N」となる。アルファベット順に整理すると、次の表のようになる。

元	A	B	C	D	E	F	G	H	I
暗号				○Ｂｅ		○C	○N		
元	J	K	L	M	N	O	P	Q	R
暗号	◎Ｌｉ	◎Ｂｅ				●H			
元	S	T	U	V	W	X	Y	Z	
暗号									

○、◎が固まっているので、初めからいくつかは○、次のいくつかは◎、という法則があると推測する。○、◎に共通するＢｅに注目すると、○Ｂｅの少なくとも３つ後までは○であり、◎Ｂｅの４つ後は●に変わっているから、Ｂｅの後に３つだけ同じ記号が続くと推測できる。○が最初から始まっているとすれば、A～Gの７つが○、H～Nの７つが◎、O～Uの７つが●となり、次の表のように整理できる。縦の列に同じアルファベットが入るとすれば、各記号の１つ目はH、３つ目はＬｉ、４つ目はＢｅ、６つ目はC、７つ目はNとなることが推測できる。

元	A	B	C	D	E	F	G
暗号				○Ｂｅ		○C	○N
元	H	I	J	K	L	M	N
暗号			◎Ｌｉ	◎Ｂｅ			
元	O	P	Q	R	S	T	U
暗号	●H						
元	V	W	X	Y	Z		
暗号							

以上より、「◎C●H◎N●C●Ｂｅ○B○H◎B」は、「M・O・N・T・R・？・A・？」となり、この時点で、消去法より正解は**3**である。なお、記号の後のアルファベットは元素記号で、原子番号の１～７番までが順に並んでおり、２番目はＨｅ、５番目はBとなると推測できる。４段目に何の記号が使われているかは不明である。

元	A	B	C	D	E	F	G
暗号	○H	○Ｈｅ	○Ｌｉ	○Ｂｅ	○B	○C	○N
元	H	I	J	K	L	M	N
暗号	◎H	◎Ｈｅ	◎Ｌｉ	◎Ｂｅ	◎B	◎C	◎N
元	O	P	Q	R	S	T	U
暗号	●H	●Ｈｅ	●Ｌｉ	●Ｂｅ	●B	●C	●N
元	V	W	X	Y	Z		
暗号							

判断推理　暗号　2020年度 教養 No.11

ある暗号で「ヒラメハウミノサカナ」が「徒厨稚厚机堀絵仮付侍」で表されるとき、同じ暗号の法則で「ヘコアユ」を表したのはどれか。

1　「役縦働咲」

2　「材縦紙叶」

3　「書町縮培」

4　「兵児亜湯」

5　「裕紅仏暗」

解説　正解　5

TAC生の正答率　37%

暗号の文字数とカナの数が一致しているから、カナ1文字で暗号の漢字1文字を表していると考えられる。暗号が漢字の場合、読み方なども暗号解読のヒントの一つとして挙げられるが、1つずつの漢字の共通点を探し出すと、「サ」、「カ」、「ナ」はそれぞれ「仮」、「付」、「侍」でいずれも部首が「にんべん」であり、「サ」、「カ」、「ナ」はいずれもア段（母音がア）のカナである。同様に共通の部首に注目すると、「ラ」、「ハ」はそれぞれ「厨」、「厚」でいずれも部首が「がんだれ」であり、「ラ」、「ハ」はいずれもア段のカナである。部首が母音を表すと仮定して、すべて書き出してみると、表1のようになる。ア段に使われている2つの部首の特徴はともに画数が2画であり、これをもとに考えると、イ段の部首は3画、ウ段、エ段、オ段の部首はそれぞれ4画、5画、6画となっている。

表1	母音	部首	
2画	ア段	厂	亻
3画	イ段	彳	土
4画	ウ段	木	
5画	エ段	禾	
6画	オ段	糸	

次に子音（五十音表の「行」）を考える。同じア段の「カ」、「サ」、「ナ」について、「カ」の「付」は5画、「サ」の「仮」は6画、「ナ」の「侍」は8画であり、同様に、「ハ」の「厚」は9画、「ラ」の「厨」は12画なので、表2のように推測できる。

表2	4画	5画	6画	7画	8画	9画	10画	11画	12画	13画
子音	あ行	か行	さ行	た行	な行	は行	ま行	や行	ら行	わ行

しかしこれだと、な行の「ノ」の「絵」が12画であることと矛盾する。「ナ」の「侍」の8画、「ノ」の「絵」の12画の画数の差が4画で、ア段とオ段の部首の画数の差も4画であることに注目すると、部首を除いた画数がともに6画になっている。改めて部首を除いた画数で整理すると、表3のようになる（カッコ内は総画数）。

表3			部首以外の画数									
			2画	3画	4画	5画	6画	7画	8画	9画	10画	11画
			あ行	か行	さ行	た行	な行	は行	ま行	や行	ら行	わ行
部首の画数	2画	ア段		付（5）	仮（6）		侍（8）	厚（9）			厨（12）	
	3画	イ段						徒（10）	堀（11）			
	4画	ウ段	机（6）									
	5画	エ段							稚（13）			
	6画	オ段					絵（12）					

以上より、「ヘコアユ」は「部首5画・部首以外7画（総画数12）」、「部首6画・部首以外3画（総画数9）」、「部首2画・部首以外2画（総画数4）」、「部首4画・部首以外9画（総画数13）」となる漢字であるから、正解は**5**である。

判断推理　暗号

2022年度
教養 No.11

ある暗号で「oboe」が「CドミDソソCレファGララ」、「flute」が「AララGドレBレファAファラGシシ」、「harp」が「CミファCファファFミソDラド」で表されるとき、同じ暗号の法則で「AラドDドレAミファDソシCララBドレDミファ」と表されるのはどれか。

1 「piccolo」

2 「bassoon」

3 「trumpet」

4 「timpani」

5 「cymbals」

解説　正解　4　TAC生の正答率　42%

暗号は、1つのアルファベットの大文字とカタカナ2文字（「ファ」を1文字とする）1セットで1つのアルファベットの小文字を示していると推測できる。すなわち、oが「Cドミ」、bが「Dソソ」、…となる。暗号に使用されているアルファベットの大文字はA～G（Eは問題文には使用されていない）の7種類である。また、カタカナはいずれも「ドレミファソラシ」の音階のいずれかで、7種類あるから、元のアルファベットの小文字を7つずつに区切って表に整理すると、次のようになる。

元	a	b	c	d	e	f	g
暗号	Cファファ	Dソソ			Gララ Gシシ	Aララ	
元	h	i	j	k	l	m	n
暗号	Cミファ				Gドレ		
元	o	p	q	r	s	t	u
暗号	Cドミ Cレファ	Dラド		Fミソ		Aファラ	Bレファ
元	v	w	x	y	z		
暗号							

表の縦列において、アルファベットの大文字がそれぞれ同じであるから、1つ目のアルファベットの大文字は、表の縦列ごとに「C→D→E→F→G→A→B」となっていると推測できる。また、表の横列において、1段目は2つの音階が同じである。同様に段ごとに見ると、2段目は2つの「ドレミファソラシ」の音階が1つだけずれ、3段目は2つだけずれていると推測できる。

以上より、「Aラド・Dドレ・Aミファ・Dソシ・Cララ・Bドレ・Dミファ」と表されているのは、順に「t・i・m・p・a・n・i」と推測できるので、正解は**4**である。

判断推理　発言

2022年度
教養 No.13

A～Eの５人が、音楽コンクールで１位～５位になった。誰がどの順位だったかについて、A～Eの５人に話を聞いたところ、次のような返事があった。このとき、A～Eの５人の発言内容は、いずれも半分が本当で、半分は誤りであるとすると、確実にいえるのはどれか。ただし、同順位はなかった。

A 「Cが１位で、Bが２位だった。」
B 「Eが３位で、Cが４位だった。」
C 「Aが４位で、Dが５位だった。」
D 「Cが１位で、Eが３位だった。」
E 「Bが２位で、Dが５位だった。」

1　Aが、１位だった。

2　Bが、１位だった。

3　Cが、１位だった。

4　Dが、１位だった。

5　Eが、１位だった。

解説　正解　4

TAC生の正答率 80%

Bの発言について、前半と後半の発言のどちらが本当かで場合分けをする。

(i)　Bの発言の前半が本当で後半が誤りの場合

Bの前半と同じ発言であるDの後半の発言も本当となり、Bの後半とDの前半の発言は誤りとなる。これにより、Dの前半と同じ発言であるAの前半の発言も誤りとなり、Aの後半の発言は本当となる（表1、○は本当、×は誤りの発言）。さらに、Aの後半の発言と同じ発言であるEの前半の発言も本当となり、Eの後半の発言は誤りとなる。これにより、Eの後半と同じ発言であるCの後半の発言も誤りとなり、Cの前半の発言は本当となる（表2）。

表2より、Aが4位、Bが2位、Eが3位であり、Cは1位ではなく、Dは5位ではないから、Cが5位、Dが1位となる。

表1	前半		後半	
A	×	C＝1位	○	B＝2位
B	○	E＝3位	×	C＝4位
C		A＝4位		D＝5位
D	×	C＝1位	○	E＝3位
E		B＝2位		D＝5位

表2	前半		後半	
A	×	C＝1位	○	B＝2位
B	○	E＝3位	×	C＝4位
C	○	A＝4位	×	D＝5位
D	×	C＝1位	○	E＝3位
E	○	B＝2位	×	D＝5位

(ii)　Bの発言の前半が誤りで後半が本当の場合

Bの前半と同じ発言であるDの後半の発言も誤りとなり、Bの後半とDの前半の発言は本当となるが、これにより、「Cが4位である」という発言と「Cが1位である」という発言が両方とも本当になるので矛盾する（表3）。よって、この場合は不適である。

表3	前半		後半	
A		C＝1位		B＝2位
B	×	E＝3位	○	C＝4位
C		A＝4位		D＝5位
D	○	C＝1位	×	E＝3位
E		B＝2位		D＝5位

したがって、正解は**4**である。

数的推理　過不足算　2022年度 教養 No.20

ある催し物の出席者用に７人掛けの長椅子と５人掛けの長椅子を合わせて30脚用意した。７人掛けの長椅子だけを使って７人ずつ着席させると、85人以上の出席者が着席できなかった。７人掛けの長椅子に４人ずつ着席させ、５人掛けの長椅子に３人ずつ着席させると、67人以上の出席者が着席できなかった。また、７人掛けの長椅子に７人ずつ着席させ、５人掛けの長椅子に５人ずつ着席させると、出席者全員が着席でき、１人も着席していない５人掛けの長椅子が１脚余った。このとき、出席者の人数として、正しいのはどれか。

1　169人

2　171人

3　173人

4　175人

5　177人

解説　正解　1

TAC生の正答率　40%

７人掛けの長椅子をx[脚]、５人掛けの椅子を（$30-x$)[脚]とおき、出席者をy[人]とおく。

７人掛けの長椅子だけに７人ずつ着席させる場合、座席数は$7x$[席]、必要な座席数（＝出席者数）はy[席]で、余る座席は$7x-y$[席]と表せ、「85人以上が着席できない＝85席以上足りない」ことから、$7x-y \leqq -85$…①が成り立つ。なお、「座席が85席以上足りない」は、例えば、90席足りない（$=-90$)、100席足りない（$=-100$）という状況であり、$-90<-85$、$-100<-85$であるから、不等号は右が大となる。

また、７人掛けの長椅子に４人ずつ、５人掛けの長椅子に３人ずつ着席させる場合、座席数は$4x+3(30-x)=x+90$[席]、必要な座席数（＝出席者数）はy[席]で、余る座席は$x+90-y$[席]と表せ、「67人以上が着席できない＝67席以上足りない」ことから、$x+90-y \leqq -67$…②が成り立つ。

さらに、７人掛けの長椅子に７人ずつ、５人掛けの長椅子に５人ずつ着席させる場合、座席数は$7x+5(30-x)=2x+150$[席]、必要な座席数（＝出席者数）はy[席]で、余る座席は$2x+150-y$[席]と表せ、「５人掛けの長椅子が１脚余る＝５席分余る」ことから、$2x+150-y=5$…③が成り立つ。

③をyについて解くと、$y=2x+145$となり、これを①、②に代入する。①に代入すると$7x-(2x+145) \leqq -85$で、これを整理すると$x \leqq 12$…④となる。また、②に代入すると$x+90-(2x+145) \leqq -67$で、これを整理すると$x \geqq 12$…⑤となる。

④、⑤を満たすxは$x=12$であり、これを③に代入すると$y=169$[人]となる。

したがって、正解は**1**である。

数的推理	割合	2023年度 教養 No.20

A駅、B駅及びC駅の３つの駅がある。15年前、この３駅の利用者数の合計は、175,500人であった。この15年間に、利用者数は、A駅で12%、B駅で18%、C駅で９%それぞれ増加した。増加した利用者数が各駅とも同じであるとき、現在のA駅の利用者数はどれか。

1 43,680人

2 46,020人

3 58,500人

4 65,520人

5 78,000人

解説　**正解　4**　TAC生の正答率 50%

15年前のA、B、C駅の利用者数をそれぞれa[人]、b[人]、c[人]とすると、$a+b+c=175500$…①が成り立つ。また、15年間に増加したA、B、C駅の利用者数はそれぞれ$\frac{12}{100}a$[人]、$\frac{18}{100}b$[人]、$\frac{9}{100}c$[人]で、この値がすべて同じであるから$\frac{12}{100}a=\frac{18}{100}b=\frac{9}{100}c$…②が成り立つ。②について、$b$、$c$をそれぞれ$a$で表すと、$\frac{12}{100}a=\frac{18}{100}b$より$b=\frac{2}{3}a$…③、$\frac{12}{100}a=\frac{9}{100}c$より$c=\frac{4}{3}a$…④となる。③、④を①に代入すると$a+\frac{2}{3}a+\frac{4}{3}a=175500$となり、これを解くと$a=58500$[人]となる。

現在のA駅の利用者は$a+\frac{12}{100}a=58500+\frac{12}{100}\times 58500=65520$[人]となるので、正解は**4**である。

数的推理　割合

2020年度
教養 No.20

大学生ＰとＱは、入館料がそれぞれ1,000円の博物館Ａ、800円の博物館Ｂ、600円の博物館Ｃに行く。今、Ｐのみが2,000円の入会金を支払って博物館Ａ～Ｃの共通会員になり、この３つの博物館で会員だけが使用できる入館料50％割引券を１枚、25％割引券を３枚、10％割引券を16枚もらった。このとき、Ｐが支払う入会金と入館料の合計金額が、Ｑが支払う入館料の合計金額より少なくなるためには、Ｐは博物館Ａ～Ｃに合計して最低何回入館する必要があるか。ただし、ＰとＱはいつも一緒に同じ博物館に行き、同じ回数入館するものとし、博物館Ａ～Ｃにそれぞれ１回は入館する。また、割引券は１回の入館につき１枚しか使用できないものとする。

1　７回

2　13回

3　14回

4　16回

5　20回

解説　正解　2　TAC生の正答率 24%

Ｐが支払う入会金と入館料の合計金額が、Ｑが支払う入館料の合計金額より少なくなるのは、割引券で割引してもらった入館料の合計が、入会金の2,000円より多くなるときである。割引額をなるべく大きくするために、50%割引券と25%割引券を入館料の高い博物館Ａで使用すると、４回の入館での割引額の合計は1000×50%＋1000×25%×3＝1250[円]となる。

残りはすべて10%割引券だが、博物館Ａ～Ｃにそれぞれ１回は入館するので、ＢとＣに１回ずつ入館する。この時の割引額の合計は800×10%＋600×10%＝140[円]で、先述の４回と合わせ、６回の入館での割引額の合計は1250＋140＝1390[円]となる。

残りはすべて割引額が大きくなる博物館Ａに入館することにすると、１回の入館での割引額は1000×10%＝100[円]となる。割引額の合計が2000円になるまで残り2000－1390＝610[円]で、この金額を超えるには１回の入館で100円割引されるから610÷100＝6.1より、６回では足りず、７回の入館が必要となる。

以上より、最低入館回数は4＋2＋7＝13[回]であるから、正解は**2**である。

数的推理　平均

2021年度
教養 No.20

ある学校でマラソン大会を実施した。今、生徒の完走時間について次のア～オのことが分かっているとき、完走時間が１時間以上の生徒は何人か。

ア　全生徒の完走時間の平均は、71分であった。
イ　完走時間が45分未満の生徒は20人おり、その完走時間の平均は43分であった。
ウ　完走時間が45分以上１時間未満の生徒は全体の40％であり、その完走時間の平均は54分であった。
エ　完走時間が１時間以上１時間30分未満の生徒の完走時間の平均は、75分であった。
オ　完走時間が１時間30分以上の生徒は全体の20％であり、その完走時間の平均は105分であった。

1　100人

2　160人

3　220人

4　280人

5　340人

解説　正解　3　TAC生の正答率 51%

表で整理し、平均を考える（表1）。

表1	45分未満	45分以上 1時間未満	1時間以上 1時間30分 未満	1時間30分 以上	全体
平均 ［分/人］	43	54	75	105	71
人数 ［人］	20				
総和 ［分］					

全生徒数をx［人］とすると、完走時間が45分以上1時間未満の生徒は$\frac{4}{10}x$［人］、1時間30分以上の生徒は$\frac{2}{10}x$［人］で、1時間以上1時間30分未満の生徒は$x-\left(20+\frac{4}{10}x+\frac{2}{10}x\right)=\frac{4}{10}x-20$［人］となり、総和から、$43\times 20+54\times\frac{4}{10}x+75\times\left(\frac{4}{10}x-20\right)+105\times\frac{2}{10}x=71\times x$が成り立つ（表2）。

表2	45分未満	45分以上 1時間未満	1時間以上 1時間30分 未満	1時間30分 以上	全体
平均 ［分/人］	43	54	75	105	71
人数 ［人］	20	$\frac{4}{10}x$	$\frac{4}{10}x-20$	$\frac{2}{10}x$	x
総和 ［分］	43×20	$54\times\frac{4}{10}x$	$75\left(\frac{4}{10}x-20\right)$	$105\times\frac{2}{10}x$	$71\times x$

分母を払って整理すると$8600+216x+300x-15000+210x=710x$で、これを解くと$x=400$となる。

以上より、完走時間が1時間未満の生徒は$20+\frac{4}{10}\times 400=180$［人］で、1時間以上の生徒は$400-180=220$［人］となるから、正解は**3**である。

数的推理　速さ

2023年度
教養 No.18

A、B、Cの３つの地点がある。AB間及びAC間は、それぞれ直線道路で結ばれ、その道路は、地点Aで直交し、AB間は12km、AC間は９kmである。地点Bと地点Cには路面電車の停留場があり、両地点は直線の軌道で結ばれている。X、Yの２人が地点Aから同時に出発し、Xは直接地点Bへ向かい、Yは地点Cを経由し地点Bへ向かった。Xは時速10kmの自転車、YはAC間を時速20kmのバス、CB間を時速18kmの路面電車で移動したとき、地点Bでの２人の到着時間の差はどれか。ただし、各移動の速度は一定であり、乗り物の待ち時間は考慮しないものとする。

1　３分

2　５分

3　９分

4　12分

5　17分

解説　正解　2

TAC生の正答率　59%

地点A、B、Cを結ぶと、ABとACが直交するから、△ABCは直角三角形になる。$AB^2+AC^2=BC^2$で、$12^2+9^2=BC^2$（BC＞0）が成り立つから、BC＝15［km］である。

XはAB間の12kmを時速10kmで移動しているから、移動時間は$\frac{12}{10}$［時間］＝$\frac{12}{10}\times60=72$［分］である。

Yは、AC間の９kmを時速20km、CB間の15kmを時速18kmで移動しているから、移動時間は$\frac{9}{20}+\frac{15}{18}=\frac{27}{60}+\frac{50}{60}=\frac{77}{60}$［時間］＝$\frac{77}{60}\times60=77$［分］である。

よって、２人の到着時間の差は77－72＝5［分］であるから、正解は**2**である。

数的推理　速さ　2021年度 教養 No.18

Aは、いつも決まった時刻に家を出発し、家から駅まで12分かけて歩いて向かっている。ところがある日、家から駅までの道のりの３分の１の地点で忘れ物に気づいたので、すぐに走って家に戻り、忘れ物を取ってから再び走って駅へ向かったところ、駅に到着した時刻はいつもと同じだった。家に到着してから再び出発するまでにかかった時間はどれか。ただし、Aが走る速さは歩く速さの３倍で、それぞれの速さは一定とする。

1　２分20秒

2　２分30秒

3　２分40秒

4　２分50秒

5　３分

解説　正解　3　TAC生の正答率 68%

速さは一定だから、家から駅までの道のりの３分の１の地点までは$12\times\frac{1}{3}=4$[分]かかっていたことになる。走って家に戻るときは歩く速さの３倍で移動したから、同じ距離を移動するのにかかる時間は歩くときの$\frac{1}{3}$になる。よって、家に戻るまでの時間は$4\times\frac{1}{3}=\frac{4}{3}$[分]である。再び家から駅に向かったときは走っているので、駅に着くまでの時間は$12\times\frac{1}{3}=4$[分]かかる。

以上より、ある日の移動においての移動時間は$4+\frac{4}{3}+4=9+\frac{1}{3}$[分]で、12分かけて歩いたときと到着時刻が同じということは、家に到着してから再び出発するまで$12-\left(9+\frac{1}{3}\right)=2+\frac{2}{3}$[分]＝２分40秒だけかかったことになる。

したがって、正解は**3**である。

数的推理　流水算

2022年度
教養 No.18

ある川に沿ってサイクリングロードがあり、下流の地点Ｐから上流の地点Ｑに向かって、自転車がサイクリングロードを、船が川を、同時に出発した。船は、途中でエンジンが停止してそのまま15分間川を流された後、再びエンジンが動き出し、最初に出発してから60分後に、自転車と同時にＱに到着した。このとき、静水時における船の速さはどれか。ただし、川の流れの速さは４km/時、自転車の速さは８km/時であり、川の流れ、自転車及び船の速さは一定とする。

1　８km/時

2　10km/時

3　12km/時

4　14km/時

5　16km/時

解説　正解　5

TAC生の正答率　42%

地点Ｐから地点Ｑまで、８km/時の自転車では60分＝１時間かかっているので、PQ間の距離は$8\times1=8$[km]である。

船で地点Ｐから地点Ｑまで川上りをする。静水時での船の速さをx[km/時]とすると、エンジンが動いているときの川を上る速さは$(x-4)$[km/時]、エンジンが停止したときの川を上る速さは-4 km/時であり、エンジンが停止していた時間は15分$=\frac{1}{4}$時間、エンジンが動いていた時間は$1-\frac{1}{4}=\frac{3}{4}$[時間]となる。

以上より、距離の関係から式を作ると$(x-4)\times\frac{3}{4}+(-4)\times\frac{1}{4}=8$が成り立ち、これを解くと$x=16$[km/時]となる。

したがって、正解は**5**である。

数的推理 | 仕事算 | 2022年度 教養 No.19

A、Bの2人で倉庫整理を行うと、ある日数で終了することが分かっている。この整理をAだけで行うと、2人で行うときの日数より4日多くかかり、Bだけで行うと9日多くかかる。今、初めの4日間は2人で整理を行い、残りはBだけで整理を終えたとき、この倉庫整理にかかった日数はどれか。ただし、A、Bそれぞれの1日当たりの仕事量は一定とする。

1 7日

2 8日

3 9日

4 10日

5 11日

解説 正解 3 TAC生の正答率 50%

全体の仕事量を1とし、2人で倉庫整理を行ったときにかかる日数をx[日]とおくと、2人で倉庫整理を行ったときの1日当たりの仕事の速さは$\frac{1}{x}$となる。

また、Aが1人で行うとかかる日数は$x+4$[日]、Bが1人で行うとかかる日数は$x+9$[日]であるから、それぞれの1日当たりの仕事の速さは、Aが$\frac{1}{x+4}$、Bが$\frac{1}{x+9}$となる。

以上より、$\frac{1}{x+4}+\frac{1}{x+9}=\frac{1}{x}$が成り立つ。両辺に$x(x+4)(x+9)$をかけて分母を払うと、$x(x+9)+x(x+4)=(x+4)(x+9)$となり、これを整理すると$x^2=36$となる。$x>0$より$x=6$となるから、1日当たりの仕事の速さは、Aが$\frac{1}{10}=\frac{3}{30}$、Bが$\frac{1}{15}=\frac{2}{30}$となる。

初めの4日間は2人で行い、残りはBだけで行ったとき、Bだけで行った日数をt[日]とすると、仕事量の関係より$\frac{3+2}{30}\times4+\frac{2}{30}\times t=1$が成り立ち、これを解くと$t=5$[日]となる。

よって、倉庫整理にかかった日数は$4+5=9$[日]となるから、正解は**3**である。

数的推理　仕事算

2020年度
教養 No.19

満水のタンクを空にするために、複数のポンプで同時に排水する。ポンプＡ、Ｂ及びＣでは16分、ＡとＢでは24分、ＡとＣでは30分かかる。今、ＢとＣのポンプで排水するとき、排水にかかる時間はどれか。

1　18分

2　20分

3　24分

4　28分

5　32分

解説　正解　2

TAC生の正答率　65%

満水のタンクの水量を１とおく。ポンプＡ、Ｂ、Ｃの１分あたりの排水量をそれぞれa、b、cとおくと、３台すべてを同時に使うと16分かかることから $(a+b+c)\times 16=1 \Leftrightarrow a+b+c=\frac{1}{16}$…①が成り立つ。同様に、ＡとＢの２台では24分かかることから$a+b=\frac{1}{24}$…②、ＡとＣの２台では30分かかることから$a+c=\frac{1}{30}$…③が成り立つ。②を①に代入すると$\frac{1}{24}+c=\frac{1}{16}$で、これを解くと$c=\frac{3}{48}-\frac{2}{48}=\frac{1}{48}$となり、また、③を①に代入すると$\frac{1}{30}+b=\frac{1}{16}$で、これを解くと$b=\frac{15}{240}-\frac{8}{240}=\frac{7}{240}$となる。

したがって、ＢとＣの２台を使ったときの１分あたりの排水量は$\frac{7}{240}+\frac{1}{48}=\frac{12}{240}=\frac{1}{20}$で、排水までにかかる時間は20分となるから、正解は**2**である。

1桁の整数a、b、cを用いて表される4桁の正の整数「abc6」がある。この正の整数が3、7、11のいずれでも割り切れるとき、a + b + cが最大となるのはどれか。

1 6

2 9

3 12

4 15

5 18

解説　正解　5

TAC生の正答率 26%

3、7、11のいずれでも割り切れる整数は、3、7、11の公倍数であるから、最小公倍数の231を取って、231の倍数であることになる。231の倍数のうち、一の位が6となる最小の自然数は231×6＝1386である。以降、一の位が6であることを維持するために、231×10＝2310ずつ加えていくと、1386＋2310＝3696、3696＋2310＝6006、6006＋2310＝8316、となり、ここまでが4桁の整数となる。よって、満たす整数は4通りあり、このうち、千、百、十の位の数字の和（a＋b＋c）が最大となるものを考える。

1386は1＋3＋8＝12である。

3696は3＋6＋9＝18である。

6006は6＋0＋0＝6である。

8316は8＋3＋1＝12である。

よって、最大なのは18であるから、正解は**5**である。

数的推理　整数

2021年度
教養 No.15

1～200までの番号が付いた200個のボールが袋の中に入っている。次のア～ウの順番でボールを袋から取り出したとき、袋の中に残ったボールの個数はどれか。

ア　7の倍数の番号が付いたボール
イ　5の倍数の番号が付いたボール
ウ　2の倍数の番号が付いたボール

1　63個

2　65個

3　67個

4　69個

5　71個

解説　正解 4

TAC生の正答率 48%

7の倍数、5の倍数、2の倍数の番号がついたボールを袋から取り出しているから、袋の中に残ったボールに付いている番号は、2、5、7のいずれの倍数でもないことになる。1～200までのうち、それぞれの倍数の個数を求める。

7の倍数は、200÷7＝28余り4より、28個ある。

5の倍数は、200÷5＝40より、40個ある。

2の倍数は、200÷2＝100より、100個ある。

7かつ5の倍数（35の倍数）は、200÷35＝5余り25より、5個ある。

7かつ2の倍数（14の倍数）は、200÷14＝14余り4より、14個ある。

5かつ2の倍数（10の倍数）は、200÷10＝20より、20個ある。

7かつ5かつ2の倍数（70の倍数）は、200÷70＝2余り60より、2個ある。

図1より、7と5の倍数であるが、2の倍数ではない（図1の a）のは5－2＝3[個]、7と2の倍数であるが、5の倍数ではない（図1の b）のは14－2＝12[個]、7の倍数であるが、2または5の倍数ではない（図1の d）は28－(3＋12＋2)＝11[個]である。同様に計算すると、c＝20－2＝18[個]、e＝40－(3＋18＋2)＝17[個]、f＝100－(18＋12＋2)＝68[個]となる。

よって、2、5、7のいずれの倍数でもない（図1の g）のは200－(2＋3＋12＋18＋11＋17＋68)＝69[個]となる（図2）。

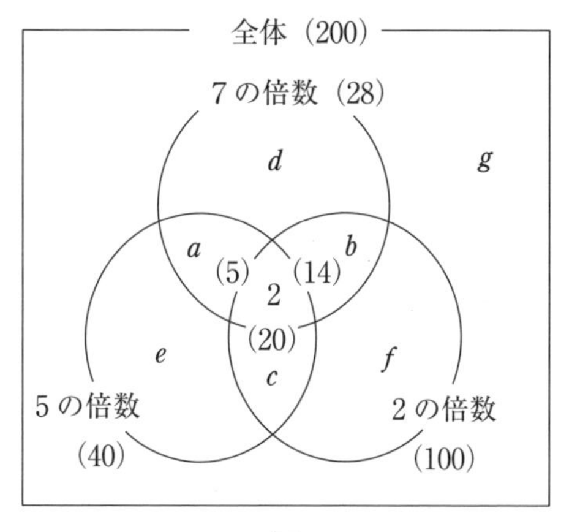

図1

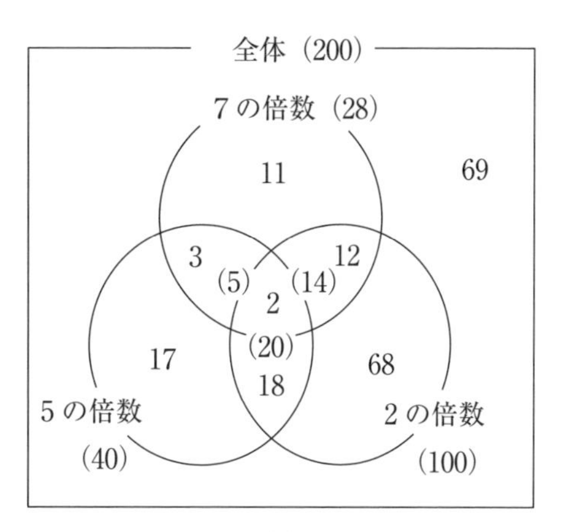

図2

したがって、正解は**4**である。

現代文
英文
判断推理
数的推理
資料解釈
空間把握
法律
政治
経済

数的推理　剰余

2023年度
教養 No.17

4で割ると1余り、5で割ると2余り、6で割ると3余る自然数のうち、最も小さい数の各位の数字の和はどれか。

1　6

2　9

3　12

4　15

5　18

解説　正解　3

TAC生の正答率　73%

満たす自然数をxとすると、$x=(4の倍数)+1$、$x=(5の倍数)+2$、$x=(6の倍数)+3$と表せる。$x=(4の倍数)+1$の両辺に3を足すと、$x+3=(4の倍数)+4$となるから、$x+3$は4の倍数となる。同様に、$x=(5の倍数)+2$の両辺に3を足すと、$x+3=(5の倍数)+5$となるから、$x+3$は5の倍数となり、$x=(6の倍数)+3$の両辺に3を足すと、$x+3=(6の倍数)+6$となるから、$x+3$は6の倍数となる。よって、$x+3$は4、5、6の最小公倍数である60の倍数で、$x+3=(60の倍数)$より、$x=(60の倍数)-3$と表せる。

最も小さいのは$x=57$であり、$5+7=12$となるから、正解は**3**である。

分数$\frac{5}{26}$を小数で表したとき、小数第100位の数字はどれか。

1　0

2　2

3　3

4　6

5　7

解説　**正解　3**　TAC生の正答率 67%

実際に5÷26を計算すると、0.1923076923076923……となり、小数第1位の1のあとは、923076が繰り返し並ぶことになる。小数第2位から第100位までの99桁に、この6桁の923076は99÷6＝16余り3より16回繰り返され、さらに余りの3桁分の923が並ぶことになる。

よって、小数第100位は3であるので、正解は**3**である。

数的推理　確率　2023年度 教養 No.19

1個のサイコロを6回振ったとき、3の倍数が5回以上出る確率はどれか。

1 $\frac{1}{3}$

2 $\frac{4}{243}$

3 $\frac{1}{729}$

4 $\frac{13}{729}$

5 $\frac{5}{972}$

解説　正解　4

TAC生の正答率 61%

サイコロを1回振るごとに3の倍数が出る確率は$\frac{1}{3}$、出ない確率は$\frac{2}{3}$である。6回振ったとき、3の倍数が5回以上出る確率は、(i)3の倍数が6回出る、(ii)3の倍数が5回出る、のそれぞれの確率の和で求めることができる。

(i)　3の倍数が6回出る

6回とも3の倍数が出る確率は、$\left(\frac{1}{3}\right)^6=\frac{1}{729}$である。

(ii)　3の倍数が5回出る

6回のうち5回が3の倍数、1回が3の倍数でない出目の順番は、何回目に3の倍数が出るかの選び方と等しいから${}_6C_5=6$[通り]ある。それぞれの確率は$\left(\frac{1}{3}\right)^5\times\frac{2}{3}$であるから、この場合の確率は$\left(\frac{1}{3}\right)^5\times\frac{2}{3}\times6=\frac{12}{729}$である。

以上より、求める確率は$\frac{1}{729}+\frac{12}{729}=\frac{13}{729}$となるから、正解は**4**である。

数的推理　確率　2021年度 教養 No.19

ある箱の中に、赤色のコインが５枚、黄色のコインが４枚、青色のコインが３枚入っている。今、この箱の中から同時に３枚のコインを取り出すとき、２枚だけ同じ色になる確率はどれか。

1　$\frac{36}{55}$

2　$\frac{29}{44}$

3　$\frac{73}{110}$

4　$\frac{147}{220}$

5　$\frac{15}{22}$

解説　正解　2

TAC生の正答率　59%

12枚のコインから同時に３枚取り出すときの取り出し方は${}_{12}C_3=\frac{12\times11\times10}{3\times2\times1}=220$［通り］ある。このうち、２枚だけが同じ色になるのは、①２枚が赤色で１枚が黄色か青色、②２枚が黄色で１枚が赤色か青色、③２枚が青色で１枚が赤色か黄色、のいずれかである。

①の取り出し方は赤色が５枚中２枚で${}_5C_2=10$［通り］、黄色か青色が７枚中１枚で${}_7C_1=7$［通り］だから$10\times7=70$［通り］である。

②の取り出し方は黄色が４枚中２枚で${}_4C_2=6$［通り］、赤色か青色が８枚中１枚で${}_8C_1=8$［通り］だから$6\times8=48$［通り］である。

③の取り出し方は青色が３枚中２枚で${}_3C_2=3$［通り］、赤色か黄色が９枚中１枚で${}_9C_1=9$［通り］だから$3\times9=27$［通り］である。

よって、条件を満たす取り出し方は全部で$70+48+27=145$［通り］であり、その確率は$\frac{145}{220}=\frac{29}{44}$だから、正解は**2**である。

次の図のように、短辺の長さが12cm、長辺の長さが16cmの長方形ABCDの内部に点Ｅがある。三角形ADEと三角形BCEとの面積比が１対２、三角形CDEと三角形ABEとの面積比が１対３であるとき、三角形ACEの面積はどれか。

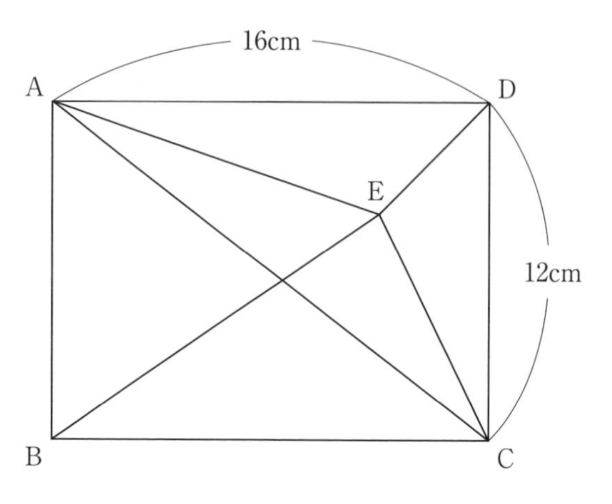

1 $26cm^2$

2 $32cm^2$

3 $36cm^2$

4 $40cm^2$

5 $46cm^2$

解説　正解　4

TAC生の正答率　60%

三角形ACE＝長方形ABCD－(三角形ABC＋三角形ADE＋三角形CDE)であり、長方形ABCDの面積は$16\times12=192$[cm^2]、三角形ABCの面積は$\frac{1}{2}\times16\times12=96$[$cm^2$]であるから、三角形ADEと三角形CDEの面積を求めればよい。

三角形ADEと三角形BCEの面積比が１対２であり、底辺はAD＝BCであるから、高さの比は面積比と一致する。EからADおよびBCに引いた垂線がそれぞれの三角形の高さになり、高さの和＝AB＝CD＝12[cm]であるから、三角形ADEの高さ＝$12\times\frac{1}{3}=4$[cm]である。よって、三角形ADE＝$\frac{1}{2}\times16\times4=32$[$cm^2$]である。

また、三角形CDEと三角形ABEの面積比が１対３であり、底辺はDC＝ABであるから、高さの比は面積比と一致する。EからDCおよびABに引いた垂線がそれぞれの三角形の高さになり、高さの和＝AD＝BC＝16[cm]であるから、三角形CDEの高さ＝$16\times\frac{1}{4}=4$[cm]である。よって、三角形CDE＝$\frac{1}{2}\times12\times4=24$[$cm^2$]である。

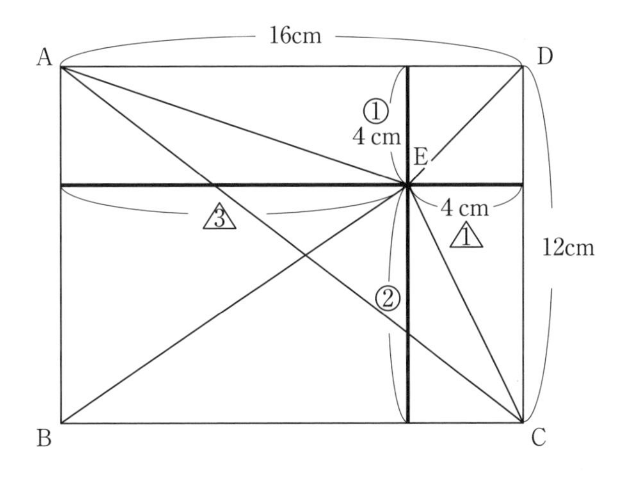

以上より、三角形ACE＝192－(96＋32＋24)＝40[cm^2]となるので、正解は**4**である。

数的推理 平面図形

次の図のように、直線STに点Aで接する円Oがある。線分BDは円Oの直径、弦CDは接線STに平行である。弦ACと直径BDの交点をEとし、線分ABの長さが4cm、∠BASが30°のとき、三角形CDEの面積はどれか。

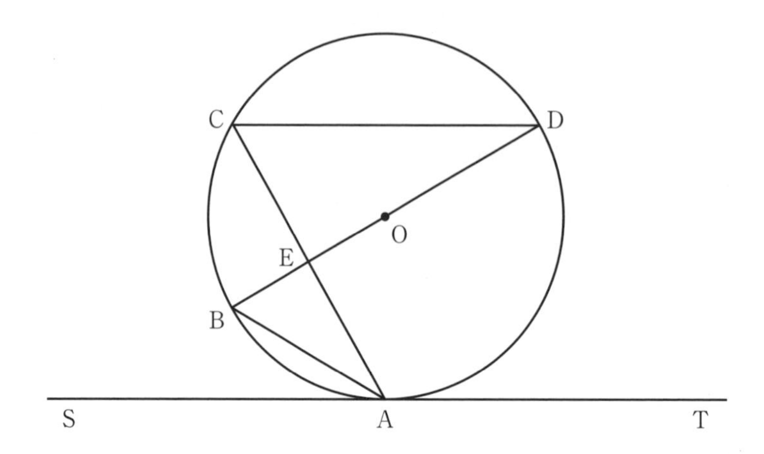

1　$6\,\text{cm}^2$

2　$6\sqrt{3}\,\text{cm}^2$

3　$8\sqrt{3}\,\text{cm}^2$

4　$9\sqrt{3}\,\text{cm}^2$

5　$12\sqrt{3}\,\text{cm}^2$

解説　正解　2　TAC生の正答率 51%

問題図に直径が描かれており、直径を弦とする弧の円周角が90°であること、および、接線と弦が作る角（＝∠BAS）の角度が与えられていることから、これらを利用できるよう、ADに補助線を引く。

接弦定理より、∠BAS＝∠BDA＝30°である。また、BDが直径であることから∠BAD＝90°となるから、△DBAは∠D＝30°、∠B＝60°、∠A＝90°の直角三角形となり、BA：BD＝1：2よりBD＝8[cm]となるから、円Oは半径4cmの円である。

次に、CDとSTが平行であるから、錯角である∠DCAと∠CASは等しくなる。等しい弧の円周角は等しいから、∠DCA＝∠DBA＝60°であり、平行線の錯角の関係から∠CAS＝∠DCA＝60°となる。よって、∠EAB＝60－30＝30°となるから、△ABEは∠A＝30°、∠B＝60°、∠E＝90°の直角三角形となる。これにより、対頂角は等しいから∠BEA＝∠CED＝90°となり、△CEDは∠D＝30°、∠C＝60°、∠E＝90°の直角三角形となる（図1）。

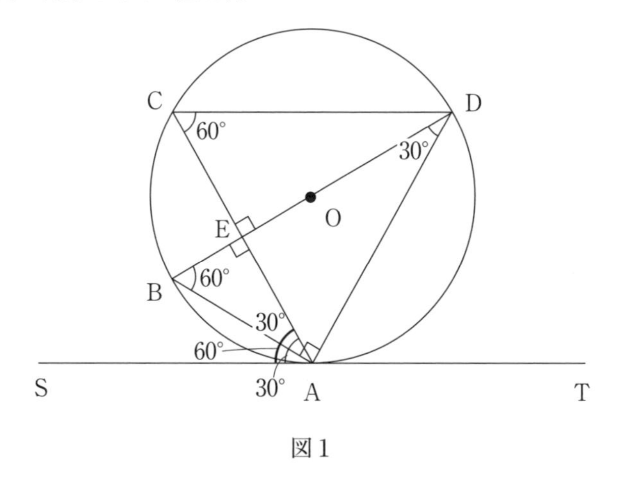

図1

ここで、△CADについてみると、∠DCA＝60°、∠CAD＝∠BAD－∠BAC＝90－30＝60°で、3つの内角すべてが60°となるから、△CADは正三角形である。

正三角形において、外心（＝外接円の中心）と重心は一致するからOは重心である。よって、DEはOによって2：1に内分されるから、DO＝4cmより、EO＝2cmとなる（図2）。

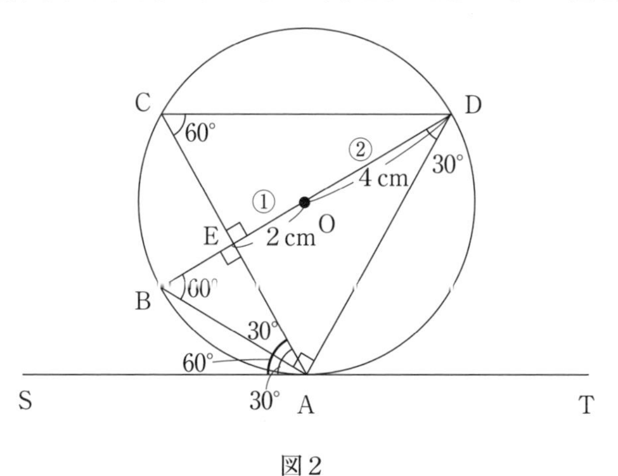

図2

以上より、△CEDは$\angle E=90°$、$ED=6$cm、$ED:CE=\sqrt{3}:1$より$CE=\frac{6}{\sqrt{3}}=2\sqrt{3}$cmであるから、面積は$\frac{1}{2}\times 6\times 2\sqrt{3}=6\sqrt{3}$［$cm^2$］となる。

したがって、正解は**2**である。

現代文
英文
判断推理
数的推理
資料解釈
空間把握
法律
政治
経済

MEMO

数的推理　平面図形

2021年度
教養 No.16

次の図のように、１辺が６cmの正方形が２つあり、正方形の対角線の交点Ｏを中心として、一方の正方形を30°回転させたとき、２つの正方形が重なり合ってできる斜線部の面積はどれか。

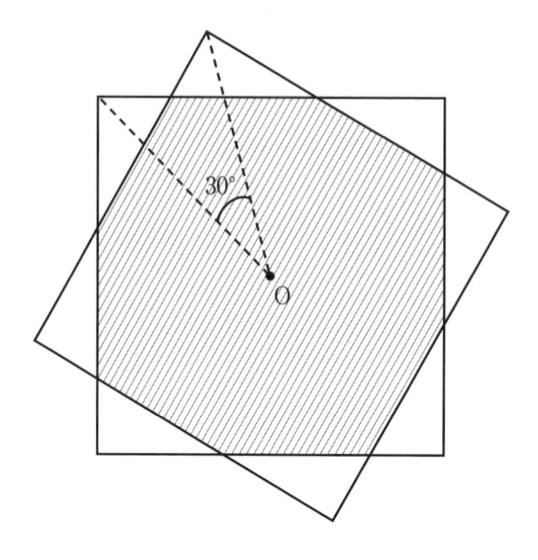

1　$12(9-4\sqrt{3})\text{cm}^2$

2　$6(6-\sqrt{3})\text{cm}^2$

3　$6(3+\sqrt{3})\text{cm}^2$

4　$24(3-\sqrt{3})\text{cm}^2$

5　$12(1+\sqrt{3})\text{cm}^2$

一方の正方形を30°回転させているから、２つの正方形の辺がなす角も30°となり、斜線部の外側にある直角三角形は30°、60°、90°の直角三角形となる。図形の対称性より、この８つの直角三角形は合同であり、最も短い辺の長さを a [cm]とすると、もう一方の隣辺は$\sqrt{3}a$[cm]、斜辺は$2a$[cm]となる。

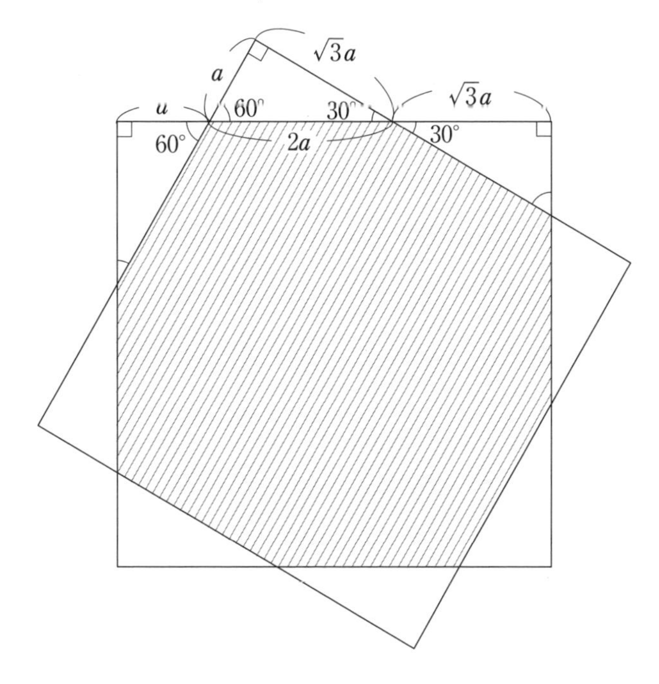

正方形の１辺は６cmだから、図より$a+2a+\sqrt{3}a=6$が成り立ち、これを解くと$a=\frac{6}{3+\sqrt{3}}=\frac{6}{3+\sqrt{3}}\times\frac{3-\sqrt{3}}{3-\sqrt{3}}=3-\sqrt{3}$[cm]となる。

斜線部の面積は、正方形１つの面積から直角三角形の面積４つを除いたものであり、正方形の面積は$6^2=36$[cm^2]、直角三角形の面積は$\frac{1}{2}\times a\times\sqrt{3}a=\frac{\sqrt{3}}{2}a^2$より、$\frac{\sqrt{3}}{2}\times(3-\sqrt{3})^2=\frac{\sqrt{3}}{2}\times(12-6\sqrt{3})=6\sqrt{3}-9$[cm^2]であるから、求める面積は$36-4\times(6\sqrt{3}-9)=72-24\sqrt{3}=24(3-\sqrt{3})$[cm^2]となる。

したがって、正解は**4**である。

資料解釈　実数の表

2023年度
教養 No.21

次の表から確実にいえるのはどれか。

アジア５か国の外貨準備高の推移

（単位　100万米ドル）

国　名	2016年	2017	2018	2019	2020
日　　本	1,189,484	1,233,470	1,240,133	1,286,164	1,345,523
イ ン ド	341,989	390,245	375,365	433,366	550,184
韓　　国	366,466	384,620	398,944	403,867	437,282
タ　　イ	166,388	196,367	199,537	217,056	248,993
中　　国	3,032,563	3,161,830	3,094,781	3,130,526	3,241,940

1　2017年から2019年までの３年における日本の外貨準備高の１年当たりの平均は、１兆2,500億米ドルを下回っている。

2　2019年のインドの外貨準備高の対前年増加額は、2016年のそれの20％を下回っている。

3　2020年の韓国の外貨準備高の対前年増加率は、2017年のそれより大きい。

4　表中の各年とも、タイの外貨準備高は、日本のそれの15％を上回っている。

5　2020年において、中国の外貨準備高の対前年増加率は、日本の外貨準備高のそれより大きい。

解説　正解　3

TAC生の正答率 77%

概算は、表の百の位を四捨五入した値で行う。

1　×　2017年から2019年までの３年における日本の外貨準備高の１年当たりの平均が１兆2,500億米ドル＝1,250,000［100万米ドル］を下回っているということは、３年間の総和が1,250,000×3＝3,750,000［100万米ドル］を下回っているということと同じである。概算すると、３年間の総和は1,233,000＋1,240,000＋1,286,000＝3,759,000［100万米ドル］であるから、3,750,000［100万米ドル］を下回ってはいない。

2　×　2015年の値がないので、2016年のインドの外貨準備高の対前年増加額を求めることはできない。よって、2019年のそれと比較することもできない。

3　○　2019年の韓国の外貨準備高は404,000［100万米ドル］で、2020年は437,000－404,000＝33,000［100万米ドル］増加しているから、対前年増加率は$\frac{33,000}{404,000}=\frac{33}{404}$である。一方、2016年の韓国の外貨準備高は366,000［100万米ドル］で、2017年は385,000－366,000＝19,000［100万米ドル］増加しているから、対前年増加率は$\frac{19,000}{366,000}=\frac{19}{366}$である。$\frac{19}{366}$から$\frac{33}{404}$を見ると、分母は366→404へと38増え、366の10％は36.6だから増加率は10％以上である。分子は19→33へと14増え、19の10％は1.9だから増加率は10％未満である。よって、$\frac{19}{366}>\frac{33}{404}$であるから、2020年の韓国の外貨準備高の対前年増加率は、2017年のそれより大きい。

4　×　タイの外貨準備高の小さい2016年を見ると、日本の外貨準備高は1,189,000［100万米ドル］で、その15％は1,189,000×15％＝118,900＋118,900÷2＝178,350≒178,000［100万米ドル］である。タイの外貨準備高は166,000［100万米ドル］であるので、2016年は15％を上回ってはいない。

5　×　2019年の中国の外貨準備高は3,131,000［100万米ドル］で、2020年は3,242,000－3,131,000＝111,000［100万米ドル］増加しているから、対前年増加率は$\frac{111,000}{3,131,000}=\frac{111}{3,131}$である。一方、2019年の日本の外貨準備高は1,286,000［100万米ドル］で、2020年は1,346,000－1,286,000＝60,000［100万米ドル］増加しているから、対前年増加率は$\frac{60,000}{1,286,000}=\frac{60}{1,286}$である。$\frac{111}{3,131}$と$\frac{60}{1,286}$の分母と分子を２倍した$\frac{60\times2}{1,286\times2}=\frac{120}{2,572}$を比べると$\frac{120}{2,572}$の方が、分子が大きく、分母が小さいから、分数の値は大きい。よって、$\frac{111}{3,131}<\frac{60}{1,286}$であるから、中国の外貨準備高の対前年増加率は、日本の外貨準備高のそれより大きくはない。

資料解釈　実数の表

2022年度
教養 No.21

次の表から確実にいえるのはどれか。

国産木材の素材生産量の推移

（単位　千m³）

区　分	平成27年	28	29	30	令和元年
あかまつ・くろまつ	779	678	641	628	601
す　ぎ	11,226	11,848	12,276	12,532	12,736
ひ　の　き	2,364	2,460	2,762	2,771	2,966
か　ら　ま　つ	2,299	2,312	2,290	2,252	2,217
えぞまつ・とどまつ	969	1,013	1,090	1,114	1,188

1　平成29年の「あかまつ・くろまつ」の素材生産量の対前年減少率は、令和元年のそれより小さい。

2　平成27年の「すぎ」の素材生産量を100としたときの令和元年のそれの指数は、115を上回っている。

3　平成27年から令和元年までの５年における「ひのき」の素材生産量の１年当たりの平均は、2,650千m^3を上回っている。

4　表中の各年とも、「からまつ」の素材生産量は、「えぞまつ・とどまつ」の素材生産量の1.9倍を上回っている。

5　令和元年の「えぞまつ・とどまつ」の素材生産量の対前年増加量は、平成29年のそれを上回っている。

解説　正解　3　TAC生の正答率 81%

1 × 平成28年の「あかまつ・くろまつ」の素材生産量は678千m^3で、平成29年は678－641＝37[千m^3]だけ減少しているから、平成29年の対前年減少率は$\frac{37}{678}$である。678の10％は67.8で、5％は67.8÷2＝33.9であるから、37は5％より大きい。一方、平成30年の「あかまつ・くろまつ」の素材生産量は628千m^3で、令和元年は628－601＝27[千m^3]だけ減少しているから、令和元年の対前年減少率は$\frac{27}{628}$である。628の10％は62.8で、5％は62.8÷2＝31.4であるから、27は5％より小さい。よって、平成29年の対前年減少率は、令和元年のそれより小さくはない。

2 × 基準を100としたときに、指数が115を上回っているということは、基準に対して15%より多く増加しているということと同じである。平成27年の「すぎ」の素材生産量は11,226千m^3で、その15％増は11,226＋11,226×15％＝11,226×(10＋5)％＝11,226＋1,122.6＋561.3＝12,909.9[千m^3]である。一方、令和元年のそれは12,736千m^3であるから、15%より多く増加してはいない。

3 ○ 平成27年から令和元年までの5年における「ひのき」の素材生産量の1年当たりの平均が2,650千m^3を上回っているということは、5年間の総和が2,650×5＝13,250[千m^3]を上回っているということと同じである。「ひのき」の素材生産量の5年間の総和は2,364＋2,460＋2,762＋2,771＋2,966＝13,323[千m^3]であるから、13,250千m^3を上回っている。

4 × 平成27年から30年について、「えぞまつ・とどまつ」の素材生産量が最も大きいのは平成30年の1,114千m^3で、この2倍は1,114×2＝2,228[千m^3]であり、「からまつ」の素材生産量はいずれの年も2,228千m^3より大きいから、平成27年から30年のすべての年において2倍を上回っている。令和元年は、「えぞまつ・とどまつ」の素材生産量の1.9倍が1,188×1.9＝1,188×(2－0.1)＝2,376－118.8＝2,257.2[千m^3]であるのに対し、「からまつ」の素材生産量は2,217千m^3であるから、「からまつ」の素材生産量は「えぞまつ・とどまつ」の素材生産量の1.9倍を上回ってはいない。

5 × 令和元年の「えぞまつ・とどまつ」の素材生産量の対前年増加量は1,188－1,114＝74[千m^3]であり、平成29年のそれは1,090－1,013＝77[千m^3]であるから、令和元年の対前年増加量は平成29年のそれを上回ってはいない。

資料解釈　実数の表

2021年度
教養 No.21

次の表から確実にいえるのはどれか。

海面養殖業の収穫量の推移

（単位　t）

区　分	平成26年	27	28	29	30
のり類（生重量）	276,129	297,370	300,683	304,308	283,688
かき類（殻付き）	183,685	164,380	158,925	173,900	176,698
ほたてがい	184,588	248,209	214,571	135,090	173,959
ぶり類	134,608	140,292	140,868	138,999	138,229
まだい	61,702	63,605	66,965	62,850	60,736

1　平成28年の「のり類（生重量）」の収穫量の対前年増加量は、平成29年のそれを上回っている。

2　平成26年の「かき類（殻付き）」の収穫量を100としたときの平成29年のそれの指数は、95を上回っている。

3　平成27年から平成30年までの４年における「ほたてがい」の収穫量の１年当たりの平均は、19万2,000tを下回っている。

4　表中の各年とも、「ぶり類」の収穫量は、「まだい」の収穫量の2.1倍を上回っている。

5　平成27年の「まだい」の収穫量の対前年増加率は、平成28年のそれより大きい。

解説　**正解　4**　TAC生の正答率 66%

1　×　平成28年の「のり類（生重量）」の収穫量の対前年増加量は300,683－297,370＝3,313[t]であり、平成29年のそれは304,308－300,683＝3,625[t]である。よって、平成28年の「のり類（生重量）」の収穫量の対前年増加量は、平成29年のそれを下回っている。

2　×　基準を100としたときに、指数が95を上回っているということは、基準の95％を上回っているということと同じである。平成26年の「かき類（殻付き）」の収穫量は183,685tで、183,685の5％が18,368.5÷2＝9,184.25≒9,184[t]だから、183,685tの95％は、183,685－9,184＝174,501[t]である。平成29年のそれは173,900tだから、平成26年の「かき類（殻付き）」の収穫量の95％を下回っている。

3　×　4年間の平均が192,000tを下回っているということは、4年間の合計が192,000×4＝768,000[t]を下回っているということと同じである。平成27年から平成30年の「ほたてがい」の収穫量の合計を上から3桁で概算すると、248,000＋215,000＋135,000＋174,000＝772,000[t]であり、合計は768,000tを上回っている。

4　○　平成26年、27年、29年、30年の「まだい」の収穫量は64,000tより小さく、64,000×2.1＝134,400より、「まだい」の収穫量の2.1倍は134,400tより小さい。一方、平成26年、27年、29年、30年の「ぶり類」の収穫量は、いずれも134,400tより大きいから、この4か年については2.1倍を上回っている。平成28年について、「まだい」の収穫量は67,000tより小さく、67,000×2.1＝140,700より、「まだい」の収穫量の2.1倍は140,700tより小さい。一方、平成28年の「ぶり類」の収穫量は140,868tだから、140,700tより大きい。したがって、すべての年で、「ぶり類」の収穫量は「まだい」の収穫量の2.1倍を上回っている。

5　×　平成26年の「まだい」の収穫量は61,702tで、平成27年は63,605－61,702＝1,903[t]だけ増加しているから、平成27年の対前年増加率は$\frac{1,903}{61,702}$であり、61,702の10％が約6,170で、5％が6,170÷2＝3,085だから、1,903は5％より小さい。一方、平成27年の「まだい」の収穫量は63,605tで、平成28年は66,965－63,605＝3,360[t]だけ増加しているから、平成28年の対前年増加率は$\frac{3,360}{63,605}$であり、63,605の10％が約6,361で、5％が6,361÷2≒3,181だから、3,360は5％より大きい。よって、平成27年の対前年増加率の方が小さい。

現代文　英文　判断推理　数的推理　資料解釈　空間把握　法律　政治　経済

次の表から確実にいえるのはどれか。

酒類の生産量の推移

（単位 1,000kL）

区 分	平成24年度	25	26	27	28
ビ ー ル	2,803	2,862	2,733	2,794	2,753
焼 ち ゅ う	896	912	880	848	833
清 酒	439	444	447	445	427
ウイスキー類	88	93	105	116	119
果 実 酒 類	91	98	102	112	101

1 平成27年度のビールの生産量の対前年度増加量は、平成25年度のそれを下回っている。

2 表中の各区分のうち、平成25年度における酒類の生産量の対前年度増加率が最も小さいのは、焼ちゅうである。

3 平成24年度のウイスキー類の生産量を100としたときの平成26年度のそれの指数は、120を上回っている。

4 平成25年度から平成28年度までの４年度における果実酒類の生産量の１年度当たりの平均は、10万3,000kLを上回っている。

5 表中の各年度とも、ビールの生産量は、清酒の生産量の6.2倍を上回っている。

解説　正解　4

TAC生の正答率　68%

1　×　平成27年度のビールの生産量の対前年度増加量は2,794－2,733＝61［1,000kL］であり、平成25年度のビールの生産量の対前年度増加量は2,862－2,803＝59［1,000kL］である。よって、平成27年度の対前年度増加量は平成25年度のそれを上回っている。

2　×　焼ちゅうの生産量は平成24年度が896で、平成25年度の増加量が912－896＝16だから、平成25年度の焼ちゅうの生産量の対前年度増加率は$\frac{16}{896}$である。一方、清酒の生産量は平成24年度が439で、平成25年度の増加量が444－439＝5だから、平成25年度の清酒の生産量の対前年度増加率は$\frac{5}{439}$である。$\frac{16}{896}$と$\frac{5}{439}$を比べるために$\frac{5}{439}$の分母と分子をそれぞれ3倍すると$\frac{5\times3}{439\times3}=\frac{15}{1,317}$となり、$\frac{16}{896}$と$\frac{15}{1,317}$では$\frac{16}{896}$の方が、分子が大きく、分母が小さいから、分数の値は大きい。よって、対前年度増加率が最も小さいのは焼ちゅうではない。

3　×　基準を指数100としたとき、指数120を上回っているということは、基準に対する増加率が20％を上回っているということと同じである。平成24年度のウイスキー類の生産量は88で、平成26年度のそれは105だから、増加量は105－88＝17である。88の10％が8.8で、20％は8.8×2＝17.6だから、17は20％を下回っている。

4　○　平成25年度から平成28年度までの4年度における果実酒類の生産量の1年度当たりの平均が10万3,000kLを上回っているということは、4年度の生産量の合計が103,000kL×4＝412,000［kL］＝412［1,000kL］を上回っているということと同じである。果実酒類の4年度の合計は98＋102＋112＋101＝413［1,000kL］で、412［1,000kL］を上回っている。

5　×　平成26年度をみると、清酒の生産量は447で、その6.2倍は447×6.2＝447×6＋44.7×2＝2,682＋89.4≒2,771である。一方、ビールの生産量は2,733だから、ビールの生産量は清酒の生産量の6.2倍を下回っている。

資料解釈　実数のグラフ

2023年度
教養 No.23

次の図から確実にいえるのはどれか。

書籍新刊点数の推移

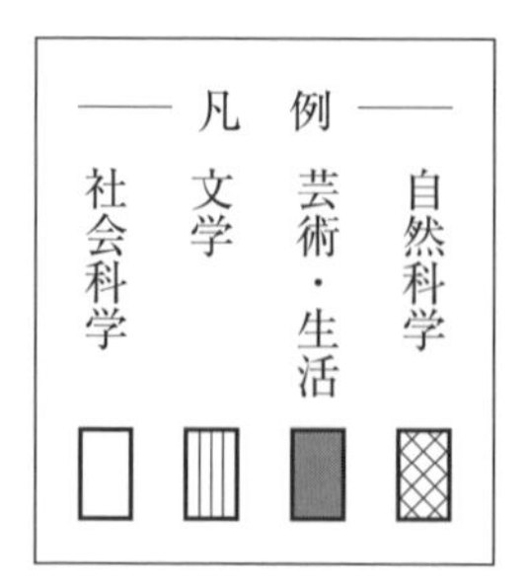

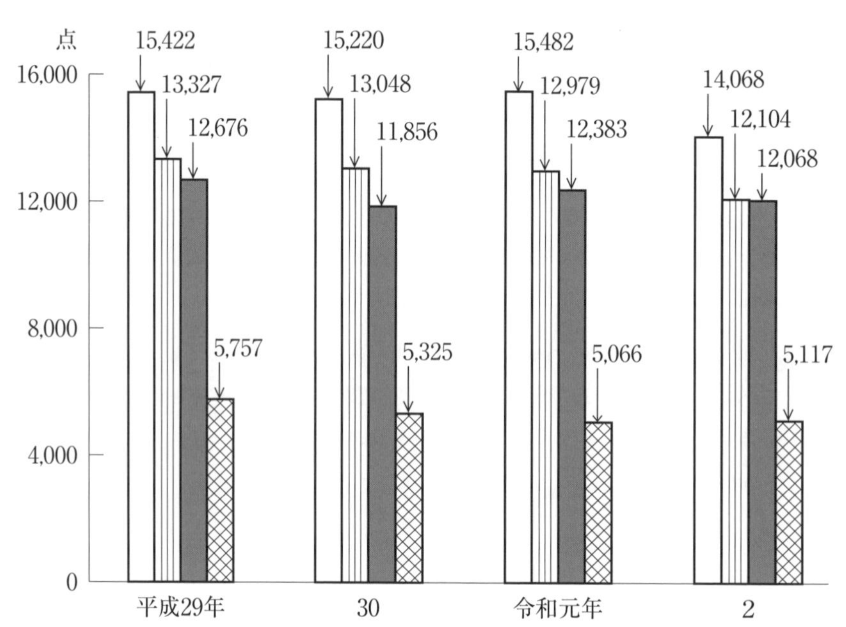

1　平成29年から令和２年までの４年における「自然科学」の書籍新刊点数の１年当たりの平均は、5,300点を下回っている。

2　「社会科学」の書籍新刊点数の平成29年に対する令和２年の減少率は、８％を下回っている。

3　平成30年において、「芸術・生活」の書籍新刊点数の対前年減少量は、「文学」のそれの2.5倍を上回っている。

4　平成30年の「文学」の書籍新刊点数を100としたときの令和２年のそれの指数は、95を上回っている。

5　令和元年において、図中の書籍新刊点数の合計に占める「芸術・生活」のそれの割合は、30％を超えている。

解説　正解　3

TAC生の正答率　72%

1 ×　平成29年から令和２年までの４年における「自然科学」の書籍新刊点数の１年当たりの平均が5,300点を下回っているということは、４年間の総和が5,300×4＝21,200［点］を下回っているということと同じである。４年間の総和は5,757＋5,325＋5,066＋5,117＝21,265［点］であるから、21,200点を下回ってはいない。

2 ×　平成29年の「社会科学」の書籍新刊点数は15,422点で、令和２年はそれより15,422－14,068－1,354［点］だけ減少している。減少率は$\frac{1,354}{15,422}$で、15,422の１％は約154で、８％は154×8＝1,232であるから、減少率は８％を下回ってはいない。

3 ○　平成29年の「芸術・生活」の書籍新刊点数は12,676点で、平成30年は前年より12,676－11,856＝820［点］だけ減少している。一方、平成29年の「文学」の書籍新刊点数は13,327点で、平成30年は前年より13,327－13,048＝279［点］だけ減少しており、この2.5倍は279×2.5＜300×2.5＝750より、750よりも小さい。よって、「芸術・生活」の書籍新刊点数の対前年減少量は、「文学」のそれの2.5倍を上回っている。

4 ×　基準を100としたときの指数が95を上回っているということは、基準の95％を上回っているということと同じである。平成30年の「文学」の書籍新刊点数は13,048点で、13,048の10％が約1,305で、５％が約653だから、95％は約13,048－653＝12,395である。令和２年のそれは12,104点であるから、95％を上回ってはいない。

5 ×　合計に占める割合が30％を超えているということは、合計の30％を超えているということと同じである。十の位を四捨五入した概算で行うと、令和元年の図中の書籍新刊点数の合計は15,500＋13,000＋12,400＋5,100＝46,000［点］で、その30％は46,000×30％＝4,600×3＝13,800［点］である。「芸術・生活」の書籍新刊点数は12,383点であるから、合計の30％を超えてはいない。

資料解釈　実数のグラフ

2022年度
教養 No.23

次の図から確実にいえるのはどれか。

品目分類別輸入重量の推移

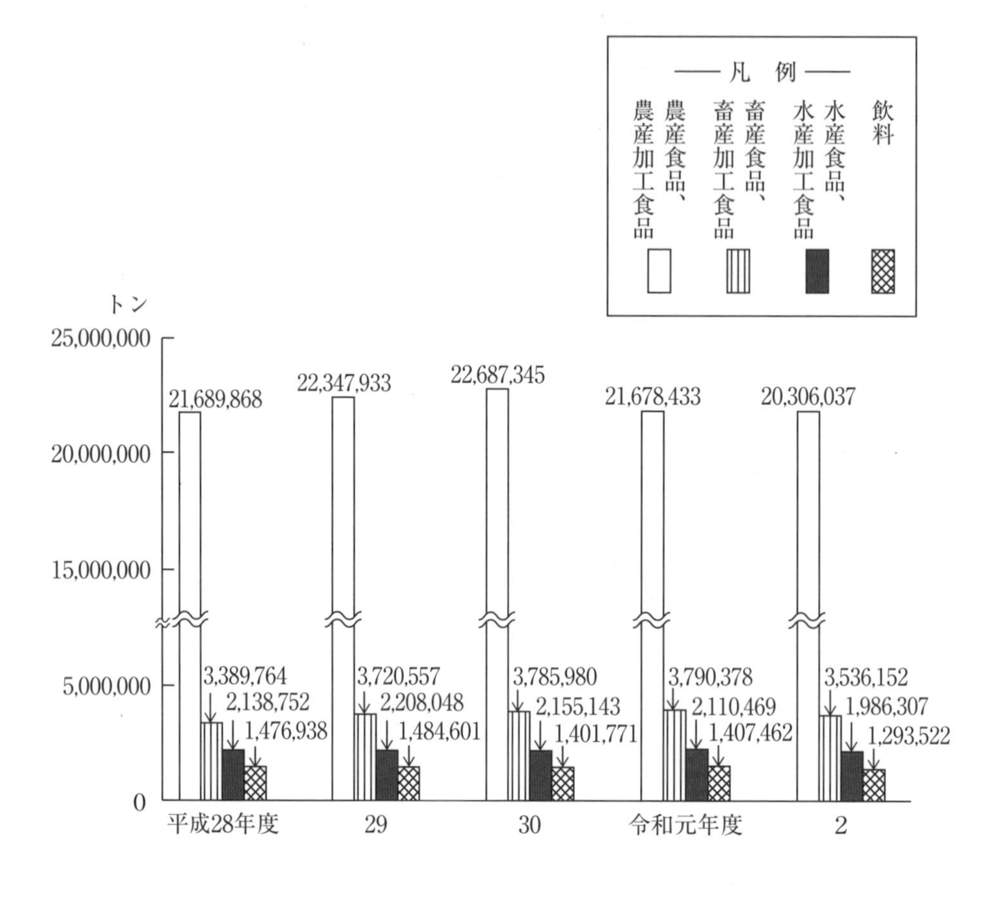

1　平成29年度から令和２年度までの各年度のうち、「農産食品、農産加工食品」の輸入重量の対前年度増加量が最も大きいのは、平成30年度である。

2　平成29年度の「農産食品、農産加工食品」の輸入重量を100としたときの令和２年度のそれの指数は、90を下回っている。

3　令和２年度における「飲料」の輸入重量の対前年度減少率は、８％を下回っている。

4　図中の各年度のうち、「畜産食品、畜産加工食品」の輸入重量と「水産食品、水産加工食品」の輸入重量との差が最も大きいのは、令和元年度である。

5　平成28年度から令和２年度までの５年度における「水産食品、水産加工食品」の輸入重量の１年度当たりの平均は、210万トンを下回っている。

解説　正解 4　TAC生の正答率 56%

計算は一万の位で概算して行う。

1 × 平成29年度の「農産食品、農産加工食品」の輸入重量は2,235万トンで、平成30年度は前年より2,269－2,235＝34［万トン］だけ増加している。平成28年度の「農産食品、農産加工食品」の輸入重量は2,169万トンで、平成29年度は2,235－2,169＝66［万トン］だけ増加しているから、対前年度増加量が最も大きいのは、平成30年度ではない。

2 × 基準を100としたときの指数が90を下回っているということは、基準の90％を下回っているということと同じである。平成29年度の「農産食品、農産加工食品」の輸入重量は2,235万トンで、2,235の10％が223.5であるから、90％は2,235－223.5≒2,012［万トン］である。令和２年度のそれは2,031万トンであるから、90％を下回ってはいない。

3 × 令和元年度の「飲料」の輸入重量は141万トンで、令和２年度は前年より141－129＝12［万トン］だけ減少している。対前年度減少率は$\frac{12}{141}$で、141の１％は1.41で、８％は1.41×８＝11.28であるから、12は８％を下回ってはいない。

4 ○ 平成28年度から令和元年度において、「畜産食品、畜産加工食品」の輸入重量が最も大きい年度と、「水産食品、水産加工食品」の輸入重量が最も小さい年度は、ともに令和元年度であるから、差が最も大きいのは令和元年度で、その差は379－211＝168［万トン］である。また、令和２年度の差は354－199＝155［万トン］であるから、図中の年度のうち、「畜産食品、畜産加工食品」の輸入重量と「水産食品、水産加工食品」の輸入重量との差が最も大きいのは令和元年度である。

5 × 平成28年度から令和２年度までの５年度における「水産食品、水産加工品」の輸入重量の１年度当たりの平均が210万トンを下回っているということは、５年度の総和が210×5＝1,050［万トン］を下回っているということと同じである。５年度の総和は214＋221＋216＋211＋199＝1,061［万トン］であるから、1,050万トンを下回ってはいない。

資料解釈　実数のグラフ

2021年度 教養 No.23

次の図から確実にいえるのはどれか。

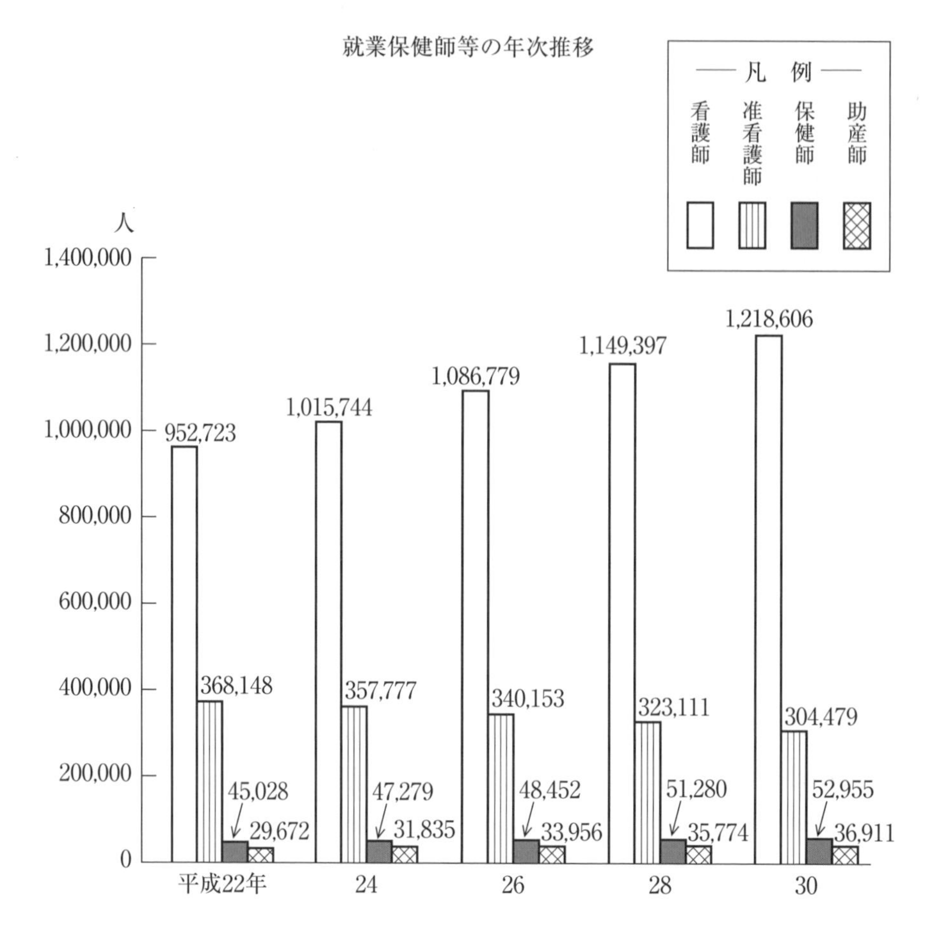

1　助産師の人数の平成24年に対する平成26年の増加人数は、保健師の人数のそれの２倍を上回っている。

2　平成26年の准看護師の人数を100としたときの平成30年のそれの指数は、90を上回っている。

3　准看護師の人数の平成28年に対する平成30年の減少率は、６％を上回っている。

4　平成22年において、図中の就業保健師等の人数の合計に占める看護師のそれの割合は、70％を超えている。

5　図中の各年のうち、保健師における人数と助産師における人数との差が最も小さいのは、平成26年である。

解説　　正解　5　　TAC生の正答率 57%

1　×　平成24年に対する平成26年の増加人数は、助産師が33,956－31,835＝2,121［人］で、保健師は48,452－47,279＝1,173［人］である。1,173×2＝2,346より、助産師の増加人数は、保健師の増加人数の２倍を下回っている。

2　×　基準を100としたときに90を上回っているということは、基準の90％を上回っているということと同じである。平成26年の准看護師の人数は340,153人で、340,153の10％が34,015.3だから、340,153人の90％は340,153－34,015.3≒306,138［人］である。一方、平成30年度のそれは304,479人だから、平成26年の准看護師の人数の90％を下回っている。

3　×　准看護師の人数は、平成28年が323,111人で、平成30年は323,111－304,479＝18,632［人］だけ減少しているから、減少率は$\frac{18,632}{323,111}$である。323,111の１％が約3,231で、６％が3,231×6＝19,386であるから、18,632の減少率は６％を下回っている。

4　×　千の位で概算すると、平成22年の図中の就業保健師等の人数の合計は953,000＋368,000＋45,000＋30,000＝1,396,000［人］だから、合計に占める看護師の割合は$\frac{953,000}{1,396,000}=\frac{953}{1,396}$である。1,396の10％が約140で、70％が140×7＝980だから、953は70％を超えていない。

5　○　保健師と助産師の人数の差は、平成26年が48,452－33,956＜48,500－33,500＝15,000より、15,000人より小さい。他の４か年を見ると、平成22年は29,672＋15,000＝44,672＜45,028、平成24年は31,835＋15,000＝46,835＜47,279、平成28年は35,774＋15,000＝50,774＜51,280、平成30年は36,911＋15,000＝51,911＜52,955で、いずれも差は15,000人より大きい。よって、最も差が小さいのは平成26年である。

資料解釈　実数のグラフ

2020年度
教養 No.23

次の図から確実にいえるのはどれか。

東京都、特別区、八王子市及び町田市における食品の要因別苦情件数の推移

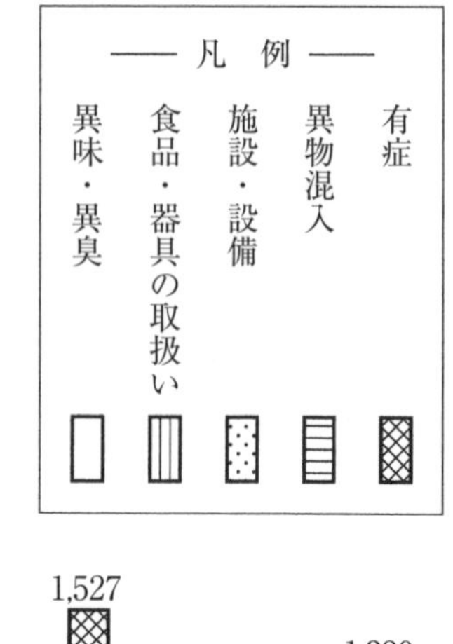

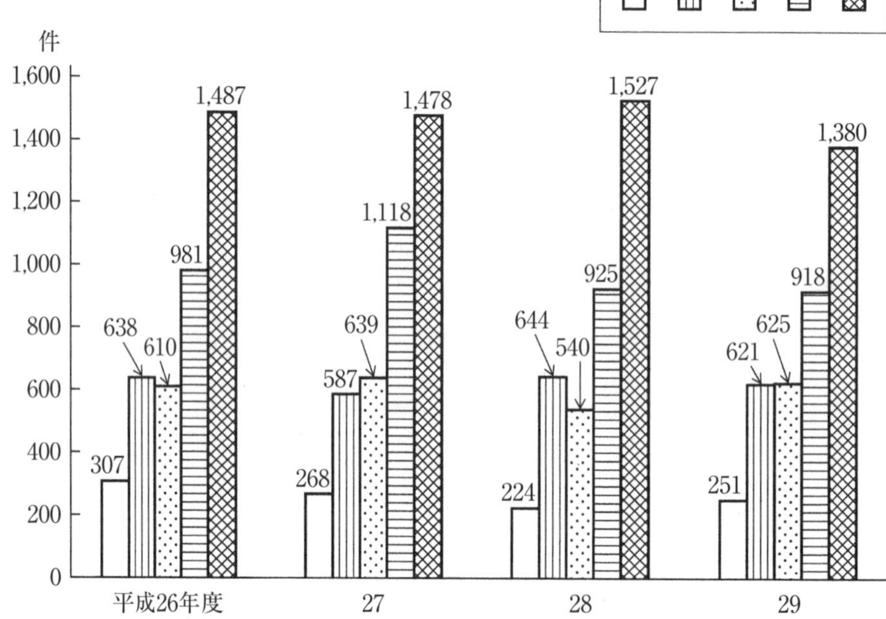

1　平成26年度の「施設・設備」の苦情件数を100としたときの平成28年度のそれの指数は、90を上回っている。

2　平成26年度から平成29年度までの４年度における「有症」の苦情件数の１年度当たりの平均は、1,450件を下回っている。

3　平成28年度において、「異味・異臭」の苦情件数の対前年度減少率は、「施設・設備」の苦情件数のそれより大きい。

4　平成29年度において、「有症」の苦情件数の対前年度減少数は、「食品・器具の取扱い」のそれの６倍を下回っている。

5　平成29年度において、図中の５つの要因の苦情件数の合計に占める「異物混入」のそれの割合は、25％を超えている。

解説　正解　3

TAC生の正答率　67%

1　×　基準の指数100に対して指数90を上回っているということは、基準の90％を上回っていることと同じである。平成26年度の「施設・設備」の苦情件数は610で、610の10％が61だから、90％は610－61＝549である。一方、平成28年度のそれは540だから、90％を下回っている。

2　×　４年度の平均が1,450件を下回っているということは、４年度の合計が1,450×４＝5,800[件]を下回っているということと同じである。平成26年度から平成29年度までの「有症」の苦情件数の合計は1,487＋1,478＋1,527＋1,380＝5,872[件]であるから、5,800件を上回っている。

3　○　「異味・異臭」の苦情件数は、平成27年度が268で、平成28年度の対前年度減少数が268－224＝44であるから、減少率は$\frac{44}{268}$である。一方、「施設・設備」の苦情件数は、平成27年度が639で、平成28年度の対前年度減少数が639－540＝99であるから、減少率は$\frac{99}{639}$である。$\frac{44}{268}=\frac{11}{67}$で、$\frac{99}{639}=\frac{11}{71}$であり、$\frac{11}{67}>\frac{11}{71}$であるから、「異味・異臭」の苦情件数の対前年減少率の方が大きい。

4　×　平成29年度の「食品・器具の取扱い」の苦情件数の対前年度減少数は644－621＝23で、その６倍は23×6＝138である。一方、平成29年度の「有症」の苦情件数の対前年度減少数は1,527－1,380＝147だから、「食品・器具の取扱い」の苦情件数の対前年度減少数の６倍を上回っている。

5　×　平成29年度の図中の５つの要因の苦情件数の合計は251＋621＋625＋918＋1,380＝3,795であり、その25％は3,795÷4≒949である。「異物混入」の苦情件数は918であるから、25％を超えていない。

資料解釈 増加率の表

2023年度
教養 No.22

次の表から確実にいえるのはどれか。

葉茎菜類の収穫量の対前年増加率の推移

（単位　%）

品　目	平成28年	29	30	令和元年	2
こまつな	△1.6	△1.3	3.1	△0.6	6.1
ほうれんそう	△1.4	△7.8	0.1	△4.6	△1.8
ブロッコリー	△5.7	1.6	6.4	10.2	2.9
たまねぎ	△1.7	△1.2	△5.9	15.5	1.7
にんにく	2.9	△1.9	△2.4	3.0	1.9

（注）△は、マイナスを示す。

1　令和２年において、「ほうれんそう」の収穫量及び「たまねぎ」の収穫量は、いずれも平成28年のそれを下回っている。

2　表中の各年のうち、「にんにく」の収穫量が最も多いのは、平成28年である。

3　令和２年において、「ほうれんそう」の収穫量は、「ブロッコリー」のそれを下回っている。

4　「たまねぎ」の収穫量の平成30年に対する令和２年の増加率は、「ブロッコリー」の収穫量のそれの1.5倍より大きい。

5　平成28年の「こまつな」の収穫量を100としたときの令和元年のそれの指数は、100を上回っている。

解説　正解 5

TAC生の正答率 69%

1 × 平成28年の「たまねぎ」の収穫量を100とすると、平成29年、平成30年の指数はそれぞれ近似法を用いて、100－1.2＝98.8、98.8－5.9＝92.9となる。令和元年は15.5％増で、10％増だとしても92.9×10％≒9.3より、92.9＋9.3＝102.2で100よりも大きいので、令和元年の指数は100よりも大きい。令和２年の対前年増加率はプラスであるので、令和２年の指数は100よりも大きい。よって、令和２年の「たまねぎ」の収穫量は、平成28年のそれを下回ってはいない。

2 × 平成28年の「にんにく」の収穫量を100として近似法を用いると、平成29年の指数は100－1.9＝98.1、平成30年の指数は98.1－2.4＝95.7、令和元年の指数は95.7＋3.0＝98.7、令和２年の指数は98.7＋1.9＝100.6となる。よって、「にんにく」の収穫量が最も多いのは、平成28年ではない。

3 × 収穫量の具体的な値が示されていないので、異なる品目の収穫量を比較することはできない。

4 × 平成30年の「たまねぎ」の収穫量を100とすると、令和元年の指数は100＋15.5＝115.5で、令和２年の指数は115.5＋115.5×1.7％≒115.5＋2.0＝117.5となるから、平成30年に対する令和２年の増加率は17.5％である。一方、平成30年の「ブロッコリー」の収穫量を100として、近似法を用いると、令和元年の指数は100＋10.2＝110.2で、令和２年の指数は110.2＋2.9＝113.1となるから、平成30年に対する令和２年の増加率は13.1％で、その1.5倍は13.1％×1.5＝13.1＋13.1÷2＝19.6％である。よって、「たまねぎ」の増加率は「ブロッコリー」の増加率の1.5倍より大きくはない。

5 ○ 平成28年の「こまつな」の収穫量を100として近似法を用いると、平成29年の指数は100－1.3＝98.7で、平成30年の指数は98.7＋3.1＝101.8で、令和元年の指数は101.8－0.6＝101.2である。よって、令和元年の指数は100を上回っている。なお、正確に求めても、100×(100－1.3)％×(100＋3.1)％×(100－0.6)％≒101.1で、100を上回っている。

資料解釈　増加率の表

2022年度
教養 No.22

次の表から確実にいえるのはどれか。

政府開発援助額の対前年増加率の推移

（単位　%）

供与国	2015年	2016	2017	2018	2019
アメリカ	△ 6.4	11.1	0.9	△ 2.7	△ 2.4
ドイツ	8.3	37.9	1.1	2.7	△ 6.0
イギリス	△ 3.9	△ 2.7	0.3	7.5	△ 0.5
フランス	△14.9	6.4	17.8	13.3	△ 6.7
日本	△ 0.7	13.2	10.0	△12.2	16.5

（注）△は、マイナスを示す。

1　表中の各年のうち、イギリスの政府開発援助額が最も多いのは、2015年である。

2　2015年のドイツの政府開発援助額を100としたときの2019年のそれの指数は、130を下回っている。

3　2016年のフランスの政府開発援助額は、2018年のそれの70％を下回っている。

4　2019年の日本の政府開発援助額は、2016年のそれの1.2倍を下回っている。

5　2017年において、ドイツの政府開発援助額の対前年増加額は、アメリカの政府開発援助額のそれを上回っている。

解説　正解　4

TAC生の正答率　60%

1 × 2015年のイギリスの政府開発援助額を100として近似法を用いると、2016年の指数は100－2.7＝97.3、2017年の指数は97.3＋0.3＝97.6、2018年の指数は97.6＋7.5＝105.1となる。よって、イギリスの政府開発援助額が最も多いのは2015年ではない。

2 × 2015年のドイツの政府開発援助額を100とすると、2016年の指数は100＋37.9＝137.9となる。また、2016年の指数を100として近似法を用いると、2017年の指数は100＋1.1＝101.1、2018年の指数は101.1＋2.7＝103.8、2019年の指数は103.8－6.0＝97.8となるから、2019年は2016年に対して100－97.8＝2.2％減となる。2015年の指数100に対する2016年の指数137.9の2.2％減を求めると、137.9の1％は約1.4で、3％は1.4×3＝4.2で、3％減で137.9－4.2＝133.7であるから、2.2％減は133.7より大きい。よって、2015年を100としたときの2019年の指数は130を下回ってはいない。

3 × 2016年のフランスの政府開発援助額を100とすると、2017年の指数は100＋17.8＝117.8である。2018年の指数は2017年の13.3％増であり、117.8の10％が約11.8で、1％が約1.2で、0.1％が約0.1であるから、13.3％増は117.8＋(11.8＋1.2×3＋0.1×3)＝133.5である。2018年の指数の70％は133.5×70％＝13.35×7＝93.45であるから、2016年のフランスの政府開発援助額は、2018年のそれの70％を下回ってはいない。

4 ○ 基準に対して1.2倍を下回っているということは、基準を100としたときの指数が120を下回っているということと同じである。2016年の日本の政府開発援助額を100とすると、2017年の指数は100＋10.0＝110.0、2018年は、対前年増加率が－10％だとしても110－110×10％＝99であり、実際は－12.2％であるから、2018年の指数は100よりも小さい。2019年は、2018年の指数が100だとしても100＋16.5＝116.5であり、実際は100よりも小さいから、2019年の指数は116.5よりも小さい。よって、2019年の日本の指数は120を下回っている。

5 × 政府開発援助額の具体的な値が示されていないので、異なる国の政府開発援助額を比較することはできない。よって、対前年増加額の大小比較もできない。

資料解釈　増加率の表

2021年度
教養 No.22

次の表から確実にいえるのはどれか。

自動車貨物の主要品目別輸送量の対前年度増加率の推移

（単位　%）

品　　目	平成27年度	28	29	30	令和元年度
砂利・砂・石材	△13.2	5.5	△ 8.5	△ 6.0	△ 9.6
機　　械	33.1	△ 3.4	9.4	10.1	14.9
窯　業　品	△ 8.6	△10.2	13.1	△11.5	0.4
食料工業品	△36.3	7.8	0.2	△ 5.8	△ 6.5
日　用　品	6.7	23.3	△ 0.1	8.2	4.1

（注）△は、マイナスを示す。

1　令和元年度において、「窯業品」の輸送量及び「食料工業品」の輸送量は、いずれも平成28年度のそれを下回っている。

2　表中の各年度のうち、「窯業品」の輸送量が最も少ないのは、平成30年度である。

3　平成29年度において、「食料工業品」の輸送量は、「機械」のそれを上回っている。

4　「機械」の輸送量の平成29年度に対する令和元年度の増加率は、「日用品」の輸送量のそれの２倍より小さい。

5　平成27年度の「砂利・砂・石材」の輸送量を100としたときの平成30年度のそれの指数は、90を上回っている。

解説　正解　5　TAC生の正答率 55%

1　×　平成28年度の「窯業品」の輸送量を100とすると、平成29年度の対前年増加率は＋13.1％だから113.1となる。平成30年度の対前年増加率は－11.5％で、113.1の10％が11.31で、１％は約1.13で、0.5％が1.13÷2≒0.57だから、指数は113.1－(11.31＋1.13＋0.57)＝113.1－13.01＞100より、100を上回る。令和元年度の対前年増加率はプラスだから、指数は平成30年度を上回る。よって、令和元年度の「窯業品」の輸送量は平成28年度のそれを上回っている。

2　×　**1**の解説のとおり、「窯業品」の輸送量の平成30年度の値は平成28年度の値を上回っている。よって、輸送量が最も少ないのは平成30年度ではない。

3　×　具体的な数値が示されていないため、異なる品目の輸送量を比較することはできない。

4　×　平成29年度の「機械」の輸送量を100とすると、平成30年度の対前年増加率は＋10.1％だから110.1となる。令和元年度の対前年増加率は＋14.9％で、平成30年度が110だとすると対前年増加量は14.9＋1.49＝16.39であるが、実際は110.1なので、対前年増加量は16.39よりも大きく、令和元年度の指数は110.1＋16.39＝126.49よりも大きい。126だとすると100に対する増加率は26％なので、実際の増加率は26％より大きい。一方、平成29年度の「日用品」の輸送量を100とすると、平成30年度の対前年増加率は＋8.2％だから108.2となる。令和元年度の対前年増加率は＋4.1％で、平成30年度が110だとすると対前年増加量は110×4.1％＝4.51であるが、実際は108.2なので、対前年増加量は4.51よりも小さく、令和元年度の指数は108.2＋4.51＝112.71よりも小さい。113だとすると100に対する増加率は13％なので、実際の増加率は13％より小さい。よって、「日用品」の増加率は13％より小さく、「機械」の増加率は13％の２倍の26％より大きいから、２倍より大きい。

5　○　平成27年度の「砂利・砂・石材」の輸送量を100とすると、平成28年度の対前年増加率は＋5.5％だから105.5である。平成29年度の対前年増加率は－8.5％で、105.5で、105.5の１％が約1.06で、0.5％が1.06÷2＝0.53で、８％が1.06×8＝8.48だから、指数は105.5－(8.48＋0.53)≒96.5である。平成30年度の対前年増加率は－6.0％で、平成29年度の指数が100だとすると対前年減少量は100×6％＝6であるが、実際は96.5なので、対前年減少量は６よりも小さい。よって、平成30年度の指数は96.5－6＝90.5よりも大きくなるので、90を上回っている。

現代文　英文　判断推理　数的推理　資料解釈　空間把握　法律　政治　経済

資料解釈　増加率の表

2020年度
教養 No.22

次の表から確実にいえるのはどれか。

用途別着工建築物床面積の対前年増加率の推移

（単位　%）

用　途	平成26年	27	28	29
居住専用	△13.0	△ 1.2	4.3	△ 0.9
製造業用	△ 2.7	14.9	△ 8.4	15.4
医療、福祉用	△ 5.3	△29.6	1.6	△ 6.4
卸売業、小売業用	△ 8.2	△20.0	6.1	△16.8
運輸業用	12.1	15.4	10.2	0.6

（注）△は、マイナスを示す。

1　平成29年において、「居住専用」の着工建築物床面積及び「医療、福祉用」の着工建築物床面積は、いずれも平成27年のそれを上回っている。

2　平成26年の「卸売業、小売業用」の着工建築物床面積を100としたときの平成29年のそれの指数は、70を下回っている。

3　表中の各年のうち、「製造業用」の着工建築物床面積が最も少ないのは、平成28年である。

4　平成27年において、「製造業用」の着工建築物床面積の対前年増加面積は、「運輸業用」のそれの1.5倍を下回っている。

5　「医療、福祉用」の着工建築物床面積の平成26年に対する平成29年の減少率は、「卸売業、小売業用」の着工建築物床面積のそれの1.1倍より大きい。

解説　正解　5　　TAC生の正答率 48%

1 ×　平成27年の「医療、福祉用」の着工建築物床面積を100として近似値計算すると、平成29年は100＋1.6－6.4＝95.2となる。よって、平成29年の「医療、福祉用」の着工建築物床面積は平成27年のそれを下回っている。

2 ×　平成26年の「卸売業、小売業用」の着工建築物床面積を100とすると、平成27年は20.0％の減少だから100－20＝80で、平成28年は6.1％の増加だから80＋0.8×6.1≒85で、平成29年は16.8％の減少だから85－85×16.8％≒85－14.3＝70.7である。よって、平成29年の指数は70を上回っている。

3 ×　平成26年の「製造業用」の着工建築物床面積を100とすると、平成27年は14.9％の増加だから100＋14.9＝114.9で、平成28年は8.4％の減少だから114.9－114.9×8.4％である。10％の減少だとしても114.9－11.49≒103.4であるから、平成28年の指数は103.4より大きい。よって、「製造業用」の着工建築物床面積が最も少ないのは平成28年ではない。

4 ×　具体的な数値が示されていないため、異なる用途の着工建築物床面積を比較することはできない。よって、「製造業用」と「運輸業用」の着工建築物床面積の対前年増加面積も比較することはできない。

5 ○　**2**の解説より、平成26年の「卸売業、小売業用」の着工建築物床面積を100とすると、平成29年は70.7であるから、平成26年に対する平成29年の減少率は100－70.7＝29.3％であり、この1.1倍は29.3×1.1＝29.3＋2.93≒32.2％である。一方、平成26年の「医療、福祉用」の着工建築物床面積を100とすると、平成27年は29.6％の減少だから100－29.6＝70.4で、平成28年は1.6％の増加だから70.4＋0.704×1.6≒71.5で、平成29年は6.4％の減少だから71.5－0.715×6.4≒66.9である。よって、平成26年に対する平成29年の減少率は100－66.9＝33.1％であるので、「卸売業、小売業用」の着工建築物床面積の平成26年に対する平成29年の減少率の1.1倍より大きい。

次の図から確実にいえるのはどれか。

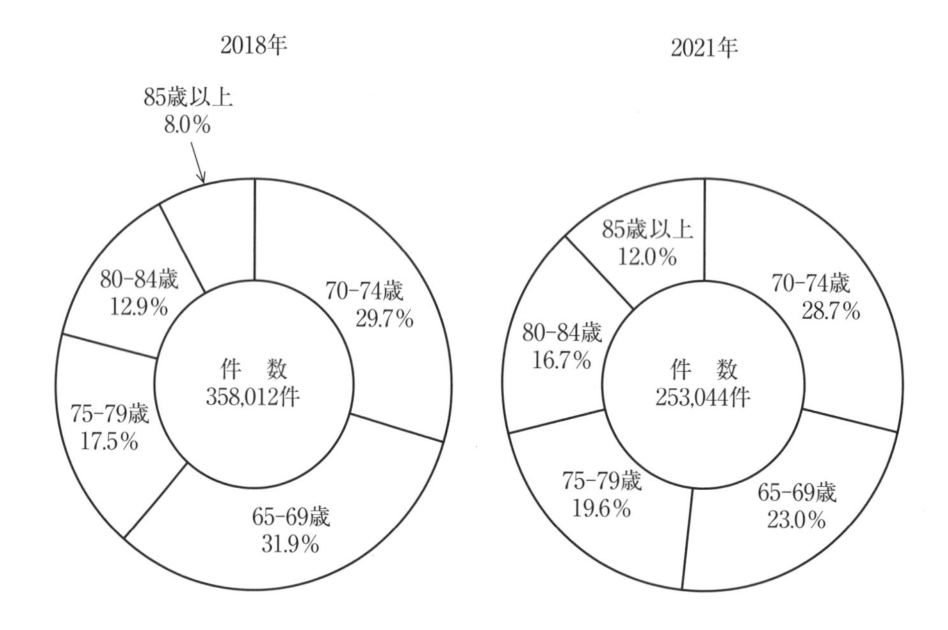

1　2018年における「70-74歳」の相談件数に対する「80-84歳」の相談件数の比率は、2021年におけるそれを上回っている。

2　図中の各区分のうち、2018年に対する2021年の相談件数の減少数が最も大きいのは、「70-74歳」である。

3　2021年の「85歳以上」の相談件数は、2018年のそれの1.1倍を上回っている。

4　消費生活相談件数の合計の2018年に対する2021年の減少数に占める「65-69歳」のそれの割合は、50%を超えている。

5　2018年の「75-79歳」の相談件数を100としたときの2021年のそれの指数は、80を上回っている。

解説　正解　4　　TAC生の正答率　48%

1　×　「70－74歳」の相談件数に対する「80－84歳」の相談件数の比率は、$\frac{\text{総数×「80－84歳」の構成比}}{\text{総数×「70－74歳」の構成比}}$で求められ、同年においては「総数」部分が同じであるから、$\frac{\text{「80－84歳」の構成比}}{\text{「70－74歳」の構成比}}$で値が求められる。2018年の比率は$\frac{12.9\%}{29.7\%}=\frac{12.9}{29.7}$、2021年の比率は$\frac{16.7\%}{28.7\%}=\frac{16.7}{28.7}$であり、$\frac{12.9}{29.7}$と$\frac{16.7}{28.7}$では$\frac{16.7}{28.7}$の方が、分子が大きく、分母が小さいから、比率は大きい。よって、2018年の比率は2021年の比率を上回ってはいない。

2　×　「70－74歳」の2018年に対する2021年の相談件数の減少数は358,012[件]×29.7％－253,044[件]×28.7％で、358,012×29.7％－253,044×28.7％＜360,000×30％－250,000×28％＝108,000－70,000＝38,000より、38,000件よりも小さい。「65－69歳」を見ると、2018年に対する2021年の相談件数の減少数は358,012[件]×31.9％－253,044[件]×23.0％で、358,012×31.9％－253,044×23.0％＞358,000×30％－254,000×25％＝107,400－63,500＝43,900より、43,900件よりも大きい。よって、相談件数の減少数が最も大きいのは「70－74歳」ではない。

3　×　2021年の「85歳以上」の相談件数は253,044[件]×12.0％で、253,044×12.0％＜255,000×12％＝25,500＋2,550×2＝30,600より、30,600件よりも小さい。2018年のそれの1.1倍は358,012[件]×8.0％×1.1で、358,012×8.0％×1.1＞350,000×8％×1.1＝28,000×1.1＝28,000＋2,800＝30,800より、30,800件よりも大きい。よって、2021年の「85歳以上」の相談件数は、2018年のそれの1.1倍を上回ってはいない。

4　○　Aに占めるBの割合が50％を超えているということは、BがAの50％を超えているということと同じである。消費生活相談件数の合計の2018年に対する2021年の減少数は、358,012－253,044＝104,968[件]で、その50％は104,968×50％＝104,968÷2＝52,484[件]である。一方、「65－69歳」のそれは358,012[件]×31.9％－253,044[件]×23.0％で、358,012×31.9％≒114,206、253,044×23.0％≒58,200であるから、358,012[件]×31.9％－253,044[件]×23.0％≒114,206－58,200＝56,006[件]である。よって、「65－69歳」の2018年に対する2021年の減少数は、相談件数の合計のそれの50％を超えている。

5　×　基準を100としたときの指数が80を上回っているということは、基準の80％を上回っているということと同じである。2018年の「75－79歳」の相談件数は358,012[件]×17.5％で、この80％は358,012×17.5％×80％＝358,012×14％≒50,122[件]である。一方、2021年の「75－79歳」の相談件数は253,044×19.6％≒49,597[件]であるから、2021年の「75－79歳」の相談件数は、2018年のそれの80％を上回ってはいない。

資料解釈　総数と構成比のグラフ

2022年度
教養 No.24

次の図から確実にいえるのはどれか。

港内交通に関する許可件数の構成比の推移

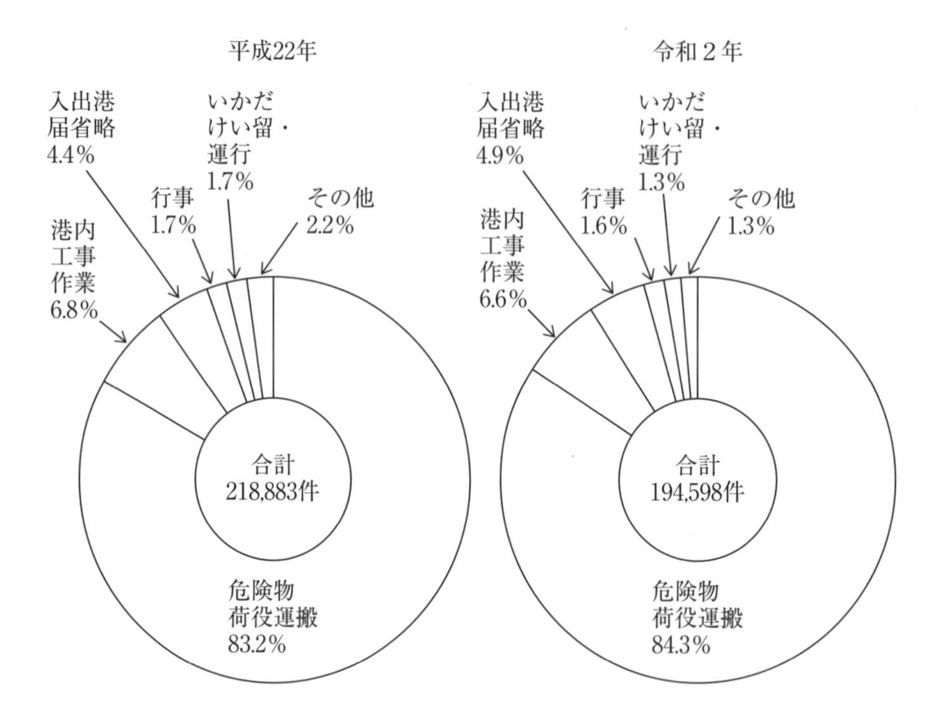

1　港内交通に関する許可件数の合計の平成22年に対する令和２年の減少数に占める「危険物荷役運搬」のそれの割合は、75%を超えている。

2　令和２年の「港内工事作業」の許可件数は、平成22年のそれの0.85倍を下回っている。

3　平成22年の「行事」の許可件数を100としたときの令和２年のそれの指数は、90を上回っている。

4　図中の各区分のうち、平成22年に対する令和２年の許可件数の減少数が最も小さいのは、「行事」の許可件数である。

5　平成22年における「いかだけい留・運行」の許可件数に対する「港内工事作業」の許可件数の比率は、令和２年におけるそれを下回っている。

解説　正解　5

TAC生の正答率 31％

1　×　AにめるBの割合が75％を超えているということは、BがAの75％を超えているということと同じである。港内交通に関する許可件数の合計の平成22年に対する令和２年の減少数は、218,883－194,598＝24,285［件］で、その75％は24,285×75％＝24,285×$\frac{3}{4}$≒18,214［件］である。一方、「危険物荷役運搬」のそれは218,883［件］×83.2％－194,598［件］×84.3％で、218,883×83.2％≒182,111、194,598×84.3％≒164,046であるから、218,883［件］×83.2％－194,598［件］×84.3％≒182,111－164,046＝18,065［件］である。よって、「危険物荷役運搬」の平成22年に対する令和２年の減少数は、許可件数の合計のそれの75％を超えていない。

2　×　令和２年の「港内工事事業」の許可件数は194,598［件］×6.6％で、平成22年のそれの0.85倍は218,883［件］×6.8％×0.85である。218,883の85％は218,883×(100－10－5)％≒218,883－21,888－10,944＝186,051であるから、194,598×6.6％と186,051×6.8％を比較する。186,051×6.6％を基準とし、これよりどれだけ大きいかを考えると、194,598×6.6％は、(194,598－186,051)×6.6％＝8,547×6.6％だけ大きく、この値は8,547×6.6％＞8,500×6％＝510より、510よりも大きい。一方、186,051×6.8％は、186,051×(6.8－6.6)％＝186,051×0.2％だけ大きく、この値は186,051×0.2％＜190,000×0.2％＝380より、380よりも小さい。よって、令和２年の「港内工事事業」の許可件数は、平成22年のそれの0.85倍を下回ってはいない。

3　×　基準を100としたときの指数が90を上回っているということは、基準の90％を上回っているということと同じである。平成22年の「行事」の許可件数は218,883［件］×1.7％で、この90％は218,883［件］×1.7％×90％＝218,883［件］×(100－10)％×1.7％≒196,995［件］×1.7％である。一方、令和２年の「行事」の許可件数は194,598［件］×1.6％である。196,995＞194,598、1.7％＞1.6％より、196,995［件］×1.7％＞194,598［件］×1.6％となるから、令和２年の「行事」の許可件数は、平成22年のそれの90％を上回ってはいない。

4　×　「行事」の平成22年に対する令和２年の許可件数の減少数は218,883［件］×1.7％－194,598［件］×1.6％で、218,883×1.7％－194,598×1.6％＞(218,883－194,598)×1.6％＝24,285×1.6％＞24,000×1.6％＝384より、384件よりも大きい。「入出港届省略」を見ると、平成22年に対する令和２年の許可件数の減少数は218,883［件］×4.4％－194,598［件］×4.9％で、218,883×4.4％－194,598×4.9％＜220,000×4.4％－190,000×4.9％＝9,680－9,310＝370より、370件よりも小さい。よって、減少数が最も小さいのは「行事」ではない。

5　○　「いかだけい留・運行」の許可件数に対する「港内工事作業」の許可件数の比率は、$\frac{\text{総数×「港内工事作業」の構成比}}{\text{総数×「いかだけい留・運行」の構成比}}$で求められ、同年度においては「総数」部分が同じであるから、$\frac{\text{「港内工事作業」の構成比}}{\text{「いかだけい留・運動」の構成比}}$の部分で大小比較ができる。平成22年の比率は$\frac{6.8\%}{1.7\%}=4$、令和２年の比率は$\frac{6.6\%}{1.3\%}=5+\frac{0.1}{1.3}$であるから、平成22年の比率は令和２年の比率を下回っている。

資料解釈　総数と構成比のグラフ　2021年度 教養 No.24

次の図から確実にいえるのはどれか。

世界人口の構成比の推移

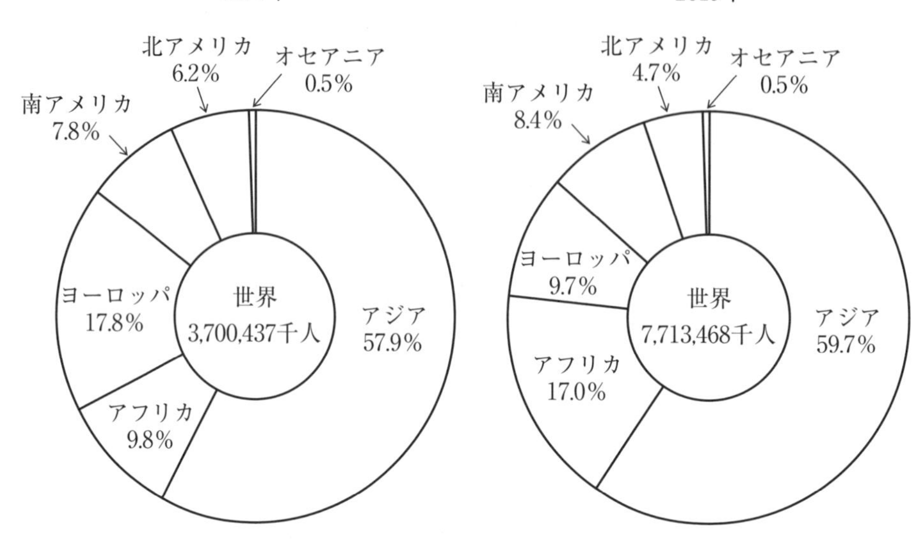

1　アフリカの人口の1970年に対する2019年の増加率は、ヨーロッパの人口のそれの18倍より大きい。

2　2019年の北アメリカの人口は、1970年のそれの1.7倍を上回っている。

3　1970年のアジアの人口を100としたときの2019年のそれの指数は、210を下回っている。

4　世界人口の合計の1970年に対する2019年の増加人数に占める南アメリカのそれの割合は、10%を超えている。

5　1970年におけるヨーロッパの人口に対するオセアニアの人口の比率は、2019年におけるそれを上回っている。

解説　正解　1　　TAC生の正答率 20%

1　○　上から４桁で概算すると、1970年のアフリカの人口は3,700,000×9.8％≒362,000[千人]で、2019年のアフリカの人口は7,713,000×17.0％≒1,311,000[千人]である。増加率は＝$\frac{1,311,000-362,000}{362,000}$ ＝$\frac{949}{362}$＝2＋$\frac{225}{362}$であり、362の10％が36.2で、60％が36.2×6＝217.2だから、増加率は200＋60＝260[％]を上回っている。一方、1970年のヨーロッパの人口は3,700,000×17.8％≒659,000[千人]で、2019年のヨーロッパの人口は7,713,000×9.7％≒748,000[千人]である。増加率は$\frac{748,000-659,000}{659,000}$ ＝$\frac{89}{659}$であり、659の10％が65.9で、１％が約6.6で、14％が65.9＋6.6×4＝92.3だから、増加率は14％を下回っている。ヨーロッパの人口の増加率は14％を下回っており、その18倍は14×18＝252より、252％より小さいから、アフリカの人口の増加率は、ヨーロッパの人口の増加率の18倍を上回っている。

2　×　上から４桁で概算すると、1970年の北アメリカの人口は3,700,000×6.2％≒229,000[千人]で、その1.7倍は229,000×1.7＝389,300[千人]である。一方、2019年の北アメリカの人口は7,713,000×4.7％≒363,000[千人]である。よって、2019年の北アメリカの人口は、1970年の1.7倍を下回っている。

3　×　基準を100としたときに210を下回っているということは、基準の2.1倍を下回っているということと同じである。上から４桁で概算すると、1970年のアジアの人口は3,700,000×57.9％≒2,142,000[千人]で、その2.1倍は2,142,000×2.1＝4,284,000＋214,200≒4,498,000[千人]である。一方、2019年のアジアの人口は7,713,000×59.7％≒4,605,000[千人]である。よって、2019年のアジアの人口は、1970年の2.1倍を上回っている。

4　×　基準の値に占める割合が10％を超えているということは、基準の10％を超えているということと同じである。上から４桁で概算すると、世界人口の合計の1970年に対する2019年の増加人数は7,713,000－3,700,000＝4,013,000[千人]で、その10％は401,300千人である。一方、1970年の南アメリカの人口は3,700,000×7.8％≒289,000[千人]で、2019年の南アメリカの人口は7,713,000×8.4％≒648,000[千人]であり、南アメリカの人口の1970年に対する2019年の増加人数は648,000－289,000＝359,000[千人]である。よって、南アメリカの人口の増加人数は、世界人口の合計の増加人数の10％を超えていない。

5　×　ある年度におけるヨーロッパの人口に対するオセアニアの人口の比率は、$\frac{\text{その年度の世界の人口の合計×オセアニアの構成比}}{\text{その年度の世界の人口の合計×ヨーロッパの構成比}}$で、約分すると$\frac{\text{オセアニアの構成比}}{\text{ヨーロッパの構成比}}$となる。1970年の比率は$\frac{0.5}{17.8}$、2019年の比率は$\frac{0.5}{9.7}$で、$\frac{0.5}{17.8}<\frac{0.5}{9.7}$であるから、1970年の比率は2019年の比率を下回っている。

資料解釈　総数と構成比のグラフ

2020年度
教養 No.24

次の図から確実にいえるのはどれか。

エネルギー源別一次エネルギー国内供給の構成比の推移

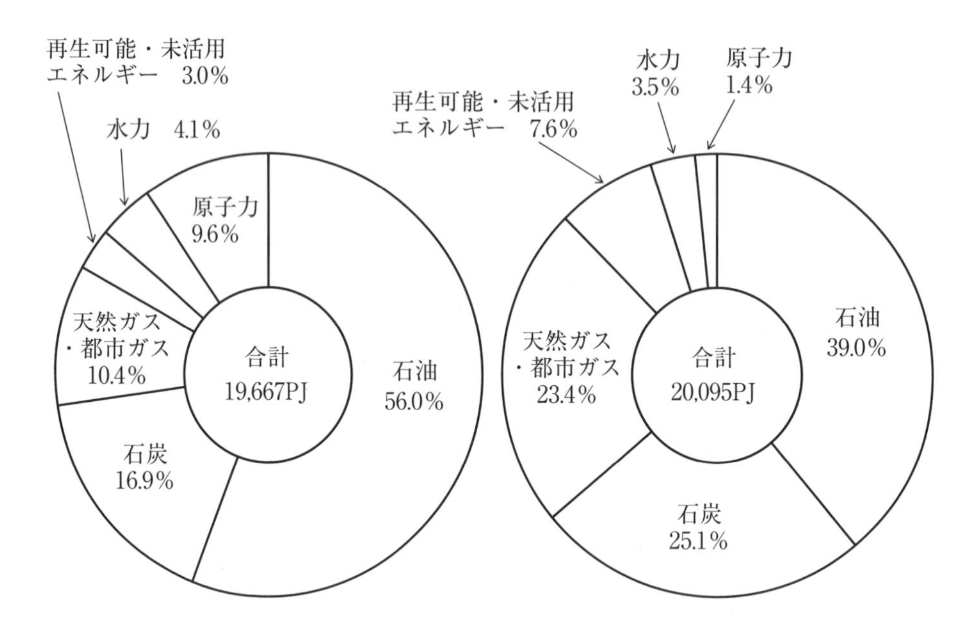

（注）単位：PJ＝10^{15}J

1　一次エネルギー国内供給の合計の1990年度に対する2017年度の増加量に占める「再生可能・未活用エネルギー」のそれの割合は、250％を超えている。

2　1990年度及び2017年度の両年度とも、「天然ガス・都市ガス」の一次エネルギー国内供給は、「水力」のそれの３倍を上回っている。

3　1990年度の「石炭」の一次エネルギー国内供給を100としたときの2017年度のそれの指数は、150を下回っている。

4　「原子力」の一次エネルギー国内供給の1990年度に対する2017年度の減少率は、「石油」の一次エネルギー国内供給のそれの３倍より小さい。

5　2017年度の「天然ガス・都市ガス」の一次エネルギー国内供給は、1990年度のそれの240％を超えている。

解説　正解　4　　TAC生の正答率 38%

1　×　一次エネルギー国内供給の合計の1990年度に対する2017年度の増加量は20,095－19,667＝428［PJ］であり、この250％は428×2.5＝428＋428＋214＝1,070［PJ］である。一方、「再生可能・未活用エネルギー」の増加量は20,095×7.6％－19,667×3.0％＜20,100×8％－19,500×3.0％＝1,608－585＝1,023［PJ］であるから、割合は250％を超えていない。

2　×　同年度の値の比較は、全体の値が同じなので構成比だけで比較できる。1990年度の「水力」の構成比は4.1％で、その3倍は4.1×3＝12.3％である。「天然ガス・都市ガス」の構成比は10.4％なので、「水力」の3倍を下回っている。

3　×　基準の指数を100としたとき、指数が150を下回っているということは、基準の1.5倍を下回っているということと同じである。1990年度の「石炭」の一次エネルギー国内供給量の1.5倍は(19,667×16.9％)×1.5＝19,667×25.35％であり、2017年度の「石炭」の一次エネルギー国内供給量は20,095×25.1％である。19,667×25.35％と20,095×25.1％の値をそれぞれ1％ずつ増加させると、(19,667＋196.67)×25.35％と20,095×(25.1＋0.251)％となる。19,667＋196.67＝19,863.67だから(19,667＋196.67)＜20,095で、25.1＋0.251＝25.351だから25.1％＜(25.1＋0.251)％となる。よって、(19,667＋196.67)×25.35％＜20,095×(25.1＋0.251)％であるので、2017年度は1990年度の1.5倍を上回っている。

4　○　「石油」の一次エネルギー国内供給は、1990年度が19,667×56.0％≒11,014［PJ］で、2017年度が20,095×39.0％≒7,837［PJ］であり、減少量は11,014－7,837＝3,177［PJ］だから、減少率は$\frac{3,177}{11,014}$≒28.8％で、その3倍は28.8×3＝86.4％である。一方、「原子力」の一次エネルギー国内供給は、1990年度が19,667×9.6％≒1,888［PJ］で、2017年度が20,095×1.4％≒281［PJ］であり、減少量は1,888－281＝1,607［PJ］だから、減少率は$\frac{1,607}{1,888}$≒85.1％である。よって、「原子力」の減少率は「石油」の減少率の3倍より小さい。

5　×　1990年度の「天然ガス・都市ガス」の一次エネルギー国内供給の240％は(19,667×10.4％)×2.4＝19,667×24.96％であり、2017年度の「天然ガス・都市ガス」の一次エネルギー国内供給は20,095×23.4％である。19,667×24.96％と20,095×23.4％の値をそれぞれ5％ずつ増加させると、(19,667＋1,966.7÷2)×24.96％と20,095×(23.4＋2.34÷2)％となる。19,667＋1,966.7÷2＝20,650.35だから(19,667＋1,966.7÷2)＞20,095で、23.4＋2.34÷2＝24.57だから24.96％＞(23.4＋2.34÷2)％となる。よって、(19,667＋1,966.7÷2)×24.96％＞20,095×(23.4＋2.34÷2)％であるので、2017年度は1990年度の240％を超えていない。

空間把握 ｜ 展開図 ｜ 2022年度 教養 No.25

次の図のような展開図を立方体に組み立て、その立方体をあらためて展開したとき、同一の展開図となるのはどれか。

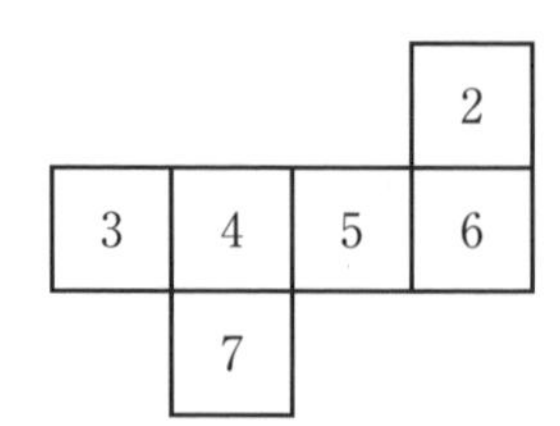

1

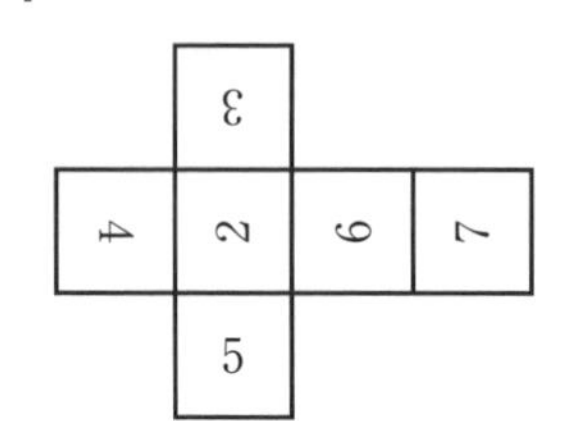

2

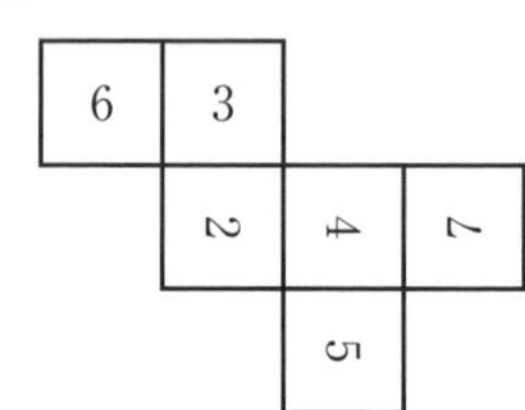

3

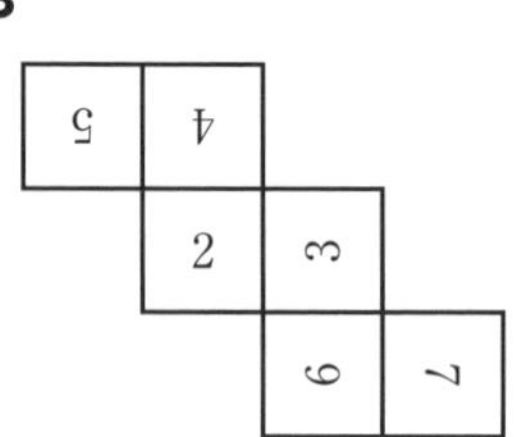

4

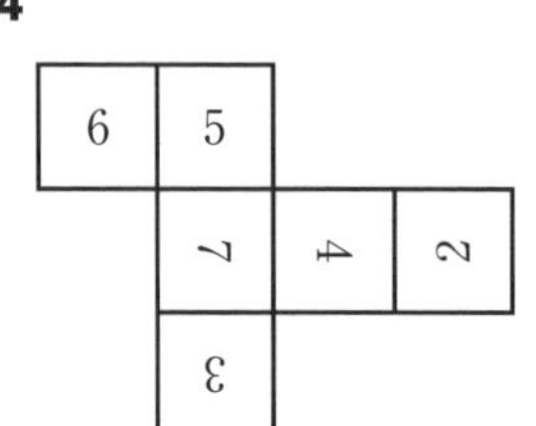

5

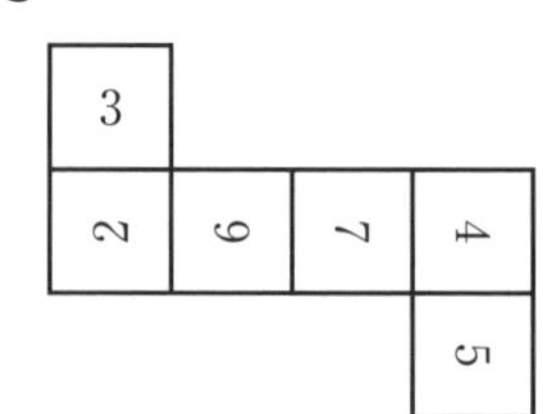

解説　正解　3　　TAC生の正答率 56%

問題および選択肢の展開図の面を回転移動させ、面の配置および数字の向きが一致しているかを調べる。

1について、問題の展開図の７の面を６の面の下に回転移動させると次の図のようになる。６の面と７の面の数字の向きが異なるので、同一の展開図ではない。

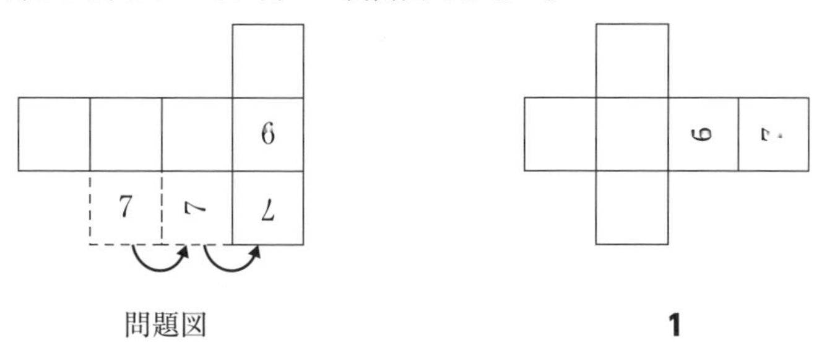

問題図　　　　**1**

2について、**2**の展開図の６の面を２の面の左に回転移動させると次の図のようになる。２の面と６の面の数字の向きが異なるので、同一の展開図ではない。

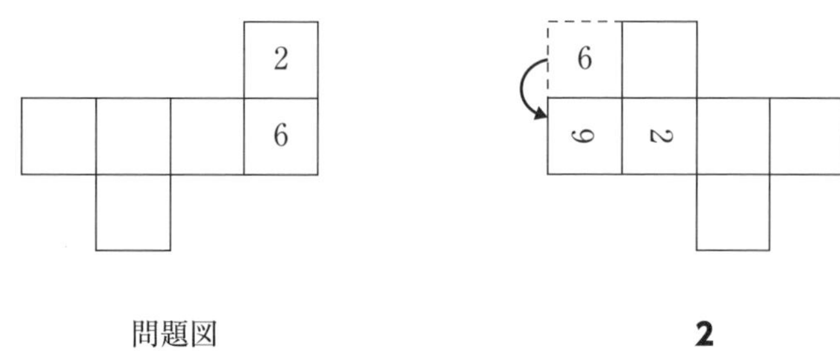

問題図　　　　**2**

4について、問題の展開図と**4**の５の面と６の面の数字の向きが異なる（向きをそろえた場合は５の面と６の面の位置が逆）ので、同一の展開図ではない。

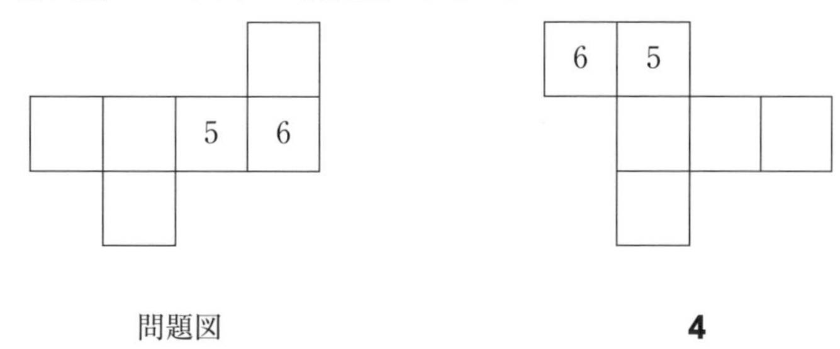

問題図　　　　**4**

5について、問題の展開図の２の面を３の面の上に回転移動させると次の図のようになる。２の面と３の面の数字の向きが異なるので、同一の展開図ではない。

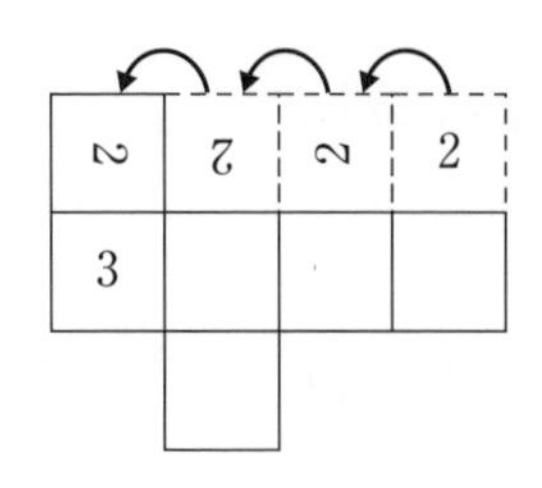

問題図

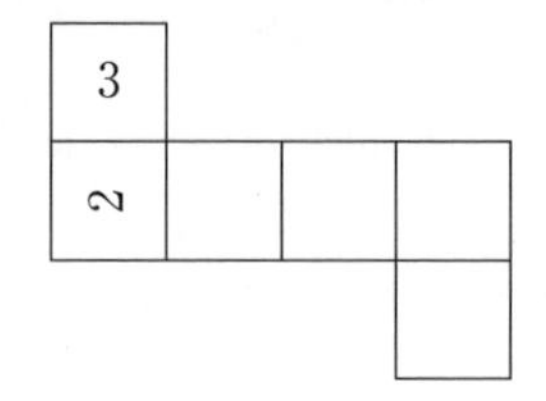

5

よって、消去法より正解は**3**である。

次の図のように、縦4cm、横8cm、高さ4cmの直方体がある。辺GHの中点を点Pとして、この直方体を点C、F、Pを通る平面で切断したとき、その断面の面積はどれか。

1 $4\sqrt{3}\text{cm}^2$

2 $8\sqrt{3}\text{cm}^2$

3 $16\sqrt{3}\text{cm}^2$

4 $4\sqrt{6}\text{cm}^2$

5 $8\sqrt{6}\text{cm}^2$

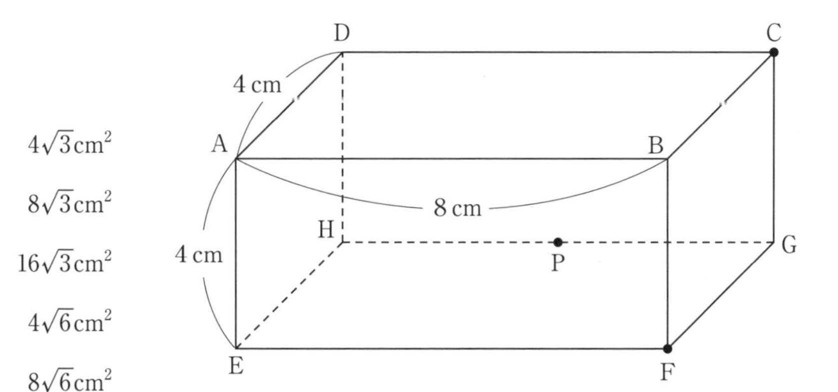

解説 正解 2

TAC生の正答率 58%

C、F、Pの3点のうち、同一平面上にある2点を直線で結んだ線分は切断面の辺となる。CとF、CとP、FとPはそれぞれ同一平面上にあるので直線で結ぶと、切断面は次の図のようになる。

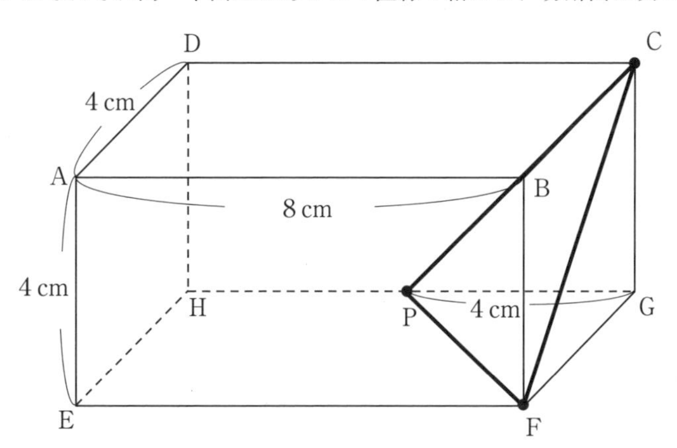

CF、CP、FPはいずれも、直角をはさむ2辺の長さが4cmずつの直角二等辺三角形の斜辺であるから、CF＝CP＝FP＝$4\sqrt{2}$cmであり、断面は1辺が$4\sqrt{2}$cmの正三角形となる。

1辺がaである正三角形の面積は$\frac{\sqrt{3}}{4}a^2$であるから、断面の面積は$\frac{\sqrt{3}}{4}\times(4\sqrt{2})^2=8\sqrt{3}$[cm²]となる。

よって、正解は**2**である。

空間把握　投影図

次の図は、いくつかの立体を組み合わせた立体を側面、正面、真上からそれぞれ見たものである。この組み合わせた立体の見取図として、有り得るのはどれか。

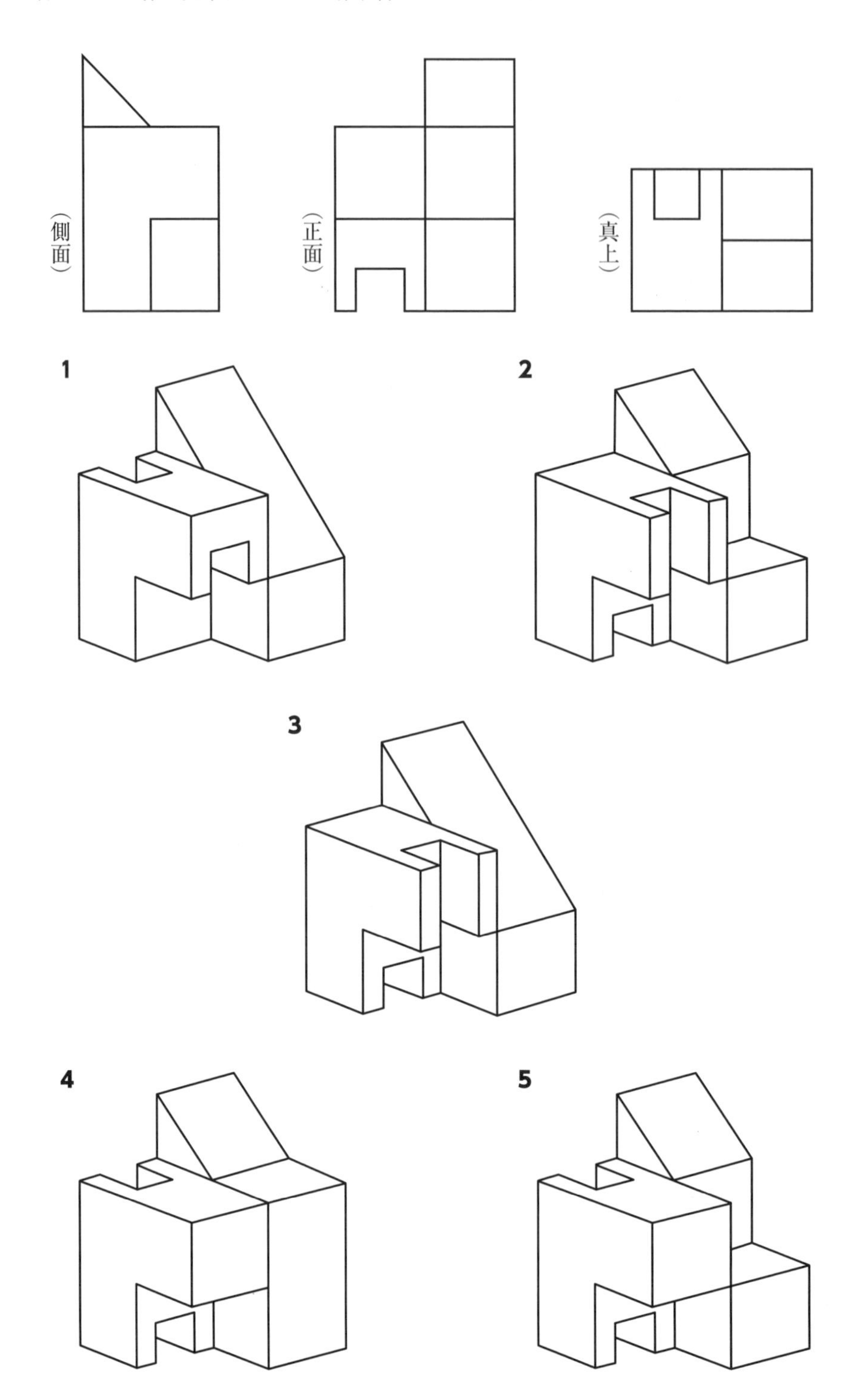

解説　正解　5

TAC生の正答率 83%

選択肢それぞれの立体を正面から見た図で比較する。

1、**3**、**4**は正面から見て右側から見える面が２面だけであるので、問題の正面から見た図と一致しない。**2**は正面から見て左側上部に見える面は正方形ではなく、段差がついた３つの面に分かれて見えるので、問題の正面から見た図と一致しない。

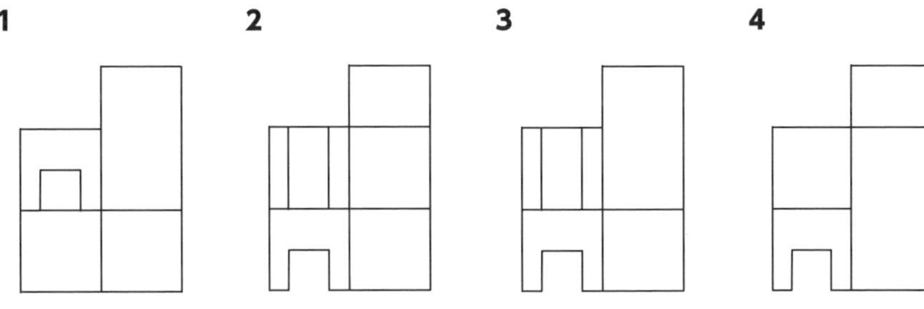

よって、消去法より正解は**5**である。

空間把握　サイコロ　2023年度 教養 No.25

次の図Ⅰのような展開図のサイコロ状の正六面体がある。この立体を図Ⅱのとおり、互いに接する面の目の数が同じになるように4個並べたとき、A、B、Cの位置にくる目の数の和はどれか。

図Ⅰ

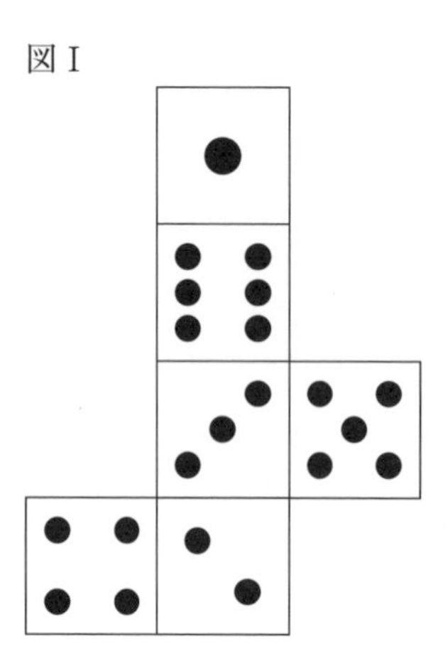

図Ⅱ

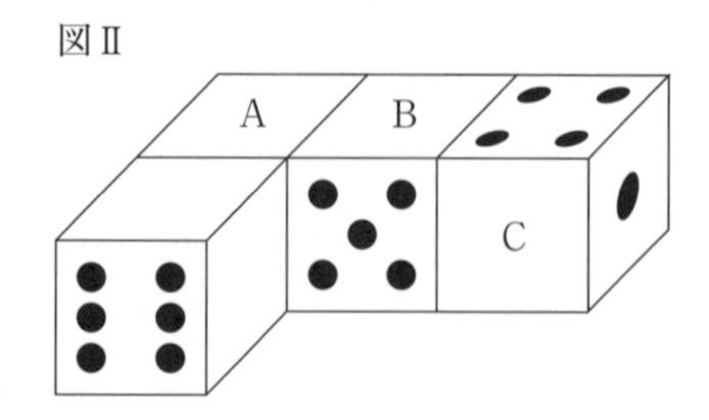

1　9

2　11

3　12

4　13

5　17

解説　正解　4　TAC生の正答率 60%

図Ⅰより、1の目と3の目、6の目と2の目、4の目と5の目がそれぞれ向かい合う面となる。図Ⅱを五面図で表し、見えている面および向かい合う面の目の数を五面図に整理すると、図1のようになる。

図Ⅰにおいて、2、3、4の目の面が集まっている点を見ると、3つの面が時計回りに3→2→4の順に並んでいる。図1のC、Dのうち、Cの面が2の目の場合、3つの面が集まっている点①では、3つの面が時計回りに3→4→2と並び、また、Dの面が2の目の場合、3つの面が集まっている点②では、3つの面が時計回りに3→2→4と並んでいる。よって、Dの面は2の目で、Cの面は6の目となる。また、条件より互いに接する面の目の数が同じになるよう五面図に書き入れると図2のようになる。

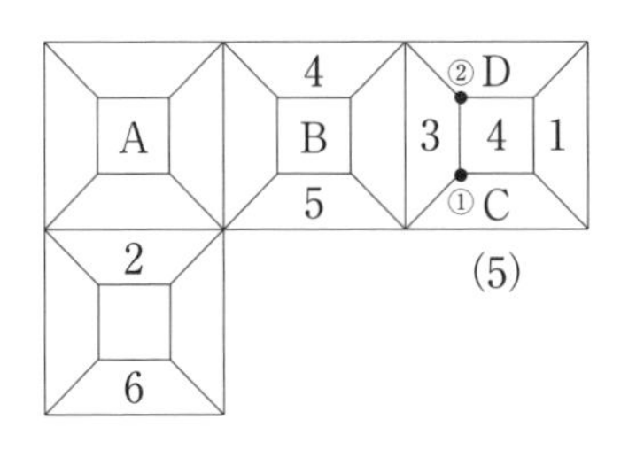

図1

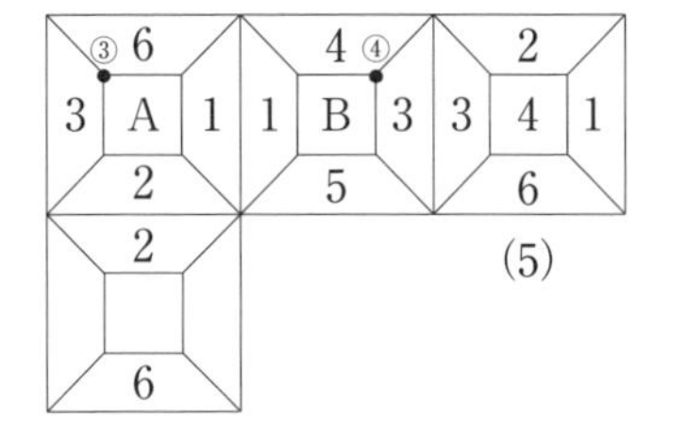

図2

図Ⅰにおいて、3、5、6の目の面が集まっている点を見ると、3つの面が時計回りに3→6→5の順に並んでいる。図2の点③では、Aが5の目の面の場合、3つの面が時計回りに3→6→5と並ぶから、Aの面の目の数は5である。

図Ⅰにおいて、2、3、4の目の面が集まっている点を見ると、3つの面が時計回りに3→2→4の順に並んでいる。図2の点④では、Bが2の目の面の場合、3つの面が時計回りに3→2→4と並ぶから、Bの面の目の数は2である。

よって、A、B、Cの位置にくる目の数の和は、5+2+6=13となるから、正解は**4**である。

空間把握 | サイコロ | 2021年度 教養 No.27

次の図Ⅰのような展開図のサイコロがある。このサイコロを図Ⅱのとおり、互いに接する面の目の数が同じになるように4個床に並べたとき、床に接した4面の目の数の積はどれか。

図Ⅰ

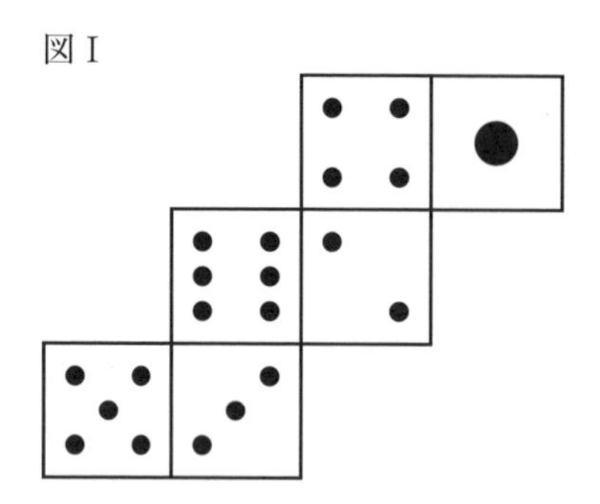

図Ⅱ

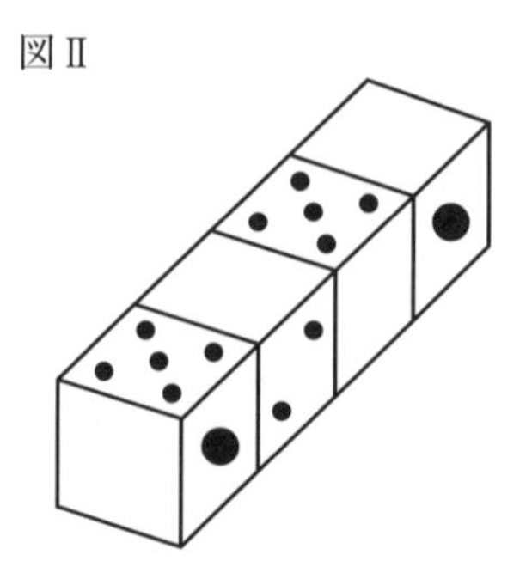

1　8

2　12

3　20

4　48

5　120

解説　正解　3　TAC生の正答率　65%

図Ⅰの展開図において、90°開いた辺どうしは組み立てたときに重なるから、図Ⅰは図1のように変形でき、1と6、2と5、3と4がそれぞれ平行面であることがわかる。また、図Ⅱの手前側を左、奥側を右として、上から見た五面図を描くと図2のようになる。

図1

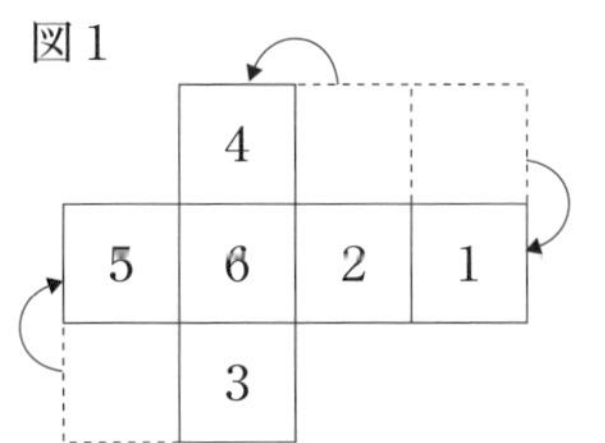

図2

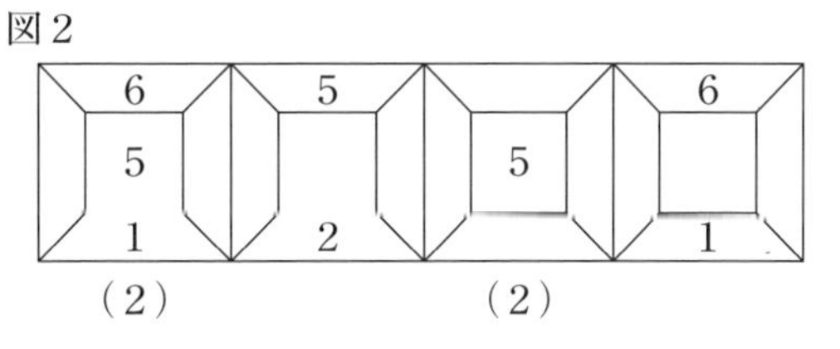

立方体の展開図において、一直線上に並んだ正方形4面の両端は、組み立てると重なるから、図1は図3のように変形できる。図3より、5の面を中心に見ると、側面は時計回りに1→4→6→3となるから、図2の左端のサイコロの目の配置がわかり、接する面の目の数が同じであることを考慮すると、図4のようになる。

図3

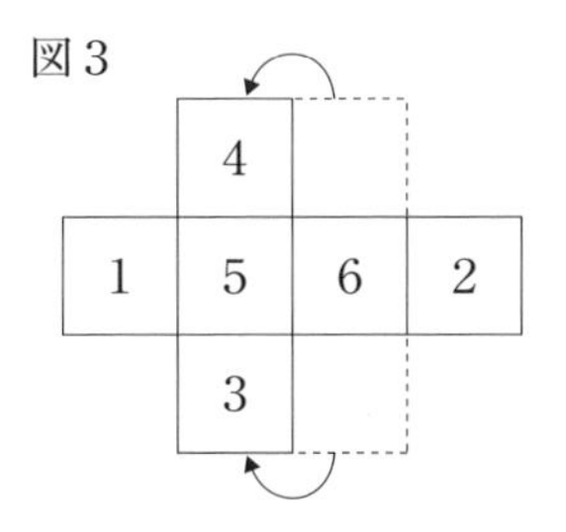

図4

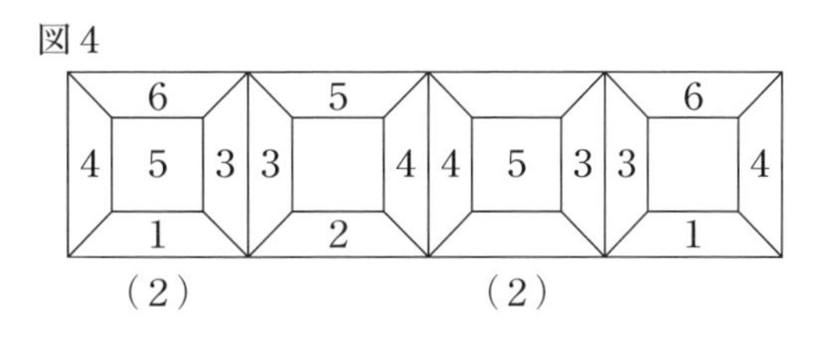

図4の左から2番目のサイコロは、上の面を中心に見ると、側面は時計回りに3→5→4→2であり、図1より上の面は6である。左から3番目のサイコロは、一番左のサイコロと同じ向きである。一番右のサイコロは、上の面を中心に見ると、側面は時計回りに1→3→6→4であり、5の面を中心としたときと回り方が逆であるから、上の面は5の平行面の2である（図5）。

図5

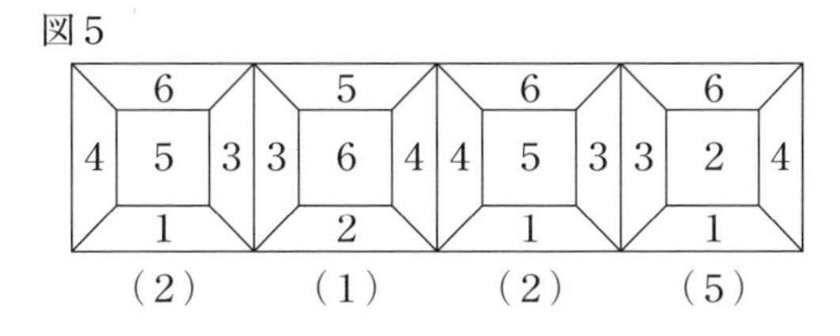

図5より、床に接した面の目の数の積は2×1×2×5＝20であるから、正解は**3**である。

空間把握　立体構成

2020年度
教養 No.27

次の図のような、1辺を1cmとする立方体12個を透き間なく積み上げた立体がある。この立体の表面積はどれか。

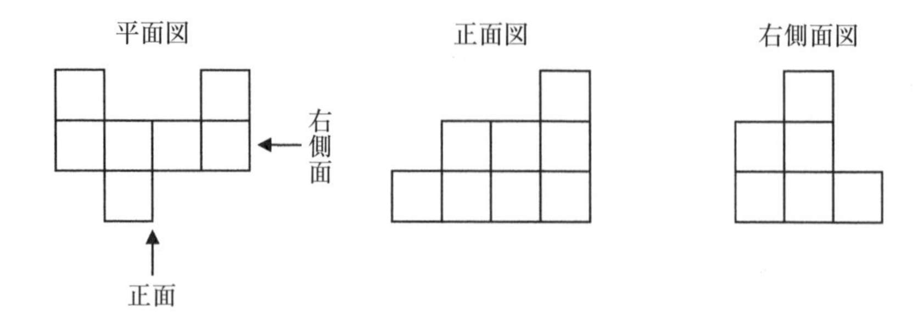

1　41cm²

2　42cm²

3　43cm²

4　44cm²

5　45cm²

解説　正解　4

TAC生の正答率　31％

まず、立方体がどのように積まれているかを考える。平面図で見た位置にそれぞれ何個ずつ積まれているかを書き込むと、正面から見た一番左の列と右側面から見た一番右の列（正面からは一番後ろの列）は1個だけしか見えないから、3か所には1個だけ積まれている（図1）。正面から見て右から2つ目の列と右側面から見て一番左の列（正面からは一番手前の列）は立方体が積まれているのが1か所しかないから、この2か所にはそれぞれ2個積まれていることになる（図2）。正面から見て一番右の列は3個積まれて見えるから、1個積まれているすぐ手前の位置には3個積まれている。残る位置は、見え方としては1個または2個のどちらかが積まれていることになるが、問題文より立方体は全部で12個だから、12－(1×3＋2×2＋3)＝2[個]と積まれていることになる（図3）。

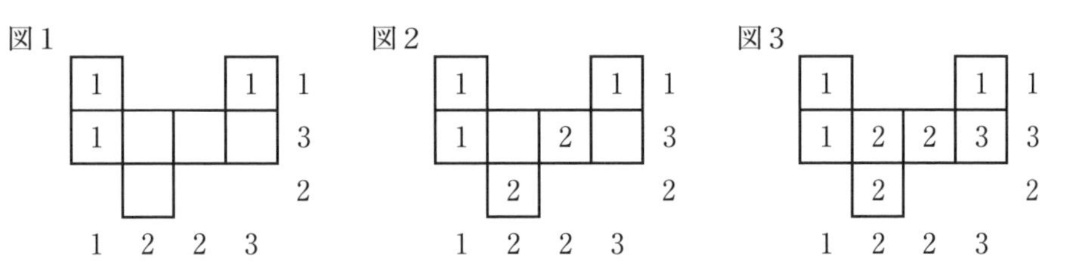

次に、段ごとに上から見た様子をスライス法で書き表し、表面に出ている面を確認する。それぞれの段にある小立方体は次のようになる。

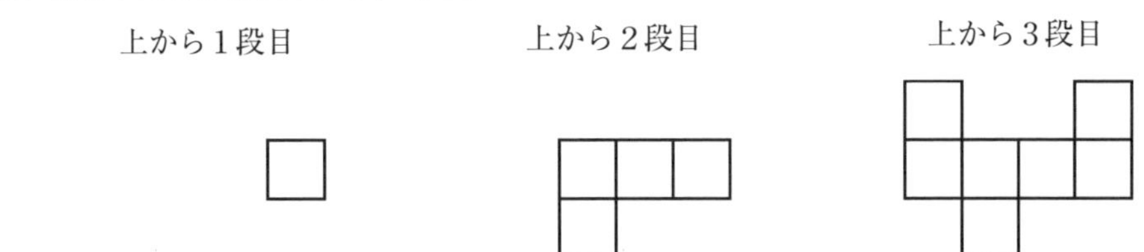

それぞれの立方体において、側面にあたる4つの面は、上から見た平面図では正方形の辺として描かれる。この4つの面のうち表面に現れる面は、外周となっている正方形の辺だから、外周となっている辺の数をそれぞれ表すと次のようになる。

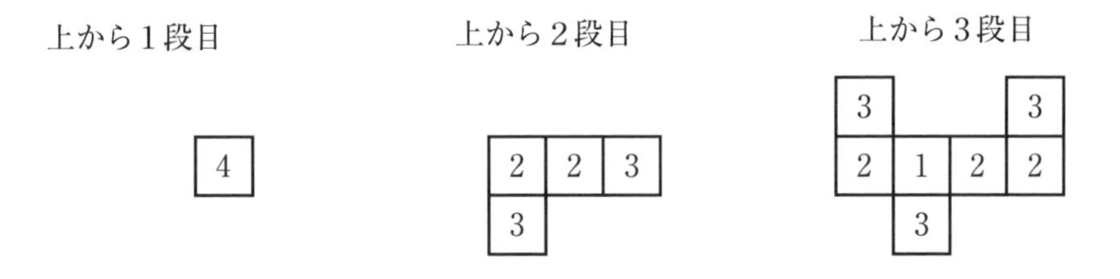

図より、側面として現れているのは全部で30面ある。さらに、上面は平面図で見えている7つの面、下面は上から3段目にある7つの面がそれぞれ現れているから、合計30＋7＋7＝44[面]である。正方形1面の面積は1 cm^2だから、表面積は44cm^2である。

よって、正解は**4**である。

次の図のように、一辺の長さaの正方形を組み合わせた図形がある。今、この図形が直線上を矢印の方向に滑ることなく１回転したとき、点Pが描く軌跡の長さはどれか。ただし、円周率はπとする。

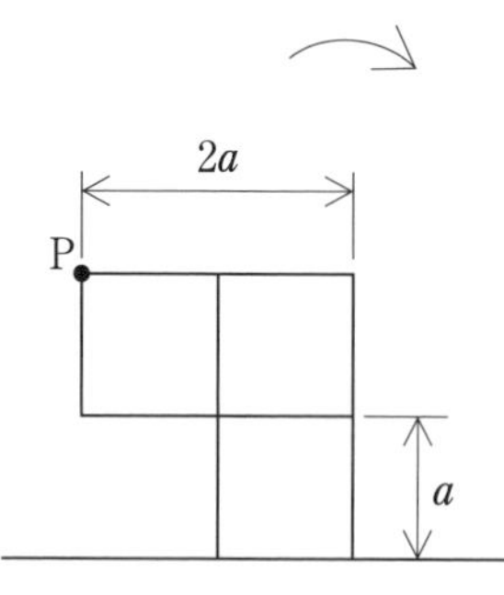

1 $\dfrac{7+4\sqrt{2}}{4}\pi a$

2 $(2+\sqrt{2})\pi a$

3 $\dfrac{1+\sqrt{2}+\sqrt{5}}{4}\pi a$

4 $\dfrac{5+\sqrt{2}+\sqrt{5}}{4}\pi a$

5 $\dfrac{5+4\sqrt{2}+\sqrt{5}}{4}\pi a$

解説　正解　**5**　TAC生の正答率 14%

図形が１回転したときに点Ｐが描く軌跡は、次の図のようになる。

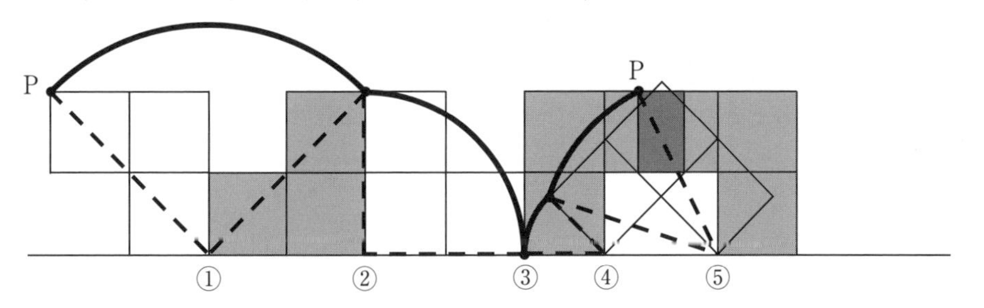

１回転するまで全部で５回回転移動を行っているが、③では回転の中心が点Ｐ自身であるから、ここでは円弧は現れず、描かれる円弧は４つである。

①は半径が$2\sqrt{2}a$で、中心角が90°の円弧を描き、その長さは$2\sqrt{2}a\times2\times\pi\times\frac{90°}{360°}=\sqrt{2}\pi a$である。

②は半径が$2a$で、中心角が90°の円弧を描き、その長さは$2a\times2\times\pi\times\frac{90°}{360°}=\pi a$である。

④は半径がaで、中心角が45°の円弧を描き、その長さは$a\times2\times\pi\times\frac{45°}{360°}=\frac{1}{4}\pi a$である。

⑤は半径が$\sqrt{5}a$で中心角が45°の円弧を描き、その長さは$\sqrt{5}a\times2\times\pi\times\frac{45°}{360°}=\frac{\sqrt{5}}{4}\pi a$である。

よって、点Ｐが描く軌跡の長さは$\sqrt{2}\pi a+\pi a+\frac{1}{4}\pi a+\frac{\sqrt{5}}{4}\pi a=\frac{4\sqrt{2}}{4}\pi a+\frac{4}{4}\pi a+\frac{1}{4}\pi a+\frac{\sqrt{5}}{4}\pi a=\frac{5+4\sqrt{2}+\sqrt{5}}{4}\pi a$となるので、正解は**5**である。

空間把握 軌跡

次の図のように、半径r、中心角60°の扇形Aと、半径r、中心角120°の扇形Bがある。今、扇形Aは左から右へ、扇形Bは右から左へ、矢印の方向に、直線ℓに沿って滑ることなくそれぞれ1回転したとき、扇型A、Bそれぞれの中心点P、P′が描く軌跡と直線ℓで囲まれた面積の和として妥当なのはどれか。

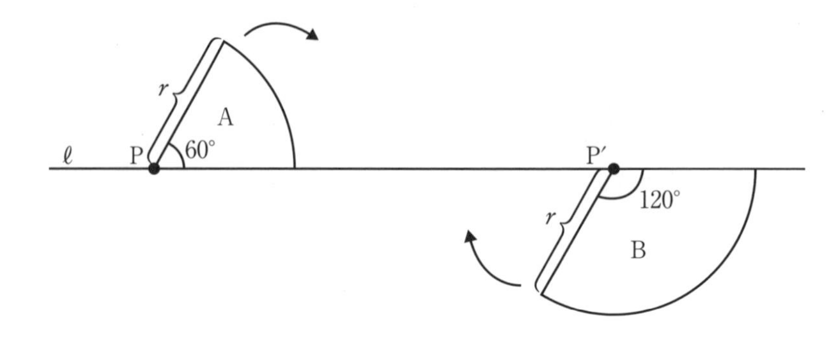

1 $\frac{1}{3}\pi r^2$

2 πr^2

3 $\frac{3}{2}\pi r^2$

4 $2\pi r^2$

5 $\frac{7}{3}\pi r^2$

解説　正解　4　　TAC生の正答率 33%

AとBがそれぞれ1回転したとき、P、P′が描く軌跡と直線ℓで囲まれた面積は、下図の色が塗られた部分となる。

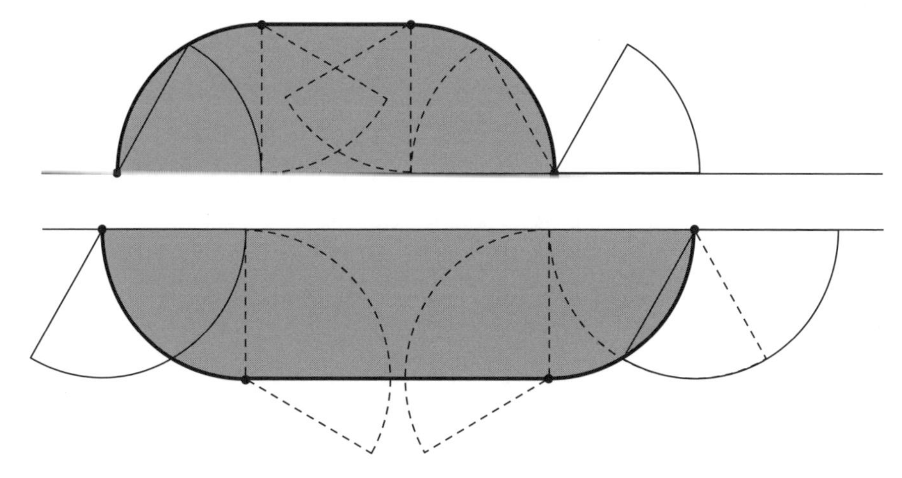

Aが作る面積は、半径r、中心角90°の扇形2つと、縦の長さr、横の長さが扇形Aの弧の長さと同じで$r\times2\times\pi\times\frac{60}{360}=\frac{1}{3}\pi r$となる長方形の面積の合計である。

半径r、中心角90°の扇形の面積＝$\pi r^2\times\frac{1}{4}$

縦の長さr、横の長さ$\frac{1}{3}\pi r$の長方形の面積＝$\frac{1}{3}\pi r^2$

であるから、Aが作る面積は$\pi r^2\times\frac{1}{4}\times2+\frac{1}{3}\pi r^2=\frac{5}{6}\pi r^2$となる。

Bが作る面積は、半径r、中心角90°の扇形2つと縦の長さr、横の長さが扇形Bの弧の長さと同じで$r\times2\times\pi\times\frac{120}{360}=\frac{2}{3}\pi r$となる長方形の面積の合計である。

半径r、中心角90°の扇形の面積＝$\pi r^2\times\frac{1}{4}$

縦の長さr、横の長さ$\frac{2}{3}\pi r$の長方形の面積＝$\frac{2}{3}\pi r^2$

であるから、Bが作る面積は$\pi r^2\times\frac{1}{4}\times2+\frac{2}{3}\pi r^2=\frac{7}{6}\pi r^2$となる。

以上より、中心P、P′が描く軌跡と直線ℓで囲まれた面積の和は$\frac{5}{6}\pi r^2+\frac{7}{6}\pi r^2=2\pi r^2$となるので、正解は**4**である。

空間把握　軌跡

次の図のように、半径$6a$、中心角90°の扇形が直線上を矢印の方向に滑ることなく１回転したとき、図中の点Pが描く軌跡として最も妥当なのはどれか。

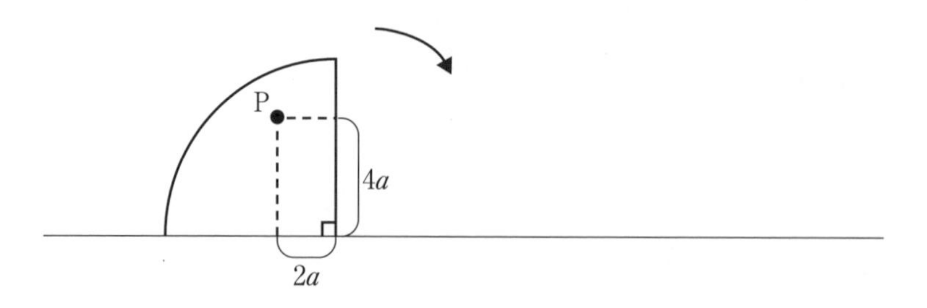

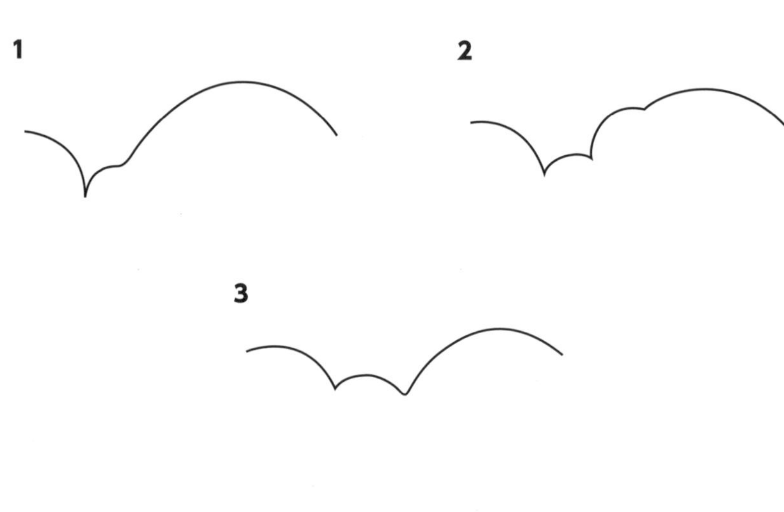

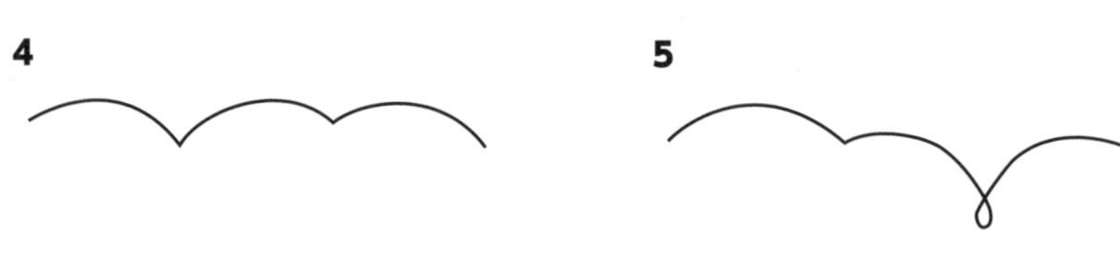

解説　正解　3　TAC生の正答率 43%

1回転するまで、点Pは4種類の曲線を描く。1つ目は、半径が$2\sqrt{5}a$の円弧、2つ目は半径が$2\sqrt{2}a$の円弧、3つ目はトロコイド曲線、4つ目は半径が$4\sqrt{2}a$の円弧で、次の図のようになる。なお、直線から距離が最も小さくなるのは3つ目のトロコイド曲線において、扇形の中心と点Pを結んだ線分の延長線と扇形の弧の交点をQとしたとき、Qが接点となる瞬間で、その距離は$(6-2\sqrt{5})a$である。

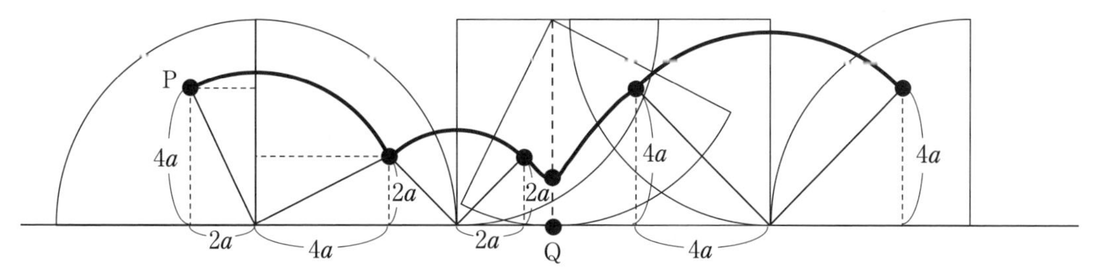

したがって、正解は**3**である。

空間把握　図形の分割

2021年度
教養 No.25

次の図のように２本の直線によって分割された円がある。今、７本の直線を加えてこの円を分割したとき、分割されてできた平面の最大数はどれか。

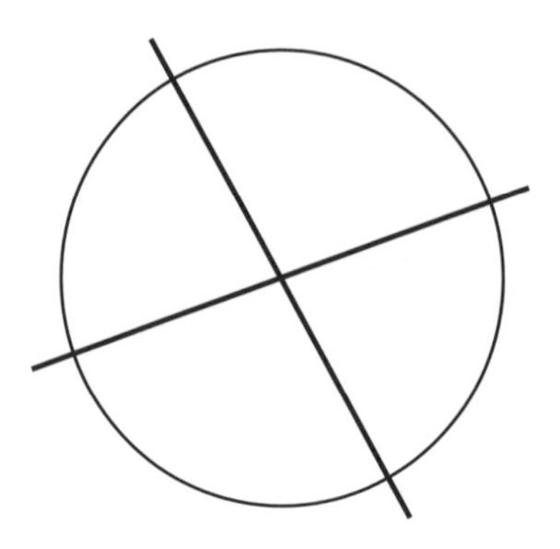

1　43

2　44

3　45

4　46

5　47

解説　正解　4

TAC生の正答率　51％

円に１本から３本の直線を加えたとき、分割されてできた平面の最大数および平面の増加数はそれぞれ次のようになる。

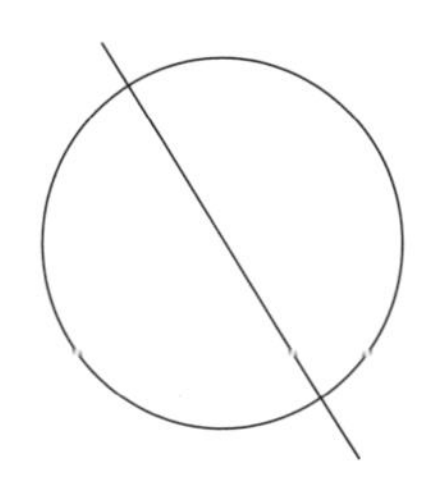
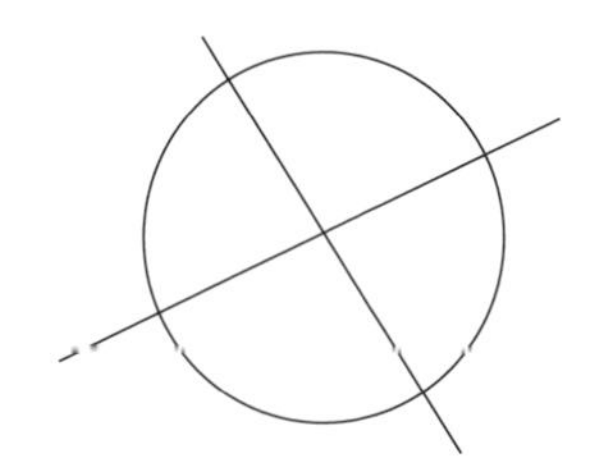
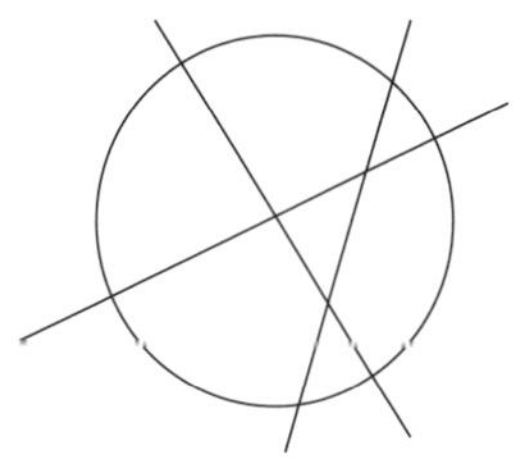

直線の数	0	1	2	3
分割されてできた平面の最大数	1	2	4	7
平面の増加数		＋1	＋2	＋3

表から、「n本目の直線を加えると、分割された平面の最大数はnだけ増える」ことがわかる。以上より、２本に７本の直線を加え、合計９本の直線で分割された平面の最大数は、次のようになる。

直線の数	0	1	2	3	4	5	6	7	8	9
分割されてできた平面の最大数	1	2	4	7	11	16	22	29	37	46
平面の増加数		＋1	＋2	＋3	＋4	＋5	＋6	＋7	＋8	＋9

したがって、正解は**4**である。

空間把握 図形の回転

2020年度
教養 No.28

次の図のような、正方形と長方形を直角に組み合わせた形がある。今、この形の内側を、一部が着色された一辺の長さaの正三角形が、矢印の方向に滑ることなく回転して1周するとき、A及びBのそれぞれの位置において、正三角形の状態を描いた図の組合せはどれか。

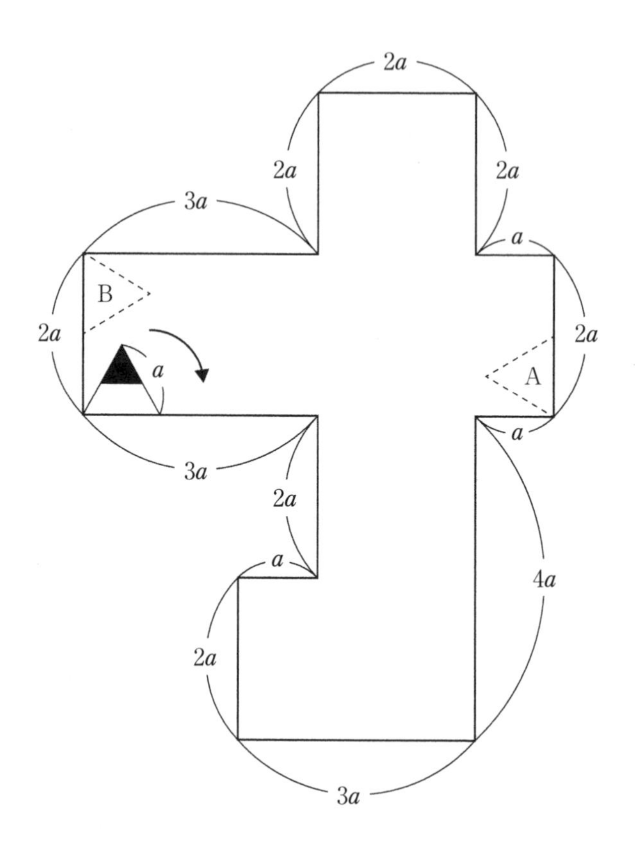

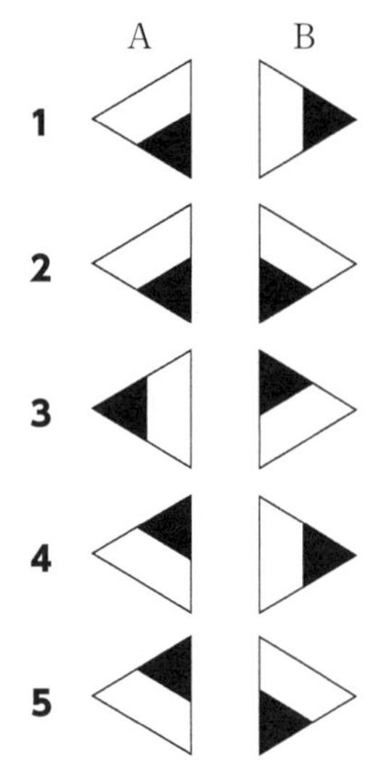

解説　正解　**5**　TAC生の正答率 58%

　正三角形のうち、塗られた部分が接している頂点をPとする。正三角形の周の長さは3aであるから、正三角形が3a進むごとに点Pが回転する対象の図形と接することになる。よって、点Pが接する地点に印をつけると、次のようになる。

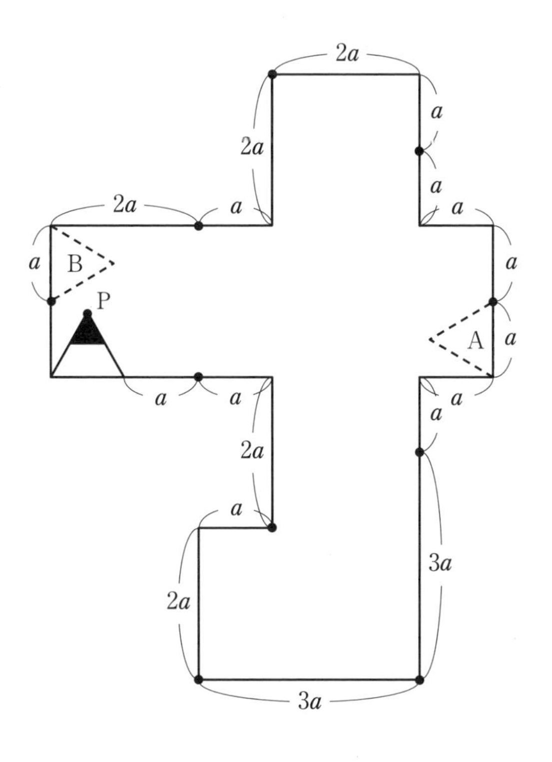

　よって、三角形の色の塗られた側は、Aでは右上、Bでは左下になるから、正解は**5**である。

空間把握　折り紙　2023年度 教養 No.26

次の図のように、正方形の紙を点線に従って矢印の方向に谷折りをし、できあがった三角形の斜線部を切り落として、残った紙を元のように広げたときにできる図形はどれか。

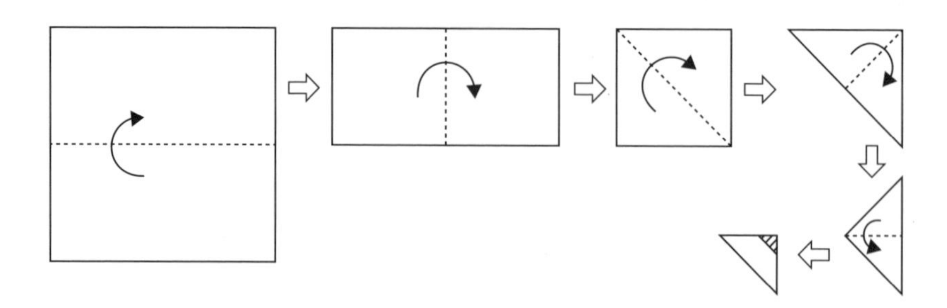

1

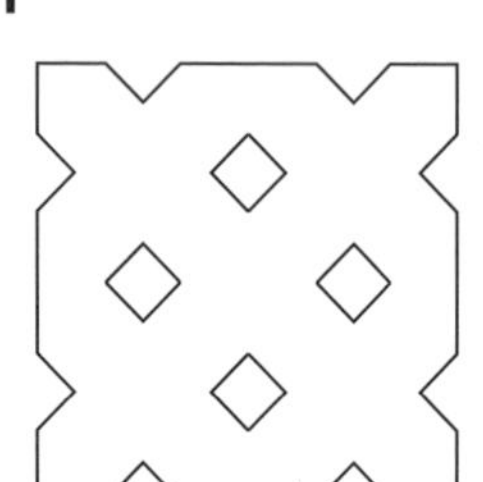

2

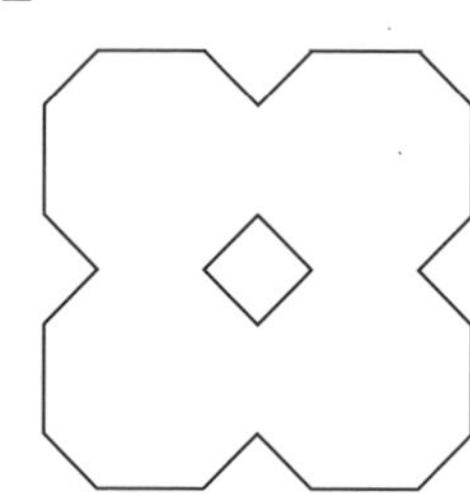

3

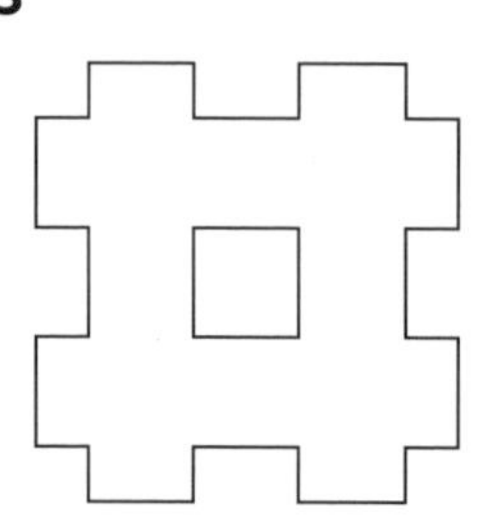

4

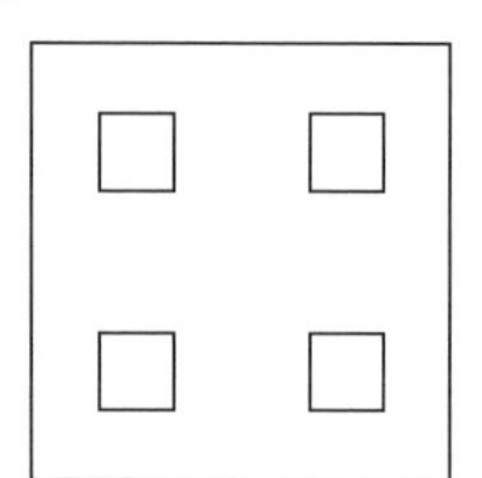

5

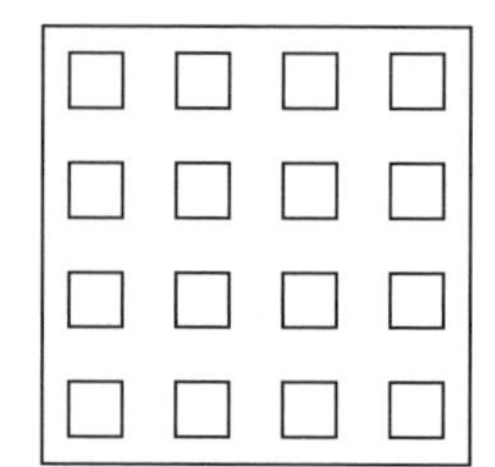

解説　正解　1　TAC生の正答率 83%

切り落とした部分が折り目に対して対称になるように、紙を広げていく。3回開いた時点で図1のようになる。

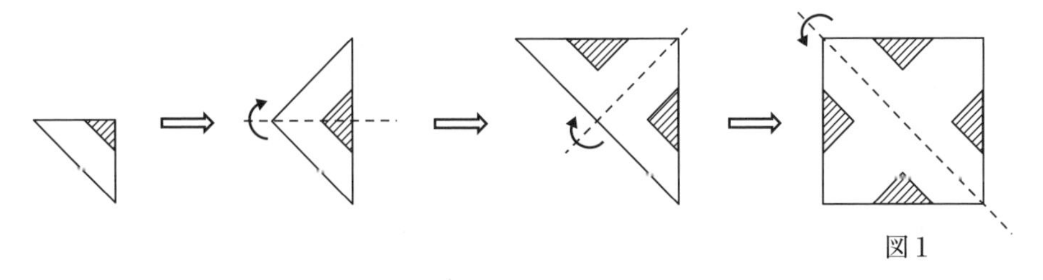

図1

ここから2回は左と下に広げていくから、選択肢の図形を上下左右に4分割したうちの1つが図1の図になっているはずである。**3**、**4**、**5**は切り落とした図形の切れ込みが斜めになっていないから不適であり、**2**は正方形の頂点の部分が切り落とされているので不適である。

よって、消去法より正解は**1**である。

次の図Ⅰのような３種類の型紙A、B、Cを透き間なく、かつ、重ねることなく並べて図Ⅱのような六角形を作るとき、型紙Aの使用枚数として正しいのはどれか。ただし、型紙は裏返して使用しないものとする。

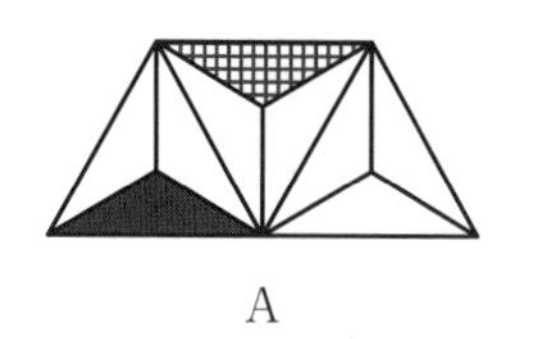

A

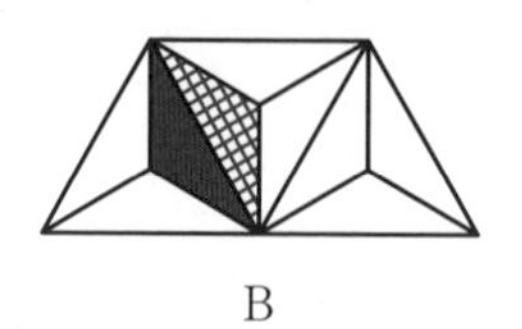

B

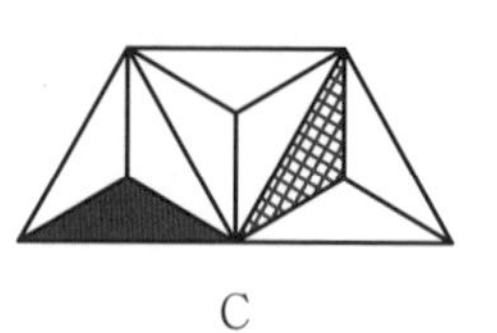

C

図Ⅰ

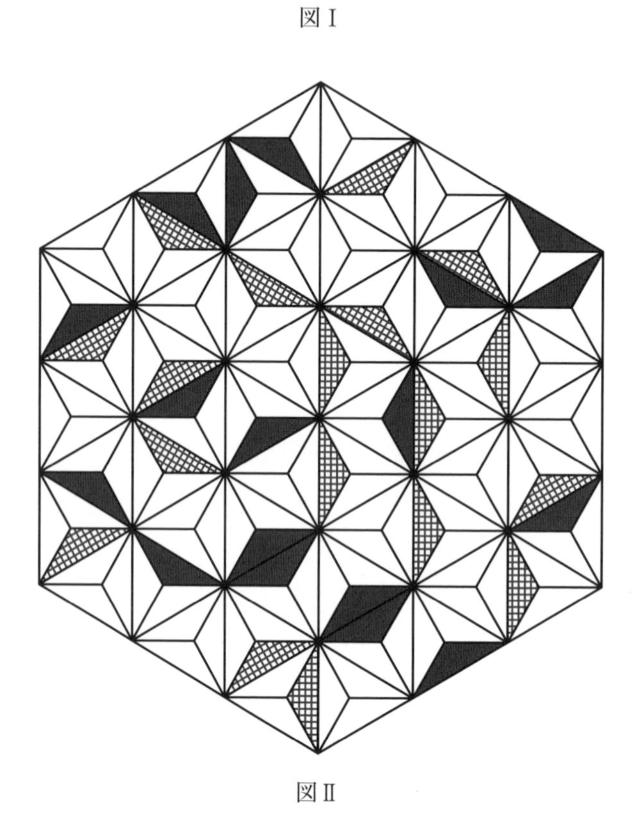

図Ⅱ

1　２枚

2　３枚

3　４枚

4　５枚

5　６枚

解説　正解　3　TAC生の正答率 47%

二等辺三角形三つ分の正三角形で一つのかたまりとみると、A、B、Cのそれぞれの型紙は、正三角形を三つつなげたものであり（図1）、それぞれの型紙は、「着色された三角形を含む正三角形」、「格子模様の入った三角形を含む正三角形」、「色が塗られていない正三角形」を一つずつつなげている（図2）。

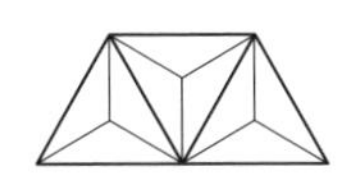

図1

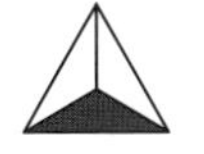
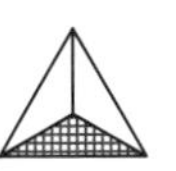
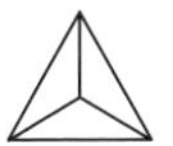

図2

正六角形の上部について考える（図3）。①、③、④はいずれも「着色された三角形を含む正三角形」であるから、すべて異なる型紙である。①と接する正三角形は他に②のみ、②と接する正三角形は他に⑤のみであるから、①、②、⑤が一つの型紙Cである。⑥と接する正三角形は⑤の他に⑪のみで、同じ型紙のもう一つの正三角形は⑫または⑯となるが、⑥、⑪、⑯が一つの型紙であると、⑫が余ってしまうので、⑥、⑪、⑫が一つの型紙Aである。④と接する正三角形は①、③の他に⑨のみで、④、⑨ともう一つは「格子模様の入った三角形を含む正三角形」であるから、④、⑨、⑭が一つの型紙Cである。以下、同様に型紙を分けていくと、図4のようになる。

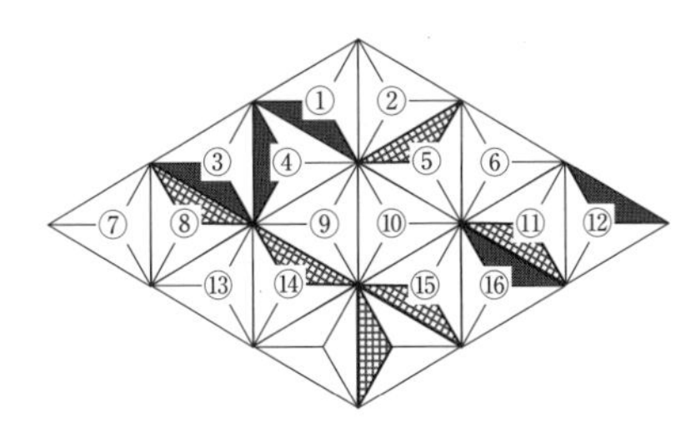

図3

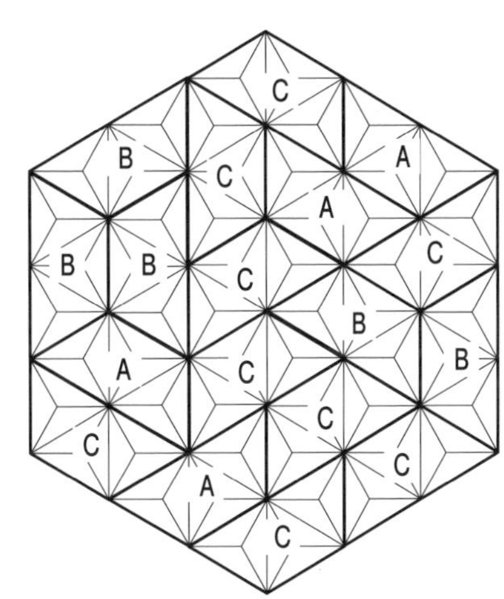

図4

図4より、型紙Aは4枚使われているので、正解は**3**である。

空間把握　平面パズル　2020年度 教養 No.26

次の図のような、辺の長さがa及び$2a$の模様の異なる２種類の長方形のパネルがある。この２種類のパネルをそれぞれ４枚ずつ、透き間なく、かつ、重ねることなく並べて１辺の長さが$4a$の正方形を作るとき、この正方形の模様として**有り得ない**のはどれか。ただし、パネルは裏返して使用しないものとする。

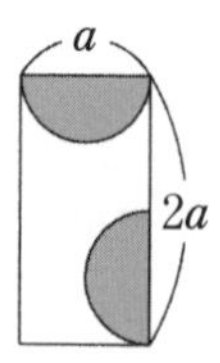

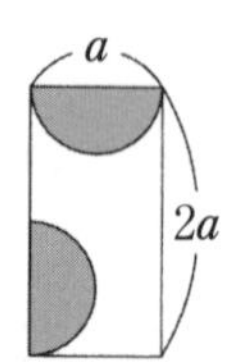

1

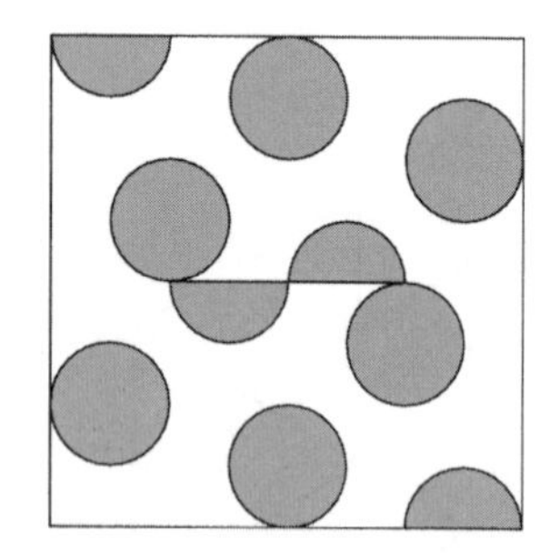

2

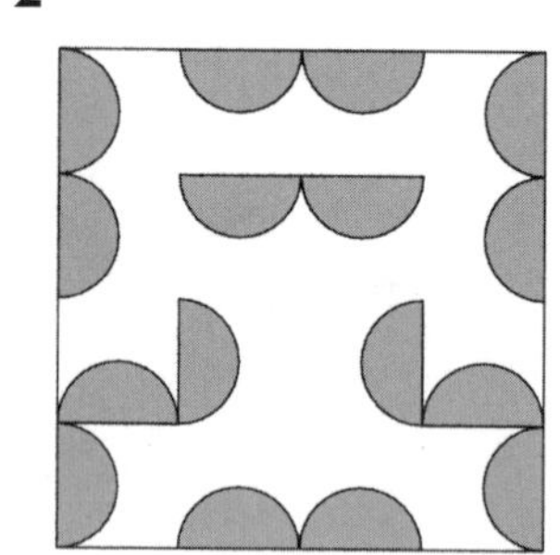

3

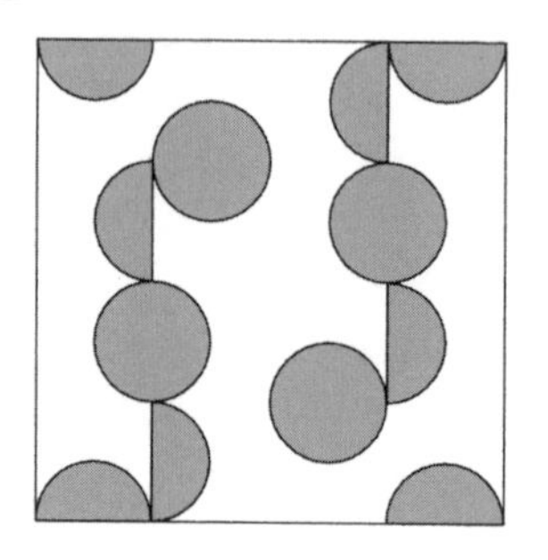

4

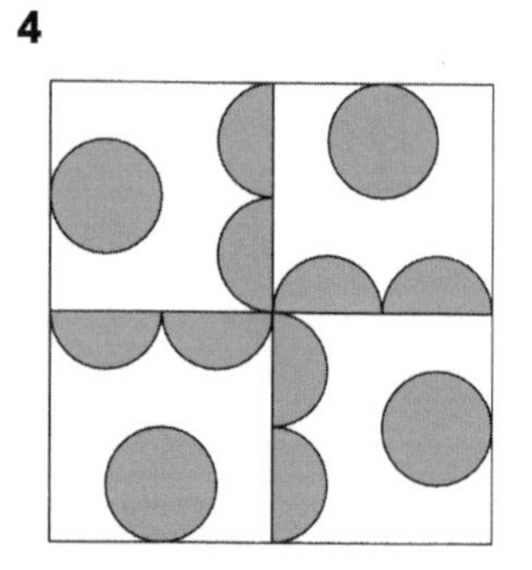

5

解説　　正解　1　　TAC生の正答率 53%

1について、一番右上の正方形は下の正方形とはつながらないから、左との正方形とつながっている。一番右の列の上から２番目の正方形は左の正方形とはつながらないから、下の正方形とつながっている。よって、一番右下の正方形は左の正方形とつながっている（図１）。このようにして、それぞれつながっている正方形で区分けすると、図２のようになる。このとき、８枚のパネルはすべて同一のものであるから、**1**の模様はあり得ないことになる。

したがって、正解は**1**である。

1

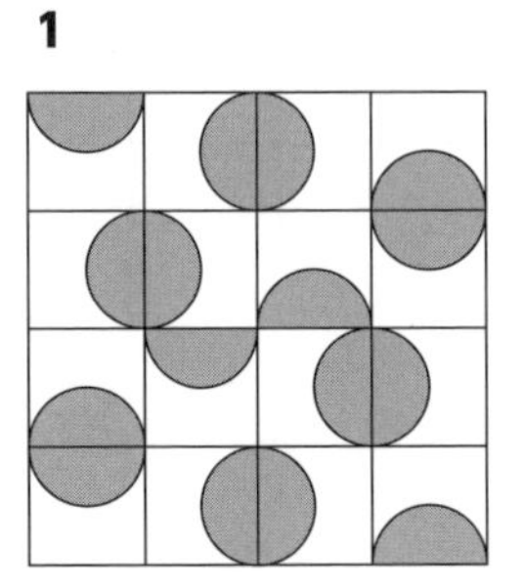

図１

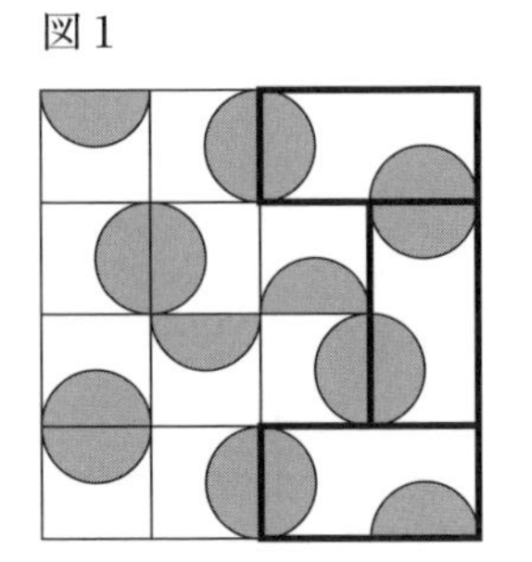

図２

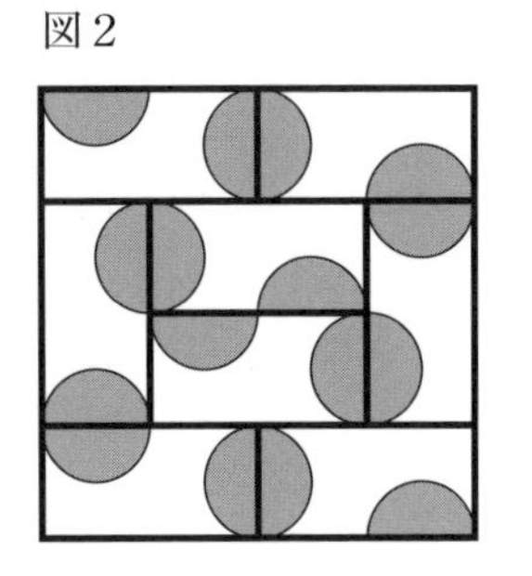

なお、**2**～**5**の模様は次のように並べると実現する。

A

B

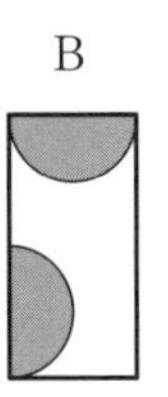

2

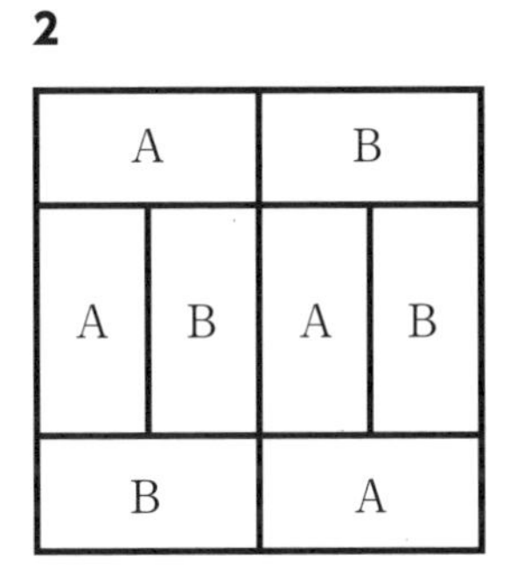

3

4

5

空間把握　一筆書き　2021年度 教養 No.26

次の図形A～Eのうち、一筆書きができるものを選んだ組合せはどれか。

A

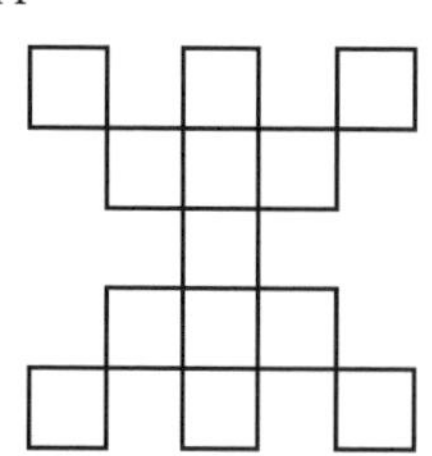

B

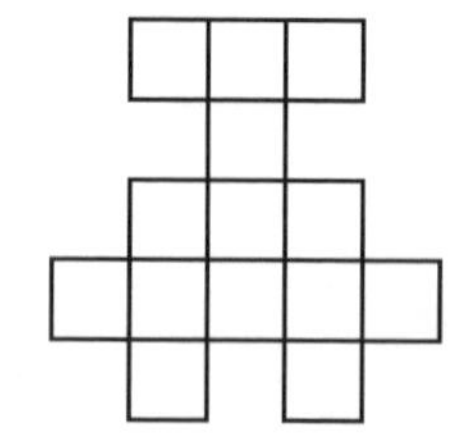

C

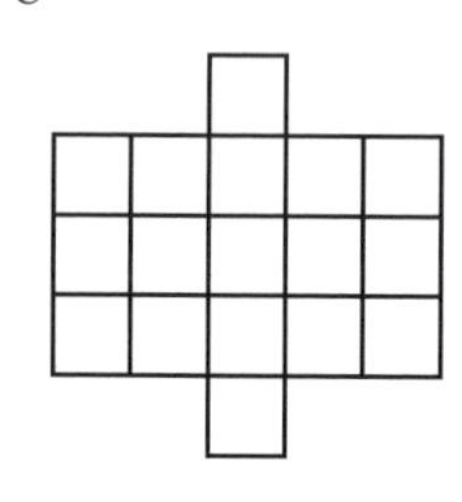

D

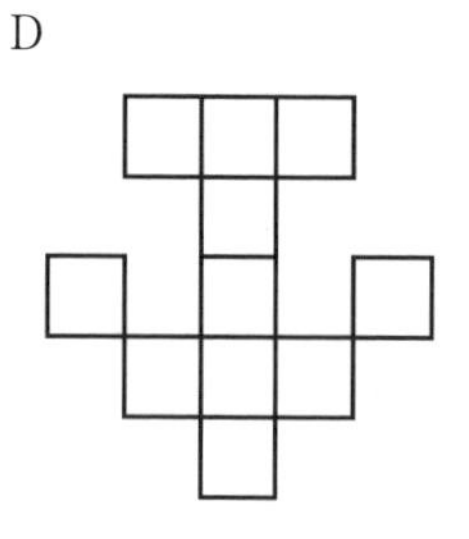

E

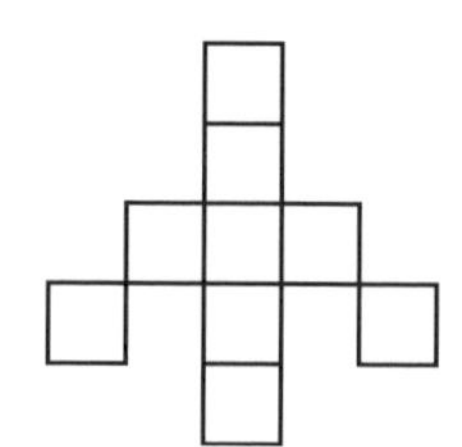

1　A　B

2　A　D

3　B　E

4　C　D

5　C　E

解説　正解　1　TAC生の正答率 68%

一筆書きの可否は奇点（線分が奇数本集まっている点）の数で決まり、奇点の数が0または2であれば一筆書きは可能となり、奇点の数が4以上なら一筆書きは不可能となる。A～Eの図形において、奇点に印をつけると以下のようになる。

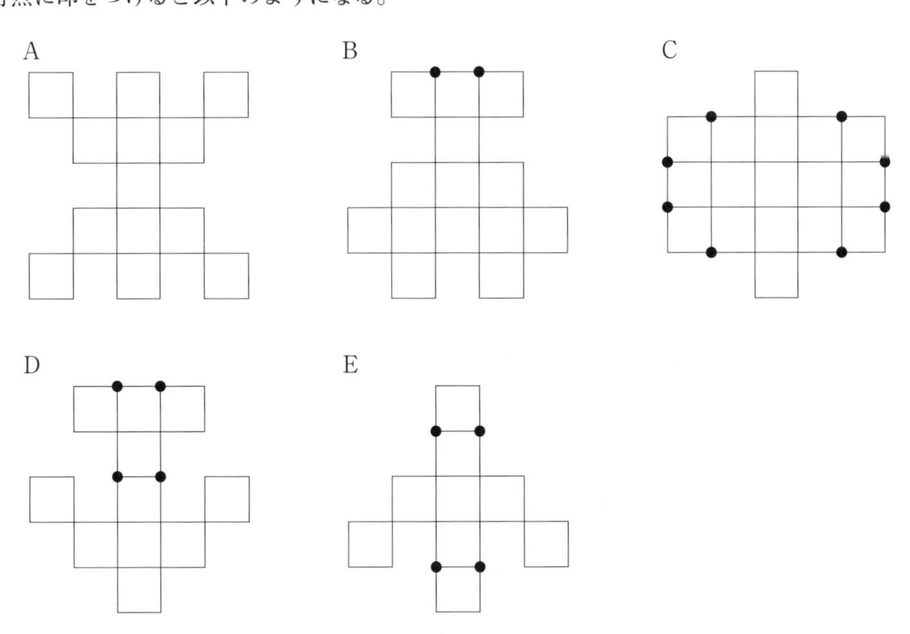

奇点の数は、Aが0、Bが2、Cが8、Dが4、Eが4だから、一筆書きができるのはAとBとなる。

したがって、正解は**1**である。

法律　法の分類

法の分類に関する記述として、妥当なのはどれか。

1　条約は、国家間で合意された国際法であり、条約には国連憲章や日米安全保障条約などがある。

2　公法は、国家と私人の権力関係や、私人相互の関係を公的に規律する法であり、公法には刑法や民法などがある。

3　社会法は、国家や地方公共団体相互の関係を規律する法であり、社会法には地方自治法や国家公務員法などがある。

4　自然法は、長い期間繰り返され、定着された行動や振る舞いがルールとなったものであり、自然法には慣習法などがある。

5　成文法は、権限に基づく行為により定められ、文書の形をとった法であり、成文法には判例法などがある。

解説　正解　1

TAC生の選択率 89%　TAC生の正答率 26%

1　○　通説により妥当である。条約とは、外国との間における権利義務関係の創設、変更に関わる文書による合意をいうので、国際関係を規律する法である国際法にあたる。また、前述のような内容を持つものであれば「条約」という名称の有無を問わないと解されているところ、国際連合憲章は、国連加盟国の権利や義務を規定するとともに、国連の主要機関や手続きを定めていることから、条約として位置付けることができる。

2　×「私人相互の関係」、「民法」という部分が妥当でない。公法とは、国家と個人との関係を定めた法及び国家のしくみ（国と地方公共団体との関係、国家組織相互の関係）を定めた法のことをいう。憲法、刑法が公法に含まれるほか、裁判に関するルールである刑事訴訟法、民事訴訟法も公法に属する。一方、私人相互の関係を規律する法を私法といい、民法や商法がこれに含まれる。

3　×　全体が妥当でない。本記述は公法についての説明である。社会法とは、社会的・経済的弱者を保護するため、私法のルール「私的自治の原則」を一部修正するものである。例えば、労働契約上、時間外労働（残業）に対する割増賃金を支払わないと定めていても、社会法に含まれる労働基準法により、自動的に割増賃金の支払義務が使用者に発生する（労働基準法13条、37条）。これは立場上不本意ながら不利な契約を結ぶ可能性のある労働者を保護するものである。

4　×　全体が妥当でない。自然法とは、時代・地域・文化を超越して、普遍的に妥当する法をいう。本記述は、実定法に関する説明である。また、慣習法は、特定の地域内（特定の国家間を含む）における慣習が法的確信を得て法として認められるに至ったものなので実定法に含まれるものであり、地域を超越して妥当する自然法には含まれない。

5　×「判例法」という部分が妥当でない。成文法は文章化された法のことで、日本国憲法や民法などが該当する。一方、不文法は文章化されていない法のことで、判例法のほか、慣習法や条理がこれに該当する。

法律　法の下の平等

2020年度
教養 No.30

法の下の平等に関するＡ～Ｄの記述のうち、妥当なものを選んだ組合せはどれか。

Ａ　日本国憲法は、全て国民は法の下に平等であって、人種、信条、性別、社会的身分又は門地により、政治的、経済的又は社会的関係において差別されないとし、また、華族その他の貴族の制度を禁止している。

Ｂ　ヘイトスピーチとは、特定の人種や民族への差別をあおる言動のことをいい、国連から法的規制を行うよう勧告されているが、我が国ではヘイトスピーチを規制する法律は制定されていない。

Ｃ　最高裁判所は、2013年に、婚外子の法定相続分を嫡出子の半分とする民法の規定を違憲と判断し、これを受けて国会は同規定を改正した。

Ｄ　1999年に制定された男女共同参画社会基本法は、性的少数者に対する偏見の解消に向けた地方公共団体の責務を定めており、これを受けて地方公共団体は、同性カップルのパートナーシップの証明を始めた。

1　Ａ　Ｂ

2　Ａ　Ｃ

3　Ａ　Ｄ

4　Ｂ　Ｃ

5　Ｂ　Ｄ

解説　正解　2

TAC生の選択率 93%　TAC生の正答率 77%

A　○　条文により妥当である。憲法（日本国憲法）は、すべて国民は法の下に平等であって、人種、信条、性別、社会的身分又は門地により、政治的、経済的又は社会的関係において差別されないと定めている（憲法14条１項）。さらに、華族その他の貴族の制度は認められていない（同条２項）。

B　×「我が国ではヘイトスピーチを規制する法律は制定されていない」という部分が妥当でない。わが国ではヘイトスピーチを規制する法律として、「本邦外出身者に対する不当な差別的言動の解消に向けた取組の推進に関する法律」（ヘイトスピーチ解消法）が存在し、2016年（平成28年）６月３日に施行されている。なお、特定の人種や民族への差別をあおる言動はヘイトスピーチに該当するとされており、2014年（平成26年）８月に国連人種差別撤廃委員会からヘイトスピーチの法的規制を行うよう勧告されていたので、前段は妥当である。

C　○　判例により妥当である。最高裁判所は、2013年（平成25年）９月４日に、婚外子（非嫡出子）の相続分を嫡出子の２分の１とする民法900条４号ただし書の規定を違憲と判断した（最大決平25.9.4）。この判断を受けて、同年12月に民法が改正され、非嫡出子の相続分を嫡出子の相続分の２分の１とする民法900条４号ただし書の規定は撤廃された。

D　×　全体が妥当でない。男女共同参画社会基本法は、その前文において、性別にかかわりなく、その個性と能力を十分に発揮することができる男女共同参画社会の実現を掲げており、地方公共団体については、男女共同参画社会の形成の促進に関し、国の施策に準じた施策及びその他のその地方公共団体の区域の特性に応じた施策を策定し、及び実施する責務を有すると定めている（男女共同参画社会基本法９条）。したがって、同法は性的少数者に対する偏見の解消を定めたものではない。また、同性カップルの関係を婚姻に相当するものとして証明書を発行するパートナーシップの制度を導入している地方公共団体が存在するものの、これは地方公共団体が独自に導入している制度である。

以上より、妥当な組合せはＡ、Ｃであり、正解は**2**となる。

法律　国会

2021年度
教養 No.29

我が国の国会に関するＡ～Ｄの記述のうち、妥当なものを選んだ組合せはどれか。

Ａ　両議院の議員は、法律の定める場合を除いては、国会の会期中逮捕されず、会期前に逮捕された議員は、その議院の要求があれば、会期中これを釈放しなければならない。

Ｂ　特別国会は、いずれかの議院の総議員の４分の１以上の要求がある場合に召集されるものであり、臨時国会は、衆議院解散後の総選挙の日から30日以内に召集されるものである。

Ｃ　両議院は、各々その会議その他の手続及び内部の規律に関する規則を定め、また、院内の秩序を乱した議員を懲罰することができるが、議員を除名するには、出席議員の３分の２以上の多数による議決を必要とする。

Ｄ　両議院は、各々国政に関する調査を行い、これに関して、証人の出頭及び証言並びに記録の提出を要求することができるが、その証人が虚偽の証言をしても懲役等の罰則はない。

1　Ａ　Ｂ

2　Ａ　Ｃ

3　Ａ　Ｄ

4　Ｂ　Ｃ

5　Ｂ　Ｄ

解説　**正解　2**　TAC生の選択率 99%　TAC生の正答率 88%

A　○　条文により妥当である。憲法50条が、「両議院の議員は、法律の定める場合を除いては、国会の会期中逮捕されず、会期前に逮捕された議員は、その議院の要求があれば、会期中これを釈放しなければならない」と規定する通りである。なお、国会議員が会期中逮捕される「法律の定める場合」とは、①院外での現行犯罪の場合、②その議院の許諾がある場合、の２つである（国会法33条）。

B　×　「特別国会は」、「臨時国会は」という部分が妥当でない。本記述は説明が反対である。いずれかの議院の総議員の４分の１以上の要求がある場合に召集されるのが臨時国会（臨時会）である（憲法53条後段）。これに対して、衆議院解散後の総選挙の日から30日以内に召集されるのが特別国会（特別会）である（憲法54条１項、国会法１条３項）。

C　○　条文により妥当である。両議院は、各々その会議その他の手続及び内部の規律に関する規則（議院規則）を定めることや、院内の秩序を乱した議員を懲罰することができる（憲法58条２項本文）。ただし、懲罰権の行使として議員を除名するには、出席議員の３分の２以上の多数による議決を必要とする（憲法58条２項但書）。

D　×　「その証人が虚偽の証言をしても懲役等の罰則はない」という部分が妥当でない。憲法62条は、「両議院は、各々国政に関する調査を行ひ、これに関して、証人の出頭及び証言並びに記録の提出を要求することができる」と規定して、議院に国政調査権を付与している。そして、議院に出頭して宣誓した証人が虚偽の証言をした場合には、議院証言法（議院における証人の宣誓及び証言等に関する法律）６条１項が適用され、３月以上10年以下の懲役に処せられる。

以上より、妥当なものはA、Cであり、正解は**2**となる。

法律　裁判所

2020年度
教養 No.29

我が国の裁判所及び司法制度に関する記述として、妥当なのはどれか。

1　日本国憲法は、全ての司法権は、最高裁判所及び法律の定めるところにより設置する下級裁判所に属し、下級裁判所には高等裁判所、地方裁判所、家庭裁判所、簡易裁判所、行政裁判所があると定めている。

2　裁判官は、裁判により心身の故障のため職務を執ることができないと決定された場合に限り罷免され、行政機関は裁判官の懲戒処分を行うことができない。

3　最高裁判所は、訴訟に関する手続、弁護士、裁判所の内部規律及び司法事務処理に関する事項について、規則を定める権限を有する。

4　内閣による最高裁判所の裁判官の任命は、その任命後初めて行われる参議院議員選挙の際、国民の審査に付さなければならない。

5　裁判員制度は、重大な刑事事件及び民事事件の第一審において導入されており、原則として有権者の中から無作為に選ばれた裁判員６人が、有罪・無罪と量刑について、３人の裁判官と合議して決定する。

解説　**正解　3**　TAC生の選択率 96%　TAC生の正答率 63%

1　×　「下級裁判所には高等裁判所、地方裁判所、家庭裁判所、簡易裁判所、行政裁判所があると定めている」という部分が妥当でない。憲法（日本国憲法）は、「すべて司法権は、最高裁判所及び法律の定めるところにより設置する下級裁判所に属する。」と定めており（憲法76条１項）、前段は妥当である。しかし、憲法は下級裁判所の種類を定めていないので、後段が妥当でない。なお、下級裁判所の種類は、裁判所法２条１項において、「下級裁判所は、高等裁判所、地方裁判所、家庭裁判所及び簡易裁判所とする。」と定めており、行政裁判所は含まれていない。

2　×　「裁判により心身の故障のため職務を執ることができないと決定された場合に限り罷免され」という部分が妥当でない。裁判官は、心身の故障を理由とした分限裁判だけでなく、弾劾裁判によっても罷免される（憲法78条前段、64条）。さらに、最高裁判所裁判官については、国民審査によっても罷免される（同法79条２項、３項）。なお、裁判官の懲戒処分は、行政機関が行うことはできないので（同法78条後段）、後段は妥当である。

3　○　条文により妥当である。憲法77条１項が、「最高裁判所は、訴訟に関する手続、弁護士、裁判所の内部規律及び司法事務処理に関する事項について、規則を定める権限を有する。」と定めている通りである。

4　×　「その任命後初めて行われる参議院議員選挙の際、国民の審査に付さなければならない」という部分が妥当でない。最高裁判所の裁判官の任命は、その任命後初めて行われる衆議院議員総選挙の際、国民の審査に付する（憲法79条２項）。参議院議員選挙の際、国民の審査に付されるわけではない。なお、最高裁判所の長官以外の裁判官は、内閣で任命することとされている（同条１項）。

5　×　「裁判員制度は、重大な刑事事件及び民事事件の第一審において導入されており」という部分が妥当でない。裁判員制度は、重大な刑事事件の第一審においてのみ導入されており（裁判員法１条、２条１項）、民事事件においては導入されていない。なお、原則として、裁判員が有権者（当分の間は20歳以上の有権者）の中から無作為で選ばれること（同法13条）、裁判員裁判が裁判員６人・裁判官３人の合議体で構成されること（同法２条２項）、有罪・無罪と量刑について裁判員と裁判官が合議して決定すること（同法６条１項）は妥当である。

法律　司法制度

我が国の司法制度に関するA～Dの記述のうち、妥当なものを選んだ組合せはどれか。

A　2009年に導入された裁判員制度は、重大な刑事事件の第一審において、国民から選ばれた裁判員が、裁判官とともに、有罪・無罪の決定や量刑を行う制度である。

B　ADRとは、民事上及び刑事上の紛争について、裁判によらない解決をめざし民間機関等の第三者が和解の仲介や仲裁を行う裁判外紛争解決手続のことである。

C　2008年に導入された被害者参加制度により、一定の重大事件の犯罪被害者や遺族が刑事裁判に出席し、意見を述べることができるようになったが、被告人や証人に質問することはできない。

D　検察審査会制度とは、国民の中からくじで選ばれた検察審査員が検察官の不起訴処分の適否を審査するものであり、同一の事件で起訴相当と２回議決された場合には、裁判所が指名した弁護士によって、強制的に起訴される。

1　A　B

2　A　C

3　A　D

4　B　C

5　B　D

解説　**正解　3**　TAC生の選択率 90%　TAC生の正答率 37%

A　○　条文により妥当である。2009年に導入された裁判員制度の対象は、殺人罪、強盗致死傷罪、現住建造物等放火罪などの重大な刑事事件の第一審である（裁判員法２条１項）。裁判員裁判を構成するのは、国民から選ばれた裁判員６名、裁判官（職業裁判官）３名が原則であり（裁判員法２条２項本文）、裁判員は裁判官とともに、被告人の有罪・無罪の決定や、有罪とする場合の量刑を行う（裁判員法６条１項）。

B　×「及び刑事上の紛争」という部分が妥当でない。ADR（Alternative Dispute Resolutionの略語）は、裁判外紛争解決手続とも呼ばれており、訴訟手続によらずに民事上の紛争の解決をしようとする紛争の当事者のため、公正な第三者が関与して、その解決を図る手続である（裁判外紛争解決手続の利用の促進に関する法律１条かっこ書）。ADRの例として、和解の仲介、仲裁、調停などがある。しかし、刑事上の紛争はADRの対象にならない。

C　×「被告人や証人に質問することはできない」という部分が妥当でない。2008年に導入された被害者参加制度では、一定の重大事件の犯罪被害者やその遺族が、刑事裁判に出席して、①事実又は法律の適用について意見を述べること（刑事訴訟法316条の38）、②情状に関する事項（犯罪事実に関するものを除く）について証人を尋問すること（刑事訴訟法316条の36）、③被告人に対して質問すること（刑事訴訟法316条の37）を認めている。

D　○　条文により妥当である。検察審査会制度では、国民の中からくじで選ばれた11名の検察審査員が検察審査会を組織し（検察審査会法４条）、検察官の不起訴処分の適否を審査する（検察審査会法２条１号）。そして、同一の事件で起訴相当と２回議決された場合、２回目の議決のことを起訴議決というが（検察審査会法41条の６第１項）、起訴議決がなされた後は、裁判所が指名した弁護士によって強制的に起訴する手続がとられる（検察審査会法41条の９、41条の10第１項）。

以上より、妥当なものはA、Dであり、正解は**3**となる。

法律　労働者の権利の保障

2023年度
教養 No.29

我が国における労働者の権利の保障に関する記述として、妥当なのはどれか。

1　団結権とは、労働者が労働組合を結成する権利であり、警察職員を含めた全ての地方公務員に適用される。

2　団体交渉権とは、労働組合が使用者と交渉する権利であり、地方公営企業の職員には、労働協約の締結権がある。

3　争議権による正当な争議行為については、労働組合に民事上の免責が認められるが、刑事上の免責は認められない。

4　労働基準監督署は、労働関係調整法に基づき設置されており、労働関係調整法の施行を監督している。

5　労働紛争の迅速な解決のため、2006年から、労働委員会のあっせん、調停及び仲裁により争議を調整する労働審判制度が開始された。

解説　正解　2

TAC生の選択率 86%　TAC生の正答率 29%

1　×「警察職員を含めた全ての地方公務員に適用される」という部分が妥当でない。勤労者の団結する権利（団結権）に関する説明は正しいが、地方公務員のうち警察職員、消防職員には団結権が保障されていない。なお、警察職員、消防職員は、団結権のみならず、団体交渉権、団体行動権も保障されていない。

2　○　条文により妥当である。団体交渉権とは、労働組合などの労働者の団体が使用者と労働条件について交渉する権利である。もっとも、地方公務員の団体交渉権については一定の制約があり、地方公務員が組織する職員団体には、原則として労働協約締結権が認められていない（地方公務員法55条２項）。この例外として、地方公務員のうち地方公営企業の職員の場合は、その組織する労働組合に労働協約締結権が認められている（地方公営企業等の労働関係に関する法律７条）。

3　×「刑事上の免責は認められない」という部分が妥当でない。正当な争議行為は、憲法及び労働組合法で保障された権利の行使であるから、民事上の債務不履行ないし不法行為責任が免責される（労働組合法８条）とともに、刑事責任も免責される（労働組合法１条２項、刑法35条）。

4　×「労働関係調整法に基づき設置されており、労働関係調整法の施行を監督している」という部分が妥当でない。労働基準監督署は、厚生労働省設置法22条に基づき設置され、労働基準法、最低賃金法や労働安全衛生法などの労働基準関連法令に基づく監督等を行う機関である。

5　×「労働委員会のあっせん、調停及び仲裁により争議を調整する」という部分が妥当でない。労働審判制度は、訴訟よりも短期間に、事案の実情に即した柔軟な解決をする仕組みとして2006年に設けられたものである。その手続きは、裁判所において、労働審判委員会（裁判官１名、労働審判員２名）が、調停による解決を試み、調停が成立しない場合に労働審判（事案の実情に即した解決をするために必要な審判）が行われるというものである（労働審判法１条）。

政治　東西冷戦

2023年度
教養 No.31

東西冷戦に関する記述として、妥当なのはどれか。

1　第二次世界大戦で連合国であったアメリカと枢軸国であったソ連の両国の対立は、戦後、資本主義と社会主義の対立となり、これを冷戦と呼ぶ。

2　アメリカは、1947年に、西欧諸国に対する経済復興のためのトルーマン＝ドクトリンや、共産主義封じ込め政策であるマーシャル＝プランを発表した。

3　アメリカと西欧諸国はNATOを結成し、これに対抗したソ連と東欧諸国は軍事同盟であるCOMECONを結成した。

4　1962年のキューバ危機では、米ソは核戦争の危機に直面し、この対立を新冷戦と呼ぶ。

5　ソ連の共産党書記長に就任したゴルバチョフはペレストロイカを進め、米ソ首脳はマルタ会談で冷戦終結を宣言した。

解説　正解　5

TAC生の選択率 83%　TAC生の正答率 46%

1　×　ソ連とアメリカは同じ連合国として第二次世界大戦に参戦した。枢軸国は、日本、ドイツ、イタリアである。

2　×　トルーマン＝ドクトリンとマーシャル＝プランの説明が逆である。西欧諸国に対する経済復興のために発表されたのがマーシャル＝プランであり、共産主義封じ込め政策がトルーマン＝ドクトリンである。

3　×　NATOに対抗するためソ連と東欧諸国が結成したのはワルシャワ条約機構である。COMECON（経済相互援助会議）は、マーシャル＝プランに対抗する目的で設立された。

4　×　新冷戦とは、1979年のソ連によるアフガニスタン侵攻によって、それまでの緊張緩和（デタント）から再び対立が激しくなったことを指す言葉である。なお、キューバ危機で米ソが核戦争の危機に直面したのは正しい内容である。

5　○　2022年（出題前年）に亡くなったゴルバチョフの功績の一部として妥当な内容である。

政治　地域紛争

2021年度
教養 No.31

第二次世界大戦後の地域紛争に関する記述として、妥当なのはどれか。

1　ユダヤ人国家としてイスラエルが1948年に建国されたが、周辺アラブ諸国と数次にわたる中東戦争が発生し、多くのパレスチナ人が難民となった。

2　1990年、スーダンで多数派フツ族と少数派ツチ族との内戦が起こり、フツ族によりツチ族が３か月間で80～100万人殺害された。

3　1991年、チェチェン共和国はコソボからの独立を宣言したが、この独立を認めないコソボとの間で２度にわたりチェチェン紛争が起こった。

4　アルバニア系住民が多数を占めるボスニア・ヘルツェゴビナは、1999年にNATO軍によって軍事介入され、2008年にはセルビアからの独立を宣言した。

5　2003年、ソマリアでダルフール紛争が起き、2009年に国際刑事裁判所は、人道に対する罪で現職の国家元首として初めてバシル大統領の逮捕状を発布した。

解説　正解　1

TAC生の選択率 67%　TAC生の正答率 63%

1　○　パレスチナ問題についての正しい記述である。

2　×　選択肢にある多数派フツ族と少数派ツチ族との内戦が起こったのは、スーダンではなくルワンダである。また、ルワンダ虐殺が起こったのも1994年であり、この点でも誤りである。

3　×　チェチェン共和国はロシアの構成体の一つであり、コソボから独立をしようとしていたのではない。

4　×　ボスニア・ヘルツェゴビナは旧ユーゴスラビア連邦の構成国である。セルビアも同じく旧ユーゴスラビア構成国の一つであるので、セルビアから独立したというのは誤りである。また、ボスニア・ヘルツェゴビナの主要な民族はボシュニャク（ムスリム）系、セルビア系、クロアチア系であり、アルバニア系住民は少数派である。アルバニア系住民が多数を占める国としてコソボがあげられる。

5　×　ダルフール紛争が起こっているのはスーダンである。ただし、2009年に国際刑事裁判所（ICC）が人道に対する罪等で、当時現職であったスーダンのバジル大統領に逮捕状を発布したというのは正しい内容である。

政治　世界の政治体制

2022年度
教養 No.31

世界の政治体制に関するA～Dの記述のうち、妥当なものを選んだ組合せはどれか。

A　アメリカの連邦議会は、各州から２名ずつ選出される上院と、各州から人口比例で選出される下院から成り、上院は、大統領が締結した条約に対する同意権を持つ。

B　アメリカの大統領は、国民が各州で選んだ大統領選挙人による間接選挙によって選ばれ、軍の最高司令官であり、条約の締結権や議会への法案提出権などを持つが、連邦議会を解散する権限はない。

C　フランスは、国民の直接選挙で選出される大統領が議会の解散権などの強大な権限を有する大統領制と、内閣が議会に対して責任を負う議院内閣制を併用していることから、半大統領制といわれる。

D　中国では、立法機関としての全国人民代表大会、行政機関としての国務院、司法機関としての最高人民法院が設けられており、厳格な権力分立制が保たれている。

1　A　B

2　A　C

3　A　D

4　B　C

5　B　D

解説　正解　2

TAC生の選択率 96%　TAC生の正答率 83%

A　**○**　連邦制の国家では、上院は州の代表、下院は国民全体の代表という構成となるのが一般的である。

B　**×**　「議会への法案提出権などを持つ」が誤り。一般に、大統領制では大統領は議会への法案提出権を持たない。

C　**○**　フランスの半大統領制では、大統領の下で行政を担当する内閣に対し、議会は不信任決議権を有する。

D　**×**　「厳格な権力分立制が保たれている」が誤り。中国では、立法は全国人民代表大会、行政は国務院、司法は最高人民法院が担当している。しかし、中国の憲法では全国人民代表大会を最高の国家権力機関としているため、全国人民代表大会が最上位の組織であり、国務院や人民法院が下位に位置づけられる。

政治　国際人権規約

2022年度
教養 No.30

次のA～Eの国際人権条約のうち、日本が批准しているものを選んだ組合せとして、妥当なのはどれか。

A　難民の地位に関する条約
B　ジェノサイド条約
C　移住労働者権利保護条約
D　障害者権利条約
E　死刑廃止条約

1　A　C

2　A　D

3　B　D

4　B　E

5　C　E

解説　**正解　2**　TAC生の選択率 81%　TAC生の正答率 49%

A　○「難民の地位に関する条約」(1951) は、難民の権利、特に迫害の恐れのある国へ強制的に送還されない権利を定め、労働、教育、公的援助および社会保障の権利や旅券への権利など、日常生活のさまざまな側面について規定している条約であり、日本は1981年に批准している。

B　×「ジェノサイド条約」(1948) は正式名称を「集団殺害罪の防止及び処罰に関する条約」という。同条約は第二次世界大戦中の残虐行為に対する直接の反応として採択されたもので、集団殺害罪は、国民的、人種的、民族的、または宗教的な集団を破壊する意図を持って行われる行為であると定義付け、それを犯した者は法に照らして処罰することを国家に義務付けている条約である。しかし、国内法が未整備であることなどを理由に、日本は批准していない。

C　×「移住労働者権利保護条約」(1990) は正式名称を「すべての移住労働者とその家族の権利の保護に関する国際条約」という。同条約は移住のプロセスを通して、合法もしくは非合法を問わず、移住労働者の基本的権利の定義を行い、かつ彼らを保護する措置について規定している条約である。しかし、日本では外国人労働者の処遇に対して様々な意見があることから、批准していない。

D　○「障害者権利条約」(2006) は正式名称を「障害者の権利に関する条約」という。同条約は障害者のすべての人権と尊厳を認め、雇用、教育、保健サービス、運輸、司法へのアクセスなど、生活のすべての領域において障害者に対する差別を非合法だとして禁止する条約であり、日本は2014年に批准している。

E　×「死刑廃止条約」(1989) は正式名称を「死刑の廃止を目指す市民的及び政治的権利に関する国際規約・第二選択議定書」という。同議定書はいわゆる国際人権規約B規約（自由権規約）の選択議定書の一つであり、死刑の廃止を目的とする条約だが、日本は死刑制度を存続しているため、署名も批准もしていない。

政治　地方自治

2023年度
教養 No.30

我が国の地方自治に関する記述として、妥当なのはどれか。

1　地方自治法は、都道府県を普通地方公共団体と定め、特別区及び市町村を特別地方公共団体と定めている。

2　地方公共団体の事務には、自治事務と法定受託事務があり、旅券の交付や戸籍事務、病院・薬局の開設許可などが法定受託事務に該当する。

3　地方交付税交付金とは、地方公共団体間の財政格差を是正するために、国が使途を指定して交付する補助金である。

4　地方公共団体の議会は首長の不信任決議権を持ち、首長は議会の解散権を持つが、首長は議会の議決に対して拒否権を行使することはできない。

5　行政機関を監視し、住民からの苦情申立てを処理するためのオンブズパーソン制度が一部の地方公共団体で導入されている。

解説　正解　5

TAC生の選択率　96%　TAC生の正答率　56%

1　×　地方自治法では、都道府県だけでなく市町村も普通地方公共団体と定めている。なお、特別地方公共団体に該当するのは、特別区、地方公共団体の組合（一部事務組合及び広域連合）、財産区である。

2　×　病院・薬局の開設許可は自治事務に該当する。

3　×　地方交付税交付金は、使途は指定されていない。国が使途を指定して交付する補助金は、国庫支出金である。

4　×　地方公共団体の首長は、議会の議決に対して拒否権（再議権）を行使できる。また、議会に対して条例案や予算案の提出権も持っている。

5　○「オンブズマン」という表記の方が一般的だが、英語では「マン」は男性を表す言葉であるため、より中立的な用語として「オンブズパーソン」と表記することもある。

経済　農業・食料問題

2023年度
教養 No.32

我が国の農業と食料問題に関する記述として、妥当なのはどれか。

1　食生活の変化により、米の供給が過剰となったため、1970年から米の生産調整である減反政策が始まり、現在まで維持されている。

2　農業経営の規模拡大のため、2009年の農地法改正により、株式会社による農地の借用が規制された。

3　６次産業化とは、１次産業である農業が、生産、加工、販売を一体化して事業を行うことにより、付加価値を高める取組である。

4　農林業センサスにおける農家の分類では、65歳未満で年間60日以上農業に従事する者がいない農家を、準主業農家という。

5　食の安全に対する意識の高まりなどから、地元の農産物を、地元で消費するフェアトレードが注目されている。

解説　正解　3

TAC生の選択率 72%　TAC生の正答率 54%

1　×　「現在まで維持されている」が誤り。2018年に減反政策は終了した。

2　×　2009年の農地法改正により株式会社による借用規制が緩和され、農業生産法人以外の法人等でも一定の条件を満たせば農地の貸借により農業が可能になった。農業経営の規模拡大のためには、個人経営よりも法人経営を促進した方がいいはずである。

3　○　６次産業化とは、農業・食料に関連する第１次産業（農業など）、第２次産業（食品加工業など）、第３次産業（食品販売・飲食業など）を有機的に結合させて高付加価値化を図る取り組みを指す。

4　×　これは副業的農家に関する記述である。準主業的農家は、農外所得が主（農家所得の50％未満が農業所得）で、65歳未満で年間60日以上農業に従事する者がいる農家を指す。

5　×　これは地産地消に関する記述である。フェアトレード（公正な取引）とは、発展途上国の生産物を正当な価格で継続的に取引することで、現地生産者の生活を支援する貿易のあり方のことである。

経済　国際経済体制

2020年度
教養 No.32

国際経済体制の変遷に関する記述として、妥当なのはどれか。

1　ブレトン・ウッズ体制とは、自由貿易を基本とした国際経済秩序をめざして、IMFとIBRD（国際復興開発銀行）が設立され、GATTが結ばれた体制をいい、この体制下では、ドルを基軸通貨とする固定相場制が採用された。

2　1971年、ニクソン大統領がドル危機の深刻化により金とドルの交換を停止したため、外国為替相場は固定相場制を維持できなくなり、1976年にIMFによるスミソニアン合意で、変動相場制への移行が正式に承認された。

3　1985年、先進５か国は、レーガン政権下におけるアメリカの財政赤字と経常収支赤字を縮小するため、G5を開き、ドル高を是正するために各国が協調して為替介入を行うルーブル合意が交わされた。

4　GATTは、自由、無差別、多角を３原則として自由貿易を推進することを目的としており、ケネディ・ラウンドでは、サービス貿易や知的財産権に関するルール作りを行うことが1993年に合意された。

5　UNCTAD（国連貿易開発会議）は、GATTを引き継ぐ国際機関として設立され、貿易紛争処理においてネガティブ・コンセンサス方式を取り入れるなど、GATTに比べて紛争解決の機能が強化された。

解説　正解　1

TAC生の選択率　63%　TAC生の正答率　50%

1　○

2　×　スミソニアン合意で採用されたのは固定相場制である。

3　×　この記述はプラザ合意に関するものである。

4　×　この記述はウルグアイ・ラウンドに関するものである。

5　×　GATTを引き継ぐ国際機関として設立されたのはWTO（世界貿易機関）である。

経済　現代の企業

2022年度
教養 No.32

我が国における現代の企業に関する記述として、妥当なのはどれか。

1　企業の資金の調達方法には、株式や社債の発行があり、これらにより調達した資金を全て他人資本という。

2　合同会社は、１人以上の有限責任社員で構成され、所有と経営の分離を特徴とし、ベンチャー企業の設立に適している。

3　中小企業基本法では、サービス業は、資本金5,000万円以下及び従業員数100人以下のいずれも満たす場合に限り、中小企業と定義している。

4　芸術・文化の支援活動であるフィランソロピーや、福祉などに対する慈善活動であるメセナは、企業の社会的責任の１つである。

5　平成18年施行の会社法により、有限会社は新設できなくなったが、既存の有限会社については、存続が認められている。

解説　正解　5

TAC生の選択率 68%　TAC生の正答率 76%

1　×　他人資本とは、民間金融機関からの借入や社債など株主以外から調達した資本のことをいう。

2　×　合同会社とは、所有（出資者）と経営（経営者）が一体となっており、出資者全員が有限責任社員である企業形態をいう。

3　×　サービス業は、資本金の額又は出資の総額が５千万円以下の会社又は常時使用する従業員の数が100人以下の会社及び個人としている。

4　×　メセナとフィランソロピーの定義が逆である。

5　○

思想　諸子百家　2023年度 教養 No.33

中国の思想家に関する記述として、妥当なのはどれか。

1　荀子は、性悪説を唱え、基本的な人間関係のあり方として、父子の親、君臣の義、夫婦の別、長幼の序、朋友（ほうゆう）の信という五倫の道を示した。

2　墨子は、孔子が唱えた他者を区別なく愛する仁礼のもとに、人々が互いに利益をもたらし合う社会をめざし、戦争に反対して非攻論を展開した。

3　朱子は、理気二元論を説き、欲を抑えて言動を慎み、万物に宿る理を窮めるという居敬窮理によって、聖人をめざすべきだと主張した。

4　老子は、人間の本来の生き方として、全てを無為自然に委ね、他者と争わない態度が大事であり、大きな国家こそが理想社会であるとした。

5　荘子は、ありのままの世界では、万物は平等で斉（ひと）しく、我を忘れて天地自然と一体となる境地に遊ぶ人を、大丈夫と呼び、人間の理想とした。

解説　正解　3

TAC生の選択率 57%　TAC生の正答率 27%

1　×　性悪説を唱えたのは妥当だが、五倫の道を示したのは荀子ではなく孟子である。「父子の親、君臣の義、夫婦の別、長幼の序、朋友の信」という五倫とは、儒教における、人として守るべき道徳法則のことである。

2　×　墨子が非攻論を唱えたのは妥当だが、孔子が唱えた仁を差別愛だとして批判した。墨子は自他を区別しない無差別平等の愛である「兼愛」を唱えた。また「人々が互いに利益をもたらし合う」という記述は、墨子の「交利」の説明であり、「非攻」とは、侵略行為を否定する非戦論である。

3　○

4　×　無為自然は老子についての記述として妥当だが、大きな国家ではなく小さな国家（小国寡民）を理想とした。

5　×　「我を忘れて天地自然と一体となる境地に遊ぶ人」は大丈夫ではなく真人である。大丈夫は孟子が描いた理想像であり、高い道徳的意欲を持つ人物のことである。

古代インド

2021年度
教養 No.33

次の文は、古代インドの思想に関する記述であるが、文中の空所A～Dに該当する語の組合せとして、妥当なのはどれか。

紀元前15世紀頃、中央アジアから侵入してきたアーリヤ人によって、聖典「ヴェーダ」に基づく[A]が形成された。「ヴェーダ」の哲学的部門をなすウパニシャッド（奥義書）によれば、宇宙の根源は[B]、個人の根源は[C]と呼ばれ、両者が一体であるという梵（ぼん）我一如の境地に達することで解脱ができるとされた。

その後、修行者の中から、新たな教えを説く自由思想家たちが現れたが、そのうちの一人、ヴァルダマーナ（マハーヴィーラ）は[D]を開き、苦行と不殺生の徹底を説いた。

	A	B	C	D
1	ジャイナ教	アートマン	ブラフマン	仏教
2	ジャイナ教	アートマン	ブラフマン	ヒンドゥー教
3	バラモン教	アートマン	ブラフマン	ジャイナ教
4	バラモン教	ブラフマン	アートマン	ジャイナ教
5	バラモン教	ブラフマン	アートマン	ヒンドゥー教

解説　**正解　4**　TAC生の選択率 54%　TAC生の正答率 32%

A 「バラモン教」が該当する。インド＝ヨーロッパ語族のアーリヤ（アーリア）人がインドに侵入し、先住民を征服した。バラモン教の聖典である「ヴェーダ」が編纂された。「ヴェーダ」には4種あるが、最古のものが「リグ＝ヴェーダ」である。身分階層の最高位がバラモンという司祭階層である。

B 「ブラフマン」が該当する。ウパニシャッドによれば、宇宙の根源をブラフマン（梵）といい、絶対的な存在である。

C 「アートマン」が該当する。アートマン（我）は人間個人に内在する本質である。宇宙の根源のブラフマンと一体化することにより梵我一如の境地に達し、解脱できると説く。

D 「ジャイナ教」が該当する。ジャイナ教は、ヴァルダマーナによって開かれた宗教である。バラモン教を否定し、不殺生や不妄語などを徹底し、苦行を積んで悟りを得ることを説いた。仏教は、ガウタマ＝シッダールタが開いた宗教である。カースト制度や苦行を否定し、煩悩の根源である執着心を取り除くことによって解脱の境地に至ることをめざす。ヒンドゥー教は、バラモン教と先住民の土着宗教が融合して形成された宗教で、特定の開祖はいない。シヴァ神やヴィシュヌ神などを信仰する多神教である。

思想　江戸時代の儒学者

2022年度
教養 No.33

江戸時代の儒学者に関する記述として、妥当なのはどれか。

1　林羅山は、徳川家に仕え、私利私欲を抑え理にしたがう主体的な心を保持すべきという垂加神道を説いた。

2　貝原益軒は、朱子学者として薬学など実証的な研究を行い、「大和本草」や「養生訓」を著した。

3　中江藤樹は、陽明学が形式を重んじる点を批判し、自分の心に備わる善悪の判断力を発揮し、知識と行動を一致させることを説いた。

4　伊藤仁斎は、「論語」や「孟子」を原典の言葉に忠実に読む古義学を唱え、儒教の立場から、武士のあり方として士道を体系化した。

5　荻生徂徠は、古典を古代の中国語の意味を通じて理解する古文辞学を唱え、個人が達成すべき道徳を重視した。

解説　正解　2

TAC生の選択率 44%　TAC生の正答率 17%

1　×　垂加神道は林羅山ではなく山崎闇斎が提唱した。林羅山は徳川家に仕えた儒学者である。自然に天地があるように、人間社会にも上下の身分があるとした「上下定分の理」を説いた。

2　○

3　×「陽明学が形式を重んじる点を批判」という点が明らかに誤り。中江藤樹は朱子学が形式を重んじる点を批判し、陽明学に転じた。「知識と行動を一致させること」は陽明学の「知行合一」である。

4　×　前半は妥当だが、士道は伊藤仁斎ではなく、山鹿素行が説いた江戸時代の武士道である。

5　×「個人が達成すべき道徳を重視」という点が明らかに誤り。荻生徂徠の思想は「経世済民」に代表されるように、個人よりも政治の具体策を重視する。

日本史　国風文化

2023年度 教養 No.34

国風文化に関する記述として、妥当なのはどれか。

1　末法思想を背景に浄土教が流行し、源信が「往生要集」を著し、極楽往生の方法を説いた。

2　和歌が盛んになり、紀貫之らが最初の勅撰(せん)和歌集である万葉集を編集し、その後も勅撰和歌集が次々に編集された。

3　貴族の住宅として、檜皮葺(ひわだぶき)、白木造の日本風で、棚、付書院を設けた書院造が発達した。

4　仏師定朝が乾漆像の手法を完成させ、平等院鳳凰堂の本尊である薬師如来像などを作った。

5　仮名文字が発達し、万葉仮名の草書体をもとに片仮名が生まれ、使用されるようになった。

解説　正解　1

TAC生の選択率 56%　TAC生の正答率 22%

1　○

2　×　紀貫之が編集したのは万葉集ではなく古今和歌集である。万葉集は奈良時代の和歌集である。勅撰和歌集とは、天皇や上皇の命で編纂された和歌集である。最初の勅撰和歌集である古今和歌集の後、室町時代まで21集が編纂された。

3　×　貴族の住宅として発達したのは、書院造ではなく寝殿造である。白木造、檜皮葺、板床など日本風であり、寝殿を中心とした構造である寝殿造に対して、書院造は違い棚や付書院を持つ、室町時代後期に成立した武家の住宅の様式である。

4　×　仏師定朝は乾漆像ではなく、寄木造技法の完成者である。平等院鳳凰堂の阿弥陀如来坐像は寄木造である。乾漆像は天平文化によく見られる像である。

5　×「万葉仮名の草書体をもとに片仮名が生まれ」が誤り。万葉仮名として用いられた漢字の草書体をもとにして生まれたのは平仮名である。片仮名は、万葉仮名として用いられた漢字の一部を使って生み出された。

室町幕府に関する記述として、妥当なのはどれか。

1 足利尊氏は、建武の新政を行っていた後醍醐天皇を廃して持明院統の光明天皇を立て、17か条からなる幕府の施政方針である建武式目を定めて幕府再興の方針を明らかにし、自らは征西将軍となって室町幕府を開いた。

2 室町幕府の守護は、荘園の年貢の半分を兵粮(ひょうろう)として徴収することができる守護段銭の賦課が認められるなど、任国全域を自分の所領のようにみなし、領主化した守護は国人と呼ばれた。

3 室町幕府では、裁判や行政など広範な権限を足利尊氏が握り、守護の人事などの軍事面は弟の足利直義が担当していたが、やがて政治方針をめぐって対立し、観応の擾乱が起こった。

4 室町幕府の地方組織として関東に置かれた鎌倉府には、長官である管領として足利尊氏の子の足利義詮が派遣され、その職は、義詮の子孫によって世襲された。

5 足利義満は、京都の室町に花の御所と呼ばれる邸宅を建設して政治を行い、山名氏清など強大な守護を倒して権力の集中を図り、1392年には南北朝合一を果たした。

解説　正解　5

TAC生の選択率 46%　TAC生の正答率 53%

1 × 足利尊氏が持明院統の光明天皇を擁立した（北朝）ことは妥当だが、後醍醐天皇は吉野に逃れ、自身に正当な皇位があるとして南朝を立てた。足利尊氏は征西将軍ではなく征夷大将軍に就任した（1338）。征西将軍とは、九州・四国を平定するために置かれた将軍であり、後醍醐天皇が懐良親王を任命している（1338）。

2 × 「年貢の半分を兵粮として徴収」したのは守護段銭ではなく半済令によるものである。守護段銭は一時的に支配地域内に課した税のこと。国人とは各地域を治めていた領主のことであり、守護が国人と呼ばれたわけではない。領主化した守護を守護大名と呼ぶ。

3 × 観応の擾乱が起きたことは妥当だが、「裁判や行政など広範な権限」は弟の足利直義が担当し、「守護の人事などの軍事面」は足利尊氏が担当していた。

4 × 鎌倉府の長官は管領ではなく鎌倉公方である。管領は将軍補佐であり、細川・畠山・斯波氏が交代で就任した。また義詮が鎌倉公方となったのは妥当だが、その後は義詮の弟、基氏に引き継がれ、基氏の子孫が世襲した。

5 ○

日清戦争又は日露戦争に関する記述として、妥当なのはどれか。

1 1894年に、朝鮮で壬午事変が起こり、その鎮圧のため朝鮮政府の要請により清が出兵すると、日本も清に対抗して出兵し、8月に宣戦が布告され日清戦争が始まった。

2 日清戦争では、日本が黄海海戦で清の北洋艦隊を破るなど、圧倒的勝利を収め、1895年4月には、日本全権伊藤博文及び陸奥宗光と清の全権袁世凱が下関条約に調印した。

3 下関条約の調印直後、ロシア、ドイツ、アメリカは遼東半島の清への返還を日本に要求し、日本政府はこの要求を受け入れ、賠償金3,000万両と引き換えに遼東半島を清に返還した。

4 ロシアが甲申事変をきっかけに満州を占領したことにより、韓国での権益を脅かされた日本は、1902年にイギリスと日英同盟を結び、1904年に宣戦を布告し日露戦争が始まった。

5 日露戦争では、日本が1905年1月に旅順を占領し、3月の奉天会戦及び5月の日本海海戦で勝利し、9月には、日本全権小村寿太郎とロシア全権ウィッテがアメリカのポーツマスで講和条約に調印した。

解説　正解 5

TAC生の選択率 67%　TAC生の正答率 38%

1 × 日清戦争は、壬午事変ではなく甲午農民戦争（東学党の乱）を契機に勃発した。17世紀以来、朝鮮を属国としていた清が出兵し、日本も対抗して出兵した。甲午農民戦争は無事鎮圧できたが、事後処理をめぐり日清両国が衝突し、日清戦争が起きた。壬午事変は、1882年に朝鮮王朝の保守派である大院君が、親日策をとる閔妃に対して起こしたクーデターである。

2 × 下関条約における清国の全権は袁世凱ではなく、李鴻章である。

3 × いわゆる三国干渉をした国は、ロシア、ドイツ、フランスである。アメリカは清への返還を要求していない。日本政府は、賠償金の追加金3,000万両と引き換えに遼東半島の返還に応じた。

4 × 甲申事変（1884）は、朝鮮の親日派である独立党が起こしたクーデターであり、日露戦争とは関係ない。義和団事件終結後もロシア軍は満州に駐留し、南下して韓国に進出する気配を見せていた。これに対抗して日本は、同じくロシアの動きを警戒していたイギリスと日英同盟を結んだ。その後、ロシアは韓国内に侵入し、軍事基地を建設し始めた。日本はロシアに抗議したが交渉は進まず、日露戦争が勃発した。

5 ○ 日本軍は当初苦戦を強いられていたが、陸軍が旅順要塞を陥落させ、海軍が日本海海戦でバルチック艦隊を打ち破り、勝利した。セオドア＝ローズベルト米大統領の仲介でポーツマス条約が締結された。

世界史 ローマ帝国 2021年度 教養 No.35

ローマ帝国に関する記述として、妥当なのはどれか。

1 オクタウィアヌスは、アントニウス、レピドゥスと第2回三頭政治を行い、紀元前31年にはアクティウムの海戦でエジプトのクレオパトラと結んだアントニウスを破り、前27年に元老院からアウグストゥスの称号を与えられた。

2 3世紀末、テオドシウス帝は、2人の正帝と2人の副帝が帝国統治にあたる四分統治制を敷き、皇帝権力を強化し、以後の帝政はドミナトゥスと呼ばれた。

3 コンスタンティヌス帝は、313年にミラノ勅令でキリスト教を公認し、また、325年にはニケーア公会議を開催し、アリウス派を正統教義とした。

4 ローマ帝国は、395年、テオドシウス帝の死後に分裂し、その後、西ローマ帝国は1千年以上続いたが、東ローマ帝国は476年に滅亡した。

5 ローマ法は、はじめローマ市民だけに適用される市民法だったが、やがて全ての市民に適用される万民法としての性格を強め、6世紀には、ユスティニアヌス帝の命令で、法学者キケロらによってローマ法大全として集大成された。

解説 正解 1

TAC生の選択率 49% TAC生の正答率 54%

1 ○ 第2回三頭政治ではレピドゥスが、オクタウィアヌスと対立して失脚した。その後、アントニウスがエジプトのクレオパトラと結び、オクタウィアヌスと対立し、アクティウムの海戦で大敗した。勝利したオクタウィアヌスは元老院からアウグストゥスの称号を与えられた。

2 × テオドシウス帝ではなく、ディオクレティアヌス帝に関する記述である。

3 × ニケーア公会議で正統なキリスト教徒と認められたのは、アタナシウス派である。アリウス派は異端とされた。

4 × 西ローマ帝国と東ローマ帝国の記述が逆である。西ローマ帝国は476年に滅亡した。東ローマ帝国（ビザンツ帝国）はコンスタンティノープルを中心に繁栄したが、1453年にオスマン帝国に滅ぼされた。

5 × ローマ法が市民法から万民法に変わっていったことや6世紀にユスティニアヌス帝が「ローマ法大全」を集大成させたことは正しいが、キケロは紀元前の人物で、第2回三頭政治の成立後、暗殺されている。

世界史　大航海時代

2022年度
教養 No.35

大航海時代に関する記述として、妥当なのはどれか。

1　航海王子と呼ばれたエンリケは、アフリカ大陸の西側沿岸を南下し、南端の喜望峰に到達した。

2　ヴァスコ・ダ・ガマは、喜望峰を経て、インド西岸のカリカットに到達し、インド航路を開拓した。

3　ポルトガルの支援を得たコロンブスは、大西洋を横断してカリブ海のサンサルバドル島に到達した。

4　バルトロメウ・ディアスの探検により、コロンブスが到着した地は、ヨーロッパ人には未知の大陸であることが突き止められた。

5　スペイン王の支援を得たマゼランは、東周りの大航海に出発し、太平洋を横断中に死亡したが、部下が初の世界周航を達成した。

解説　正解　2

TAC生の選択率 49%　TAC生の正答率 55%

1　×　喜望峰に到達したのはエンリケではなくバルトロメウ・ディアスである。エンリケ航海王子はポルトガルにおける大航海時代の基礎を築いたとされる。

2　○

3　×　コロンブスが支援を得たのはポルトガルではなくスペインである。サンサルバドル島に到達したのは妥当である。

4　×　コロンブスが到着した地が未知の大陸であることを確認したのは、バルトロメウ・ディアスではなくアメリゴ・ヴェスプッチとされている。

5　×　「東周り」ではなく「西周り」である。それ以外は妥当な記述である。

思想
日本史
世界史
地理
社会事情
物理
化学
生物
地学

世界史　産業革命　2023年度 教養 No.35

イギリスの産業革命に関する記述として、妥当なのはどれか。

1　18世紀前半に、ニューコメンが木炭の代わりに石炭を加工したコークスを燃料とする製鉄法を開発し、鉄鋼生産が飛躍的に上昇した。

2　1733年にジョン・ケイが発明した飛び杼（ひ）により綿織物の生産量が急速に増えると、ハーグリーヴズのミュール紡績機やアークライトの水力紡績機など新しい紡績機が次々と発明された。

3　1814年にカートライトが製作した蒸気機関車は、1825年に実用化され、1830年にはマンチェスター＝リヴァプール間の鉄道が開通した。

4　機械制工場による大量生産が定着すると、従来の家内工業や手工業は急速に衰え、職を失った職人たちは、機械を打ち壊すラダイト運動を行った。

5　社会主義思想を否定したオーウェンなどの産業資本家は、大工場を経営して経済活動を支配するようになり、そこで働く労働者が長時間労働や低賃金を強いられるなどの労働問題が発生した。

解説　正解　4

TAC生の選択率 51%　TAC生の正答率 47%

1　×　ニューコメンは蒸気機関を発明した人物である。製鉄法を開発したのはダービーである。

2　×　ジョン・ケイの飛び杼（ひ）、アークライトの水力紡績機は妥当だが、ハーグリーヴズが生み出したのはミュール紡績機ではなくジェニー紡績機である。ミュール紡績機はクロンプトンが発明した。

3　×　蒸気機関車はカートライトではなく、スティーブンソンが製作した。マンチェスター・リヴァプール間の鉄道開通は妥当な記述である。カートライトは力織機を発明した人物である。

4　○

5　×　オーウェンは社会主義思想を否定したのではなく、労働者の労働環境を向上させようとした社会主義者である。工場法の制定に尽力した。

地理	気候	2020年度 教養 No.36

次の文は、温帯の気候に関する記述であるが、文中の空所A～Dに該当する語の組合せとして、妥当なのはどれか。

温帯は、四季の変化がはっきりした温和な気候に恵まれ、人間活動が活発にみられるのが特徴である。

ヨーロッパの西岸では、［ A ］が吹くため、冬は温和で夏は涼しく、季節にかかわらず適度な降水があり、穀物栽培と牧畜が組み合わされた混合農業や［ B ］が広く行われている。また、森林では、［ C ］が多くみられる。

東アジアでは、［ D ］が吹くため、夏は高温で冬は寒冷となっており、稲作が広く行われている。

	A	B	C	D
1	季節風	遊牧	針葉樹	極偏東風
2	季節風	酪農	落葉広葉樹	偏西風
3	極偏東風	酪農	落葉広葉樹	季節風
4	偏西風	遊牧	針葉樹	極偏東風
5	偏西風	酪農	落葉広葉樹	季節風

解説　正解　5

TAC生の選択率　90%　TAC生の正答率　77%

A 「偏西風」が該当する。偏西風は35～65度の緯度の地域に西から吹く恒常風であり、ヨーロッパの西岸に影響を与える。極偏東風は極付近の高圧帯から低緯度に向けて、東から吹く恒常風のことである。季節風は夏の間は海から陸へ吹き、冬の間は陸から海に吹く、季節によって風向きが変わる風のことである。季節風が影響を与えるのは、大陸東岸や南岸の地域である。

B 「酪農」が該当する。本問第二段落は西岸海洋性気候の説明になっている。夏が冷涼で冬が温暖だと牧草がよく育つので、酪農が盛んになる。遊牧については、アルプス山脈周辺では移牧として見られるものの、「広く行われている」とはいえない。

C 「落葉広葉樹」が該当する。ブナやナラ、カエデなどの落葉広葉樹は温帯に広く見られる。針葉樹は冷帯などの寒冷地に特徴的な植生である。

D 「季節風」が該当する。Aの解説で示した通り、夏は海から暖かく湿った風が入り込むので高温になり、降水量が多くなる。冬は大陸側から乾いた冷たい風が吹くので寒冷となる。この影響により、東アジアのように雨が多く降る地域で稲作が盛んになる。

地理　世界の地形

2021年度
教養 No.36

世界の地形に関する記述として、妥当なのはどれか。

1　地球表面の起伏である地形をつくる営力には、内的営力と外的営力があるが、内的営力が作用してつくられる地形を小地形といい、外的営力が作用してつくられる地形を大地形という。

2　地球の表面は、硬い岩石でできたプレートに覆われており、プレートの境界は、狭まる境界、広がる境界、ずれる境界の３つに分類される。

3　新期造山帯は、古生代の造山運動によって形成されたものであり、アルプス＝ヒマラヤ造山帯と環太平洋造山帯とがある。

4　河川は、山地を削って土砂を運搬し、堆積させて侵食平野をつくるが、侵食平野には、氾濫原、三角州などの地形が見られる。

5　石灰岩からなる地域では、岩の主な成分である炭酸カルシウムが、水に含まれる炭酸と化学反応を起こして岩は溶食され、このことによって乾燥地形がつくられる。

解説　正解　2

TAC生の選択率 70%　TAC生の正答率 66%

1　×　内的営力とは、地球内部の熱エネルギーにより火山活動や地殻変動などを起こすものである。内的営力は起伏を増大させ大地形を作る。一方、外的営力とは、地球の外側から風化、侵食、運搬、堆積などの作用をするものである。外的営力は起伏を平坦化させ小地形を作る。

2　○　狭まる境界としては海溝、広がる境界としては海嶺、ずれる境界としては北米のサンアンドレアス断層などがある。

3　×　新期造山帯は、中生代末から新生代にかけて起きた造山活動で形成された山地や山脈が分布している地域である。古生代の造山活動で形成されたのは古期造山帯である。

4　×　河川などが運搬して堆積した平野は、堆積平野という。特に日本に多く、氾濫原や三角州などの地形が見られる。侵食平野は、山地が長い期間侵食されて形成された平野で、主に安定陸塊やその周辺地域で見られる。

5　×　石灰岩からなる地域では、二酸化炭素を含む水による溶食作用でカルスト地形が作られる。ドリーネやウバーレなどの窪地が形成されたり、地下に鍾乳洞が形成されたりする。乾燥地形では、砂漠や砂丘などが形成される。

地理	地誌	2023年度 教養 No.36

ラテンアメリカに関する記述として、妥当なのはどれか。

1　南アメリカ大陸西部には、高く険しいロッキー山脈が連なっており、標高により気候や植生が変化する。

2　アンデス高地のアステカや、メキシコのインカなど、先住民族による文明が栄えたが、16世紀にスペインに征服された。

3　アマゾン川流域には、カンポセラードと呼ばれる熱帯雨林や、セルバと呼ばれる草原が広がっている。

4　19世紀末頃から、日本からラテンアメリカへの移民が始まり、海外最大の日系社会があるペルーでは、現在100万人を超える日系人が暮らしている。

5　ブラジルでは、大農園でコーヒーなどを栽培しており、また、20世紀後半以降は、大豆の生産が急増している。

解説　正解　5

TAC生の選択率 67%　TAC生の正答率 48%

1　×　南アメリカ大陸西部に連なるのは、ロッキー山脈ではなくアンデス山脈である。ロッキー山脈は北アメリカ大陸西部に連なっている。

2　×　アステカとインカが入れ替わっている。メキシコで栄えた文明がアステカであり、アンデス高地で栄えたのはインカ帝国である。「16世紀にスペインに征服された」のは妥当であり、アステカはコルテスに滅ぼされ、インカはピサロによって滅ぼされた。

3　×　カンポセラードとセルバが入れ替わっている。アマゾン川流域の熱帯雨林はセルバと呼ばれ、ブラジル高原に広がる低木混じりの草原がカンポセラードである。

4　×　100万人を超える日系人が暮らすのは、ペルーではなくブラジルである。ペルーへの移住の歴史は100年以上になるが、日系人は約10万人とされている。

5　○

社会事情　経済安全保障推進法　2023年度 教養 No.39

昨年（編者注：2022年）５月に公布された、経済施策を一体的に講ずることによる安全保障の確保の推進に関する法律（経済安全保障推進法）に関するＡ～Ｅの記述のうち、妥当なものを選んだ組合せはどれか。

A　経済安全保障推進法は、昨年５月の衆議院本会議において、与野党の賛成多数で可決、成立した。

B　経済安全保障推進法に、半導体や医薬品を特定重要物資に指定することを明記し、安定供給の確保に向け、国が事業者への財政支援を行うこととした。

C　サイバー攻撃に備え、電気、鉄道、金融など14業種の基幹インフラの事業者を対象に、重要設備を導入する際に、国が事前審査をすることとした。

D　機密情報を扱う資格制度であるセキュリティー・クリアランス（適格性評価）を導入することとした。

E　核や武器の開発につながり、軍事転用の恐れがある技術の特許について、非公開にする制度を導入することとした。

1　A　C

2　A　D

3　B　D

4　B　E

5　C　E

解説　正解　5

TAC生の選択率 66%　TAC生の正答率 13%

A　×「衆議院」が誤り。同法は衆議院先議であり、2022年４月７日に衆議院本会議で可決した後、同年５月11日に参議院本会議で可決したことによって成立した。

B　×　特定重要物資の具体的な品目は法律の条文には明記されておらず、2022年12月に政令で指定された。

C　○

D　×　同法ではセキュリティー・クリアランスは導入されておらず、付帯決議で、「情報を取り扱う者の適性について、民間人も含め認証を行う制度の構築を検討した上で、法制上の措置を含めて必要な措置を講ずること」として、今後の検討課題とした。

E　○

デジタル改革関連法

昨年（編者注：2021年）５月に成立したデジタル改革関連法に関する記述として、妥当なのはどれか。

1　デジタル庁設置法、高度情報通信ネットワーク社会形成基本法（IT基本法）など６本の法律が成立し、個人情報の保護に関する法律などが改正された。

2　デジタル庁は、首相をトップに、事務次官に相当する特別職であるデジタル監を配置して、国のシステム関連予算を一括計上し管理するなど総合調整を担うが、他省庁への勧告権は持たない。

3　地方公共団体情報システムの標準化に関する法律の改正により、自治体に対する国の基準に合わせたシステムの利用推進と、行政手続の押印廃止を定めた。

4　公的な給付金の受取を迅速化し、相続時や災害時の口座照会も行えるように、全てのマイナンバーと預貯金口座のひも付けを義務化した。

5　個人情報保護について法律を一本化し、国や地方などで異なっていた個人情報の扱いに共通ルールを定め、民間の監督を担ってきた個人情報保護委員会が、行政機関を含めて監督することとなった。

解説　正解　5

TAC生の選択率 79%　TAC生の正答率 25%

1　×　デジタル改革関連法の成立に伴い、高度情報通信ネットワーク社会形成基本法（IT基本法）は廃止された。

2　×　デジタル庁は内閣直属の組織であり、他省庁への勧告権を持つ。

3　×　行政手続の押印廃止は、地方公共団体情報システムの標準化に関する法律ではなく、「デジタル社会の形成を図るための関係法律の整備に関する法律」の改正により定められた。

4　×　マイナンバーと預貯金口座のひも付けは義務化されていない。この選択肢の内容に係わる法律の名称は、「預貯金者の意思に基づく個人番号の利用による預貯金口座の管理等に関する法律」であり、同法３条で「預貯金者は、特定の金融機関が管理する当該預貯金者を名義人とする全ての預貯金口座について、当該金融機関が個人番号……を利用して管理することを希望する場合には、主務省令で定めるところにより、当該金融機関に対し、その旨の申出をすることができる。」としている。

5　○　改正前は、個人情報保護委員会が監督するのは民間事業者のみであり、国の行政機関と独立行政法人等は総務省が監督、地方公共団体はそれぞれ地方公共団体自身が監督していた。しかし改正後は、個人情報保護委員会が一元的に監督することとなった。

社会事情　グリーン成長戦略

2021年度
教養 No.38

昨年（編者注：2020年）12月に政府が発表した「2050年カーボンニュートラルに伴うグリーン成長戦略」に関する記述として、妥当なのはどれか。

1　温室効果ガス排出量を2050年までに実質ゼロにする目標は、主要7か国（G7）の中で、日本が最初に法制化した。

2　政府は、温暖化対応を経済成長の制約ではなく成長の機会と捉え、洋上風力や水素など14の重点分野で数値目標を掲げた。

3　自動車では、2030年代半ばまでに、軽自動車を除いた乗用車の新車販売全てを、電気自動車などの電動車にする目標が掲げられた。

4　電力部門の脱炭素化については、2050年には火力発電所を全廃し、発電量の約50～60％を再生エネルギーで賄うことを参考値とした。

5　カーボンプライシングは、二酸化炭素を回収し資源として再利用する技術であり、同技術の研究開発を行う企業を支援するため、政府は基金を創設した。

解説　正解　2

TAC生の選択率 83%　TAC生の正答率 45%

1　×　まず、G7の中では、すでに2019年にイギリスがこの目標を法制化している。また、「グリーン成長戦略」ではこの目標を掲げているものの、具体的な法制化は今後の課題とされている。

2　○　同戦略では、成長が期待される14分野（①洋上風力産業、②燃料アンモニア産業、③水素産業、④原子力産業、⑤自動車・蓄電池産業、⑥半導体・情報通信産業、⑦船舶産業、⑧物流・人流・土木インフラ産業、⑨食料・農林水産業、⑩航空機産業、⑪カーボンリサイクル産業、⑫住宅・建築物産業／次世代型太陽光産業、⑬資源循環関連産業、⑭ライフスタイル関連産業）について、数値目標を掲げた。

3　×　同戦略では、遅くとも2030年代半ばまでに、軽自動車も含めて乗用車の新車販売全てで電動車100％を実現する目標が掲げられた。

4　×　同戦略では、CO_2回収を前提とした上で、火力発電所は必要最小限使わざるをえないとしている。

5　×「二酸化炭素を回収し資源として再利用する技術」は、「カーボンリサイクル」と呼ばれる。カーボンプライシングは、炭素に価格を付け、二酸化炭素を排出した量に応じて企業や家庭に金銭的なコストを負担してもらう仕組みである。

参議院通常選挙

2023年度
教養 No.38

昨年（編者注：2022年）７月に行われた第26回参議院議員通常選挙に関する記述として、妥当なのはどれか。

1　期日前投票者数は約1,961万人となり、2017年に行われた衆議院議員総選挙を約255万人上回り、国政選挙では過去最多となった。

2　選挙区の投票率は48.80％となり、2019年に行われた参議院議員通常選挙の投票率を下回った。

3　女性当選者数は35人で、2016年と2019年に行われた参議院議員通常選挙の28人を上回り、参議院議員通常選挙では過去最多となった。

4　比例代表の得票率２％以上という、公職選挙法上の政党要件を新たに満たす政治団体も、政党要件を満たさなくなる政党もなかった。

5　今回の通常選挙から合区を導入したことで選挙区間の「一票の格差」が最大3.03倍となり、2019年に行われた参議院議員通常選挙より最大格差が縮小した。

解説　正解　3

TAC生の選択率 87%　TAC生の正答率 48%

1　×　参議院議員通常選挙としては過去最多を更新したが、2017年に行われた衆議院議員総選挙の期日前投票者数は2,138万人で、これが国政選挙の過去最多記録である。

2　×　選挙区の投票率は52.05％となり、過去2番目に低かった2019年の48.80％を上回った（過去最低は1995年選挙の44.52％）。

3　○　改選者における女性参院議員の割合は28.0％、非改選を合わせた新勢力では25.8％となった。

4　×　新政党である参政党の得票率は3.33％で、新たに公職選挙法上の政党要件を満たした。

5　×　合区制は、今回からではなく2016年の通常選挙から導入されている。また、2019年選挙の一票の格差は3.002倍であり、最大格差は拡大した。

社会事情 イギリスの首相

2023年度
教養 No.37

昨年（編者注：2022年）のイギリスの首相就任に関するA～Dの記述のうち、妥当なものを選んだ組合せはどれか。

A　リズ・トラス氏は、昨年９月、保守党党首選の決選投票でリシ・スナク氏に勝利し、党首に選出され、首相に就任した。
B　トラス氏は、マーガレット・サッチャー氏に続くイギリス史上２人目の女性首相となった。
C　スナク氏は、昨年10月、保守党所属の下院議員100人以上の推薦を得て保守党党首選に立候補し、無投票で党首に選出され、首相に就任した。
D　ジョンソン政権で外相を務めたスナク氏は、イギリス史上初のアジア系の首相となり、42歳での首相就任は過去最年少である。

1　A　B

2　A　C

3　A　D

4　B　C

5　B　D

解説　正解　**2**　TAC生の選択率 90%　TAC生の正答率 23%

A　**○**　トラス氏が選出された2022年９月の保守党党首選では、まず数回にわたる議員投票で候補者を絞り込み、決選投票は保守党党員で行われた。

B　**×**　トラス氏は、マーガレット・サッチャー氏、テリーザ・メイ氏に続くイギリス史上３人目の女性首相である。なお、この３名はすべて保守党所属である。

C　**○**　スナク氏が選出された2022年10月の保守党党首選では、スナク氏以外に立候補者が現れなかった。そのため、無投票でスナク氏が当選した。

D　**×**　スナク氏がジョンソン政権で務めたのは財務相である。また、42歳での首相就任は20世紀以降としては最年少であるが、過去には1783年にわずか24歳で首相に就いたウイリアム・ピット（通称：小ピット）がいる。

したがって、AとCが妥当なので、**2**が正解である。

社会事情　ドイツの政権交代

2022年度
教養 No.37

昨年（編者注：2021年）９月のドイツ連邦議会選挙又は同年12月のドイツ新政権発足に関する記述として、妥当なのはどれか。

1　社会民主党は、連邦議会選挙で、アンゲラ・メルケル氏が所属する自由民主党に僅差で勝利し、第１党となった。

2　16年間首相を務めたメルケル氏は、新政権発足に伴い政界を引退し、退任式の音楽には、自分が育った旧東ドイツの女性パンク歌手の曲などを選んだ。

3　社会民主党のオラフ・ショルツ氏が首相に就任し、社会民主党出身の首相はヘルムート・コール氏以来16年ぶりとなった。

4　社会民主党、緑の党及びキリスト教民主・社会同盟による連立政権が発足し、各党のシンボルカラーが赤、緑、黄であるため、信号連立と呼ばれた。

5　新政権では、外相、国防相、内相といった重要閣僚に女性は就任しなかったが、ショルツ氏を除く閣僚は男女同数となった。

解説　正解　2

TAC生の選択率 66%　TAC生の正答率 19%

1　×　メルケル氏が所属するのはキリスト教民主同盟である。

2　○　ドイツ史上初の女性首相となったメルケル氏は、1982年から1998年まで首相を務め、コール首相に次ぐ16年にわたる任期を全うした。

3　×　16年前まで首相を務めていたのは、社会民主党のゲアハルト・シュレーダー氏である（任期1998～2005年）。ヘルムート・コール氏はその前の首相だが、所属はメルケル氏と同じくキリスト教民主同盟である。

4　×　2021年のドイツ連邦議会選挙の結果により、社会民主党、緑の党及び自由民主党の連立政権が発足した。

5　×　外相、国防相、内相はいずれも女性となった。そもそも重要閣僚に財務相が挙げられていない時点で怪しい。

思想
日本史
世界史
地理
社会事情
物理
化学
生物
地学

社会事情　RCEP　2022年度 教養 No.39

本年（編者注：2022年）発効した地域的な包括的経済連携（RCEP）協定に関する記述として、妥当なのはどれか。

1　日本や中国、韓国、東南アジア諸国連合（ASEAN）など15か国が参加し、1月に10か国で発効し、2月にインドで発効した。

2　昨年11月にオーストラリアと日本が批准し、ASEAN加盟国のうち6か国とそれ以外の5か国のうち3か国が批准したことで、協定発効の条件を満たした。

3　日本にとって中国、韓国との初の経済連携協定であり、RCEP域内の人口、国内総生産がいずれも世界の約3割を占める巨大経済圏の誕生となった。

4　加盟国全体で91％の品目の関税が即時撤廃され、その水準は環太平洋パートナーシップ（TPP）協定を上回っている。

5　約20の分野で共通ルールを作り、投資では、外資企業に対して政府が技術移転を要求できるようにするなど、企業の自由な経済活動を確保するための規定を設けた。

解説　正解　3

TAC生の選択率 58%　TAC生の正答率 42%

1　×　インドはRCEPに参加していない。

2　×　昨年（2021年）11月にRCEPを批准したのは、オーストラリアとニュージーランドである。日本はそれ以前に批准していた。

3　○

4　×　関税は、即自撤廃されるものもあるが、段階的に撤廃されるものもある。また、農林水産品の関税撤廃率はTPP（82％）よりも大幅に低い水準に抑制され、対ASEAN・豪州・NZは61％、初のEPAとなる中国は56％、韓国は49％にとどまる。

5　×　投資では、内国民待遇義務、最恵国待遇義務及び特定措置の履行要求（技術移転要求やロイヤリティ規制を含む）の禁止規定を設けた。

社会事情　GSOMIA

2020年度
教養 No.37

日韓の軍事情報包括保護協定（GSOMIA）に関する記述として、妥当なのはどれか。

1　GSOMIAは、軍事上の機密情報を提供し合う際、第三国への漏えいを防ぐために結ぶ協定であり、日韓では、文在寅（ムンジェイン）政権の下、2016年に締結された。

2　韓国は昨年（編者注：2019年）８月、日本が輸入管理の優遇対象国から韓国を除外したことを受け、日本とのGSOMIAの破棄を日本に通告した。

3　米国は昨年８月、韓国が日本とのGSOMIAの破棄を決めたことについて、軍事安全協力の実施や終了は主権国家の権利であるとの声明を発表した。

4　韓国は昨年11月、いつでもGSOMIAを終了させることができるという前提で、日本とのGSOMIAを破棄する通告の効力を停止した。

5　日本と韓国は、GSOMIAの失効回避を受け、中国の成都で日韓首脳会談を昨年12月に開催する方向で調整に入ったが、会談は実現しなかった。

解説　正解　4

TAC生の選択率　72%　TAC生の正答率　39%

1　×　日韓GSOMIAが締結されたのは2016年のことであるが、この時の韓国は朴槿恵（パククネ）政権であった。

2　×　非常に細かい話であるが、韓国が日本とのGSOMIAの破棄を通告したのは、日本が韓国を輸入管理の優遇対象から除外したからではなく、輸出管理の優遇対象から除外したためである。

3　×　選択肢の内容では、韓国が日本とのGSOMIAの破棄を決めるのは韓国の自由であるという趣旨になる。米国は日韓GSOMIAの維持を強く求めたので、この内容は誤りである。

4　○　この時の韓国政府の主張として正しい内容である。

5　×　選択肢にある2019年12月に、中国の成都で日韓首脳会談が行われている。これは、この地で日中韓サミットが開催されたため、併せて両国間の会談が設けられた。

社会事情　世界文化遺産

2022年度
教養 No.40

昨年（編者注：2021年）７月に国際連合教育科学文化機関（ユネスコ）が決定した「北海道・北東北の縄文遺跡群」の世界文化遺産への登録に関するＡ～Ｅの記述のうち、妥当なものを選んだ組合せはどれか。

A　遺跡群を構成する青森県青森市の三内丸山遺跡は、道路や大型建物などが計画的に配置された大規模集落跡で、国の特別史跡に指定されている。

B　遺跡群を構成する青森県外ヶ浜町の大平山元遺跡は、日本最古の石器のほか、火を使った祭祀（さいし）を行っていたと推定できる獣の骨が見つかっている。

C　遺跡群を構成する秋田県鹿角市の大湯環状列石は、大小の石を同心円状に配したストーンサークルを主体とする遺跡である。

D　ユネスコの諮問機関である国際記念物遺跡会議（イコモス）は、遺跡群について、先史時代における農耕を伴う定住社会及び複雑な精神文化を示すと評価した。

E　遺跡群の登録は、国内の世界文化遺産として、「奄美大島、徳之島、沖縄島北部及び西表島」に続き、20件目となった。

1　A　C

2　A　D

3　B　D

4　B　E

5　C　E

解説　正解　1　TAC生の選択率 69%　TAC生の正答率 37%

A　○　三内丸山遺跡は、約5900年前～4200年前の縄文時代の集落跡であり、2000年に国の特別史跡に指定されている。

B　×　大平山元遺跡からは、日本最古の土器が見つかっている。石器は縄文時代以前から使われており、日本最古の石器は、世界文化遺産に登録された縄文時代の遺跡ではなく、旧石器時代の遺跡で見つかっている。また、火を使った祭祀を行っていたと推定できる獣の骨が見つかっているのは、岩手県一戸町の御所野遺跡である。

C　○　大湯環状列石には、万座環状列石（最大径52メートル）と野中堂環状列石（最大径44メートル）の二つの環状列石があり、いずれも大小の川原石を様々な形に組み合わせた複数の配石遺構を環状に配置し形成されている。

D　×　北海道・北東北の縄文遺跡群は、先史時代の人々の農耕社会以前の生活の在り方と複雑な精神性を示す17の考古遺跡から構成されている。

E　×「奄美大島、徳之島、沖縄島北部及び西表島」は、2021年に世界自然遺産に登録された。

以上の組合せにより、**1**が正解となる。

社会事情　文化勲章・文化功労者

2023年度
教養 No.40

令和４年度の文化勲章受章者及び文化功労者に関する記述として、妥当なのはどれか。

1　日本画の山勢松韻氏は文化勲章受章者に、詩の安藤元雄氏は文化功労者に選出された。

2　将棋の加藤一二三氏は文化勲章受章者に、小説の辻原登氏は文化功労者に選出された。

3　歌舞伎の松本白鸚氏は文化勲章受章者に、脚本の池端俊策氏は文化功労者に選出された。

4　発酵学の榊裕之氏は文化勲章受章者に、大衆音楽の松任谷由実氏は文化功労者に選出された。

5　電子工学の別府輝彦氏は文化勲章受章者に、箏（そう）曲の勅使川原三郎氏は文化功労者に選出された。

解説　正解　3

TAC生の選択率 27%　TAC生の正答率 31%

1　×　山勢松韻氏の専攻は、日本画ではなく箏曲である。

2　×　将棋の加藤一二三氏は文化功労者に選出された。

3　○　例年、文化功労者は15～20名程度、文化勲章受賞者は５名程度選出されており、文化勲章の方が狭き門である。原則として前年までの文化功労者の中から文化勲章受賞者が選ばれる。

4　×　榊裕之氏の専攻は、発酵学ではなく電子工学である。

5　×　別府輝彦氏の専攻は電子工学ではなく発酵学、勅使河原三郎氏の専攻は箏曲ではなく現代舞踊である。

物理　反発係数　2023年度 教養 No.41

次の図のように、ボールが、水平でなめらかな床に角度30°で衝突し、角度60°ではね返った。このとき、ボールと床との間の反発係数として、妥当なのはどれか。

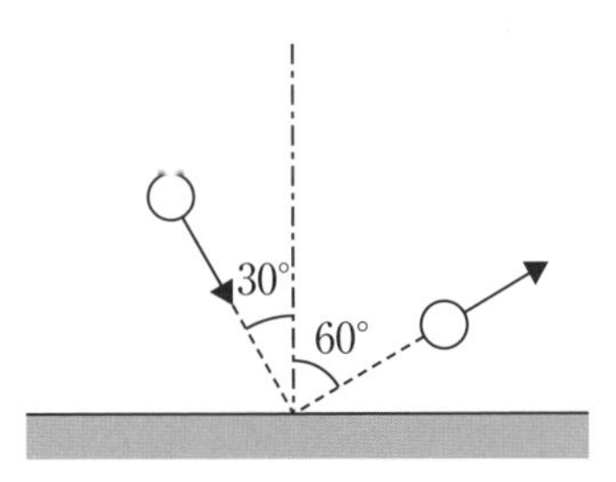

1　0.17

2　0.33

3　0.50

4　0.58

5　0.71

解説　正解　2　TAC生の選択率 11%　TAC生の正答率 22%

衝突前の速さをv、衝突後の速さをv'とおき、水平方向と鉛直方向に分けて考える。

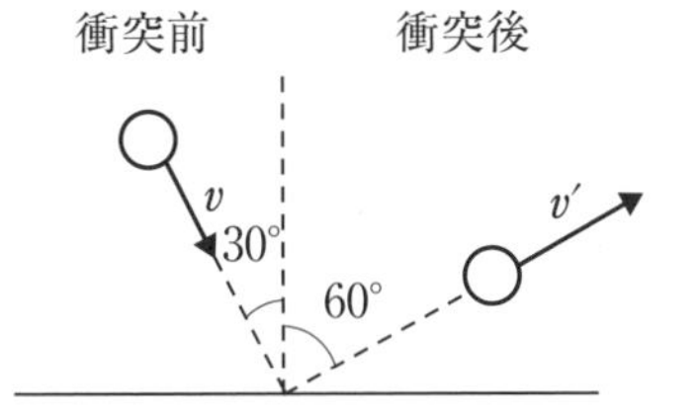

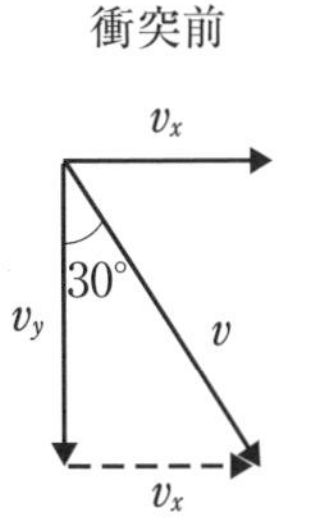

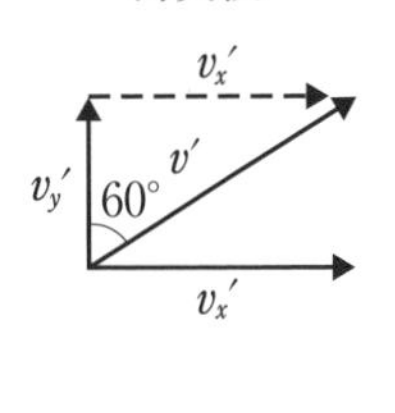

ボールと床との間の反発係数（はねかえり係数）をeとおく。水平方向、鉛直方向それぞれにおいて式をたてると、$v_x = v_x'$…①、$ev_y = v_y'$…②となる。

また、衝突前のv_xとv_yの関係式は、$\frac{v_x}{v_y} = \tan 30° = \frac{1}{\sqrt{3}}$となり、$v_x = \frac{1}{\sqrt{3}} v_y$…③となる。同様に、衝突後の$v_x'$と$v_y'$の関係式は、$\frac{v_x'}{v_y'} = \tan 60° = \sqrt{3}$となり、$v_x' = \sqrt{3}\, v_y'$…④となる。①に③、④を代入すると、$\frac{1}{\sqrt{3}} v_y = \sqrt{3}\, v_y'$となり、これに②を代入すると、$\frac{1}{\sqrt{3}} v_y = \sqrt{3} \times ev_y \Leftrightarrow e = \frac{1}{3} = 0.33$となる。

よって、正解は**2**である。

物理　張力

2021年度
教養 No.41

滑らかな水平面上で、長さ２mの糸の一端に質量0.5kgの小球を付け、糸の他端を中心として、毎分60回の割合で等速円運動をさせたとき、糸の張力として、妥当なのはどれか。ただし、円周率を3.14とする。

1　3.14N

2　6.28N

3　19.72N

4　39.44N

5　78.88N

解説　正解　4

TAC生の選択率　7%　TAC生の正答率　19%

等速円運動において、向心力の大きさをF、質量をm、半径をr、角速度をωとすると、$F=mr\omega^2$となる。ここで$\omega=\frac{\theta}{t}$となるが、θはラジアン表記なので360°＝2πラジアンである。本問においては分速60回＝秒速１回＝１秒間で2πラジアン回転であるので$\omega=\frac{2\pi}{1}$となる。これらから糸の張力はFに等しいので$F=mr\omega^2$より、

$$F=0.5\times2\times(2\pi)^2$$
$$=4\times3.14\times3.14$$
$$=39.4384\fallingdotseq39.44[N]$$

よって正解は**4**となる。

物理　波動

2022年度
教養 No.41

　媒質Ⅰから媒質Ⅱへ平面波が伝わっていき、媒質Ⅰと媒質Ⅱの境界面で波が屈折している。媒質Ⅰに対する媒質Ⅱの屈折率は1.4であり、媒質Ⅰにおける波の速さは28m/s、振動数は4.0Hzであるとき、媒質Ⅱにおける波の速さV[m/s]と波長λ[m]の組合せとして、妥当なのはどれか。

	V	λ
1	20m/s	5.0m
2	20m/s	7.0m
3	20m/s	9.8m
4	39m/s	5.0m
5	39m/s	9.8m

解説　**正解　1**　TAC生の選択率 7%　TAC生の正答率 31%

　媒質Ⅰにおける波の速さは28[m/s]で、振動数は4.0Hzであるから、$v=f\lambda$より、波長は7.0[m]となる。また、媒質Ⅰに対する媒質Ⅱの屈折率が1.4であるから、屈折の法則$n_{12}=\frac{\sin i}{\sin r}=\frac{v_1}{v_2}=\frac{\lambda_1}{\lambda_2}$より、$1.4=\frac{28}{V}=\frac{7.0}{\lambda}$が成り立つ。それぞれ解くと、$V=20$[m/s]、$\lambda=5.0$[m]となり、正解は**1**である。

物理　ドップラー効果

2020年度
教養 No.41

電車が振動数864Hzの警笛を鳴らしながら、20m/sの速さで観測者に近づいてくる。観測者が静止しているとき、観測される音の振動数はどれか。ただし、音速を340m/sとする。

1　768Hz

2　816Hz

3　890Hz

4　918Hz

5　972Hz

解説　正解　4

TAC生の選択率 21％　TAC生の正答率 83％

ドップラー効果の基本式$f' = \frac{V - v_0}{V - v_s} f$より$v_0 = 0$、$v_s = 20$なので、

$$f' = \frac{340}{340 - 20} \times 864 = 918$$

となり、正解は**4**となる。

内部抵抗２kΩで10Vまで測定できる電圧計がある。今、この電圧計の測定範囲を10倍に広げるとき、電圧計に直列に接続する倍率器の抵抗値はどれか。

1　18kΩ

2　20kΩ

3　22kΩ

4　38kΩ

5　44kΩ

解説　**正解　1**　TAC生の選択率 10%　TAC生の正答率 28%

内部抵抗2kΩ＝2000Ωで10Vまで測定できる電圧計には、オームの法則より、$\frac{10}{2000}=0.005$[A]の電流が流れる。また、この電圧計の測定範囲を10倍にする（最大測定電圧を100Vにする）と、電圧計と直列に接続する抵抗（倍率器）にかかる電圧は$100-10=90$[V]となる。倍率器にも0.005Aの電流が流れるので、オームの法則より、倍率器の抵抗は$\frac{90}{0.005}=18000$[Ω]＝18[kΩ]となる。

よって、正解は**1**である。

物理　電気と磁気

2022年度
教養 No.42

電気と磁気についての法則に関する記述として、妥当なのはどれか。

1　2つの点電荷の間にはたらく静電気力が、それぞれの電気量の積に比例し、点電荷間の距離の2乗に反比例することを、ガウスの法則という。

2　任意の閉じた曲面の内部の電荷をQ[C]、ガウスの法則の比例定数をk[N·m^2/C^2]とするとき、曲面を貫く電気力線の本数が$4\pi kQ$本となることを、クーロンの法則という。

3　導体を流れる電流が、導体の両端に加える電圧に比例することを、キルヒホッフの法則という。

4　回路中の任意の点について、流れ込む電流の和と流れ出る電流の和が等しく、また、回路中の任意の閉じた経路について、起電力の和と電圧降下の和が等しいことを、オームの法則という。

5　誘導電流のつくる磁場がコイルを貫く磁束の変化を妨げる向きに、誘導起電力が生じることを、レンツの法則という。

解説　正解　5

TAC生の選択率 14%　TAC生の正答率 58%

1　×　クーロンの法則に関する記述である。

2　×　ガウスの法則に関する記述である。

3　×　オームの法則に関する記述である。

4　×　キルヒホッフの法則に関する記述である。

5　○

化学	周期表	2023年度 教養 No.43

周期表と元素に関する記述として、妥当なのはどれか。

1 周期表の１族、２族及び12族〜18族の元素を遷移元素といい、遷移元素の同族元素は、性質が似ている。

2 周期表の13族に属するケイ素の単体は、金属のような光沢がある黒紫色の結晶で、高純度のケイ素は、半導体として太陽電池などに利用されている。

3 周期表の15族に属するリンの同素体のうち、赤リンは、空気中で自然発火するため、水中に保存する。

4 周期表の16族に属する酸素と硫黄の原子は、６個の価電子をもち、二価の陽イオンになりやすい。

5 周期表の17族に属する元素であるハロゲンのうち、臭素の単体は、常温、常圧において液体である。

解説　正解　5

TAC生の選択率 42%　TAC生の正答率 45%

1 × 周期表の１、２族および12〜18族の元素を典型元素という（近年、12族は遷移元素に含むことが多い）。

2 × ケイ素は14族に属し、単体は金属のような光沢がある灰黒色の結晶である。

3 × 黄リン（白リン）に関する記述である。

4 × 周期表の16族に属する酸素と硫黄の原子は６個の価電子を持ち、２価の陰イオンになりやすい。

5 ○

化学　物質の三態と熱運動

2022年度 教養 No.44

物質の三態と熱運動に関する記述として、妥当なのはどれか。

1　純物質では、状態変化している間、温度は一定に保たれる。

2　粒子の熱運動は温度が高いほど激しくなり、温度には上限も下限もない。

3　物質は、温度や圧力によって状態変化するが、粒子の集合状態は変化しない。

4　拡散は、気体で起こる現象であり、液体では起こらない。

5　固体から直接気体になる変化を蒸発という。

解説　正解　1

TAC生の選択率 46%　TAC生の正答率 57%

1　○

2　×　温度は熱運動の激しさであるので、下限がある。これを絶対零度といい、セルシウス温度では−273.15[℃]であり、絶対温度では0[K]である。

3　×　物質の状態変化は、集合状態の変化でもある。

4　×　拡散は、液体でもみられる現象である。

5　×　昇華に関する記述である。

次の表は、金属結晶の構造に関するものであるが、表中の空所A～Dに該当する語又は数値の組合せとして、妥当なのはどれか。

	体心立方格子	面心立方格子	六方最密構造
単位格子中の原子の数	A 個	4個	B 個
充填率	68%	C %	74%
金属の例	Na	Cu	D

	A	B	C	D
1	2	2	68	Mg
2	2	2	74	Mg
3	2	4	68	Al
4	4	4	74	Mg
5	4	4	74	Al

解説　正解　2

TAC生の選択率 18%　TAC生の正答率 28%

	体心立方格子	面心立方格子	六方最密構造
単位格子中の原子配列	$\frac{1}{8}$個 1個	$\frac{1}{8}$個 $\frac{1}{2}$個	合計 $\frac{1}{2}$個 合計 $\frac{1}{2}$個 ①　② ①+②=1個
単位格子中の原子の数	$1+\frac{1}{8}\times 8=2$[個]	$\frac{1}{2}\times 4+\frac{1}{8}\times 8=4$[個]	$\frac{1}{2}\times 2$(上下)$+1=2$[個]
充填率	68%	74%	74%
金属の例	Na、K、Fe	Cu、Ag、Al	Mg、Be、Zn

金属結晶の構造は主に3つが挙げられ、中でも面心立方格子と六方最密構造はともに最密構造といわれ74%の充填率がある。またAlは、典型的な面心立方格子である。

思想　日本史　世界史　地理　社会事情　物理　化学　生物　地学

化学　気体の性質

2020年度
教養 No.44

温度27℃、圧力1.0×10^5Pa、体積72.0Lの気体がある。この気体を温度87℃、体積36.0Lにしたときの圧力はどれか。ただし、絶対零度は－273℃とする。

1　2.0×10^5Pa

2　2.4×10^5Pa

3　2.8×10^5Pa

4　3.2×10^5Pa

5　3.6×10^5Pa

解説　正解　2

TAC生の選択率 27%　TAC生の正答率 89%

ボイル・シャルルの法則$\frac{PV}{T}=\frac{P'V'}{T'}$より、求める圧力を$P$とすると、

$$\frac{1.0\times10^5\times72.0}{27+273}=\frac{P\times36.0}{87+273}$$

より、$P=2.4\times10^5$となり、正解は**2**となる。

次のア～オのうち、元素記号とその元素が炎色反応で示す色を選んだ組合せとして、妥当なのはどれか。

	元素記号	炎色反応
ア	Na	黄
イ	Mg	黄
ウ	Ca	青緑
エ	Cu	青緑
オ	Ba	赤紫

1 ア ウ

2 ア エ

3 イ エ

4 イ オ

5 ウ オ

解説 **正解 2** TAC生の選択率 56% TAC生の正答率 73%

ア ○

イ × Mgは炎色反応を示さない。

ウ × Caは橙赤色の炎色反応を示す。

エ ○

オ × Baは黄緑色の炎色反応を示す。

化学	アルコール	2020年度 教養 No.43

アルコールに関する記述として、妥当なのはどれか。

1　メタノールやエタノールのように、炭化水素の水素原子をヒドロキシ基で置換した化合物をアルコールという。

2　アルコールにナトリウムを加えると、二酸化炭素が発生し、ナトリウムアルコキシドを生じる。

3　濃硫酸を160～170℃に加熱しながらエタノールを加えると、分子内で脱水反応が起こり、ジエチルエーテルが生じる。

4　グリセリンは、２価のアルコールで、自動車エンジンの冷却用不凍液、合成繊維や合成樹脂の原料として用いられる。

5　エチレングリコールは、３価のアルコールで、医薬品や合成樹脂、爆薬の原料として用いられる。

解説　**正解　1**　TAC生の選択率 18%　TAC生の正答率 77%

1　○

2　×　アルコールにナトリウムNaを加えると水素H_2が発生する。生じる物質はナトリウムアルコキシドR－ONaなので、これは正しい。

3　×　濃硫酸を160～170℃に加熱しながらエタノールを加えると、エチレンC_2H_4が発生する。

4　×　グリセリン$C_3H_5(OH)_3$は、３価のアルコールである。なお、本選択肢はエチレングリコール$C_2H_4(OH)_2$の説明である。

5　×　本選択肢はグリセリンの説明である。

思想
日本史
世界史
地理
社会事情
物理
化学
生物
地学

生物　細胞　2022年度 教養 No.45

細胞の構造に関する記述として、妥当なのはどれか。

1　生物の細胞には、核をもたない真核細胞と、核をもつ原核細胞がある。

2　細胞液は、中心体やゴルジ体などの細胞小器官の間を満たす成分である。

3　細胞壁は、植物や菌類などに見られ、細胞膜の内側にある。

4　ミトコンドリアは、核のDNAとは別に独自のDNAをもつ。

5　液胞は、成熟した動物細胞で大きく発達している。

解説　正解 4

TAC生の選択率 79%　TAC生の正答率 33%

1 ×　真核生物と原核生物の記述が逆である。

2 ×　細胞液は、液胞の内部を満たしている成分である。なお、細胞小器官の間を満たす成分は細胞質基質である。

3 ×　細胞壁は、細胞膜の外側にある。

4 ○

5 ×　液胞は、成熟した植物細胞で大きく発達している。

生物　動物の発生　2021年度 教養 No.45

動物の発生に関するA～Dの記述のうち、妥当なものを選んだ組合せはどれか。

A　カエルの卵は、卵黄が植物極側に偏って分布している端黄卵であり、第三卵割は不等割となり、卵割腔は動物極側に偏ってできる。
B　カエルの発生における原腸胚期には、外胚葉、中胚葉、内胚葉の区別ができる。
C　脊椎動物では、外胚葉から分化した神経管は、のちに脳や脊索となる。
D　胚のある領域が接している他の領域に作用して、分化を促す働きを誘導といい、分化を促す胚の領域をアポトーシスという。

1　A　B

2　A　C

3　B　C

4　B　D

5　C　D

解説　正解　1

TAC生の選択率 44%　TAC生の正答率 12%

A　○

B　○

C　×　外胚葉から分化した神経管はのちに脳・脊髄・感覚器官（網膜など）となる。なお脊索は、中胚葉から分化したものである。

D　×　分化の誘導を促す胚の領域を形成体（オーガナイザ）という。なおアポトーシスとは、細胞全体が委縮して断片化する過程を経るプログラム細胞死のことである。

よって、A、Bが正しいので、正解は**1**となる。

生物	DNA	2020年度 教養 No.45

次の文は、DNAの構造に関する記述であるが、文中の空所A～Cに該当する語の組合せとして、妥当なのはどれか。

DNAは、リン酸と糖と塩基からなるヌクレオチドが連なったヌクレオチド鎖で構成される。DNAを構成するヌクレオチドの糖は［A］であり、塩基にはアデニン、［B］、［C］、シトシンの４種類がある。

DNAでは、２本のヌクレオチド鎖は、塩基を内側にして平行に並び、アデニンが［B］と、［C］がシトシンと互いに対になるように結合し、はしご状になり、このはしご状の構造がねじれて二重らせん構造となる。

	A	B	C
1	デオキシリボース	ウラシル	グアニン
2	デオキシリボース	グアニン	チミン
3	デオキシリボース	チミン	グアニン
4	リボース	グアニン	チミン
5	リボース	チミン	ウラシル

解説　**正解　3**　TAC生の選択率 86%　TAC生の正答率 73%

DNAを構成するヌクレオチドの糖はデオキシリボース（A）であり、塩基はアデニン、グアニン、チミン、シトシンである（この時点では、BとCがどちらかわからない）。また、アデニンはチミン（B）と、グアニン（C）がシトシンと互いに対になるように結合する。

生物　ホルモン

2022年度
教養 No.46

ヒトのホルモンに関する記述として、妥当なのはどれか。

1　体内環境の維持を行う自律神経系は、ホルモンと呼ばれる物質を血液中に分泌し、特定の器官に働きかける。

2　脳下垂体から分泌されるチロキシンの濃度が上がると、視床下部に作用を及ぼし、甲状腺刺激ホルモンの分泌が促進される。

3　体液中の水分量が減少すると、腎臓でパラトルモンが分泌され、水分の再吸収を促進し、体液の塩類濃度が低下する。

4　血糖濃度が上昇すると、すい臓のランゲルハンス島のA細胞からグルカゴンが分泌され、グリコーゲンの合成を促進する。

5　血糖濃度が低下すると、副腎髄質からアドレナリンが分泌され、グリコーゲンの分解を促進する。

解説　正解　5

TAC生の選択率 66%　TAC生の正答率 35%

1　×　ホルモンの分泌によって体内環境を維持するのは、内分泌系である。自律神経系は、交感神経系と副交感神経系によって体内環境の維持を行っている。

2　×　視床下部からの放出ホルモンのはたらきにより、脳下垂体（前葉）から甲状腺刺激ホルモンが分泌され、甲状腺からチロキシンの分泌が促進される。

3　×　体液中の水分量が減少すると、脳下垂体後葉からバソプレシン、副腎皮質から鉱質コルチコイドが分泌され、水分の再吸収が促される。なおパラトルモンは、副甲状腺から分泌される血中カルシウム濃度を向上させるホルモンである。

4　×　血糖濃度が上昇すると、ランゲルハンス島B細胞からインスリンが分泌され、グリコーゲンの合成が促される。なおグルカゴンは、グリコーゲンを分解してグルコースを作り、血糖濃度を上昇させるホルモンである。

5　○

生物 ｜ ヒトの脳

2023年度
教養 No.46

ヒトの脳に関する記述として、妥当なのはどれか。

1 大脳の新皮質には、視覚や聴覚などの感覚、随意運動、記憶や思考などの高度な精神活動の中枢がある。

2 間脳には、呼吸運動や心臓の拍動など生命維持に重要な中枢や、消化液の分泌の中枢がある。

3 中脳には、からだの平衡を保ち、随意運動を調節する中枢がある。

4 延髄には、姿勢を保ち、眼球運動や瞳孔の大きさを調節する中枢がある。

5 小脳は、視床と視床下部に分かれており、視床下部には、自律神経系の中枢がある。

解説　正解 1

TAC生の選択率 70%　TAC生の正答率 53%

1 ○

2 × 延髄に関する記述である。

3 × 小脳に関する記述である。

4 × 中脳に関する記述である。

5 × 間脳に関する記述である。

生物　生物集団　2023年度 教養 No.45

　生物集団における、ハーディ・ワインベルグの法則が成り立つ条件に関するA～Eの記述のうち、妥当なものを選んだ組合せはどれか。

A　集団が小さい。
B　自由な交配が行われる。
C　自然選択がはたらく。
D　突然変異が起こらない。
E　他の集団との間で個体の移入や移出がある。

1　A　C

2　A　D

3　B　D

4　B　E

5　C　E

解説　正解　3

TAC生の選択率 23%　TAC生の正答率 38%

　ハーディ・ワインベルグの法則とは、遺伝子頻度の割合が前世代と同じとなる法則であるが、これを満たすためには以下のような前提条件が必要である。

　①任意交配する大きな集団であること、②個体間に生存・繁殖力の差がなく、自然選択がはたらかないこと、③ほかの同種集団と間に移入や移出がおこらないこと、④突然変異が起こらないこと、である。よって、BとDが妥当であるので正解は**3**となる。

地学　太陽系の惑星

2023年度 教養 No.47

太陽系の惑星に関する記述として、**妥当でない**のはどれか。

1　水星は、太陽系最小の惑星で、表面は多くのクレーターに覆われ、大気の成分であるメタンにより青く見え、自転周期が短い。

2　金星は、地球とほぼ同じ大きさで、二酸化炭素を主成分とする厚い大気に覆われ、表面の大気圧は約90気圧と高く、自転の向きが他の惑星と逆である。

3　火星は、直径が地球の半分くらいで、表面は鉄が酸化して赤く見え、二酸化炭素を主成分とする薄い大気があり、季節変化がある。

4　木星は、太陽系最大の惑星で、表面には大気の縞(しま)模様や大赤斑と呼ばれる巨大な渦が見られ、イオやエウロパなどの衛星がある。

5　天王星は、土星に比べて大気が少なく、氷成分が多いため、巨大氷惑星と呼ばれ、自転軸がほぼ横倒しになっている。

解説　正解　1

TAC生の選択率 73%　TAC生の正答率 50%

1　×　水星は太陽系最小の惑星で、表面は多くのクレーターに覆われているが、大気は存在しない。なお、メタンにより青く見えるのは天王星や海王星であり、水星の自転周期は59日と長い。

2　○

3　○

4　○

5　○

地学　太陽

2022年度
教養 No.47

太陽の表面に関する記述として、妥当なのはどれか。

1　可視光線で見ることができる太陽の表面の層を光球といい、光球面の温度は約5800Kである。

2　光球面に見られる黒いしみのようなものを黒点といい、黒点は、周囲より温度が低く、太陽活動の極大期にはほとんど見られない。

3　光球の全面に見られる、太陽内部からのガスの対流による模様を白斑といい、白斑の大きさは約1000kmである。

4　光球の外側にある希薄な大気の層を彩層といい、彩層の一部が突然明るくなる現象をコロナという。

5　彩層の外側に広がる、非常に希薄で非常に高温の大気をプロミネンスといい、プロミネンスの中に浮かぶガスの雲をフレアという。

解説　正解　1

TAC生の選択率 60%　TAC生の正答率 38%

1　○

2　×　黒点は、太陽活動の極大期には数多く観察される。

3　×　粒状斑に関する記述である。なお白斑は、太陽の縁部分に観測される、周囲よりも数百Kほど高温な場所である。

4　×　彩層の一部が突然明るくなる現象は、フレアである。

5　×　彩層の外側に広がる、非常に希薄で非常に高温の大気をコロナという。なおプロミネンスは、太陽の縁で見られる炎柱である。

地学　地層

2023年度
教養 No.48

次の文は、地層に関する記述であるが、文中の空所Ａ～Ｃに該当する語の組合せとして、妥当なのはどれか。

地層が波状に変形した構造を褶曲(しゅうきょく)といい、波の山の部分を［ A ］、波の谷の部分を［ B ］という。
地層には、上の地層は下の地層より新しいという地層累重の法則があり、下から上へ連続的に堆積して形成される重なりの関係を［ C ］という。

	A	B	C
1	背斜	向斜	整合
2	向斜	背斜	整合
3	背斜	向斜	断層
4	向斜	背斜	断層
5	生痕	流痕	断層

解説　正解　1

TAC生の選択率 66%　TAC生の正答率 26%

褶曲の波の、山の部分を背斜（Ａの答え）、谷の部分を向斜（Ｂの答え）という。また、地層が連続的に重なるとき、水平に詰みあがっていく。これを整合（Ｃの答え）という。よって正解は**1**となる。なお生痕は、足跡や巣穴などの生物活動の痕跡であり、流痕は地層が水流の影響を受けた名残である。また断層は、地殻変動で両側の岩盤がずれた部分である。

地学　地球の内部構造

2020年度
教養 No.48

地球の内部構造に関する記述として、妥当なのはどれか。

1　地球の内部構造は、地殻・マントル・核の３つの層に分かれており、表層ほど密度が大きい物質で構成されている。

2　マントルと核の境界は、モホロビチッチ不連続面と呼ばれ、地震学者であるモホロビチッチが地震波の速度が急に変化することから発見した。

3　地殻とマントル最上部は、アセノスフェアという低温でかたい層であり、その下には、リソスフェアという高温でやわらかく流動性の高い層がある。

4　地球の表面を覆うプレートの境界には、拡大する境界、収束する境界、すれ違う境界の３種類があり、拡大する境界はトランスフォーム断層と呼ばれる。

5　地殻は、大陸地殻と海洋地殻に分けられ、大陸地殻の上部は花こう岩質岩石からできており、海洋地殻は玄武岩質岩石からできている。

解説　正解　5

TAC生の選択率 63%　TAC生の正答率 52%

1　×　内部ほど重力が大きいので、内部ほど密度も大きい。

2　×　マントルと核の境目はグーテンベルク不連続面である。

3　×　地殻とマントル最上部を合わせてリソスフェアといい、これがいわゆるプレートである。プレートは低温でかたい層であり、その下の高温でやわらかい流動性のある層をアセノスフェアという。

4　×　拡大する境界は海嶺という大山脈を形成する。なお、トランスフォーム断層はすれ違う境界にできる地形である。

5　○

地学　気象　2022年度 教養 No.48

日本の四季の天気に関する記述として、妥当なのはどれか。

1　冬は、西高東低の気圧配置が現れ、冷たく湿ったオホーツク海高気圧から吹き出す北西の季節風により、日本海側に大雪を降らせる。

2　春は、貿易風の影響を受け、移動性高気圧と熱帯低気圧が日本付近を交互に通過するため、天気が周期的に変化する。

3　梅雨は、北の海上にある冷たく乾燥したシベリア高気圧と、南の海上にある暖かく湿った太平洋高気圧との境界にできる停滞前線により、長期間ぐずついた天気が続く。

4　夏は、南高北低の気圧配置が現れ、日本付近が太平洋高気圧に覆われると、南寄りの季節風が吹き、蒸し暑い晴天が続く。

5　台風は、北太平洋西部の海上で発生した温帯低気圧のうち、最大風速が17.2m/s以上のものをいい、暖かい海から供給された大量の水蒸気をエネルギー源として発達し、等圧線は同心円状で、前線を伴い北上する。

解説　正解　4

TAC生の選択率 64%　TAC生の正答率 31%

1　×　冬は、冷たく乾燥したシベリア高気圧から吹き出す北西の季節風により、日本海側に大雪が降る。

2　×　春は、偏西風の影響を受け、天気が周期的に変化する。なお貿易風は、低緯度地方に吹く東寄りの風であり、交互にやってくる低気圧の方は、温帯低気圧である。

3　×　梅雨は、北の海上にある冷たく湿ったオホーツク海高気圧と太平洋高気圧によって停滞前線ができる。

4　○

5　×　台風は、熱帯低気圧であり、前線を伴わない。他の記述は妥当である。

地学　海洋

2021年度
教養 No.48

海洋に関する記述として、妥当なのはどれか。

1　海水の塩類の組成比は、塩化ナトリウム77.9％、硫酸マグネシウム9.6％、塩化マグネシウム6.1％などで、ほぼ一定である。

2　海水温は、鉛直方向で異なり、地域や季節により水温が変化する表層混合層と水温が一定の深層に分けられ、その間には、水温が急激に低下する水温躍層が存在する。

3　一定の向きに流れる水平方向の海水の流れを海流といい、貿易風や偏西風、地球の自転の影響により形成される大きな海流の循環を熱塩循環という。

4　北大西洋のグリーンランド沖と南極海では、水温が低いため、密度の大きい海水が生成され、この海水が海洋の深層にまで沈み込み、表層と深層での大循環を形成することを表層循環という。

5　数年に一度、赤道太平洋のペルー沖で貿易風が弱まって、赤道太平洋西部の表層の暖水が平年よりも東に広がり、海面水温が高くなる現象をラニーニャ現象という。

解説　正解　2

TAC生の選択率 55%　TAC生の正答率 41%

1　×　海水の塩類組成比は、塩化ナトリウム77.9％、塩化マグネシウム9.6％、硫酸マグネシウム6.1％などである。

2　○

3　×　熱塩循環とは、水温や塩分の違いに基づく海水の密度差によって起こる鉛直方向の海水の流れのことである。

4　×　深層循環に関する記述である。

5　×　エルニーニョ現象に関する記述である。

専門科目

憲法　プライバシー権　2023年度 専門 No.1

日本国憲法におけるプライバシーの権利に関する記述として、最高裁判所の判例に照らして、妥当なのはどれか。

1 何人も、その承諾なしに、みだりにその容貌・姿態を撮影されない自由を有するので、警察官による個人の容貌・姿態の写真撮影が、現に犯罪が行われ、又は、行われたのち間がないと認められる場合で、証拠保全の必要性及び緊急性があり、一般的に許容される限度を超えない相当な方法で行われるとしても、本人の同意がなく、また裁判官の令状がないときは許されないとした。

2 大学が講演会の主催者として参加者を募る際に収集した参加申込者の学籍番号、氏名、住所及び電話番号は、大学が個人識別等を行うための単純な情報であって、その性質上、他者に知られたくないと感じる程度が低いものであるため、大学がこれらの個人情報を参加申込者に無断で警察に開示したとしても、プライバシーの侵害には当たらないとした。

3 児童買春の被疑事実に基づき逮捕されたという事実は、他人にみだりに知られたくないプライバシーに属する事実であり、当該事実を公表されない法的利益は、当該事実が掲載されたURL等情報を検索結果として提供する理由に関する諸事情と比較衡量して、優越することが明らかであり、検索事業者に対し、当該URL等情報を検索結果から削除することを求めることができるとした。

4 作中人物と容易に同定可能な小説のモデルにされた者が、公共の利益にかかわらないその者のプライバシーにわたる事項を表現内容に含む小説を承諾なく公表されたことは、公的立場にないその者の名誉、プライバシー、名誉感情が侵害され、小説の出版等により重大で回復困難な損害を被るおそれがあるというべきであり、小説の出版の差止めは認められるとした。

5 行政機関が住民基本台帳ネットワークシステムにより住民の本人確認情報を管理、利用等する行為は、個人に関する情報をみだりに第三者に開示又は公表するものではないが、当該個人がこれに同意していなければ、自己のプライバシーにかかわる情報の取扱いについて自己決定する権利ないし利益を違法に侵害するものであるとした。

解説　正解　4

TAC生の選択率 98%　TAC生の正答率 84%

1 × 「本人の同意がなく、また裁判官の令状がないときは許されないとした」という部分が妥当でない。判例は、何人も、その承諾なしに、みだりにその容ぼう・姿態を撮影されない自由を有し、警察官が、正当な理由もないのに、個人の容ぼう等を撮影することは、憲法13条の趣旨に反し許されないが、そのような自由も公共の福祉による制約を受けるとする。そのうえで、警察官による個人の容ぼう等の写真撮影は、現に犯罪が行なわれもしくは行なわれたのち間がないと認められる場合であって、証拠保全の必要性および緊急性があり、その撮影が一般的に許容される限度をこえない相当な方法をもって行なわれるときは、撮影される本人の同意がなく、また裁判官の令状がなくても、憲法13条、35条に違反しないとしている（最大判昭44.12.24、京都府学連事件）。

2 × 「他者に知られたくないと感じる程度が低いものであるため、大学がこれらの個人情報を参加申込者に無断で警察に開示したとしても、プライバシーの侵害には当たらないとした」という部分が妥当でない。判例は、学籍番号、氏名、住所及び電話番号は、秘匿されるべき必要性が必ずしも高いとはいえない単純な情報であるものの、このような個人情報についても、本人が、自己が欲しない他者にはみだりにこれを開示されたくないと考えることは自然なことであり、そのことへの期待は保護されるべきものであるから、これを本人の同意を得ることなく無断で警察に開示した大学の行為は、学生が任意に提供したプライバシーに係る情報の適切な管理についての合理的な期待を裏切るものであり、学生のプライバシーを侵害するものとして不法行為を構成するとしている（最判平15.9.12、早稲田大学名簿提出事件）。

3 **×**「優越することが明らかであり、検索事業者に対し、当該URL等情報を検索結果から削除することを求めることができるとした」という部分が妥当でない。判例は、児童買春の被疑事実に基づき逮捕されたという事実はプライバシーに属する事項であるとするが、他方、利用者に対して検索結果を提供することは検索事業者自身による表現行為ということができるとする。そして、検索事業者が、その者のプライバシーに属する事実を含む記事等が掲載されたウェブサイトのURL等情報を検索結果の一部として提供する行為が違法となるか否かは、当該事実を公表されない法的利益と当該URL等情報を検索結果として提供する理由に関する諸事情を比較衡量して判断すべきもので、その結果、当該事実を公表されない法的利益が優越することが明らかな場合には、検索事業者に対し、当該URL等情報を検索結果から削除することを求めることができるとする。そのうえで、当該事実を公表されない法的利益が優越することが明らかであるとはいえないとして、検索結果の削除を求めることはできないとしている（最決平29.1.31）。

4 **○** 判例により妥当である。判例は、小説の出版等によるプライバシー侵害行為が明らかに予想され、その侵害行為によって被害者が重大な損失を受けるおそれがあり、かつ、その回復を事後に図るのが不可能ないし著しく困難になると認められるときは侵害行為の差止めを肯認すべきであるとして、公的立場にない者に対するプライバシー侵害を理由に小説の出版等の差止めを認めている（最判平14.9.24、「石に泳ぐ魚」事件）。

5 **×**「当該個人がこれに同意していなければ、自己のプライバシーにかかわる情報の取扱いについて自己決定する権利ないし利益を違法に侵害するものであるとした」という部分が妥当でない。判例は、いわゆる住基ネットによって管理、利用される本人確認情報は、氏名、生年月日、性別及び住所から成る4情報に住民票コード及び変更情報を加えたものにすぎず、人が社会生活を営む上で当然開示が予定されている情報にとどまるものであり、いずれも個人の内面に関わるような秘匿性の高い情報とはいえないとして、行政機関が住基ネットにより住民の本人確認情報を管理、利用等する行為は、個人に関する情報をみだりに第三者に開示又は公表するものとはいえず、当該個人がこれに同意していないとしても、憲法13条に違反しないとしている（最判平20.3.6、住基ネット訴訟）。

憲法	学問の自由・ 教育を受ける権利	2021年度 専門 No.2

日本国憲法に規定する学問の自由又は教育を受ける権利に関するA～Dの記述のうち、最高裁判所の判例に照らして、妥当なものを選んだ組合せはどれか。

A　学生の集会は、大学の許可したものであっても真に学問的な研究又はその結果の発表のためのものでなく、実社会の政治的社会的活動に当たる行為をする場合には、大学の有する特別の学問の自由と自治は享有しないといわなければならないとした。

B　憲法における学問の自由の保障が、学問研究の自由ばかりでなく、教授の自由をも含み、教授の自由は、教育の本質上、高等教育のみならず、普通教育におけるそれにも及ぶと解すべきであるから、学校において現実に子どもの教育の任に当たる教師は、完全な教授の自由を有し、公権力による支配、介入を受けないで自由に子どもの教育内容を決定することができるとした。

C　高等学校学習指導要領が法規としての性質を有すると解することは、憲法に違反するものであり、学習指導要領から逸脱する授業をしたことを理由とする県立高等学校教諭に対する懲戒免職処分は、社会観念上著しく妥当を欠き、懲戒権者の裁量権の範囲を逸脱したものであるとした。

D　憲法の義務教育は無償とするとの規定は、授業料のほかに、教科書、学用品その他教育に必要な一切の費用まで無償としなければならないことを定めたものと解することはできず、国が保護者の教科書等の費用の負担についても、これをできるだけ軽減するよう配慮、努力することは望ましいところであるが、それは、国の財政等の事情を考慮して立法政策の問題として解決すべき事柄であるとした。

1　A　B

2　A　C

3　A　D

4　B　C

5　B　D

解説　正解 3　TAC生の選択率 98%　TAC生の正答率 94%

A　○　判例により妥当である。判例は、学生の集会も、大学の許可した学内集会であるということのみによって、特別な自由と自治を享有するものではないとしたうえで、学生の集会が真に学問的な研究またはその結果の発表のためのものでなく、実社会の政治的社会的活動に当たる行為をする場合には、大学の有する特別の学問の自由と自治は享有しないとしている（最大判昭38.5.22、東大ポポロ事件）。

B　×「完全な教授の自由を有し、公権力による支配、介入を受けないで自由に子どもの教育内容を決定することができるとした」という部分が妥当でない。判例は、憲法の保障する学問の自由は、単に学問研究の自由ばかりでなく、その結果を教授する自由も含むと解されるし、知識の伝達と能力の開発を主とする普通教育の場においても、一定の範囲における教授の自由が保障されるべきことを肯定できないではないとする。しかし、児童生徒の批判能力の欠如、子どもの側に学校や教師を選択する余地が乏しいこと、教育の機会均等を確保する要請から、普通教育における教師に完全な教授の自由を認めることは、とうてい許されないとしている（最大判昭51.5.21、旭川学力テスト事件）。

C　×　全体が妥当でない。判例は、高等学校学習指導要領は法規としての性質を有し、そのように解することが憲法23条、26条に違反するものでないとする。また、国が、教育の一定水準を維持しつつ、高等学校教育の目的達成に資するために、高等学校教育の内容及び方法について遵守すべき基準を定立する必要があり、特に法規（学習指導要領）によってそのような基準が定立されている事項については、教育の具体的内容及び方法につき高等学校の教師に認められるべき裁量にもおのずから制約が存するとし、学習指導要領から逸脱した授業をしたことを理由とする懲戒免職処分を裁量権の範囲を逸脱したものと判断できないとしている（最判平2.1.18、伝習館高校事件）。

D　○　判例により妥当である。判例は、憲法26条2項後段は、教育の対価たる授業料の無償を定めたものであり、教科書、学用品その他教育に必要な一切の費用まで無償としなければならないことを定めたものと解することはできないとする。また、保護者の教科書等の費用の負担についても、国ができるだけ軽減するよう配慮、努力することが望ましいものの、それは国の財政等の事情を考慮した立法政策の問題として解決すべき事柄であるとしている（最大判昭39.2.26）。

以上より、妥当なものはA、Dであり、正解は**3**となる。

憲法　表現の自由　2020年度 専門 No.2

日本国憲法に規定する表現の自由に関する記述として、最高裁判所の判例に照らして、妥当なのはどれか。

1　筆記行為の自由は、様々な意見、知識、情報に接し、これを摂取することを補助するものとしてなされる限り、憲法の規定の精神に照らして尊重されるべきであり、裁判の公開が制度として保障されていることに伴い、傍聴人は法廷における裁判を見聞することができるのであるから、傍聴人が法廷においてメモを取ることは、その見聞する裁判を認識、記憶するためになされるものである限り、尊重に値し、故なく妨げられてはならないとした。

2　報道の自由は、憲法が保障する表現の自由のうちでも特に重要なものであるから、報道機関の国政に関する取材行為の手段・方法が、取材対象者の個人としての人格の尊厳を著しく蹂躪（じゅうりん）する等法秩序全体の精神に照らし社会観念上是認することのできない態様のものである場合であっても、一般の刑罰法令に触れないものであれば、正当な取材活動の範囲を逸脱し違法性を帯びるものとはいえないとした。

3　インターネットの個人利用者による表現行為の場合においては、他の表現手段を利用した場合と区別して考えるべきであり、行為者が摘示した事実を真実であると誤信したことについて、確実な資料、根拠に照らして相当の理由があると認められなくても、名誉毀損罪は成立しないものと解するのが相当であるとした。

4　新聞記事に取り上げられた者は、その記事の掲載により名誉ないしプライバシーに重大な影響を及ぼされた場合には、名誉毀損の不法行為が成立しなくても、当該新聞を発行・販売する者に対し、条理又は人格権に基づき、当該記事に対する自己の反論文を無修正かつ無料で掲載することを求めることができるとした。

5　名誉権に基づく出版物の頒布等の事前差止めは、その対象が公職選挙の候補者に対する評価等の表現行為に関するものである場合には、その表現が私人の名誉権に優先する社会的価値を含むため原則として許されないが、その表現内容が真実でないことが明白である場合には、被害者が重大にして著しく回復困難な損害を被るおそれがなくても、例外的に事前差止めが許されるとした。

解説　正解　1

TAC生の選択率 98%　TAC生の正答率 94%

1　○　判例により妥当である。判例は、さまざまな意見、知識、情報に接し、これを摂取することを補助するものとしてなされる限り、筆記行為の自由は、憲法21条1項の規定の精神に照らして尊重されるべきであり、裁判の公開が制度として保障されていることに伴い、傍聴人は法廷における裁判を見聞することができるのであるから、傍聴人が法廷においてメモを取ることは、その見聞する裁判を認識、記憶するためになされるものである限り、尊重に値し、故なく妨げられてはならないとしている（最大判平元.3.8、レペタ訴訟）。

2　×　「一般の刑罰法令に触れないものであれば、正当な取材活動の範囲を逸脱し違法性を帯びるものとはいえない」という部分が妥当でない。判例は、取材の手段・方法が贈賄、脅迫、強要等の一般の刑罰法令に触れる行為を伴う場合はもちろん、その取材の手段・方法が一般の刑罰法令に触れないものであっても、取材対象者の個人としての人格の尊厳を著しく蹂躙（じゅうりん）する等法秩序全体の精神に照らし社会観念上是認することのできない態様のものである場合にも、正当な取材活動の範囲を逸脱し違法性を帯びるとしている（最決昭53.5.31、外務省公電漏洩事件）。

3　×　全体が妥当でない。判例は、個人利用者がインターネット上に掲載したものであるからといって、おしなべて、閲覧者において信頼性の低い情報として受け取るとは限らないのであって、相当の理由の存否を判断するに際し、これを一律に、個人が他の表現手段を利用した場合と区別して考えるべき根拠はないとして、インターネットの個人利用者による表現行為の場合においても、他の場合と同様に、行為者が摘示した事実を真実であると誤信したことについて、確実な資料、根拠に照らして相当の理由があると認められるときに限り、名誉毀損罪は成立しないものと解するのが相当であって、より緩やかな要件で同罪の成立を否定すべきものとは解されないとしている（最決平22.3.15、ラーメンフランチャイズ事件）。

4　×　「条理又は人格権に基づき、当該記事に対する自己の反論文を無修正かつ無料で掲載することを求めることができるとした」という部分が妥当でない。判例は、新聞記事が特定の者の名誉ないしプライバシーに重大な影響を及ぼすことがあるとしても、不法行為が成立する場合にその者の保護を図ることは別論として、反論権の制度について具体的な成文法がないのに、反論権を認めるに等しい反論文掲載請求権をたやすく認めることはできないとしている（最判昭62.4.24、サンケイ新聞事件）。したがって、不法行為が成立していないのに、当該新聞を発行・販売する者に対し、条理又は人格権に基づき、当該記事に対する自己の反論文を無修正かつ無料で掲載するよう求めることはできない。

5　×　「被害者が重大にして著しく回復困難な損害を被るおそれがなくても、例外的に事前差止めが許されるとした」という部分が妥当でない。判例は、出版物の頒布等の事前差止めの対象が公職選挙の候補者に対する評価等の表現行為に関するものである場合には、その表現が私人の名誉権に優先する社会的価値を含み憲法上特に保護されるべきであることにかんがみると、当該表現行為に対する事前差止めは、原則として許されないが、その表現内容が真実でなく、又はそれが専ら公益を図る目的のものでないことが明白であって、かつ、被害者が重大にして著しく回復困難な損害を被る虞（おそれ）があるときは、例外的に事前差止めが許されるとしている（最大判昭61.6.11、北方ジャーナル事件）。したがって、その表現内容が真実でないことが明白であっても、被害者が重大にして著しく回復困難な損害を被るおそれがない場合は、事前差止めは許されない。

憲法

行政法

民法Ⅰ

民法Ⅱ

ミクロ経済学

マクロ経済学

憲法　職業選択の自由

2022年度
専門 No.1

日本国憲法に規定する職業選択の自由についての最高裁判所の判例に関する記述として、妥当なのはどれか。

1　酒税法が酒類販売業について免許制を採用したことは、酒税の適正かつ確実な賦課徴収を図るという国家の財政目的のために、その必要性と合理性があったというべきであるが、社会経済状態にも大きな変動があった今日においては、このような制度をなお維持すべき必要性と合理性があるとはいえず、憲法に違反するとした。

2　京都府風俗案内所の規制に関する条例が、青少年が多く利用する施設又は周辺の環境に特に配慮が必要とされる施設の敷地から一定の範囲内における風俗案内所の営業を禁止し、これを刑罰をもって担保するといった強力な職業の自由の制限措置をとることは、目的と手段の均衡を著しく失するものであって、合理的な裁量の範囲を超え、憲法に違反するとした。

3　薬事法の薬局の開設等の許可における適正配置規制は、実質的には職業選択の自由に対する大きな制約的効果を有するものであり、設置場所の制限が存在しない場合に一部地域において業者間に過当競争が生じ、不良医薬品の供給の危険が発生する可能性があるとすることは、単なる観念上の想定にすぎず、必要かつ合理的な規制とはいえないため、憲法に違反するとした。

4　司法書士及び公共嘱託登記司法書士協会以外の者が、他人の嘱託を受けて、登記に関する手続について代理する業務及び登記申請書類を作成する業務を行うことを禁止し、これに違反した者を処罰することにした司法書士法の規定は、登記制度が国民の社会生活上の利益に重大な影響を及ぼすものであることに鑑み、公共の福祉に合致しない不合理なものとして、憲法に違反するとした。

5　小売商業調整特別措置法が小売市場を許可規制の対象としているのは、国が社会経済の調和的発展を企図するという観点から中小企業保護政策の一方策としてとった措置ということができるが、その規制の手段・態様において、著しく不合理であることが明白であると認められることから、憲法に違反するとした。

解説　正解　3

TAC生の選択率 96%　TAC生の正答率 87%

1　×「必要性と合理性があるとはいえず、憲法に違反するとした」という部分が妥当でない。判例は、税の適正かつ確実な賦課徴収を図るという国家の財政目的のために、酒類販売業の免許制を採用したことは、当初は、その必要性と合理性があったとする。そして、その後の社会状況の変化と租税法体系の変遷に伴い、酒税の国税全体に占める割合等が相対的に低下するに至った本件処分当時の時点においてもなお、酒類販売業について免許制度を存置しておくことの必要性及び合理性について議論の余地があるとしても、酒類販売業免許制度を存置すべきものとした立法府の判断が、政策的、技術的な裁量の範囲を逸脱するもので、著しく不合理であるとまでは断定し難いとして、酒類販売業の免許制が憲法に違反しないとしている（最判平4.12.15、酒税法事件）。

2　×「目的と手段の均衡を著しく失するものであって、合理的な裁量の範囲を超え、憲法に違反するとした」という部分が妥当でない。判例は、風俗案内所の特質及び営業実態に起因する青少年の育成や周辺の生活環境に及ぼす影響の程度に鑑みると、条例が、青少年が多く利用する施設又は周辺の環境に特に配慮が必要とされる施設の敷地から一定の範囲内における風俗案内所の営業を禁止し、これを刑罰をもって担保することは、公共の福祉に適合する上記の目的達成のための手段として必要性、合理性があるということができ、風俗営業等の規制及び業務の適正化等に関する法律に基づく風俗営業に対する規制の内容及び程度を踏まえても、京都府議会が上記の営業禁止区域における風俗案内所の営業を禁止する規制を定めたことがその合理的な裁量の範囲を超えるものとはいえないから、本件条例の各規定は、憲法22条１項に違反するものではないとしている（最判平28.12.15、風俗案内所の規制に関する条例違反事件）。

3　○判例により妥当である。判例は、旧薬事法の薬局の適正配置規制は、国民の生命及び健康に対する危険の防止という消極的、警察的目的のための措置であるとする。その上で、競争の激化－経営の不安定－法規違反という因果関係に立つ不良医薬品の供給の危険が、薬局等の段階において、相当程度の規模で発生する可能性があるとすることは、単なる観念上の想定にすぎず、不良医薬品の供給の防止等の目的のために必要かつ合理的な規制を定めたものということはできないから、憲法22条１項に違反するとしている（最大判昭50.4.30、薬事法事件）。

4　×「公共の福祉に合致しない不合理なものとして、憲法に違反するとした」という部分が妥当でない。判例は、司法書士法の規定は、登記制度が国民の権利義務等社会生活上の利益に重大な影響を及ぼすものであることなどにかんがみ、法律に別段の定めがある場合を除き、司法書士及び公共嘱託登記司法書士協会以外の者が、他人の嘱託を受けて、登記に関する手続について代理する業務及び登記申請書類を作成する業務を行うことを禁止し、これに違反した者を処罰することにしたものであるとしたうえで、当該規制が公共の福祉に合致した合理的なもので憲法22条１項に違反するものでないことは、当裁判所の判例の趣旨に徴し明らかであるとしている（最判平12.2.8）。

5　×「著しく不合理であることが明白であると認められることから、憲法に違反するとした」という部分が妥当でない。判例は、小売市場の開設許可規制は、小売商の共倒れから小売商を保護するためにとられた措置であるとする。そして、小売市場の開設許可規制は、国が社会経済の調和的発展を企図するという観点から中小企業保護政策の一方策としてとった措置ということができ、その目的において、一応の合理性を認めることができないわけではなく、また、その規制の手段・態様においても、それが著しく不合理であることが明白であるとは認められないから、憲法22条１項に違反するものではないとしている（最大判昭47.11.22、小売市場事件）。

憲法 財産権 2021年度 専門 No.1

日本国憲法に規定する財産権に関する記述として、最高裁判所の判例に照らして、妥当なのはどれか。

1 河川附近地制限令の制限は、特定の人に対し、特別に財産上の犠牲を強いるものであり、当該制限に対しては正当な補償をすべきであるにもかかわらず、その損失を補償すべき何らの規定もなく、また、別途直接憲法を根拠にして補償請求をする余地も全くなく、同令によって、当該制限の違反者に対する罰則のみを定めているのは、憲法に違反して無効であるとした。

2 森林法の規定が共有森林につき持分価額２分の１以下の共有者に民法所定の分割請求権を否定しているのは、当該規定の立法目的との関係において、合理性と必要性のいずれをも肯定することのできないことが明らかであって、この点に関する立法府の判断は、その合理的裁量の範囲を超えるものであると言わなければならず、当該規定は、憲法に違反し、無効というべきであるとした。

3 証券取引法によるインサイダー取引の規制は、一般投資家の信頼を確保するという目的によるものであり、その規制目的は正当であるが、上場会社の役員又は主要株主に対し一定期間内に行われた取引から得た利益の提供請求を認めるような規制手段が必要性又は合理性に欠けることが明らかであるから、憲法に違反するとした。

4 土地収用法が、事業認定の告示時における相当な価格を近傍類地の取引価格を考慮して算定した上で、権利取得裁決時までの物価の変動に応ずる修正率を乗じて、権利取得裁決時における土地収用に伴う補償金の額を決定するとしたことは、近傍類地の取引価格に変動が生ずることがあり、その変動率と修正率とは必ずしも一致せず、被収用者は収用の前後を通じてその有する財産価値を等しくさせる補償は受けられないため、同法の規定は憲法に違反するとした。

5 区分所有法が、１棟建替えにおいて、区分所有者及び議決権の各５分の４以上の多数で建替え決議ができると定めているのに比べて、団地内全建物一括建替えにおいて、団地内の各建物の区分所有者及び議決権の各３分の２以上の賛成があれば、団地全体の区分所有者及び議決権の各５分の４以上の多数の賛成で一括建替え決議ができると定めているのは、十分な合理性を有しておらず、規制の目的等を比較考量して判断すれば、同法の規定は憲法に違反するとした。

解説　正解　2

TAC生の選択率 90%　TAC生の正答率 60%

1　×　全体が妥当でない。判例は、河川附近地制限令の制限は、公共の福祉のためにする一般的な制限であり、原則的には、何人もこれを受忍すべきものであり、特定の人に対し、特別に財産上の犠牲を強いるものとはいえないから、このような制限を課すには損失補償を要件とするものではないとする。また、損失補償に関する規定がなくとも、その損失を具体的に主張立証して、別途、直接憲法29条３項を根拠にして、補償請求をする余地が全くないわけではないとして、当該制限違反について罰則を定めていることは憲法に違反するものではないとしている（最大判昭43.11.27、河川附近地制限令事件）。

2　○　判例により妥当である。判例は、民法所定の分割請求権を否定する森林法の規定の立法目的は、公共の福祉に合致しないことが明らかであるとはいえないが、当該規定が共有森林につき持分価額２分の１以下の共有者に分割請求権を否定しているのは、立法目的との関係において、合理性と必要性のいずれをも肯定することのできないことが明らかであって、この点に関する立法府の判断は、その合理的裁量の範囲を超えるものであるといわなければならないとし、当該規定は、憲法29条２項に違反し、無効というべきであるとしている（最大判昭62.4.22、森林法事件）。

3　×　「規制手段が必要性又は合理性に欠けることが明らかであるから、憲法に違反するとした」という部分が妥当でない。判例は、インサイダー取引の規制を定めた証券取引法の規定は、証券取引市場の公平性・公正性を維持するとともにこれに対する一般投資家の信頼を確保するという目的によるものであり、その規制目的は正当であり、上場会社等の役員又は主要株主に対し、一定期間内に行われた取引から得た利益の提供請求を認めることは、目的を達成するための規制手段の必要性または合理性に欠けることが明らかであるとはいえないのであるから、公共の福祉に適合する制限を定めたものであって、憲法29条に違反しないとしている（最大判平14.2.13）。

4　×　「被収用者は収用の前後を通じてその有する財産価値を等しくさせる補償は受けられないため、同法の規定は憲法に違反するとした」という部分が妥当でない。判例は、事業認定の告示の時から権利取得裁決の時までには、近傍類地の取引価格に変動が生ずることがあり、その変動率は必ずしも修正率と一致するとはいえないとする。しかし、近傍類地の取引価格の変動は、一般的に収用の理由となる事業の影響を受けたものであると考えられ、その影響により生ずる収用地そのものの価値の変動は、起業者に帰属し、又は起業者が負担すべきものであることなどから、補償金の額について定める土地収用法の規定には、十分な合理性があり、被収用者は、収用の前後を通じて被収用者の有する財産価値を等しくさせるような補償を受けられるものというべきであるとして、当該規定は憲法に違反しないとしている（最判平14.6.11）。

5　×　「十分な合理性を有しておらず、規制の目的等を比較考量して判断すれば、同法の規定は憲法に違反するとした」という部分が妥当でない。判例は、団地内全建物一括建替えの議決要件を定めた規定は、団地全体では一棟建替えの場合と同一の議決要件を定め、各建物単位では区分所有者の数及び議決権数の過半数を相当超える議決要件を定めているのであり、当該規定は、なお合理性を失うものではないとする。そして、建替えに参加しない区分所有者は、売渡請求権の行使を受けることにより、区分所有権及び敷地利用権を時価で売り渡すこととされているのであり、経済的損失についても相応の手当がされていることなどから、規制の目的、必要性、内容、その規制によって制限される財産権の種類、性質及び制限の程度等を比較考量して判断すれば、区分所有法の当該規定は、憲法29条に違反するものではないとしている（最判平21.4.23）。

憲法　人身の自由　2023年度 専門 No.2

日本国憲法に規定する人身の自由に関する記述として、妥当なのはどれか。

1　何人も、現行犯として逮捕される場合を含めて、権限を有する司法官憲が発し、かつ、理由となる犯罪を明示する令状によらなければ逮捕されず、また、裁判所において裁判を受ける権利を奪われない。

2　何人も、理由を直ちに告げられ、かつ、直ちに弁護人に依頼する権利を与えられなければ、抑留又は拘禁されず、また、正当な理由がなければ、拘禁されず、要求があれば、その理由は直ちに本人及びその弁護人の出席する公開の法廷で示されなければならない。

3　最高裁判所の判例では、弁護人に依頼する権利は、被告人が自ら行使すべきものであり、裁判所は、被告人がこの権利を行使する機会を与え、その行使を妨げないというだけでは足りず、弁護人に依頼する方法、費用等について被告人に告げる義務を負うものであるとした。

4　最高裁判所の判例では、捜索及び差押えが、被疑者の緊急逮捕に先行することは、時間的に接着し、場所的にも逮捕現場と同一であるとしても許容されず、違憲であるとした。

5　最高裁判所の判例では、捜索する場所及び押収する物を明示し、かつ、正当な理由に基づいて発せられたことを明示して記載した令状がなければ、何人も、その住居、書類及び所持品について、侵入、捜索及び押収を受けることのない権利について、いずれの明示も憲法の要求するものであるとした。

解説　正解 2

TAC生の選択率 93%　TAC生の正答率 63%

1 ×「現行犯として逮捕される場合を含めて」という部分が妥当でない。何人も現行犯として逮捕される場合を除いては、権限を有する司法官憲が発し、かつ理由となっている犯罪を明示する令状によらなければ逮捕されない（33条）。何人も、裁判所において裁判を受ける権利を奪われないとの点は正しい（32条）。

2 ○ 条文により妥当である。何人も、理由を直ちに告げられ、かつ、直ちに弁護人に依頼する権利を与えられなければ、抑留又は拘禁されない（34条前段）。また、何人も、正当な理由がなければ、拘禁されず、要求があれば、その理由は、直ちに本人及びその弁護人の出席する公開の法廷で示されなければならない（34条後段）。

3 ×「その行使を妨げないというだけでは足りず、弁護人に依頼する方法、費用等について被告人に告げる義務を負うものであるとした」という部分が妥当でない。判例は、弁護人依頼権は被告人自らが行使すべきもので、裁判所、検察官等は被告人がこの権利を行使する機会を与え、その行使を妨げなければよいのであり、憲法は弁護人依頼権を特に被告人に告げる義務を裁判所に負わせているものではないとしている（最大判昭24.11.30）。

4 ×「時間的に接着し、場所的にも逮捕現場と同一であるとしても許容されず、違憲であるとした」という部分が妥当でない。判例は、緊急逮捕の場合において、令状によらない捜索、差押えを認めている刑事訴訟法220条のいう「逮捕する場合において」「逮捕の現場で」の意味について、前者は、単なる時点よりも幅のある逮捕する際を意味し、後者は、場所的同一性を意味するにとどまるものと解するべきであり、さらに、前者の場合は、逮捕との時間的接着を必要とするが、逮捕着手時の前後関係は問わないとする。そのうえで、緊急逮捕に先行して捜索、差押えがされたとしても、時間的にはこれに接着し、場所的にも逮捕の現場と同一である場合には、逮捕する際に逮捕の現場でなされたものというに妨げないとしている（最大判昭36.6.7）。

5 × 全体が妥当でない。判例は、憲法35条は、捜索、押収については、その令状に捜索する場所及び押収する物を明示することを要求しているにとどまり、その令状が正当な理由に基づいて発せられたことを明示することまでは要求していないものと解すべきであるとしている（最大決昭33.7.29）。

憲法	生存権	2022年度 専門 No.2

日本国憲法に規定する生存権に関する記述として、妥当なのはどれか。

1 生存権には、国民各自が自らの手で健康で文化的な最低限度の生活を維持する自由を有し、国家はそれを阻害してはならないという社会権的側面と、国家に対してそのような営みの実現を求める自由権的側面がある。

2 プログラム規定説によれば、生存権実現のための法律の不存在そのものが、生存権という個別具体的な国民の権利を侵害していると主張することが可能であり、立法の不作為自体を訴訟で争うことが可能である。

3 最高裁判所の判例は、一貫して具体的権利説を採用し、すべての国民が健康で文化的な最低限度の生活を営み得るよう国政を運営すべきことを国家の責務とする生存権の規定により直接に、個々の国民は、国家に対して具体的、現実的な権利を有するものであるとしている。

4 最高裁判所の判例では、限られた財源の下で福祉的給付を行う場合であっても、自国民を在留外国人より優先的に扱うことは、許されるべきことではないと解され、障害福祉年金の支給対象者から在留外国人を除外することは、憲法に違反するとした。

5 最高裁判所の判例では、健康で文化的な最低限度の生活の内容について、どのような立法措置を講ずるかの選択決定は、立法府の広い裁量にゆだねられており、それが著しく合理性を欠き明らかに裁量の逸脱濫用と見ざるをえないような場合を除き、裁判所が審査判断するのに適しない事柄であるとした。

解説　正解　5

TAC生の選択率 97%　TAC生の正答率 88%

1　×　「社会権的側面」、「自由権的側面」という部分が妥当でない。国民は自らの手で健康で文化的な最低限度の生活を維持する自由を有し、国家はそれを阻害してはならないというのは、生存権の自由権的側面である。また、国家に対して健康で文化的な最低限度の生活の実現を求めるというのは、生存権の社会権的側面である。

2　×　「プログラム規定説」という部分が妥当でない。プログラム規定説は、憲法の生存権の規定は、国民の生存を確保すべき政治的・道義的義務を国に課したにとどまり、個々の国民に対して具体的権利を保障したものではないとする見解である。本記述は、具体的権利説の内容である。

3　×　全体が妥当でない。判例は、憲法25条1項の規定は、すべて国民が健康で文化的な最低限度の生活を営み得るように国政を運営すべきことを国の責務として宣言したにとどまり、直接個々の国民に対して具体的権利を付与したものではないとしている（最大判昭42.5.24、朝日訴訟）。

4　×　「自国民を在留外国人より優先的に扱うことは、許されるべきことではないと解され、障害福祉年金の支給対象者から在留外国人を除外することは、憲法に違反するとした」という部分が妥当でない。判例は、社会保障上の施策において在留外国人をどのように処遇するかについては、国は、特別の条約の存しない限り、当該外国人の属する国との外交関係、変動する国際情勢、国内の政治・経済・社会的諸事情等に照らしながら、その政治的判断によりこれを決定することができるのであり、その限られた財源の下で福祉的給付を行うに当たり、自国民を在留外国人より優先的に扱うことも許されるとして、障害福祉年金の支給対象者から在留外国人を除外することは、立法府の裁量の範囲に属する事柄と見るべきであるとしている（最判平1.3.2、塩見訴訟）。

5　○　判例により妥当である。判例は、憲法25条の規定の趣旨にこたえて具体的にどのような立法措置を講ずるかの選択決定は、立法府の広い裁量にゆだねられており、それが著しく合理性を欠き明らかに裁量の逸脱・濫用と見ざるをえないような場合を除き、裁判所が審査判断するのに適しない事柄であるとしている（最大判昭57.7.7、堀木訴訟）。

憲法　労働基本権　2020年度 専門 No.1

日本国憲法に規定する労働基本権に関する記述として、最高裁判所の判例に照らして、妥当なのはどれか。

1　憲法は、労働者の争議権が平等権、自由権、財産権等の基本的人権に対して絶対的優位を有することを認めているのであって、使用者側の自由権や財産権が労働者の団体行動権のため制限を受けるのは当然であり、労働者が使用者側の自由意思を抑圧し、財産に対する支配を阻止することは許されるとした。

2　地方公務員法の規定は、全ての地方公務員の一切の争議行為を禁止し、これらの争議行為の遂行を共謀し、唆し、あおる等の行為を全て処罰する趣旨であり、それは、公務員の労働基本権を保障した憲法の趣旨に反し、必要やむを得ない限度を越えて争議行為を禁止し、かつ、必要最小限度を越えて刑罰の対象としているので、違憲無効であるとした。

3　裁判事務に従事する裁判所職員が新安保条約に対する反対運動のような政治的目的のために争議を行うことは、争議行為の正当な範囲を逸脱するものであるが、短時間のものであり、また、暴力を伴わないものであれば、職務の停廃を来し、国民生活に重大な障害をもたらすおそれはなく、違法性はないとした。

4　岩手県教組学力テスト事件において、地方公務員法の規定は、地方公務員の争議行為に違法性の強いものと弱いものとを区別して前者のみが同法にいう争議行為に当たるものとし、また、当該争議行為の遂行を共謀し、唆し、又はあおる等の行為のうちいわゆる争議行為に通常随伴する行為を刑事制裁の対象から除外する趣旨と解すべきであるとした。

5　全逓名古屋中郵事件において、公共企業体等労働関係法の適用を受ける五現業及び三公社の職員について、その勤務条件は、憲法上、国会において法律、予算の形で決定すべきものとされており、労使による勤務条件の共同決定を内容とする団体交渉権の保障はなく、当該共同決定のための団体交渉過程の一環として予定されている争議権もまた、憲法上、当然に保障されていないとした。

解説　正解　5

TAC生の選択率 76%　TAC生の正答率 43%

1 × 全体が妥当でない。判例は、憲法は勤労者に対して団結権、団体交渉権その他の団体行動権を保障すると共に、すべての国民に対して平等権、自由権、財産権等の基本的人権を保障しているとして、争議権に対して絶対的優位を認めていない。それ故、使用者側の自由意思を抑圧し、財産に対する支配を阻止することは許されないとしている（最大判昭25.11.15、山田鋼業事件）。

2 × 全体が妥当でない。判例は、地方公務員法の規定を合理的に解釈し、当該規定の趣旨について、争議行為の遂行を共謀し、そそのかし、あおる等の行為をすべて処罰するものではなく、当該規定に基づく規制には限界が認められることを理由に、直ちに当該規定を違憲無効であるとすることはできないとする（最大判昭44.4.2、都教組事件）。同判例が用いた合憲限定解釈の方法は、二重の絞り論と呼ばれているもので処罰対象に限定を加えている。

3 ×「短時間のものであり、また、暴力を伴わないものであれば、職務の停廃を来し、国民生活に重大な障害をもたらすおそれはなく、違法性はないとした」という部分が妥当でない。判例は、裁判事務に従事する裁判所職員の、勤務時間内に1時間喰い込んで開催される職場大会への参加について、政治的目的のために争議を行なうことは争議行為の正当な範囲を逸脱するものとして許されるべきではなく、かつ、それが短時間のものであり、かりに暴力等を伴わないものとしても、裁判事務に従事する裁判所職員の職務の停廃をきたし、国民生活に重大な障害をもたらすおそれのあるものであって、違法性が強いものであるとしている（最大判昭44.4.2、全司法仙台事件）。

4 × 全体が妥当でない。判例は、争議行為の遂行を共謀し、唆し、又はあおる等の行為に対する刑事制裁を定めた地方公務員法61条4号の規定について、争議行為に違法性の強いものと弱いものとを区別して、前者のみが同条号にいう争議行為にあたるものとすべきではなく、また、争議行為遂行の共謀、そそのかし、あおる等の争議行為に通常随伴する行為を、単なる争議参加行為と同じく可罰性を有しないものとして同条号の規定の適用外に置くべきとすることはできないとしている（最大判昭51.5.21、岩手県教組学力テスト事件）。

5 ○ 判例により妥当である。判例は、非現業の国家公務員につき、その勤務条件は、憲法上、国民全体の意思を代表する国会において法律、予算の形で決定すべきものであり、労使間の自由な団体交渉に基づく合意によって決定すべきものではなく、私企業の労働者の場合のように、労使による勤務条件の共同決定を内容とする団体交渉権の保障はないとしている。その上で、勤務条件の共同決定のための団体交渉過程の一環として予定されている争議権もまた、憲法上、当然に保障されているものとはいえないとしている。そして、このことは、公共企業体等労働関係法（当時）の適用を受ける五現業及び三公社の職員についても、直ちに又は基本的に妥当するとしている（最大判昭52.5.4、全逓名古屋中郵事件）。

憲法　衆議院の優越

2020年度
専門 No.4

日本国憲法に規定する衆議院の優越に関する記述として、妥当なのはどれか。

1　内閣総理大臣の指名について、衆議院と参議院とが異なった指名の議決をした場合は、衆議院で出席議員の３分の２以上の多数で再び指名の議決をしたときに限り、衆議院の議決を国会の議決とする。

2　条約の締結に必要な国会の承認について、参議院で衆議院と異なった議決をした場合に、法律の定めるところにより、両議院の協議会を開いても意見が一致しないときは、衆議院の議決を国会の議決とする。

3　内閣について、衆議院で不信任の決議案を可決し、参議院でその決議案を否決した場合に、衆議院で出席議員の３分の２以上の多数で不信任の決議案を再び可決したときは、内閣は総辞職しなければならない。

4　法律案について、衆議院で可決し参議院でこれと異なった議決をした場合は、法律の定めるところにより、両議院の協議会を開かなければならず、その協議会でも意見が一致しないときは、衆議院の可決した法律案が法律となる。

5　予算について、参議院が衆議院の可決した予算を受け取った後、国会休会中の期間を除いて30日以内に議決しないときは、衆議院は、参議院がその予算案を否決したものとみなし、出席議員の過半数で再びこれを決することができる。

解説　正解　2

TAC生の選択率 98%　TAC生の正答率 91%

1　×「衆議院で出席議員の３分の２以上の多数で再び指名の議決をしたときに限り、衆議院の議決を国会の議決とする」という部分が妥当でない。内閣総理大臣の指名について、衆議院と参議院とが異なった指名の議決をした場合に、法律の定めるところにより、両議院の協議会を開いても意見が一致しないときは、衆議院の議決を国会の議決とする（67条２項）。内閣総理大臣の指名の議決では、法律案の議決の場合のように出席議員の３分の２以上の多数による再議決という手続はない。

2　○　条文により妥当である。条約の締結に必要な国会の承認について、参議院で衆議院と異なった議決をした場合に、①法律の定めるところにより、両議院の協議会を開いても意見が一致しないとき、又は、②参議院が衆議院の可決したものを受け取った後、国会休会中の期間を除いて30日以内に議決しないときは、衆議院の議決を国会の議決とする（61条、60条２項）。本記述は①について述べているので妥当である。

3　×　全体が妥当でない。内閣は、衆議院で不信任の決議案を可決し、又は信任の決議案を否決したときは、10日以内に衆議院が解散されない限り、総辞職をしなければならない（69条）。内閣不信任決議は、両院が関与するものではなく、衆議院のみで完結するものである。

4　×「両議院の協議会を開かなければならず、その協議会でも意見が一致しないときは、衆議院の可決した法律案が法律となる」という部分が妥当でない。法律案について、衆議院で可決し、参議院でこれと異なった議決をした場合、法律の定めるところにより、衆議院が、両議院の協議会を開くことを求めることを妨げない（59条３項）。したがって、法律案につき異なった議決をした場合、両院協議会の開催は任意であり、必ず開催しなければならないわけではない。また、衆議院で可決し、参議院でこれと異なった議決をした法律案は、衆議院で出席議員の３分の２以上の多数で再び可決したときは、法律となる（同条２項）。したがって、衆議院で出席議員の３分の２以上の再議決という手続を踏まなければ、衆議院で可決した法律案は法律とならない。

5　×「衆議院は、参議院がその予算案を否決したものとみなし、出席議員の過半数で再びこれを決することができる」という部分が妥当でない。予算について、参議院で衆議院と異なった議決をした場合に、①法律の定めるところにより、両議院の協議会を開いても意見が一致しないとき、又は、②参議院が衆議院の可決した予算を受け取った後、国会休会中の期間を除いて30日以内に議決しないときは、衆議院の議決を国会の議決とする（60条２項）。本記述は②に該当するので、再議決をすることなく衆議院の議決が国会の議決となる。

憲法　国会議員の特権　2023年度 専門 No.3

日本国憲法に規定する国会議員の特権に関する記述として、通説に照らして、妥当なのはどれか。

1　国会議員は、院内における現行犯罪の場合を除いては、国会の会期中、その議員の属する議院の許諾がなければ逮捕されない。

2　国会閉会中の委員会における継続審査は、国会の会期に含まれるため、継続審査中の委員会の委員には、不逮捕特権が認められる。

3　参議院の緊急集会前に逮捕された参議院議員は、参議院の要求があれば、緊急集会中、釈放しなければならない。

4　国会議員の免責特権の対象となる行為は、院内で行った演説、討論又は表決に限られるため、地方公聴会で行った発言について免責されることはない。

5　国会の議席を有しない国務大臣が行った発言については、国会議員と同様に、免責特権が及ぶ。

解説　正解　3

TAC生の選択率 97%　TAC生の正答率 76%

1　×「院内における」という部分が妥当でない。両議院の議員は、法律の定める場合を除いては、国会の会期中逮捕されない（50条）。法律の定める場合としては、院外における現行犯罪の場合、所属する議院の許諾がある場合がある（国会法33条）。

2　×「国会の会期に含まれるため、継続審査中の委員会の委員には、不逮捕特権が認められる」という部分が妥当でない。議員の不逮捕特権（50条）は、議員の身体及び職務執行の自由を保障するとともに、議院の審議権を確保することを目的とする。そのため、憲法50条にいう「会期中」とは国会の開会中を意味し、閉会中には不逮捕特権は認められない。国会閉会中の委員会の継続審査は、国会の会期中に含まれないため、継続審査中の委員会の委員には不逮捕特権は認められない。

3　○　条文により妥当である。緊急集会の期間中（緊急集会中）は、国会の会期中と同様と考えられるため、参議院議員に不逮捕特権（50条、国会法100条）が認められている。したがって、参議院の緊急集会前に逮捕された参議院議員は、参議院の要求があれば、緊急集会中、これを釈放しなければならない。

4　×「院内で行った演説、討論又は表決に限られるため、地方公聴会で行った発言について免責されることはない」という部分が妥当でない。両議院の議員は、議院で行った演説、討論、または表決について、院外で責任を問われない（51条、免責特権）。この免責特権は、院内における言論の自由を特に保障することによって議員の自由な活動を確保するとともに、議会制度の適正を確保しようとすることが趣旨である。したがって、議員の自由な活動を確保するという趣旨からすると、憲法51条にいう「議院で行った」とは、本会議のみならず、委員会、緊急集会、両院協議会での行為が含まれるほか、地方公聴会のような議事堂外における行為も含まれると解されている。

5　×「国会議員と同様に、免責特権が及ぶ」という部分が妥当でない。免責特権の趣旨（**4**の解説参照）から、国会の議席を有しない国務大臣に免責特権は及ばない。

憲法　参議院の緊急集会　2021年度 専門 No.3

日本国憲法に規定する参議院の緊急集会に関する記述として、通説に照らして、妥当なのはどれか。

1　衆議院が解散されたときは、参議院は同時に閉会となるが、国に緊急の必要があるときは、参議院は、自発的に緊急集会を行うことができる。

2　緊急集会の要件である、国に緊急の必要があるときとは、総選挙後の特別会の召集を待てないような切迫した場合をいい、その例として自衛隊の防衛出動や災害緊急措置があるが、暫定予算の議決はこれに含まれない。

3　緊急集会の期間中、参議院議員は、国会の通常の会期中とは異なり、不逮捕特権及び免責特権を認められていない。

4　緊急集会は、国会の代行機能を果たすものであり、その権限は法律や予算等、国会の権限全般に及ぶものであることから、議員による議案の発議は、内閣が示した案件に関連のあるものに限らず行うことができる。

5　緊急集会において採られた措置は、臨時のものであって、次の国会開会の後10日以内に、衆議院の同意がない場合には、その効力を失う。

解説　正解　5

TAC生の選択率 97%　TAC生の正答率 86%

1　×　「参議院は、自発的に緊急集会を行うことができる」という部分が妥当でない。衆議院が解散された場合、参議院は同時に閉会となるが（54条２項本文）、緊急集会を求める権限は内閣のみが有するため（54条２項但書）、参議院が自発的に緊急集会を行うことはできない。

2　×　「暫定予算の議決はこれに含まれない」という部分が妥当でない。憲法54条２項但書が規定する「国に緊急の必要があるとき」とは、総選挙後の特別会の召集を待つ余裕がない程度に切迫した場合をいう。具体的には、自衛隊の防衛出動や災害緊急措置のような重大な事態のほかに、これに至らない程度でも、緊急に国会の議決を要する国政上の重要問題が生じた場合も該当すると一般に解されている。後者にあたるものとして実際に、中央管理委員会の委員の任命や、暫定予算および特別会までに期限の切れる法律の期間を延長する法律案について、緊急集会が求められたことがある。

3　×　「国会の通常の会期中とは異なり、不逮捕特権及び免責特権を認められていない」という部分が妥当でない。緊急集会の期間中は、国会の会期中と同様と考えられるため、参議院議員に不逮捕特権（50条、国会法100条）や免責特権（51条）が認められている。

4　×　「内閣が示した案件に関連のあるものに限らず行うことができる」という部分が妥当でない。参議院の緊急集会は、「内閣総理大臣」から示された案件を審議し、議員は、内閣総理大臣が示した案件に関連のあるものに限り、議案を発議することができる（国会法99条１項、101条）。

5　○　条文により妥当である。緊急集会において採られた措置は、臨時のものであって、次の国会開会の後10日以内に、衆議院の同意がない場合には、その効力を失う（54条３項）。

憲法 国会・議院の権能

2023年度
専門 No.4

日本国憲法に規定する国会又は議院の権能に関する記述として、通説に照らして、妥当なのはどれか。

1 両議院は、各々その役員を選任するが、議院の役員は、議長、副議長、仮議長及び事務総長に限られる。

2 内閣が条約の締結について国会に事前承認を求めた場合に、承認が得られないときであっても、条約は有効に成立する。

3 皇室が財産を譲り渡す場合は、国会の議決に基づかなければならないが、皇室が財産を譲り受ける場合は、国会の議決を経る必要は一切ない。

4 国会は、内閣が提出する国の収入支出の決算を審査し、議決するが、当該決算を否決した場合、既になされた支出の法的効果に影響を及ぼす。

5 憲法の改正は、各議院の総議員の３分の２以上の賛成で国会が発議をするが、この発議とは、国民投票に付す憲法改正案を国会が決定することをいう。

解説　正解　5　TAC生の選択率 87%　TAC生の正答率 69%

1　×「限られる」という部分が妥当でない。両議院は、各々その議長その他の役員を選任する（58条１項）。そして、役員の種類として国会法16条は、議長、副議長、仮議長、常任委員長、事務総長の５つを規定している。

2　×「条約は有効に成立する」という部分が妥当でない。条約の締結は内閣の権能であるが、原則として事前に、場合によっては事後に国会の承認を経ることを要する（73条３号）。国会の承認は条約が有効に成立するための要件と解されており、事前に承諾が得られない場合、条約は有効に成立しない。

3　×「国会の議決を経る必要は一切ない」という部分が妥当でない。皇室に財産を譲り渡し、又は皇室が、財産を譲り受け、もしくは賜与することは、国会の議決に基づかなければならない（８条）。

4　×「既になされた支出の法的効果に影響を及ぼす」という部分が妥当でない。国の収入支出の決算は、すべて毎年会計検査院がこれを検査し、内閣は、次の年度に、その検査報告とともに、これを国会に提出しなければならない（90条１項）。国会の議決は内閣の政治責任を問うためのものであり、これが不承認とされても既になされた収入支出に法的効果を及ぼすものではないと解されている。

5　○　条文により妥当である。憲法改正の発議とは、国民に提案される憲法改正案を国会が決定することをいい、発議には各議院の総議員の３分の２以上の賛成が必要となる（96条１項前段）。

憲法　国政調査権

2021年度
専門 No.4

日本国憲法に規定する議院の国政調査権に関する記述として、判例、通説に照らして、妥当なのはどれか。

1　国政調査権の性質について、国権の最高機関性に基づく国権統括のための独立の権能であるとする説に対し、最高裁判所は、議院に与えられた権能を実効的に行使するために認められた補助的な権能であるとした。

2　両議院は、国政調査に関して、証人の出頭及び証言並びに記録の提出を要求することができ、調査手段として、強制力を有する住居侵入、捜索及び押収も認められている。

3　裁判所と異なる目的であっても、裁判所に係属中の事件について並行して調査することは、司法権の独立を侵すため許されず、二重煙突の代金請求を巡る公文書変造事件の判決において、調査は裁判の公平を害するとされた。

4　国政調査権は、国民により選挙された全国民の代表で組織される両議院に特に認められた権能であるため、特別委員会又は常任委員会に調査を委任することはできない。

5　日商岩井事件の判決において、検察権との並行調査は、検察権が行政作用に属するため原則として許容されるが、起訴、不起訴について検察権の行使に政治的圧力を加えることが目的と考えられる調査に限り自制が要請されるとした。

解説　**正解　1**　TAC生の選択率 **95%**　TAC生の正答率 **76%**

1　○　事実として妥当である。参議院法務委員会が、親子心中を図って生き残った母親の殺人被告事件（浦和事件）における地方裁判所の判決について、事実認定や量刑が不当であるという決議を行った。これに対して、最高裁判所は、国政調査権は議院に与えられた権能を実効的に行使するために認められた補助的な権能であるとする見解（補助的権能説）に立ったうえで、参議院法務委員会の決議は、司法権の独立を侵害し、憲法上許された国政調査権の範囲を逸脱するものであると強く抗議を申し入れた（最高裁判決ではない）。

2　×「調査手段として、強制力を有する住居侵入、捜索及び押収も認められている」という部分が妥当でない。国政調査権の行使にあたり、両議院は、証人の出頭及び証言並びに記録の提出を要求することができ（62条）、その実効性確保のために一定の制裁も認められている（議院証言法6条1項、7条1項）。もっとも、憲法上明文の規定がないことや令状主義（35条）などから、住居侵入、捜索、押収等の強制力を有する手段は認められないと解されている。

3　×　全体が妥当でない。通説は、現に裁判が係属している事件について並行して調査すること（並行調査）は、裁判所と異なる目的であれば、司法権の独立を侵害するものではないとする。また、二重煙突の代金請求にかかる公文書変造事件では、この事件が刑事事件として裁判所に継続した後も参議院決算委員会が調査を続行し、担当検事らの証言内容が公表されるなどしたことが、裁判官に予断を与えるおそれがあるとの主張がなされた。これに対して、裁判所は、証言内容の公表がなされても直ちに裁判官に予断を抱かせるものではなく、裁判の公平を害するものでもないとした（東京地判昭31.7.23、二重煙突事件）。

4　×「特別委員会又は常任委員会に調査を委任することはできない」という部分が妥当でない。憲法62条は国政調査権の主体を「両議院」と規定しているところ、国会は委員会中心主義を採っていることから、議院は常任委員会又は特別委員会に付託もしくは委任して調査を行わせることができる（常任委員会について衆議院規則94条、参議院規則74条の3参照）。実際の調査も議院が常任委員会等に付託して行われることが通例となっている。

5　×「起訴、不起訴について検察権の行使に政治的圧力を加えることが目的と考えられる調査に限り自制が要請されるとした」という部分が妥当でない。日商岩井事件（東京地判昭55.7.24）において裁判所は、行政作用に属する検察権の行使との並行調査は、原則的に許容されているものと解するのが一般であり、例外的に国政調査権行使の自制が要請されるとする。そして、自制が要請される例として、①起訴、不起訴についての検察権の行使に政治的圧力を加えることが目的と考えられるような調査、②起訴事件に直接関連ある捜査及び公訴追行の内容を対象とする調査、③捜査の続行に重大な支障を来たすような方法をもって行われる調査などを挙げている。本記述は、自制が要請されるのを①の場合に限定している点が妥当でない。

憲法　内閣　2022年度 専門 No.3

日本国憲法に規定する内閣に関する記述として、妥当なのはどれか。

1　内閣は、国会の承認を経ずに、既存の条約を執行するための細部の取決めや条約の委任に基づいて具体的個別的問題についてなされる取決めを締結することができる。

2　内閣は、日本国憲法及び法律の規定を実施するために、政令を制定することができるほか、国に緊急の必要があるときには、法律の根拠をもたない独立命令を制定することができる。

3　内閣は、自発的に総辞職することができるが、内閣総理大臣が病気又は生死不明の場合には、総辞職しなければならず、この場合、総辞職した内閣は、新たに内閣総理大臣が任命されるまで、引き続きその職務を行う。

4　内閣は、行政権の行使について、国会に対し連帯して責任を負うため、特定の国務大臣が、個人的理由に基づき、又はその所管事項について、個別責任を負うことは、憲法上否定される。

5　内閣は、予備費の支出について、事後に国会の承諾を得なければならないが、承諾を得られない場合には、内閣の責任は解除されないため、既になされた予備費の支出の法的効果に影響を及ぼす。

解説　**正解　1**　TAC生の選択率 **93%**　TAC生の正答率 **35%**

1　○　通説により妥当である。国会の承認を経ることが必要な「条約」（73条3号）とは、当事国に一定の権利義務関係を設定することを目的とした、国家間の文書による約束をいい、協約、協定等、名称のいかんにかかわらない。ただし、既存の条約を執行するための細部の取決めや、条約の委任に基づいて個別的・具体的問題についてなされる取決めは、73条3号の「条約」には含まれないと解されている。

2　×「国に緊急の必要があるときには、法律の根拠をもたない独立命令を制定することができる」という部分が妥当でない。国に緊急の必要があるときには、独立命令を制定することができるとする規定は憲法上存在しない。さらに、内閣が独立命令を制定することは、国会が「唯一」の立法機関である（41条）ことの一つとして、憲法上の特別の規定がある場合を除き、国会以外の機関が実質的意味の立法の定立をすることは許されないとする国会中心立法の原則に反する。

3　×「内閣総理大臣が病気又は生死不明の場合には、総辞職しなければならず」という部分が妥当でない。内閣が総辞職をしなければならないのは、①衆議院の内閣不信任決議案が可決され、又は内閣信任決議案が否決された場合において、10日以内に衆議院が解散されないとき（69条）、②内閣総理大臣が欠けたとき（70条前段）、③衆議院議員総選挙の後に初めて国会の召集があったとき（70条後段）である。そして、内閣総理大臣が欠けたときとは、①死亡、②失踪、③亡命、④辞職、⑤国会議員の地位を失った場合（被選挙権の喪失、除名、資格争訟の裁判による失職など）が含まれ、病気や生死不明の場合は、内閣総理大臣に事故のあるとき（内閣法9条参照）なので含まれない。

4　×「憲法上否定される」という部分が妥当でない。内閣は、行政権の行使について、国会に対し連帯して責任を負う（66条3項）。しかし、66条3項は特定の国務大臣が、個人的理由に基づき、個別責任を負うことを否定するものではないと解するのが通説である。

5　×「既になされた予備費の支出の法的効果に影響を及ぼす」という部分が妥当でない。すべて予備費の支出については、事後に国会の承諾を得なければならない（87条2項）。国会は、予備費の支出が適当でなかったと判断するときは、承諾を与えないことができる。しかし、国会の不承諾は、内閣の予備費支出について政治的責任を問う意思表示であって、その責任は解除されないものの、法的責任までは問われないので、すでになされた支出の法的効果には何らの影響も及ぼさないと解されている。

憲法　裁判官

2022年度
専門 No.4

日本国憲法に規定する裁判官に関する記述として、妥当なのはどれか。

1　最高裁判所の裁判官の任命は、任命後10年を経過した後初めて行われる衆議院議員総選挙の際に、最初の国民審査に付し、その後10年を経過した後初めて行われる衆議院議員総選挙の際、更に審査に付し、その後も同様とする。

2　公の弾劾により裁判官を罷免するのは、職務上の義務に著しく違反し、若しくは職務を甚だしく怠ったとき又は職務の内外を問わず、裁判官としての威信を著しく失うべき非行があったときに限られる。

3　すべて裁判官は、独立してその職権を行うこととされているが、上級裁判所は、監督権により下級裁判所の裁判官の裁判権に影響を及ぼすことができる。

4　最高裁判所の長たる裁判官は、国会の指名に基づいて、天皇が任命し、最高裁判所の長たる裁判官以外の裁判官は、内閣が任命する。

5　裁判官は、監督権を行う裁判所の長たる裁判官により、心身の故障のために職務を執ることができないと決定されたときは、分限裁判によらず罷免される。

解説　正解　2

TAC生の選択率 95%　TAC生の正答率 40%

1 × 「任命後10年を経過した後」という部分が妥当でない。最高裁判所の裁判官の任命は、その任命後に初めて行われる衆議院議員総選挙の際、国民の審査に付し、その後10年を経過後に初めて行われる衆議院議員総選挙の際、更に審査に付するとしている（79条２項）。

2 ○ 条文により妥当である。公の弾劾により裁判官が罷免されるのは、①職務上の義務に著しく違反し、職務を甚だしく怠ったときか、②職務の内外を問わず裁判官としての威信を著しく失うべき非行があったときである（裁判官弾劾法２条）。

3 × 「監督権により下級裁判所の裁判官の裁判権に影響を及ぼすことができる」という部分が妥当でない。すべて裁判官は、その良心に従って独立してその職権を行い、憲法及び法律にのみ拘束される（76条３項、裁判官の職権行使の独立）。ここで「独立してその職権を行い」とは、裁判をするに際して、裁判官が外部（司法部内の上司や管理者なども含む）から指示・命令を受けないことに加え、裁判官が外部から事実上重大な影響を受けないことが含まれると解されている。したがって、上級裁判所が下級裁判所の裁判官の裁判権に影響を及ぼすことは、裁判官の職権行使の独立を侵害するものとして許されない。

4 × 「国会」という部分が妥当でない。天皇は、内閣の指名に基づいて、最高裁判所の長たる裁判官を任命する（６条２項）。最高裁判所の長たる裁判官以外の裁判官は、内閣が任命し、天皇がこれを認証する（79条１項、裁判所法39条３項）。

5 × 全体が妥当でない。裁判官の身分を保障するために裁判官の罷免事由は限定されており、すべての裁判官に妥当する罷免事由は、①裁判により心身の故障のために職務を執ることができないとされた場合（分限裁判）と、②公の弾劾（64条、弾劾裁判）に限られる（78条前段）。本記述の場合は①に該当するので、分限裁判によって罷免される。

憲法　裁判の公開　2023年度 専門 No.5

日本国憲法に規定する裁判の公開に関する記述として、妥当なのはどれか。

1　裁判の公開とは、広く国民一般に審判を公開し、その傍聴を認めることであり、裁判についての報道の自由を含むが、民事訴訟では、裁判長の許可を得なければ、法廷における速記をすることができない。

2　出版に関する犯罪の対審は、裁判所が、裁判官の全員一致で、公の秩序又は善良の風俗を害するおそれがあると決したときには、公開しないでこれを行うことができる。

3　最高裁判所の判例では、憲法は、裁判を一般に公開して裁判が公正に行われることを、制度として保障するものであり、各人が裁判所に対して傍聴することを権利として要求できることを認めたものであるとした。

4　最高裁判所の判例では、刑事訴訟における証人尋問が行われる場合に、傍聴人と証人との間で遮へい措置を採り、あるいはビデオリンク方式によることは、審理が公開されているとはいえず、憲法に違反するとした。

5　最高裁判所の判例では、裁判官に対する懲戒は、一般の公務員に対する懲戒と同様、裁判官に対する行政処分であるが、裁判所が裁判という形式をもってするため、懲戒の裁判を非公開の手続で行うことは、憲法に違反するとした。

解説　正解　1　TAC生の選択率 88%　TAC生の正答率 17%

1　○　条文・通説により妥当である。裁判の対審及び判決は、公開の法廷で行われる（82条1項）。ここにいう「公開」は、報道の自由を含む傍聴の自由が認められることを意味する。もっとも、傍聴の自由も絶対無制約のものではなく、民事訴訟では、裁判長の許可を得なければ、写真の撮影・速記・録音・録画・放送をすることができない（民事訴訟規則77条）。なお、同種の制限として、刑事訴訟においても、裁判所の許可を得なければ写真の撮影・録音・放送をすることはできないが（刑事訴訟規則215条）、判例は、当該規則を法廷の秩序維持、被告人の利益保護のために必要な制限であるとして、合憲としている（最大決昭33.2.17、北海タイムス事件）。

2　×　「出版に関する犯罪の対審は」という部分が妥当でない。裁判所が、裁判官の全員一致で、公の秩序又は善良の風俗を害するおそれがあると決した場合には、対審は、公開しないでこれを行うことができる（82条2項本文）。しかし、政治犯罪、出版に関する犯罪又は憲法第3章が保障する国民の権利が問題となる事件は、対審を非公開とすることができない（82条2項但書）。

3　×　「各人が裁判所に対して傍聴することを権利として要求できることを認めたものであるとした」という部分が妥当でない。判例は、憲法82条1項の趣旨を、裁判を一般に公開して裁判が公正に行われること制度として保障し、裁判に対する国民の信頼を確保することにあるとする。その上で、憲法82条は各人が裁判所に対して傍聴することを権利として要求できることまでも認めたものではないことはもとより、傍聴人に対して法廷においてメモを取ることを権利として保障しているものではないとしている（最大判平1.3.8、レペタ事件）。

4　×　「審理が公開されているとはいえず、憲法に違反するとした」という部分が妥当でない。判例は、証人尋問が公判期日において行われる場合、傍聴人と証人との間で遮へい措置が採られ、あるいはビデオリンク方式によることとされ、さらには、ビデオリンク方式によった上で傍聴人と証人との間で遮へい措置が採られても、審理が公開されていることに変わりはないから、これらの規定は、憲法82条1項、37条1項、2項前段に違反するものではないとしている（最判平17.4.14）。

5　×　「憲法に違反するとした」という部分が妥当でない。判例は、裁判官に対する懲戒は、裁判所が裁判という形式をもってすることとされているが、一般の公務員に対する懲戒と同様、その実質においては裁判官に対する行政処分の性質を有するものであるから、裁判官に懲戒を課する作用は、固有の意味における司法権の作用ではなく、懲戒の裁判は、純然たる訴訟事件についての裁判には当たらないことなどを理由に、分限事件については憲法82条1項（裁判の公開）の適用はないとしている（最大決平10.12.1、裁判官懲戒処分事件）。

憲法　財政　2021年度 専門 No.5

日本国憲法に規定する財政に関する記述として、判例、通説に照らして、妥当なのはどれか。

1　国による債務の負担には国会の議決に基づくことを必要とするが、この債務の負担には、金銭債務、債務の支払いの保障は含まれるが、損失補償の承認は含まれない。

2　内閣は、予見し難い予算の不足に充てるため、国会の議決に基づいて予備費を支出することができるが、その支出について事後に国会の承諾を得られない場合には、支出の効果に影響を及ぼし、無効となる。

3　国の収入支出の決算は、全て毎年内閣がこれを検査し、また、内閣総理大臣は、次の年度に、その検査報告とともに、これを国会に提出しなければならない。

4　最高裁判所の判例では、物品税課税無効確認並びに納税金返還請求事件において、パチンコ球遊器が物品税法上の遊戯具に含まれるとするのは困難であり、また、通達課税に関しては、通達の内容が法の正しい解釈に合致しないため、本件課税処分は法の根拠に基づく処分と解することはできないとした。

5　最高裁判所の判例では、津地鎮祭事件において、津市体育館の起工式の挙式費用の支出は、当該起工式の目的、効果及び支出金の性質、額等から考えると、特定の宗教組織又は宗教団体に対する財政援助的な支出とはいえないから、憲法に違反するものではないとした。

解説　**正解 5**　TAC生の選択率 98%　TAC生の正答率 91%

1 ×「損失補償の承認は含まれない」という部分が妥当でない。憲法85条は、国の債務負担行為について国会の議決を要求する。この債務負担には、直接に金銭を支払う義務や債務の支払いの保証のみならず、損失補償の承認なども含まれると解されている。

2 ×「支出の効果に影響を及ぼし、無効となる」という部分が妥当でない。憲法87条2項は、全ての予備費の支出について、事後に国会の承諾を得なければならないとする。国会は、予備費の支出が適当でなかったと判断するときは、承諾を与えないことができる。しかし、国会の不承諾は、内閣の予備費支出について責任を問う意思表示であって、すでになされた支出の法的効果には何らの影響も及ぼさないと解されている。

3 ×「内閣がこれを検査し、また、内閣総理大臣は」という部分が妥当でない。国の収入支出の決算は、すべて毎年「会計検査院」がこれを検査し、「内閣」は、次の年度に、その検査報告とともに、これを国会に提出しなければならない（90条1項）。

4 × 全体が妥当でない。判例は、当初課税対象とされていなかったパチンコ球遊器が、通達によって課税対象とされた事案において、本件の課税がたまたま通達を機縁として行われたものであっても、通達の内容が法の正しい解釈に合致するものである以上、本件課税処分は法の根拠に基づく処分と解するとし、違憲ではないとしている（最判昭33.3.28、パチンコ球遊器事件）。

5 ○ 判例により妥当である。判例は、市体育館の起工式は、宗教とかかわり合いをもつものであることを否定しえないが、その目的は建築着工に際し土地の平安堅固、工事の無事安全を願い、社会の一般的慣習に従った儀礼を行うという専ら世俗的なものと認められ、その効果は神道を援助、助長、促進し又は他の宗教に圧迫、干渉を加えるものとは認められないのであるから、憲法20条3項により禁止される宗教的活動にはあたらないとする。そして、起工式の挙式費用の支出も、前述のような本件起工式の目的、効果及び支出金の性質、額等から考えると、特定の宗教組織又は宗教団体に対する財政援助的な支出とはいえないから、憲法89条に違反するものではないとしている（最大判昭52.7.13、津地鎮祭事件）。

憲法　地方自治　2020年度 専門 No.3

日本国憲法に規定する地方自治に関する記述として、判例、通説に照らして、妥当なのはどれか。

1　団体自治の原則とは、地域の住民が地域的な行政需要を自己の意思に基づき自己の責任において充足することをいい、地方公共団体の長、その議会の議員及び法律の定めるその他の吏員は、その地方公共団体の住民が、直接これを選挙するとの憲法の規定は、当該原則を具体化したものである。

2　憲法は、新たに租税を課し、又は現行の租税を変更するには、法律又は法律の定める条件によることを必要とするという租税法律主義の原則を定めており、ここでいう法律には条例が含まれないと解されるので、地方公共団体は条例で地方税を賦課徴収することはできない。

3　最高裁判所の判例では、条例は、公選の議員をもって組織する地方公共団体の議会の議決を経て制定される自治立法であって、行政府の制定する命令等とは性質を異にし、むしろ国民の公選した議員をもって組織する国会の議決を経て制定される法律に類するものであるから、条例によって刑罰を定める場合には、法律の授権が相当な程度に具体的であり、限定されておれば足りるとした。

4　最高裁判所の判例では、憲法が、地方公共団体の組織及び運営に関する事項は地方自治の本旨に基づいて法律でこれを定めると規定しているため、住民訴訟の制度を設けるか否かは立法政策の問題とはいえず、かかる制度を地方自治法に設けていないことは、地方自治の本旨に反するとした。

5　最高裁判所の判例では、条例が国の法令に違反する場合には効力を有しないことは明らかであり、条例が国の法令に違反するかどうかは、それぞれの趣旨、目的、内容及び効果を比較し、両者の間に矛盾抵触があるかどうかによってこれを決する必要はなく、両者の対象事項と規定文言を対比するのみで足りるとした。

解説　**正解　3**　TAC生の選択率 **95%**　TAC生の正答率 **75%**

1　×　全体が妥当でない。本記述は住民自治の原則の説明である。団体自治の原則とは、地方自治は国から独立した地域社会自らの団体によって行われるべきことをいい、地方公共団体は、その財産を管理し、事務を処理し、及び行政を執行する権能を有し、法律の範囲内で条例を制定することができるとする規定（94条）が、当該原則を具現化したものである。

2　×「ここでいう法律には条例が含まれないと解されるので、地方公共団体は条例で地方税を賦課徴収することはできない」という部分が妥当でない。前段の租税法律主義に関する記述は妥当である（84条）。しかし、憲法84条にいう法律には条例が含まれると解されており、地方公共団体は、法律の範囲内で条例を制定することができ（94条）、法律の定めるところにより、条例によって地方税の賦課徴収ができる（地方自治法223条、地方税法３条１項、最判平25.3.21参照）ことから、後段が妥当でない。

3　○　判例により妥当である。判例は、憲法31条は、刑罰がすべて法律そのもので定められなければならないとするものでなく、法律の授権によってそれ以下の法令によって定めることもでき、このことは憲法73条６号但書からも明らかであるとする。その上で、条例は公選の議員で組織する地方公共団体の議会の議決を経て制定される自治立法で、行政府の制定する命令等とは性質を異にし、国会の議決を経て制定される法律に類するから、条例で刑罰を定める場合は、法律の授権が相当な程度に具体的であり、限定されていれば足りるとした（最大判昭37.5.30、大阪市売春取締条例事件）。

4　×「住民訴訟の制度を設けるか否かは立法政策の問題とはいえず、かかる制度を地方自治法に設けていないことは、地方自治の本旨に反するとした」という部分が妥当でない。前段は憲法92条に関する記述として妥当である。しかし、判例は、住民訴訟の制度（地方自治法242条の２）を設けるか否かは立法政策の問題であって、これを設けないからといって、憲法92条の地方自治の本旨に反するとはいえないとする（最判昭34.7.20）。なお、同判例においては、住民訴訟の制度が設けられる前の事実が、住民訴訟の対象となるか否かが争われたが、住民訴訟の制度を設けなくても地方自治の本旨に反しないという論理を根拠に、住民訴訟の対象とならないと結論付けたものである。

5　×「条例が国の法令に違反するかどうかは、それぞれの趣旨、目的、内容及び効果を比較し、両者の間に矛盾抵触があるかどうかによってこれを決する必要はなく、両者の対象事項と規定文言を対比するのみで足りるとした」という部分が妥当でない。判例は、地方自治法14条１項は、普通地方公共団体は法令に違反しない限りにおいて同法２条２項の事務に関し条例を制定することができる、と規定しているから、普通地方公共団体の制定する条例が国の法令に違反する場合には効力を有しないことは明らかであるが、条例が国の法令に違反するかどうかは、両者の対象事項と規定文言を対比するのみでなく、それぞれの趣旨、目的、内容及び効果を比較し、両者の間に矛盾牴触があるかどうかによってこれを決しなければならないとする（最大判昭50.9.10、徳島市公安条例事件）。

憲法 憲法の成立・改正 2020年度 専門 No.5

日本国憲法の成立及び改正に関するＡ～Ｄの記述のうち、通説に照らして、妥当なものを選んだ組合せはどれか。

Ａ　憲法には、明文で改正禁止規定が設けられていないため、憲法所定の改正手続に基づくものである限り、国民主権、人権保障及び平和主義の基本原理そのものに変更を加えることも法的に認められる。

Ｂ　憲法改正限界説に立脚する８月革命説は、ポツダム宣言の受諾により天皇主権から国民主権への法学的意味での革命が行われ、この革命によって主権者となった国民が制定したのが日本国憲法であるとした。

Ｃ　憲法改正は、国会が発議し、国民に提案してその承認を経なければならず、この承認には、特別の国民投票又は国会の定める選挙の際に行われる投票において、有権者総数の過半数の賛成を必要とする。

Ｄ　憲法改正について、国会が発議し、国民に提案してその承認を経たときは、天皇は、国民の名で、日本国憲法と一体を成すものとして直ちにこれを公布するが、この公布に関する行為には内閣の助言と承認を必要とし、内閣がその責任を負う。

1　Ａ　Ｂ

2　Ａ　Ｃ

3　Ａ　Ｄ

4　Ｂ　Ｃ

5　Ｂ　Ｄ

解説　正解　5　　TAC生の選択率 95%　TAC生の正答率 65%

A　×「法的に認められる」という部分が妥当でない。憲法改正に限界があるか否かについて、通説である限界説は、憲法を制定する権力（制憲権）と憲法を改正する権力（改正権力）とを区別し、憲法改正権は憲法によって定められているから、制憲権を否定するような改正は自己否定として法的に許されないと説明する。その上で、制憲権が誰にあるのかを示す国民主権や、これと密接に関係する人権保障や平和主義という基本原理に変更を加えることは、制憲権を否定するような改正なので、法的に認められないとする。

B　○　通説により妥当である。8月革命説（宮沢俊義提唱）とは、国民主権を採用する日本国憲法が、天皇主権を採用する明治憲法73条の改正手続によって成立したという理論上の問題点を説明する学説の一つである。8月革命説が通説であるか自体については争いもあるが、憲法改正に限界があるからこそ、ポツダム宣言受諾によって法学的に一種の革命があったとみることになると理解するのが8月革命説の通説的理解である。したがって、8月革命説の通説的理解として本記述は妥当である。

C　×「有権者総数の過半数」という部分が妥当でない。憲法改正は、各議院の総議員の3分の2以上の賛成で、国会が発議し、国民に提案して承認を経なければならず（96条1項前段）、この承認には、特別の国民投票又は国会の定める選挙の際行われる投票において、その過半数の賛成を必要とする（同条1項後段）。なお、憲法では「過半数」の具体的内容を定めていないが、日本国憲法の改正手続に関する法律（憲法改正国民投票法）126条1項で「投票総数の2分の1を超える」（投票総数の過半数）と定めている。そして、投票総数とは、憲法改正案に対する賛成の投票の数及び反対の投票の数を合計した数をいう（同法98条2項）。

D　○　条文により妥当である。憲法改正は、各議院の総議員の3分の2以上の賛成で、国会が発議し、国民に提案してその承認を得なければならない（96条1項）。そして、国民の承認を経たときは、天皇が国民の名で、憲法と一体をなすものとして、直ちに改正された憲法を公布する（同条2項）。この公布は国事行為に該当するので、法律、政令及び条約の公布と同様に、内閣の助言と承認を要し（7条1号）、内閣がその責任を負うことになる（3条）。

以上より、妥当なものはB、Dであり、正解は**5**となる。

行政法　法律による行政の原理　2022年度 専門 No.6

行政法学上の法律による行政の原理に関する記述として、妥当なのはどれか。

1　法律による行政の原理の内容として、法律の優位の原則、法律の留保の原則及び権利濫用禁止の原則の３つがある。

2　法律の優位の原則とは、新たな法規の定立は、議会の制定する法律又はその授権に基づく命令の形式においてのみなされうるというものである。

3　社会留保説とは、侵害行政のみならず、社会保障等の給付行政にも法律の授権が必要であるとするものであり、明治憲法下で唱えられて以来の伝統的な通説である。

4　権力留保説とは、行政庁が権力的な活動をする場合には、国民の権利自由を侵害するものであると、国民に権利を与え義務を免ずるものであるとにかかわらず、法律の授権が必要であるとするものである。

5　重要事項留保説とは、国民の自由と財産を権力的に制限ないし侵害する行為に限り、法律の授権が必要であるとするものである。

解説　**正解　4**　TAC生の選択率 81%　TAC生の正答率 54%

1　×「権利濫用禁止の原則」という部分が妥当でない。法律による行政の原理の内容としては、①法律優位の原則、②法律の留保の原則、③法律の法規創造力の3つがある。

2　×「法律の優位の原則」という部分が妥当でない。法律の優位の原則とは、行政活動は、現に存在する法律の定めに違反して行われてはならないというものである。本記述は、法律の法規創造力についての説明である。

3　×「明治憲法下で唱えられて以来の伝統的な通説である」という部分が妥当でない。伝統的な通説とされているのは、国民の自由と財産を権力的に制限ないし侵害する行為に限り、法律の授権が必要であるとする、侵害留保説である。

4　○　学説により妥当である。権力留保説とは、権力的な活動であれば、国民の権利・自由を侵害するものか、国民に権利を付与し義務を免れさせるものかに関係なく、作用法上の根拠（法律の根拠）が必要であるとする見解である。

5　×「重要事項留保説」という部分が妥当でない。重要事項留保説とは、国民の基本的人権にかかわりのある重要な行政作用を行う場合、その基本的な内容について法律の根拠が必要であるとする見解である。国民の自由と財産を権力的に制限ないし侵害する行為に限り、法律の授権が必要であるとするのは、侵害留保説である。

行政法　行政法の法源

2021年度
専門 No.6

行政法の法源に関する記述として、通説に照らして、妥当なのはどれか。

1　行政法の法源には、成文法源と不文法源とがあり、成文法源には法律や条理法が、不文法源には行政先例がある。

2　条約は、国内行政に関係するもので、かつ、国内の立法措置によって国内法としての効力を持ったものに限り、行政法の法源となる。

3　命令は、内閣が制定する政令等、行政機関が制定する法のことであり、日本国憲法の下では、委任命令と独立命令がある。

4　判例法とは、裁判所で長期にわたって繰り返された判例が、一般的な法と認識され、成文法源とみなされるようになったものをいう。

5　慣習法とは、長年行われている慣習が法的ルールとして国民の法的確信を得ているものをいい、公式令廃止後の官報による法令の公布はその例である。

解説　正解 5

TAC生の選択率 88%　TAC生の正答率 35%

1 × 「条理法が」という部分が妥当でない。行政法の法源は、成文法源と不文法源とに分類される。成文法源の例として、憲法、条約、法律、命令、規則（議院規則、最高裁判所規則）、地方公共団体の自主法（条例、規則）があり、不文法源の例として、条理法（条理）、行政先例、慣習法、判例法がある。したがって、条理法は不文法源である。行政先例とは、特に租税法規の分野で、租税行政庁による納税に関する取扱いが長期にわたって反復継続的に行われているものを指す。そして、行政先例が法的ルールとして国民の法的確信を得ることで、慣習法としての行政先例法が成立するといわれている。

2 × 「かつ、国内の立法措置によって国内法としての効力を持ったものに限り」という部分が妥当でない。条約のうち国内行政に関するもので、国内法の制定を予定している条約の場合には、国内の立法措置を講じることによって国内法としての効力を持ち、行政法の成文法源となる。これに対して、条約のうち国内行政に関するもので、自力執行性のある具体的定めを含んでいる条約の場合には、国内の立法措置を講じる必要はなく、それが公布・施行されることによって国内法としての効力を持ち、行政法の成文法源となる。

3 × 「独立命令がある」という部分が妥当でない。命令とは、内閣が制定する政令（憲法73条6号）などの行政機関が制定する法である。命令のうち、法律の個別具体的な委任に基づく委任命令と、法律の一般的な委任に基づく執行命令は、行政法の成文法源となる。しかし、法律に基づくことなく独自の立場で発する独立命令は、日本国憲法の下では認められておらず、行政法の法源とはならない。

4 × 「成文法源とみなされるようになったものをいう」という部分が妥当でない。裁判所の判決は、同一内容の判決が長期にわたって繰り返されることにより、類似の事件を解決する基準となる。これを判例法という。判例法が行政法の法源になるかどうかは争いがあるが、法源の分類としては、成文法源ではなく不文法源に位置付けられる。

5 ○ 通説により妥当である。慣習法とは、長年行われている慣習が、法的ルールとして国民の法的確信を得ているものをいい、行政法の不文法源となる。慣習法の例として、法令の公布は官報によると規定していた公式令が廃止された後も、官報によって法令を公布する慣行が続いていることが挙げられる。判例も、法令の公布は、国家が官報に代わる他の適当な方法をもって行うものであることが明らかな場合でない限り、公式令廃止後も通常官報をもってされるものと解するのが相当であるとしている（最大判昭32.12.28）。

行政法　行政行為　2023年度 専門 No.7

行政法学上の行政行為の効力に関する記述として、通説に照らして、妥当なのはどれか。

1　行政行為の拘束力とは、一度行った行政行為について、処分庁は自ら変更できないという効力をいい、審査請求に対する裁決等の争訟裁断的性質をもつ行政行為に認められる。

2　行政行為の自力執行力とは、行政行為の内容を行政が自力で実現することができるという効力をいい、私人が行政の命令に従わない場合において、行政は強制執行を根拠付ける法律を必要とせず、命令を根拠付ける法律により行政行為の内容を実現することができる。

3　行政行為の不可争力とは、一定期間を経過すると、私人から行政行為の効力を争うことができなくなるという効力をいい、不服申立期間又は出訴期間の限定による結果として認められるものであるが、これらの期間経過後に行政庁が職権により行政行為を取り消すことは可能である。

4　行政行為の実質的確定力とは、行政行為がたとえ違法であっても、無効と認められる場合でない限り、一定の手続を経るまでは有効なものとして扱われるという効力をいい、違法な行政行為が取消権限のある機関によって取り消されるまでは、何人もその効力を否定できない。

5　行政行為の形式的確定力とは、行政行為の内容が、以後、当該法律関係の基準となり、処分庁だけでなく上級庁も矛盾した判断をなし得ないという効力をいい、裁判所に対しても生じる。

解説　正解　3

TAC生の選択率 96%　TAC生の正答率 90%

1　×「行政行為の拘束力とは」という部分が妥当でない。本記述は、不可変更力についての内容である。拘束力とは、行政行為の内容が国民や行政庁を拘束する効力であると解されている。

2　×「行政は強制執行を根拠付ける法律を必要とせず、命令を根拠付ける法律により行政行為の内容を実現することができる」という部分が妥当でない。自力執行力（執行力）とは、行政行為によって命じられた義務を国民が履行しない場合に、裁判所の関与なしに、行政庁が自ら義務者に強制執行を行い、義務内容を実現することができるとする効力をいう。法律の留保の原則により、行政行為についての根拠法に加えて、強制執行自体についての独自の根拠法も必要となる。

3　○　通説により妥当である。不可争力とは一定期間を経過すると、私人の側から行政行為を争うことができなくなる効力をいう。行政行為の効果を早期に確定させるという趣旨に基づくもので、不服申立期間、出訴期間の制限による結果として認められるものである。不可争力は、あくまで私人の側から行政行為を争うことを遮断するものにすぎないため、行政庁の側は、一定期間経過後であっても、自らの意思で行政行為の取消し（職権取消し）又は撤回をすることができる。

4　×「行政行為の実質的確定力とは」という部分が妥当でない。本記述は、公定力についての内容である。実質的確定力とは、一度行った行政行為について、処分庁だけでなく、上級庁や裁判所も取消しや変更することができないという効力をいい、不可変更力に類似する効力である。

5　×「行政行為の形式的確定力とは」という部分が妥当でない。本記述は、実質的確定力についての内容である。形式確定力とは、不可争力と同義であり、一定期間を経過すると、私人の側から行政行為を争うことができなくなる効力をいう。

行政法　取消し・撤回

2021年度
専門 No.7

行政法学上の行政行為の取消し又は撤回に関する記述として、判例、通説に照らして、妥当なのはどれか。

1　行政行為の取消しとは、行政行為の成立時は適法であったものが、後発の事情で当該行政行為を維持できなくなった場合に、これを消滅させることをいい、取消しは将来に向かってのみその効果を生じる。

2　行政行為の撤回とは、行政行為に成立当初から瑕疵（かし）があり、当該瑕疵を理由に行政行為を消滅させることをいい、行政行為が撤回されると、当該行政行為は成立時に遡って消滅する。

3　上級行政庁は、その指揮監督する下級行政庁が瑕疵ある行政行為を行った場合は、法律の根拠がなくても、指揮監督権を根拠として当該行為の撤回をすることができる。

4　最高裁判所の判例では、旧優生保護法により人工妊娠中絶を行い得る医師の指定を受けた医師が、実子あっせんを行ったことが判明し、医師法違反等の罪により罰金刑に処せられたため、当該指定の撤回により当該医師の被る不利益を考慮してもなおそれを撤回すべき公益上の必要性が高いと認められる場合に、指定権限を付与されている都道府県医師会は、当該指定を撤回できるとした。

5　最高裁判所の判例では、都有行政財産である土地について建物所有を目的とし期間の定めなくされた使用許可が当該行政財産本来の用途又は目的上の必要に基づき将来に向かって取り消されたときは、使用権者は、特別の事情のない限り、当該取消による土地使用権喪失についての補償を求めることができるとした。

解説 **正解 4** TAC生の選択率 96% TAC生の正答率 90%

1 × 「行政行為の取消しとは」、「取消しは」という部分が妥当でない。本記述は行政行為の撤回の説明である。行政行為の取消しとは、行政行為に成立当初から瑕疵がある場合に、当該瑕疵を理由に行政行為を消滅させることをいう。行政行為が取り消されると、当該行政行為は成立時に遡って消滅する。

2 × 「行政行為の撤回とは」、「行政行為が撤回されると」という部分が妥当でない。本記述は行政行為の取消しの説明である。行政行為の撤回とは、行政行為の成立時は適法であったものが、後発の事情で当該行政行為を維持できなくなった場合に、これを消滅させることをいう。行政行為が撤回されると、当該行政行為は将来に向かってのみ消滅する。

3 × 「法律の根拠がなくても、指揮監督権を根拠として当該行為の撤回をすることができる」という部分が妥当でない。上級行政庁は、下級行政庁を指揮監督する権限を有しているが、撤回権は処分権の中に含まれているものであって、指揮監督権の範囲には入らないので、上級行政庁は下級行政庁による行政行為を当然には撤回することができない。法律の規定がない限り、撤回権は処分をした下級行政庁のみが有することになる。

4 ○ 判例により妥当である。判例は、旧優生保護法による指定を受けた医師が、虚偽の出生証明書を発行して実子あっせんを長年にわたり多数回行ったことが判明し、そのうちの一例につき医師法違反等の罪により罰金刑に処せられたため、当該指定の撤回により当該医師の被る不利益を考慮してもなおそれを撤回すべき公益上の必要性が高いと認められる場合に、指定権限を付与されている都道府県医師会は、当該指定を撤回することができるとしている（最判昭63.6.17、実子あっせん事件）。

5 × 「当該取消による土地使用権喪失についての補償を求めることができるとした」という部分が妥当でない。判例は、都有行政財産である土地について使用許可によって与えられた使用権は、それが期間の定めのない場合であれば、当該行政財産本来の用途又は目的上の必要を生じたときはその時点において原則として消滅すべきものであり、また、権利自体にそのような制約が内在して付与されているものとみるのが相当であるから、特別の事情がない限り、将来にわたるその取消しに当たり損失補償は必要でないとしている（最判昭49.2.5）。

行政法　行政代執行

2020年度
専門 No.8

行政代執行法に規定する代執行に関する記述として、妥当なのはどれか。

1　代執行のために現場に派遣される執行責任者は、その者が執行責任者たる本人であることを示すべき証票を携帯し、要求がなくとも、これを呈示しなければならない。

2　代執行は、他人が代わってなすことができる行為である代替的作為義務に限られず、不作為義務も対象となり、行政庁は第三者をしてこれをなさしめることができる。

3　行政庁は、国税滞納処分の例により、代執行に要した費用を徴収することができ、その代執行に要した費用については、国税及び地方税に次ぐ順位の先取特権を有する。

4　法律に基づき行政庁により命ぜられた行為について義務者がこれを履行しない場合において、他の手段によってその履行を確保することが困難であるとき、又はその不履行を放置することが著しく公益に反すると認められるときは、当該行政庁は、自ら義務者のなすべき行為をなすことができる。

5　代執行をなすには、あらかじめ文書での戒告の手続を経て、代執行令書をもって義務者に通知しなければならないが、非常の場合又は危険切迫の場合において、急速な実施について緊急の必要があれば、いかなるときも、行政庁は、文書での戒告の手続を経ないで代執行をすることができる。

解説　**正解　3**　TAC生の選択率 94%　TAC生の正答率 57%

1　×「要求がなくとも」という部分が妥当でない。代執行のために現場に派遣される執行責任者は、その者が執行責任者たる本人であることを示すべき証票を携帯しなければならない点は妥当である（行政代執行法４条）。しかし、要求があるときは、何時でも証票を呈示しなければならない（同条）のであって、要求がないときに呈示することは義務付けられていない。

2　×「不作為義務も対象となり」という部分が妥当でない。代執行は代替的作為義務のみを対象としている（行政代執行法２条）。したがって、非代替的作為義務や不作為義務は、いずれも代執行の対象外である。なお、行政庁が第三者をしてこれ（代執行）をなさしめることができるとする点は妥当である（同条）。

3　○　条文により妥当である。代執行に要した費用は、国税滞納処分の例により、これを徴収することができる（行政代執行法６条１項）。この規定は、義務者が代執行の費用を任意に納付しない場合を想定したものである。また、代執行に要した費用について、行政庁は、国税及び地方税に次ぐ順位の先取特権を有する（同条２項）。

4　×「又は」という部分が妥当でない。代執行をするためには、①義務者が法律又は行政庁により命ぜられた行為を履行しない、②他の手段によってその履行を確保することが困難である、③その不履行を放置することが著しく公益に反すると認められる、という３つの要件を全て満たすことが必要である（行政代執行法２条）。本記述は、②・③のどちらか一方を満たせばよいとしている点が妥当でない。

5　×「いかなるときも」という部分が妥当でない。戒告及び代執行令書の通知手続（行政代執行法３条１項、２項）を経ないで代執行をすることを緊急執行というが、緊急執行をすることができる場合は、非常の場合又は危険切迫の場合において、急速な実施について緊急の必要があり、戒告及び代執行令書の通知手続をとる暇がないときに限定されている（同条３項）。したがって、戒告及び代執行令書の通知手続をとる暇があるときは緊急執行をすることができない。

行政法　行政契約

2021年度
専門 No.8

行政法学上の行政契約に関する記述として、最高裁判所の判決に照らして、妥当なのはどれか。

1　注文者たる市が、建設工事の遂行能力や施設が稼働を開始した後の保守点検態勢といった点の考慮から契約の相手方の資力、信用、技術、経験等その能力に大きな関心を持ち、これらを熟知した上で特定の相手方を選定しその者との間で契約を締結するのが妥当であると考えることには十分首肯するに足りる理由がなく、請負契約を随意契約の方法によって締結したのは違法であるとした。

2　近い将来深刻な水不足を生ずることが予測されるひっ迫した状況の下において、水道事業者が、新たな給水申込みのうち、需要量が特に大きく、住宅を供給する事業を営む者が住宅を分譲する目的であらかじめ申込みしたものについて契約の締結を拒むことにより、急激な水道水の需要の増加を抑制する施策を講ずることは、やむを得ない措置として許されるものというべきでなく、給水契約の申込みを拒んだことは水道法にいう正当な理由がないとした。

3　地方自治法等の法令の趣旨に反する運用基準の下で、主たる営業所が村内にない等の事情から形式的に村外業者に当たると判断し、そのことのみを理由として、公共工事の指名競争入札に平成10年度まで継続的に参加していた施工業者をおよそ一切の工事につき平成12年以降全く指名せず指名競争入札に参加させない措置を採ったことは、社会通念上著しく妥当性を欠くものとまではいえず、そのような措置に裁量権の逸脱又は濫用があったとはいえないとした。

4　土地開発公社が普通地方公共団体との間の委託契約に基づいて先行取得を行った土地について、当該普通地方公共団体が当該土地開発公社とその買取りのための売買契約を締結する場合において、当該委託契約が私法上無効であったとしても、当該普通地方公共団体の契約締結権者は、無効な委託契約に基づく義務の履行として買取りのための売買契約を締結できるとした。

5　産業廃棄物処分業者が、公害防止協定において、協定の相手方に対し、その事業や処理施設を将来廃止する旨を約束することは、処分業者自身の自由な判断で行えることであり、その結果、知事の許可が効力を有する期間内に事業や処理施設が廃止されることがあっても、廃棄物処理法に何ら抵触するものではなく、当該協定中の期限条項の法的拘束力を否定することはできないとした。

解説　正解　5

TAC生の選択率 71%　TAC生の正答率 54%

1　×「十分首肯するに足りる理由がなく、請負契約を随意契約の方法によって締結したのは違法であるとした」という部分が妥当でない。判例は、ごみ処理施設の建設工事請負契約を随意契約の方法によって締結した事案につき、建設工事の遂行能力や施設が稼働を開始した後の保守点検態勢といった点の考慮から、契約の相手方の資力、信用、技術、経験等その能力に大きな関心を持ち、これらを熟知した上で特定の相手方を選定し、その者との間で契約を締結するのが妥当であると考えることには十分首肯するに足りる理由があるとする。この点から、地方自治法施行令にいう「その性質又は目的が競争入札に適しないもの」に該当すると判断したことに合理性を欠く点があるということはできず、随意契約の方法によって当該請負契約を締結したことに違法はないとしている(最判昭62.3.20)。

2 ×「やむを得ない措置として許されるものというべきでなく、給水契約の申込みを拒んだことは水道法にいう正当な理由がないとした」という部分が妥当でない。判例は、このまま漫然と新規の給水申込みに応じていると、近い将来需要に応じきれなくなり、深刻な水不足を生ずることが予測されるという事実関係の下では、新たな給水申込みのうち、需要量が特に大きく、住宅を供給する事業を営む者が住宅を分譲する目的であらかじめしたものについて給水契約の締結を拒むことは、急激な水道水の需要の増加を抑制するためのやむを得ない措置であって、当該措置は水道法にいう「正当の理由」があるとしている（最判平11.1.21、志免町水道給水拒否事件）。

3 ×「社会通念上著しく妥当性を欠くものとまではいえず、そのような措置に裁量権の逸脱又は濫用があったとはいえないとした」という部分が妥当でない。判例は、地方自治法などの法令の趣旨に反する運用基準の下で、主たる営業所が村内にないなどの事情から形式的に村外業者に当たると判断し、そのことのみを理由として、他の条件いかんにかかわらず、およそ一切の工事につき、平成12年度以降、村の発注する公共工事の指名競争入札に長年指名を受けて継続的に参加していた建設業者を全く指名せず、指名競争入札に参加させない措置を採ったとすれば、それは、考慮すべき事項を十分考慮することなく、一つの考慮要素にとどまる村外業者であることのみを重視している点において、極めて不合理であり、社会通念上著しく妥当性を欠くものといわざるを得ず、そのような措置に裁量権の逸脱又は濫用があったとまではいえないと判断することはできないとしている（最判平18.10.26）。

4 ×「無効な委託契約に基づく義務の履行として買取りのための売買契約を締結できるとした」という部分が妥当でない。判例は、土地開発公社が普通地方公共団体との間の委託契約に基づいて先行取得を行った土地について、当該普通地方公共団体が当該土地開発公社とその買取りのための売買契約を締結する場合において、当該委託契約が私法上無効であるときには、当該普通地方公共団体の契約締結権者は、無効な委託契約に基づく義務の履行として買取りのための売買契約を締結してはならないという財務会計法規上の義務を負っていると解すべきであり、契約締結権者がその義務に違反して買取りのための売買契約を締結すれば、その締結は違法なものになるとしている（最判平20.1.18）。

5 〇 判例により妥当である。判例は、産業廃棄物処分業者が、公害防止協定において、協定の相手方に対し、その事業や処理施設を将来廃止する旨を約束することは、処分業者自身の自由な判断で行えることであり、その結果、知事の許可が効力を有する期間内にその事業や処理施設が廃止されることがあったとしても、廃棄物処理法に何ら抵触するものではないから、協定中の期限条項が公害防止協定の締結当時の廃棄物処理法の趣旨に反するということもできず、当該期限条項の法的拘束力を否定することはできないとしている（最判平21.7.10）。

行政法　行政計画　2023年度 専門 No.6

行政法学上の行政計画に関する記述として、妥当なのはどれか。

1　行政計画は、目標を設定し、その目標を達成するための手段を総合的に提示する条件プログラムである。

2　行政計画の策定には、必ず法律の根拠が必要であり、根拠法に計画の目標や策定の際に考慮すべき要素が規定される。

3　法的拘束力を持つ行政計画を拘束的計画といい、例として、土地区画整理法に基づく土地区画整理事業計画がある。

4　最高裁判所の判例では、都市計画区域内において工業地域を指定する決定は、当該地域内の土地所有者等に建築基準法上新たな制約を課すものであり、直ちに当該地域内の個人に対する具体的な権利侵害を伴う処分があったものとして、抗告訴訟の対象となるとした。

5　最高裁判所の判例では、都市計画法の基準に従って都市施設の規模、配置等に関する事項を定めるに当たっては、当該都市施設に関する諸般の事情を総合的に考慮して判断することが不可欠であるが、これを決定する行政庁の広範な裁量に委ねられるものではないとした。

解説　正解　3　TAC生の選択率 90%　TAC生の正答率 73%

1 × 「条件プログラムである」という部分が妥当でない。行政計画とは、行政庁が一定の目的のために目標を設定し、その目標を達成するための手段を総合的に提示するものをいう。行政の対象が多様化・広範化・複雑化した現代行政に対応するためのものであり、具体的な行政目標の設定、その実現のための総合的施策（手段）という2つを要素とする。したがって、要件・効果を明確に規定する条件プログラムではない。

2 × 「必ず法律の根拠が必要であり」という部分が妥当でない。行政計画の種類は多種多様で、単に関係行政機関に対して行政活動の指針を示すだけのもの（非拘束的計画）もあれば、都市計画のように一定の開発制限等を伴って国民に法的拘束力が生じるもの（拘束的計画）もある。このうち拘束的計画は、国民の権利義務に直接影響を与える点で行政処分に近い性格を有するので、法律による行政の原理に照らし、法律の根拠が必要とされているが、非拘束的計画については法律の根拠は不要である。

3 ○ 通説により妥当である。土地区画整理事業の事業計画が決定されると、施行地区内の土地の利用等が制限されるという法的拘束力が生じることから、土地区画整理事業は拘束的計画にあたる。

4 × 「直ちに当該地域内の個人に対する具体的な権利侵害を伴う処分があったものとして、抗告訴訟の対象となるとした」という部分が妥当でない。判例は、都市計画区域内において工業地域（用途地域の1つ）を指定する決定は、当該地域内の土地所有者等に建築基準法上新たな制約を課し、その限度で一定の法状態の変動を生じさせるものであることは否定できないが、その効果は、新たに当該制約を課する法令が制定された場合と同様の当該地域内の不特定多数の者に対する一般的抽象的なものにすぎず、直ちに抗告訴訟の対象となる処分に当たるということはできないとしている（最判昭57.4.22）。

5 × 「これを決定する行政庁の広範な裁量に委ねられるものではないとした」という部分が妥当でない。判例は、都市計画法が定める基準に従って都市施設の規模、配置等に関する事項を定めるに当たっては、当該都市施設に関する諸般の事情を総合考慮したうえで、政策的、技術的な見地から判断することが不可欠であることから、このような判断は行政庁の広範な裁量に委ねられているとしている（最判平18.11.2、小田急高架化訴訟）。

行政法　国家賠償法　2023年度 専門 No.10

国家賠償法に関する記述として、妥当なのはどれか。

1　国の公権力の行使に当たる公務員がその職務を行うにつき、過失により、違法に外国人に損害を加えたときには、国家賠償法で、相互の保証がないときにもこれを適用すると規定していることから、国が損害賠償責任を負う。

2　公共団体の公権力の行使に当たる公務員がその職務を行うにつき、故意により、違法に他人に損害を加えた場合において、当該公務員の選任・監督者と費用負担者が異なるときには、費用負担者に限り、損害賠償責任を負う。

3　最高裁判所の判例では、書留郵便物についての郵便業務従事者の故意又は重過失により損害が生じた場合の国の損害賠償責任の免除又は制限につき、行為の態様、侵害される法的利益の種類及び侵害の程度、免責又は責任制限の範囲及び程度等から、郵便法の規定の目的の正当性や目的達成の手段として免責又は責任制限を認めることの合理性、必要性を総合的に考慮し、合憲と判断した。

4　最高裁判所の判例では、裁判官がした争訟の裁判につき国家賠償法の規定にいう違法な行為があったものとして国の損害賠償責任が肯定されるためには、裁判官がその付与された権限の趣旨に明らかに背いてこれを行使したものと認めうるような特別の事情は必要とせず、上訴等の訴訟法上の救済方法により是正されるべき瑕疵が存在すれば足りるとした。

5　最高裁判所の判例では、厚生大臣が医薬品の副作用による被害の発生を防止するために薬事法上の権限を行使しなかったことが、副作用を含めた当該医薬品に関するその時点における医学的、薬学的知見の下、薬事法の目的及び厚生大臣に付与された権限の性質等に照らし、その許容される限度を逸脱して著しく合理性を欠くと認められるときは、国家賠償法の適用上、違法となるとした。

解説　正解　5

TAC生の選択率 95%　TAC生の正答率 79%

1 × 「相互の保証がないときにもこれを適用すると規定していることから、国が損害賠償責任を負う」という部分が妥当でない。国家賠償法６条は、「この法律は、外国人が被害者である場合には、相互の保証があるときに限り、これを適用する。」と規定する（相互保証主義）。したがって、被害者である外国人の属する国と相互の保証がない限り、国の損害賠償責任は生じない。

2 × 「費用負担者に限り、損害賠償責任を負う」という部分が妥当でない。国家賠償法３条１項は、「国又は公共団体が損害を賠償する責に任ずる場合において、公務員の選任若しくは監督…に当る者と公務員の俸給、給与その他の費用…を負担する者とが異なるときは、費用を負担する者もまた、その損害を賠償する責に任ずる。」と規定する。費用負担者にも損害賠償責任を負わせることで、被害者の救済をより図ろうとしている。

3 × 「合憲と判断した」という部分が妥当でない。立法による損害賠償責任の免除又は制限について、判例は、憲法17条は、立法府に無制限の裁量権を付与するといった法律に対する白紙委任を認めているものではないとし、公務員の不法行為による国又は公共団体の損害賠償責任を免除し、又は制限する法律の規定が憲法17条に適合するものとして是認されるものであるかどうかは、当該行為の態様、これによって侵害される法的利益の種類及び侵害の程度、免責又は責任制限の範囲及び程度等に応じ、当該規定の目的の正当性並びにその目的達成の手段として免責又は責任制限を認めることの合理性及び必要性を総合的に考慮して判断すべきであるとする。そのうえで、書留郵便物は、当該郵便物の引受けから配達に至るまでの記録をすることなどにより、郵便物が適正な手順に従い確実に配達されるようにした特殊取扱いであり、通常の業務執行がなされている限り、損害賠償責任が生じるような事態の発生はごく例外的な場合にとどまるはずであるから、このような例外的場合にまで損害賠償責任を免除又は責任の制限を認める規定に合理性はないとして、書留郵便物について国の損害賠償責任を免除又は責任の制限をしている部分は違憲であるとしている（最大判平14.9.11、郵便法違憲訴訟）。

4 × 「裁判官がその付与された権限の趣旨に明らかに背いてこれを行使したものと認めうるような特別の事情は必要とせず、上訴等の訴訟法上の救済方法により是正されるべき瑕疵が存在すれば足りるとした」という部分が妥当でない。判例は、裁判官がした争訟の裁判につき国家賠償法１条１項の規定にいう違法な行為があったものとして国の損害賠償責任が肯定されるためには、裁判に上訴等の訴訟法上の救済方法によって是正されるべき瑕疵が存在するだけでは足りず、当該裁判官が違法又は不当な目的をもって裁判をしたなど、裁判官がその付与された権限の趣旨に明らかに背いてこれを行使したものと認めうるような特別の事情があることを必要とするとしている（最判昭57.3.12）。

5 ○ 判例により妥当である。判例は、クロロキン製剤を服用したため、クロロキン網膜症に罹患した患者及びその遺族が、厚生大臣（当時）がクロロキン網膜症の発生を防止するために製造承認の撤回等の措置を講じなかったことが違法であるとして損害賠償を求めて出訴した事案において、本記述のように判示している（最判平7.6.23、クロロキン訴訟）。

行政法　国家賠償法　2022年度 専門 No.10

国家賠償法に規定する公の営造物の設置又は管理の瑕疵に基づく損害賠償責任に関する記述として、判例、通説に照らして、妥当なのはどれか。

1　公の営造物とは、道路、河川、港湾、水道、下水道、官公庁舎、学校の建物等、公の目的に供されている、動産以外の有体物を意味する。

2　公の営造物の管理の主体は国又は公共団体であり、その管理権は、法律上の根拠があることを要し、事実上管理する場合は含まれない。

3　営造物の設置又は管理の瑕疵とは、営造物が通常有すべき安全性を欠いていることをいい、これに基づく国及び公共団体の損害賠償責任については、その過失の存在を必要としない。

4　営造物の設置又は管理の瑕疵には、供用目的に沿って利用されることとの関連において危害を生ぜしめる危険性がある場合を含むが、その危害は、営造物の利用者に対してのみ認められる。

5　未改修である河川の管理についての瑕疵の有無は、通常予測される災害に対応する安全性を備えていると認められるかどうかを基準として判断しなければならない。

解説　**正解　3**　TAC生の選択率 **95%**　TAC生の正答率 **77%**

1　×「動産以外の有体物を意味する」という部分が妥当でない。公の営造物とは、国又は公共団体によって広く公の目的に供される有体物を意味し、動産も含まれる（通説）。公の営造物に該当する動産の具体例として、公用車、警察官が所持する拳銃、自衛隊が所持する砲弾を挙げることができる。

2　×「法律上の根拠があることを要し、事実上管理する場合は含まれない」という部分が妥当でない。判例は、国家賠償法２条にいう公の営造物の管理者には、当該営造物について、法律上の管理権または所有権・賃借権等の権原を有している者に限らず、事実上の管理をしているにすぎない者も含まれるとする（最判昭59.11.29）。したがって、事実上の管理であっても、国家賠償法２条の公の営造物の管理に該当する。

3　○　判例により妥当である。判例は、国家賠償法２条１項の営造物の設置又は管理の瑕疵とは、営造物が通常有すべき安全性を欠いていることをいい、これに基づく国および公共団体の賠償責任については、その過失の存在を必要としないとしている（最判昭45.8.20、高知落石事件）。この判例から、国家賠償法２条は無過失責任を定めたものと解されている。

4　×「営造物の利用者に対してのみ認められる」という部分が妥当でない。判例は、国家賠償法２条１項の「営造物の設置又は管理の瑕疵」とは、営造物が有すべき安全性を欠いている状態をいうが、これには、営造物が供用目的に沿って利用されることとの関連において危害を生ぜしめる危険性がある場合（機能的瑕疵）を含み、その「危害」に関しては、営造物の利用者に対してのみならず、利用者以外の第三者に対するそれをも含むとしている（最大判昭56.12.16、大阪国際空港事件）。

5　×「通常予測される災害に対応する安全性を備えていると認められるかどうかを基準として判断しなければならない」という部分が妥当でない。判例は、未改修の河川の安全性の有無は、整備の段階に対応する過渡的安全性の有無によって判断せざるを得ないとしている（最判昭59.1.26、大東水害訴訟）。なお、通常予測される災害に対応する安全性を備えているかどうかで瑕疵の有無を判断するのは、改修済みの河川である（最判平2.12.13、多摩川水害訴訟）。

行政法 損失補償

2021年度
専門 No.10

行政法学上の損失補償に関する記述として、最高裁判所の判例に照らして、妥当なのはどれか。

1 倉吉都市計画街路事業の用に供するための土地収用では、土地収用法における損失の補償は、特定の公益上必要な事業のために土地が収用される場合、その収用によって当該土地の所有者等が被る特別な犠牲の回復を図ることを目的とするものではないから、収用の前後を通じて被収用者の財産価値を等しくならしめるような補償を要しないとした。

2 旧都市計画法に基づき決定された都市計画に係る計画道路の区域内の土地が、現に都市計画法に基づく建築物の建築の制限を受けているが、都道府県知事の許可を得て建築物を建築することは可能である事情の下で、その制限を超える建築物の建築をして上記土地を含む一団の土地を使用できないことによる損失について、その共有持分権者が直接憲法を根拠として補償を請求できるとした。

3 憲法は、財産権の不可侵を規定しており、国家が私人の財産を公共の用に供するには、これにより私人の被るべき損害を填補するに足りるだけの相当な賠償をしなければならず、政府が食糧管理法に基づき個人の産米を買上げるには、供出と同時に代金を支払わなければならないとした。

4 戦争損害はやむを得ない犠牲なのであって、その補償は、憲法の全く予想しないところで、憲法の条項の適用の余地のない問題といわなければならず、平和条約の規定により在外資産を喪失した者は、国に対しその喪失による損害について補償を請求することはできないとした。

5 自作農創設特別措置法の農地買収対価が、憲法にいうところの正当な補償に当たるかどうかは、その当時の経済状態において成立することを考えられる価格に基づき、合理的に算出された相当な額をいうのであって、常にかかる価格と完全に一致することを要するものであるとした。

解説　**正解 4**　TAC生の選択率 90%　TAC生の正答率 59%

1 × 「その収用によって当該土地の所有者等が被る特別な犠牲の回復を図ることを目的とするものではないから、収用の前後を通じて被収用者の財産価値を等しくならしめるような補償を要しないとした」という部分が妥当でない。判例は、倉吉都市計画街路事業の用に供するための土地収用の事案につき、土地収用法における損失の補償は、その収用によって当該土地の所有者等が被る特別な犠牲の回復をはかることを目的とするものであるから、完全な補償、すなわち、収用の前後を通じて被収用者の財産価値を等しくならしめるような補償をなすべきであるとしている（最判昭48.10.18、倉吉市都市計画予定地収用事件）。

2 × 「その共有持分権者が直接憲法を根拠として補償を請求できるとした」という部分が妥当でない。判例は、旧都市計画法の規定に基づき決定された都市計画に係る計画道路の区域内にその一部が含まれる土地が、現に都市計画法に基づく建築物の建築の制限を受けているが、都市計画法の基準による都道府県知事の許可を得て建築物を建築することや土地を処分することは可能であるなどの事情の下では、これらの制限を超える建築物の建築をして上記土地を含む一団の土地を使用することができないことによる損失について、その共有持分権者が直接憲法29条３項を根拠として補償請求をすることはできないとしている（最判平17.11.1）。

3 × 「供出と同時に代金を支払わなければならないとした」という部分が妥当でない。判例は、国家が私人の財産を公共の用に供するには、これによって私人の被るべき損害を填補するに足りるだけの相当な賠償をしなければならないが、憲法は「正当な補償」と規定しているだけであって、補償の時期についてはすこしも言明していないのであるから、補償が財産の供与と交換的に同時に履行されるべきことについては、憲法の保障するところではないとする。そして、食糧管理法による供出米については、政府から買入代金の支払として正当な補償がなされることが公知の事実であり、買入代金の支払いが供出後に行われたにすぎないから、政府が食糧管理法に基づき個人の産米を買上げるには供出と同時に代金を支払わなければ憲法に違反する、との主張は理由がないとしている（最大判昭24.7.13）。

4 ○ 判例により妥当である。判例は、戦争損害は、多かれ少なかれ、国民のひとしく堪え忍ばなければならないやむを得ない犠牲なのであって、その補償のごときは、憲法29条３項の全く予想しないところで、同条項の適用の余地のない問題といわなければならないとして、平和条約が締結された結果、在外資産を喪失した者は、国に対しその喪失による損害について補償を請求できないとしている（最大判昭43.11.27）。

5 × 「常にかかる価格と完全に一致することを要するものであるとした」という部分が妥当でない。判例は、憲法29条３項の「正当な補償」とは、その当時の経済状態において成立することを考えられる価格に基づき、合理的に算出された相当な額をいうのであって、必しも常にかかる価格と完全に一致することを要するものでないとする。そのうえで、自作農創設特別措置法の農地買収の対価が買収当時における自由な取引によって生ずる他の物価と比べて正確に適合しないことなどを理由として、それが適正な補償でないということはできないとしている（最大判昭28.12.23）。

行政法　行政事件訴訟法

2022年度
専門 No.9

行政事件訴訟法に規定する行政事件訴訟に関する記述として、通説に照らして、妥当なのはどれか。

1　行政事件訴訟には抗告訴訟、機関訴訟、民衆訴訟及び当事者訴訟の４つの種類があり、抗告訴訟と機関訴訟は主観訴訟、民衆訴訟と当事者訴訟は客観訴訟に区別される。

2　行政事件訴訟法は、抗告訴訟について、処分の取消しの訴え、裁決の取消しの訴え、無効等確認の訴え、不作為の違法確認の訴え、義務付けの訴え、差止めの訴えの６つの類型を規定しており、無名抗告訴訟を許容する余地はない。

3　義務付けの訴えとは、行政庁が法令に基づく申請に対し、相当の期間内に何らかの処分又は裁決をすべきであるにかかわらず、これをしないことについての違法の確認を求める訴訟をいう。

4　民衆訴訟とは、国又は公共団体の機関の法規に適合しない行為の是正を求める訴訟で、選挙人たる資格その他自己の法律上の利益にかかわらない資格で提起するものであり、具体例として、地方自治法上の住民訴訟がある。

5　当事者訴訟のうち、当事者間の法律関係を確認し又は形成する処分又は裁決に関する訴訟で法令の規定によりその法律関係の当事者の一方を被告とするものを、実質的当事者訴訟という。

解説　正解　4

TAC生の選択率 85%　TAC生の正答率 64%

1　×「抗告訴訟と機関訴訟は主観訴訟、民衆訴訟と当事者訴訟は客観訴訟に区別される」という部分が妥当でない。抗告訴訟と当事者訴訟は主観訴訟、機関訴訟と民衆訴訟は客観訴訟に区別される。

2　×「無名抗告訴訟を許容する余地はない」という部分が妥当でない。行政事件訴訟法には抗告訴訟を法定されたもの（法定抗告訴訟）に限定するとの定めがないことから、同法は無名抗告訴訟を許さない趣旨ではないと解されている。

3　×「義務付けの訴え」という部分が妥当でない。行政庁が法令に基づく申請に対し、相当の期間内に何らかの処分又は裁決をすべきであるにかかわらず、これをしないことについての違法の確認を求める訴訟は不作為の違法確認の訴えである（行政事件訴訟法３条５号）。

4　○　条文より妥当である。民衆訴訟については、国又は公共団体の機関の法規に適合しない行為の是正を求める訴訟で、選挙人たる資格その他自己の法律上の利益にかかわらない資格で提起するものである（行政事件訴訟法５条）。民衆訴訟は、機関訴訟（同法６条）とともに客観訴訟に分類され、住民訴訟（地方自治法242条の２）、選挙訴訟（公職選挙法203条以下）等がこれに該当する。

5　×「実質的当事者訴訟という」という部分が妥当でない。当事者間の法律関係を確認し又は形成する処分又は裁決に関する訴訟で法令の規定によりその法律関係の当事者の一方を被告とするものは、形式的当事者訴訟である（行政事件訴訟法４条）。

行政法 取消訴訟

2021年度
専門 No.9

行政事件訴訟法に規定する取消訴訟に関する記述として、妥当なのはどれか。

1 取消訴訟は、処分又は裁決の取消しを求めるにつき法律上の利益を有する者に限り提起することができるが、当該処分又は裁決の相手方以外の者について法律上の利益の有無を判断するに当たっては、当該処分又は裁決の根拠となる法令と目的を共通にする関係法令の趣旨及び目的を参酌することはできない。

2 取消訴訟は、被告の普通裁判籍の所在地を管轄する裁判所又は処分若しくは裁決をした行政庁の所在地を管轄する裁判所の管轄に属するものであり、当該処分又は裁決に関し事案の処理に当たった下級行政機関の所在地の裁判所に提起することはできない。

3 取消訴訟において、原告が故意又は重大な過失によらないで被告とすべき者を誤ったときは、裁判所は、原告の申立てにより、決定をもって被告を変更することを許すことができるが、当該決定に対して、不服を申し立てることはできない。

4 裁判所は、処分又は裁決をした行政庁以外の行政庁を訴訟に参加させることが必要であると認めるときは、当事者若しくは当該行政庁の申立てにより、決定をもって当該行政庁を訴訟に参加させることができるが、職権で参加させることはできない。

5 裁判所は、訴訟関係を明瞭にするため、必要があると認めるときは、被告である行政庁に対し、処分又は裁決の理由を明らかにする資料の提出を求めることができるが、被告である行政庁以外の行政庁に対し、当該行政庁が保有する、処分又は裁決の理由を明らかにする資料の送付を嘱託することはできない。

解説　**正解　3**　TAC生の選択率 **76%**　TAC生の正答率 **43%**

1　×「当該処分又は裁決の根拠となる法令と目的を共通にする関係法令の趣旨及び目的を参酌することはできない」という部分が妥当でない。取消訴訟を提起できるのは、処分又は裁決の取消しを求めるにつき法律上の利益を有する者に限られる（行政事件訴訟法９条１項）。そして、処分又は裁決の相手方以外の者について法律上の利益の有無を判断する際には、処分又は裁決の根拠となる法令の規定の文言のみによることなく、当該法令の趣旨及び目的や、当該処分において考慮されるべき利益の内容及び性質を考慮するものとする（行政事件訴訟法９条２項前段）。この場合、当該法令の趣旨及び目的を考慮するに当たっては、当該法令と目的を共通にする関係法令があるときはその趣旨及び目的をも参酌するものとする（行政事件訴訟法９条２項後段）。

2　×「当該処分又は裁決に関し事案の処理に当たった下級行政機関の所在地の裁判所に提起することはできない」という部分が妥当でない。取消訴訟の管轄は、①被告の普通裁判籍の所在地を管轄する裁判所、又は、②処分若しくは裁決をした行政庁の所在地を管轄する裁判所に属する（行政事件訴訟法12条１項）。これらに加え、取消訴訟は、処分又は裁決に関し事案の処理に当たった下級行政機関がある場合には、その所在地の裁判所にも提起することができる（行政事件訴訟法12条３項）。

3　○　条文により妥当である。取消訴訟の原告が、故意又は重大な過失によらないで被告とすべき者を誤った場合、裁判所は、原告の申立てにより、決定をもって、被告の変更を許すことができる（行政事件訴訟法15条１項）。そして、被告の変更を許す決定に対しては、不服申立てができない（行政事件訴訟法15条５項）。これに対して、原告による上記申立てを却下する決定に対しては、即時抗告ができる（行政事件訴訟法15条６項）。

4　×「職権で参加させることはできない」という部分が妥当でない。裁判所は、処分又は裁決をした行政庁以外の行政庁を訴訟に参加させることが必要と認めるときは、当事者若しくはその行政庁の申立てによるか、又は職権により、決定をもって、その行政庁を訴訟に参加させることができる（行政事件訴訟法23条１項）。

5　×「被告である行政庁以外の行政庁に対し、当該行政庁が保有する、処分又は裁決の理由を明らかにする資料の送付を嘱託することはできない」という部分が妥当でない。裁判所は、訴訟関係を明瞭にするため、必要があると認めるときは、次の釈明処分ができる。まず、被告である国若しくは公共団体に所属する行政庁又は被告である行政庁に対し、当該行政庁が保有する、処分又は裁決の理由を明らかにする資料の提出を求めることができる（行政事件訴訟法23条の２第１項１号）。次に、これらの行政庁以外の行政庁に対し、当該行政庁が保有する、処分又は裁決の理由を明らかにする資料の送付を嘱託することができる（行政事件訴訟法23条の２第１項２号）。

行政法 執行停止 2020年度 専門 No.9

行政事件訴訟法に規定する執行停止に関する記述として、妥当なのはどれか。

1 裁判所は、処分の執行又は手続の続行により生ずる重大な損害を避けるため緊急の必要があるときは、申立てにより、決定をもってそれらを停止することができるが、処分の効力の停止はいかなる場合もすることができない。

2 裁判所は、執行停止の決定が確定した後に、その理由が消滅し、その他事情が変更したときは、相手方の申立てにより、決定をもって、執行停止の決定を取り消すことができる。

3 裁判所は、処分の取消しの訴えの提起があった場合において、申立てにより、執行停止の決定をするときは、あらかじめ、当事者の意見をきく必要はなく、口頭弁論を経ないで、当該決定をすることができる。

4 内閣総理大臣は、執行停止の申立てがあり、裁判所に対し、異議を述べる場合には、理由を付さなければならないが、公共の福祉に重大な影響を及ぼすおそれのあるときは、理由を付す必要はない。

5 内閣総理大臣は、執行停止の申立てがあった場合には、裁判所に対し、異議を述べることができるが、執行停止の決定があった後においては、これをすることができない。

解説 **正解 2** TAC生の選択率 90% TAC生の正答率 76%

1 × 「処分の効力の停止はいかなる場合もすることができない」という部分が妥当でない。裁判所は、処分の執行又は手続の続行により生じる重大な損害を避けるため緊急の必要があるときは、処分の執行又は手続の続行の停止だけでなく、処分の効力の停止もすることができる（行政事件訴訟法25条2項本文、執行停止）。なお、処分の執行又は手続の続行の停止によって目的を達することができる場合には、処分の効力の停止をすることはできない（同条項ただし書）。

2 ○ 条文により妥当である。裁判所は、本記述の通り、既になされた執行停止の決定を取り消すことができる（行政事件訴訟法26条1項）。この規定の趣旨は、例えば、本案訴訟（処分取消訴訟）の取下げにより手続要件を充たさなくなった場合等、執行停止の決定の効力を維持する必要がなくなる場合がありうるところ、そのような場合に対応するため、執行停止の取消しの制度を設けておくことにある。

3 × 「あらかじめ、当事者の意見をきく必要はなく」という部分が妥当でない。執行停止の決定は、口頭弁論を経ないですることができるが、あらかじめ、当事者の意見をきかなければならない（行政事件訴訟法25条6項）。

4 × 「公共の福祉に重大な影響を及ぼすおそれのあるときは、理由を付す必要はない」という部分が妥当でない。執行停止の申立てがあった場合の内閣総理大臣の異議には、理由を附さなければならない（行政事件訴訟法27条2項）。また、その理由においては、内閣総理大臣は、処分の効力を存続し、処分を執行し、又は手続を続行しなければ、公共の福祉に重大な影響を及ぼすおそれのある事情を示すものとされている（同条3項）。しかし、行政事件訴訟法には、公共の福祉に重大な影響を及ぼすおそれのあるときは、理由を付す必要はない旨の規定は存在しない。

5 × 「執行停止の決定があった後においては、これをすることができない」という部分が妥当でない。内閣総理大臣は、執行停止の決定があった後においても、異議を述べることができる（行政事件訴訟法27条1項後段）。

行政法　行政不服審査法

2023年度
専門 No.9

行政不服審査法に規定する審査請求に関する記述として、妥当なのはどれか。

1　不作為についての審査請求は、当該不作為に係る処分についての申請の日の翌日から起算して3月を経過したときは、正当な理由があるときを除き、することができない。

2　審査請求は、口頭でできる旨の定めがある場合を除き、審査請求書を提出してしなければならず、審査請求をすべき行政庁が処分庁と異なる場合、審査請求人は、必ず処分庁を経由して審査請求書を提出しなければならない。

3　審理員は、審理手続を計画的に遂行する必要がある場合に、審理関係人を招集し意見の聴取を行うことができるが、遠隔地に居住している審理関係人と、音声の送受信による通話で意見の聴取を行うことはできない。

4　処分庁の上級行政庁又は処分庁である審査庁は、必要があると認める場合には、審査請求人の申立てにより又は職権で、処分の効力、処分の執行又は手続の続行の全部又は一部の停止その他の措置をとることができる。

5　事情裁決の場合を除き、事実上の行為についての審査請求が理由がある場合、処分庁の上級行政庁以外の審査庁は、裁決で、当該事実上の行為を変更すべき旨を当該処分庁に命ずることができる。

解説　正解　4

TAC生の選択率 86%　TAC生の正答率 70%

1　×　全体が妥当でない。行政庁の不作為に対する審査請求については、審査請求期間の定めがない。よって、不作為が継続している限り、審査請求をすることができる。

2　×「必ず処分庁を経由して審査請求書を提出しなければならない」という部分が妥当でない。審査請求は、他の法律に口頭ですることができる旨の定めがある場合を除き、審査請求書を提出してしなければならない（行政不服審査法19条１項）。審査請求をすべき行政庁が処分庁と異なる場合の審査請求は、処分庁を経由して行うことができ、この場合、処分庁に審査請求書を提出するか、処分庁に審査請求書に記載すべき事項（同法19条２項～５項）を陳述する方法による（同法21条１項）。

3　×「遠隔地に居住している審理関係人と、音声の送受信による通話で意見の聴取を行うことはできない」という部分が妥当でない。審理員は、迅速かつ公正な審理を行うために審理手続を計画的に遂行する必要があると認める場合には、審理関係人を招集して、あらかじめ意見の聴取を行うことができる（行政不服審査法37条１項、審理手続の計画的遂行）。そして、審理員は、審理関係人が遠隔地に居住している場合その他相当と認める場合には、審理員及び審理関係人が音声の送受信により通話をすることができる方法によって、意見の聴取を行うことができる（同法37条２項）。

4　○　条文により妥当である。処分庁の上級行政庁又は処分庁である審査庁は、必要があると認める場合には、審査請求人の申立てにより又は職権で、処分の効力、処分の執行又は手続の続行の全部又は一部の停止その他の措置をとることができる（行政不服審査法25条２項、執行停止）。

5　×「処分庁の上級行政庁以外の審査庁は、裁決で、当該事実上の行為を変更すべき旨を当該処分庁に命ずることができる」という部分が妥当でない。事実上の行為についての審査請求が理由がある場合、①処分庁以外の審査庁は、当該処分庁に対し、当該事実上の行為の全部もしくは一部の撤廃又は変更を命じ、②処分庁である審査庁は、当該事実上の行為の全部もしくは一部の撤廃又は変更をする（行政不服審査法47条本文）。ただし、審査庁が処分庁の上級行政庁以外の審査庁である場合には、当該事実上の行為を変更すべき旨を命じることはできない（同法47条ただし書）。

行政法　情報公開法　2023年度 専門 No.8

行政機関の保有する情報の公開に関する法律（情報公開法）における行政文書の開示に関する記述として、妥当なのはどれか。

1　開示請求の対象となる行政文書とは、行政機関の職員が職務上作成した文書であって、当該行政機関の職員が組織的に用いるものとして、当該行政機関が保有しているものであり、決裁、供覧の手続をとっていない文書は含まない。

2　行政文書の開示請求をすることができる者は、日本国民に限られないが、日本での居住が要件とされているため、外国に居住する外国人は、行政文書の開示請求をすることができない。

3　行政文書の開示請求をする者は、氏名、住所、行政文書の名称その他の開示請求に係る行政文書を特定するに足りる事項及び請求の目的を記載した開示請求書を、行政機関の長に提出しなければならない。

4　行政機関の長は、開示請求に係る行政文書に不開示情報が記録されている場合には、公益上特に必要があると認めるときであっても、開示請求者に対し、当該行政文書を開示することは一切できない。

5　行政機関の長は、開示請求に対し、当該開示請求に係る行政文書が存在しているか否かを答えるだけで、不開示情報を開示することとなるときは、当該行政文書の存否を明らかにしないで、当該開示請求を拒否することができる。

解説　**正解　5**　TAC生の選択率 96%　TAC生の正答率 88%

1　×「決裁、供覧の手続をとっていない文書は含まない」という部分が妥当でない。情報公開法の対象となる行政文書は、①職務上作成し又は取得したものであり、②行政機関の職員が組織的に用いるものものとして、当該行政機関が保有しているものをいう（情報公開法２条２項)。したがって、決裁や供覧等の事案処理手続を経たものに限定してはいない。

2　×「日本での居住が要件とされているため、外国に居住する外国人は、行政文書の開示請求をすることができない」という部分が妥当でない。何人も、この法律の定めるところにより、行政機関の長に対し、当該行政機関の保有する行政文書の開示を請求することができる（情報公開法３条)。したがって、国内に居住するか否か、日本国籍を有するか否かによって区別されることなく、行政文書の開示を請求することができる。

3　×「及び請求の目的」という部分が妥当でない。行政機関の保有する行政文書の開示請求をする場合、行政機関の長に提出する書面に、①開示請求をする者の氏名又は名称及び住所又は居所並びに法人その他の団体にあっては代表者の氏名、②行政文書の名称その他の開示請求に係る行政文書を特定するに足りる事項、を記載することを求めているが（情報公開法４条１項)、請求の目的の記載は求めていない。行政機関の保有する行政文書の開示請求では、情報公開を広く認めるとの趣旨から請求の理由や目的に何ら制限はない。

4　×「当該行政文書を開示することは一切できない」という部分が妥当でない。行政機関の長は、開示請求に係る行政文書に不開示情報が記録されている場合であっても、公益上特に必要があると認めるときは、開示請求者に対し、当該行政文書を開示することができる（情報公開法７条、裁量的開示)。

5　○　条文により妥当である。本来、開示請求に係る行政文書が存在しない場合には、不存在の理由を示して拒否処分をすべきである。しかし、行政文書の存否を明らかにすること自体が、不開示情報の規定により保護しようとする利益を損なうような場合、行政機関の長は、当該行政文書の存否を明らかにしないで、当該開示請求を拒否することができる（情報公開法８条、存否応答拒否)。

民法Ⅰ　制限行為能力者

2021年度 専門 No.11

民法に規定する制限行為能力者に関する記述として、妥当なのはどれか。

1　制限行為能力者は、成年被後見人、被保佐人、被補助人の３種であり、これらの者が単独でした法律行為は取り消すことができるが、当該行為の当時に意思能力がなかったことを証明しても、当該行為の無効を主張できない。

2　制限行為能力者の相手方は、その制限行為能力者が行為能力者となった後、その者に対し、１か月以上の期間を定めて、その期間内にその取り消すことができる行為を追認するかどうかを確答すべき旨の催告をすることができる。

3　家庭裁判所は、精神上の障害により事理を弁識する能力が著しく不十分である者については、本人、配偶者、四親等内の親族、補助人、補助監督人又は検察官の請求により、後見開始の審判をすることができる。

4　被保佐人は、不動産その他重要な財産に関する権利の得喪を目的とする行為をするには、その保佐人の同意を得なければならないが、新築、改築又は増築をするには、当該保佐人の同意を得る必要はない。

5　家庭裁判所は、保佐監督人の請求により、被保佐人が日用品の購入その他日常生活に関する行為をする場合に、その保佐人の同意を得なければならない旨の審判をすることができる。

解説　正解　2

TAC生の選択率 92%　TAC生の正答率 82%

1 × 「制限行為能力者は、成年被後見人、被保佐人、被補助人の３種であり」、「当該行為の当時に意思能力がなかったことを証明しても、当該行為の無効を主張できない」という部分が妥当でない。制限行為能力者は、未成年者（５条以下）、成年被後見人（７条以下）、被保佐人（11条以下）、被補助人（15条以下）の４種である。また、法律行為の当事者が意思表示をした時に意思能力を有しなかったときは、その法律行為は無効となる（３条の２）。意思能力のない者は自己の行為の意味を理解していないため、この者のした意思表示は意思に基づくものとはいえず、権利義務の発生原因とすることはできないからである。また、制限行為能力者であっても、行為当時の意思無能力を証明することで、当該行為の無効を主張することができると一般に解されている。

2 ○ 条文により妥当である。制限行為能力者の相手方は、その制限行為能力者が行為能力者となった後、その者に対し、１か月以上の期間を定めて、その期間内にその取り消すことができる行為を追認するかどうかを確答すべき旨の催告をすることができる（20条１項前段）。なお、この催告を受けた者が期間内に確答を発しないときは、その行為を追認したものとみなす（20条１項後段）。

3 × 「後見開始の審判をすることができる」という部分が妥当でない。精神上の障害により事理を弁識する能力が著しく不十分である者について、家庭裁判所は、保佐開始の審判をすることができる。そして、保佐開始の審判を請求することができる者は、本人、配偶者、４親等内の親族、後見人、後見監督人、補助人、補助監督人又は検察官である（11条本文）。したがって、本記述が挙げている者はすべて請求権者に含まれ、さらに後見人と後見監督人も請求権者に含まれる。

4 × 「新築、改築又は増築をするには、当該保佐人の同意を得る必要はない」という部分が妥当でない。被保佐人が、新築、改築又は増築をするには、保佐人の同意を得なければならない（13条１項８号）。被保佐人は原則として単独で法律行為を行うことができるのを建前とし、本人の意思を尊重しつつも、民法13条１項各号に掲げる重要な財産行為については、被保佐人の保護の見地から、保佐人の同意を必要とする趣旨である。なお、「不動産その他重要な財産に関する権利の得喪を目的とする行為をするには、その保佐人の同意を得なければならない」という部分は妥当である（13条１項３号）。

5 × 「その保佐人の同意を得なければならない旨の審判をすることができる」という部分が妥当でない。家庭裁判所は、保佐開始の審判の請求権者（**3**解説を参照）又は保佐人若しくは保佐監督人の請求により、民法13条１項各号に掲げる行為以外の行為をする場合であってもその保佐人の同意を得なければならないとする旨の審判をすることができるが、日用品の購入その他日常生活に関する行為については、そのような審判をすることができない（13条２項、９条ただし書）。本人の意思を尊重する趣旨からである。

民法に規定する意思表示に関するＡ～Ｄの記述のうち、妥当なものを選んだ組合せはどれか。

Ａ　意思表示は、表意者がその真意ではないことを知ってしたときであっても、そのためにその効力を妨げられないが、相手方が表意者の真意を知っていたときに限り、その意思表示は無効となり、当該無効は、善意の第三者に対抗することができない。

Ｂ　公示による意思表示は、最後に官報に掲載した日又はその掲載に代わる掲示を始めた日から２週間を経過した時に、相手方に到達したものとみなすが、表意者が相手方を知らないこと又はその所在を知らないことについて過失があったときは、到達の効力を生じない。

Ｃ　相手方に対する意思表示について第三者が詐欺を行った場合においては、相手方がその事実を知り、又は知ることができたときに限り、その意思表示を取り消すことができるが、当該取消しは、善意でかつ過失がない第三者に対抗することができない。

Ｄ　意思表示は、表意者が法律行為の基礎とした事情についてのその認識が真実に反する錯誤に基づくものであって、その錯誤が法律行為の目的及び取引上の社会通念に照らして重要なものであるときは取り消すことができ、当該取消しは、その事情が法律行為の基礎とされていることが表示されていたか否かを問わず、することができる。

1　Ａ　Ｂ

2　Ａ　Ｃ

3　Ａ　Ｄ

4　Ｂ　Ｃ

5　Ｂ　Ｄ

解説　**正解　4**　TAC生の選択率 **93%**　TAC生の正答率 **36%**

A　×「相手方が表意者の真意を知っていたときに限り、その意思表示は無効となり」という部分が妥当でない。相手方がその意思表示が表意者の真意ではないことを知り、又は知ることができたときに、当該意思表示は無効となる（93条1項ただし書）。表意者が真意ではないことを知りながら意思表示をすることを心裡留保というが、心裡留保の場合、意思と表示の不一致を表意者が認識している以上、表意者を保護する必要がないから、意思表示の効力は妨げられない（93条1項本文）。しかし、相手方が表意者の真意ではないことを知り、又は知ることができたときは、相手方を保護する必要がないので、意思表示を無効とするのである。なお、「当該無効は、善意の第三者に対抗することができない」という部分は妥当である（93条2項）。外形を信頼して法律関係に入った第三者を保護する趣旨である。

B　○　条文により妥当である。公示による意思表示は、最後に官報に掲載した日又はその掲載に代わる掲示を始めた日から2週間を経過した時に、相手方に到達したものとみなす（98条3項本文）。しかし、表意者が相手方を知らないこと又はその所在を知らないことについて過失があったときは、到達の効力を生じない（98条3項ただし書）。

C　○　条文により妥当である。相手方に対する意思表示について第三者が詐欺を行った場合においては、相手方がその事実を知り、又は知ることができたとき（相手方に悪意又は過失があるとき）に限り、その意思表示を取り消すことができる（96条2項）。取引安全の見地から、詐欺の事実について善意無過失の相手方を保護する趣旨である。また、当該取消しは、善意でかつ過失がない第三者に対抗することができない（96条3項）。これも同じく取引安全の見地から、詐欺の事実について善意無過失の第三者を保護する趣旨である。

D　×「当該取消しは、その事情が法律行為の基礎とされていることが表示されていたか否かを問わず、することができる」という部分が妥当でない。表意者が法律行為の基礎とした事情についてのその認識が真実に反する錯誤である場合を基礎事情の錯誤という（95条1項2号）。そして、基礎事情の錯誤に基づく意思表示の取消しは、その事情が法律行為の基礎とされていることが表示されていたときに限り、することができる（95条2項）。基礎事情の錯誤は、意思と表示の不一致がないため、基礎事情が表示されて意思表示の内容となった場合にのみ取消しを認めることで、取引安全との調和を図っている。

以上より、妥当なものはB、Cであり、正解は**4**となる。

民法I　法人・権利能力のない社団　2023年度 専門 No.11

法人又は権利能力のない社団に関する記述として、最高裁判所の判例に照らして、妥当なのはどれか。

1　法人格の付与は、社会的に存在する団体についてその価値を評価してなされる立法政策によるものであって、法人格が全くの形骸にすぎない場合においても、これを権利主体として表現せしめるに値すると認め、法人格を否認すべきでないとした。

2　税理士会が政党など政治資金規正法上の政治団体に金員の寄付をすることは、税理士に係る法令の制定改廃に関する政治的要求を実現するためのものであっても、税理士法で定められた税理士会の目的の範囲外の行為であり、当該寄付をするために会員から特別会費を徴収する旨の決議は無効であるとした。

3　権利能力のない社団の財産は、社団を構成する総社員の総有に属するものであり、総社員の同意をもって総有の廃止その他当該財産の処分に関する定めがなされなくとも、現社員及び元社員は、当然に当該財産に関し、共有の持分権又は分割請求権を有するとした。

4　権利能力のない社団の代表者が社団の名においてした取引上の債務は、その社団の構成員全員に、一個の義務として総有的に帰属するとともに、構成員各自は、取引の相手方に対し、直接に個人的債務ないし責任を負うとした。

5　権利能力のない社団は、構成員全員に総有的に帰属する不動産について、その所有権の登記名義人に対し、当該社団の代表者の個人名義に所有権移転登記手続をすることを求める訴訟の原告適格を有しないとした。

解説　正解　2　TAC生の選択率 96%　TAC生の正答率 90%

1　×　「これを権利主体として表現せしめるに値すると認め、法人格を否認すべきでないとした」という部分が妥当でない。判例は、法人格が全くの形骸にすぎない場合、又はそれが法律の適用を回避するために濫用されるような場合には、法人格を認める本来の目的に照らして許すべきでないものとして、法人格を否認すべきであるとしている（最判昭44.2.27）。

2　○　判例により妥当である。判例は、税理士会が強制加入である以上、会員には、様々な思想・信条及び主義・主張を有する者が存在するから、会員に要請できる協力義務には、おのずと限界があるとする。そして、特に政党等の団体に金員を寄付するか否かは、選挙における投票の自由と表裏一体をなし、会員個人が自己の政治的信条等に基づいて自主的に判断すべき事柄であるから、税理士会が、政党等の団体に金員を寄付することは、たとえ税理士に係る法令の制定改廃に関する要求を実現するためであっても、税理士会の目的の範囲外といわなければならないとして、寄付のために会員から特別会費を徴収する旨の総会決議を無効とした（最判平8.3.19、南九州税理士会事件）。

3　×　「総社員の同意をもって総有の廃止その他当該財産の処分に関する定めがなされなくとも、現社員及び元社員は、当然に当該財産に関し、共有の持分権又は分割請求権を有するとした」という部分が妥当でない。判例は、権利能力のない社団の財産について、実質的には社団を構成する総社員の総有に属するものであるから、総社員の同意をもって、総有の廃止その他財産の処分に関する定めのなされない限り、現社員及び元社員は、当然には、共有の持分権又は分割請求権を有するものではないとしている（最判昭32.11.14）。同判例によれば、総有の廃止その他財産の処分に関して総社員の同意による定めがない場合、現社員及び元社員は、共有の持分権又は分割請求権を有しないことになる。

4　×　「構成員各自は、取引の相手方に対し、直接に個人的債務ないし責任を負うとした」という部分が妥当でない。判例は、権利能力のない社団の代表者が社団の名においてした取引上の債務は、その社団の構成員全員に、一個の義務として総有的に帰属するとともに、社団の総有財産だけがその責任財産となり、構成員各自は、取引の相手方に対し、直接には個人的債務ないし責任を負わないとしている（最判昭48.10.9）。

5　×　「原告適格を有しないとした」という部分が妥当でない。権利能力のない社団の新代表者が、旧代表者に対して当該社団の資産である不動産について所有権移転登記を請求した事案において、被告である旧代表者は、民事訴訟法の規定により本件訴訟の当事者適格（原告適格）を有するのは当該社団自身であり新代表者ではないから、訴えは不適法として却下されるべきだと主張した。判例は、この主張に対して、本件訴訟において当該社団がみずから原告となるのが相当であるか、その代表者の地位にある者が個人として原告となるのが相当であるかは、当該社団の資産たる不動産につき公示方法たる登記をする場合に何びとに登記請求権が帰属するかという登記手続請求訴訟における本案の問題（登記請求権の有無の問題）にほかならず、たんなる訴訟追行の資格の問題（原告適格の有無の問題）にとどまるものではないとしたうえで、新代表者の旧代表者に対する所有権移転登記請求を認めている（最判昭47.6.2）。すなわち、同判例は、当該社団は、社団の資産である不動産について登記請求権を有しないとしているのであり、本件訴訟の原告適格を有しないとはしていない。なお、代表者又は管理人の定めがあれば、権利能力のない社団は民事訴訟の当事者となることができる（民事訴訟法29条）。

民法I　無効・取消し　2022年度 専門 No.12

民法に規定する無効又は取消しに関する記述として、通説に照らして、妥当なのはどれか。

1　当事者が、法律行為が無効であることを知って追認をしたときは、追認の時から新たに同一内容の法律行為をしたものとみなすのではなく、初めから有効であったものとみなす。

2　錯誤、詐欺又は強迫によって取り消すことができる法律行為は、瑕疵ある意思表示をした者又はその代理人により取り消すことができるが、瑕疵ある意思表示をした者の承継人は取り消すことができない。

3　取り消された法律行為は、取り消された時から無効になるため、その法律行為によって現に利益を受けていても返還の義務を負うことはない。

4　取り消すことができる法律行為の相手方が確定している場合には、その取消し又は追認は、相手方に対する意思表示によって行う。

5　取り消すことができる法律行為を法定代理人が追認する場合は、取消しの原因となっていた状況が消滅し、かつ、取消権を有することを知った後にしなければ、追認の効力を生じない。

解説　正解　4　TAC生の選択率 84%　TAC生の正答率 71%

1　×「追認の時から新たに同一内容の法律行為をしたものとみなすのではなく、初めから有効であったものとみなす」という部分が妥当でない。無効な行為は、追認によっても、その効力を生じないが、当事者がその行為の無効であることを知って追認をしたときは、新たな行為をしたものとみなす（119条）。

2　×「瑕疵ある意思表示をした者の承継人は取り消すことができない」という部分が妥当でない。錯誤、詐欺又は強迫によって取り消すことができる行為は、瑕疵ある意思表示をした者又はその代理人若しくは承継人に限り、取り消すことができる（120条２項）。

3　×「取り消された時から無効になるため、その法律行為によって現に利益を受けていても返還の義務を負うことはない」という部分が妥当でない。取り消された行為は、初めから無効であったものとみなす（121条）。そして、無効な行為に基づく債務の履行として給付を受けた者は、原則として、相手方を原状に復させる義務を負う（121条の２第１項）。

4　○　条文により妥当である。取り消すことができる行為の相手方が確定している場合には、その取消し又は追認は、相手方に対する意思表示によってする（123条）。

5　×「取消しの原因となっていた状況が消滅し、かつ」という部分が妥当でない。取り消すことができる行為の追認は、取消しの原因となっていた状況が消滅し、かつ、取消権を有することを知った後にしなければ、その効力を生じない（124条１項）。ただし、法定代理人が追認をする場合には、取消しの原因となっていた状況が消滅した後にすることを要しない（124条２項１号）。

民法I　取得時効　2023年度 専門 No.12

民法に規定する取得時効に関する記述として、判例、通説に照らして、妥当なのはどれか。

1　自己に所有権があると信じ、かつ、善意であることについて過失のある者が、10年間所有の意思をもって平穏に、かつ、公然と他人の物を占有したときは、その所有権を取得する。

2　所有権の取得時効には、占有が継続することを要するが、前後の２つの時点において占有したことを立証できれば、その間は占有が継続したものと推定される。

3　所有権の取得時効において、占有者の承継人は、その選択に従い、自己の占有に前の占有者の占有を併せて主張することができるが、その場合、前の占有者の瑕疵は、承継されない。

4　所有権の取得時効における所有の意思とは、所有者として占有する意思であって、この意思をもってする占有を自主占有というが、この所有の意思の立証責任は、取得時効を主張する者にある。

5　自主占有かどうかは、占有者が所有の意思をもっているかによって定められるべきものであるため、物の賃借人が内心で所有者となる意思を抱いて20年間占有をした場合には、その所有権を取得する。

解説　正解　2

TAC生の選択率 86%　TAC生の正答率 39%

1　×「その所有権を取得する」という部分が妥当でない。所有権の短期取得時効の要件は、①所有の意思をもって、②平穏かつ公然に、③他人の物を、④他人の物であることについて占有開始時に善意無過失で、⑤10年間占有することである（162条２項）。本記述は、上記④を欠いているため、短期取得時効による所有権の取得は認められない。

2　○　条文により妥当である。前後の両時点において占有をした証拠があるときは、占有は、その間継続したものと推定する（186条２項）。

3　×「承継されない」という部分が妥当でない。占有の承継人は自己の占有のみを主張するか、自己の占有に前の占有者の占有を併せて主張するかを自由に選択できる（187条１項）。そして、前の占有者の占有を併せて主張する場合には、その瑕疵も承継する（187条２項）。

4　×「取得時効を主張する者にある」という部分が妥当でない。占有者は、所有の意思をもって、善意で、平穏に、かつ、公然と占有するものと推定する（186条１項）。したがって、所有権の取得時効を主張する者が所有の意思のあることについて立証責任を負うのではなく、取得時効の成立を否定する者が所有の意思のないことについて立証責任を負う。

5　×「その所有権を取得する」という部分が妥当でない。所有権の取得時効が認められるためには、所有の意思をもった占有（自主占有）をしなければならない（162条１項）。判例は、所有の意思の有無は、占有取得の原因たる事実によって外形的客観的に定められるべきものであるから、賃貸借により取得した賃借人の占有は所有の意思のない占有（他主占有）であるとしている（最判昭45.6.18）。したがって、賃貸借に基づく占有である以上、賃借人はその物の所有権を取得できない。

民法Ⅰ　物

2020年度
専門 No.12

民法に規定する物に関するＡ～Ｄの記述のうち、判例、通説に照らして、妥当なものを選んだ組合せはどれか。

Ａ　民法における物とは、空間の一部を占める液体、気体、固体である有体物及び電気、熱、光等の無体物をいうが、これらの物が物権の客体となるためには、法律上の排他的支配が可能である必要はない。

Ｂ　天然果実は、その元物から分離するときに、これを収取する権利を有する者に帰属し、法定果実は、これを収取する権利の存続期間に応じて、日割計算によりこれを取得する。

Ｃ　最高裁判所の判例では、宅地に対する抵当権の効力は、特段の事情がない限り、抵当権設定当時、当該宅地の従物であった石灯籠及び庭石にも及び、抵当権の設定登記による対抗力は、当該従物についても生じるとした。

Ｄ　最高裁判所の判例では、樹木は、本来、土地所有権と一体をなすものであるため、立木法による所有権保存登記をした樹木以外の個々の樹木については、樹木の譲受人が第三者に対し、樹木の所有権取得を対抗できる余地はないとした。

1　Ａ　Ｂ

2　Ａ　Ｃ

3　Ａ　Ｄ

4　Ｂ　Ｃ

5　Ｂ　Ｄ

解説　正解　4

TAC生の選択率 87%　TAC生の正答率 88%

A　×　全体が妥当でない。民法における物とは、有体物をいう（85条）。また、物権は、物を排他的に支配する権利であるので（物権の排他性）、物権の客体となる物は、法律上の排他的支配が可能でなければならない。

B　○　条文により妥当である。天然果実は、その元物から分離する時に、これを収取する権利を有する者に帰属する（89条１項）。これに対し、法定果実は、これを収取する権利の存続期間に応じて、日割計算によりこれを取得する（同条２項）。

C　○　判例により妥当である。判例は、宅地の抵当権の効力は、抵当権設定当時に存在していた当該宅地の従物にも及び、この場合、抵当権は抵当権設定登記をもって、特段の事情のない限り、370条により従物についても対抗力を有するとしている（最判昭44.3.28）。

D　×「立木法による所有権保存登記をした樹木以外の個々の樹木については、樹木の譲受人が第三者に対し、樹木の所有権取得を対抗できる余地はないとした」という部分が妥当でない。判例は、明認方法は、立木法（立木ニ関スル法律）の適用を受けない立木の物権変動の公示方法として是認されているとしている（最判昭36.5.4）。したがって、立木法の適用を受けない立木であっても、明認方法を施せば第三者に対抗できる。

以上より、妥当なものはＢ、Ｃであり、正解は**4**となる。

民法Ⅰ　不動産物権変動

2020年度 専門 No.14㊥

民法に規定する不動産物権変動に関するＡ～Ｄの記述のうち、妥当なものを選んだ組合せはどれか。

Ａ　相続人は、相続の放棄をした場合には相続開始時に遡って相続開始がなかったと同じ地位に立ち、当該相続放棄の効力は、登記等の有無を問わず、何人に対してもその効力を生ずべきものと解すべきであって、相続の放棄をした相続人の債権者が、相続の放棄後に、相続財産たる未登記の不動産について、当該相続人も共同相続したものとして、代位による所有権保存登記をした上、持分に対する仮差押登記を経由しても、その仮差押登記は無効であるとした。

Ｂ　不動産を目的とする売買契約に基づき買主のため所有権移転登記があった後、当該売買契約が解除され、不動産の所有権が売主に復帰した場合には、契約が遡及的に消滅することから、売主は、その所有権取得の登記をしなくても、当該契約解除後において買主から不動産を取得した第三者に対し、所有権の復帰をもって対抗できるとした。

Ｃ　家屋が、甲から乙、丙を経て丁に転々譲渡された後、乙の同意なしに丁のため当該家屋について中間省略登記がなされたときは、乙は、当該中間省略登記の抹消登記を求める法律上の利益の有無に関わらず、登記に実体的権利関係を忠実に反映させるため、抹消請求が許されるとした。

Ｄ　宅地の賃借人としてその賃借地上に登記ある建物を所有する者は、当該宅地の所有権の得喪につき利害関係を有する第三者であるから、賃貸中の宅地を譲り受けた者は、その所有権の移転につき登記を経由しなければこれを賃借人に対抗することができず、したがってまた、賃貸人たる地位を主張することができないとした。

1　Ａ　Ｂ

2　Ａ　Ｃ

3　Ａ　Ｄ

4　Ｂ　Ｃ

5　Ｂ　Ｄ

解説 **正解 3** TAC生の選択率 82% TAC生の正答率 77%

A ○ 判例により妥当である。判例は、相続について915条が承認、放棄をなすべき期間を定めたのは、相続人に権利義務を承継することを無条件に強制しないようにして、相続人の利益を保護しようとしたものであるから、相続放棄の効力（939条）は絶対的で、何人に対しても登記等なくしてその効力を生じると解すべきであるとする。その上で、相続財産である未登記の不動産について、相続放棄後に、放棄者も共同相続したものとしてなされた代位による所有権保存登記は実体にあわない無効なものであるから、放棄者が当該不動産について持分を有することを前提としてなされた仮差押登記は無効であるとしている（最判昭42.1.20）。

B × 「売主は、その所有権取得の登記をしなくても、当該契約解除後において買主から不動産を取得した第三者に対し、所有権の復帰をもって対抗できるとした」という部分が妥当でない。判例は、不動産を目的とする売買契約に基づき買主のために所有権移転登記があった後、当該売買契約が解除され、不動産の所有権が売主に復帰した場合でも、売主は、不動産の所有権取得の登記を経なければ、当該売買契約解除後に買主から不動産を取得した第三者に対し、所有権の復帰をもって対抗できないと判示し、177条による対抗問題として解決すべきとしている（最判昭35.11.29）。

C × 「乙は、当該中間省略登記の抹消登記を求める法律上の利益の有無に関わらず、登記に実体的権利関係を忠実に反映させるため、抹消請求が許されるとした」という部分が妥当でない。中間者（A→B→Cと不動産が譲渡された場合におけるB）の合意のない中間省略登記（AからCへの所有権移転登記）は原則として無効である。このとき、中間者による中間省略登記の抹消請求が認められるかという点について、判例は、中間者に抹消登記を求めることについて法律上の利益がない場合には、抹消請求は認められないとしている（最判昭35.4.21）。

D ○ 対抗要件を備えた賃借権の目的物である不動産が譲渡されたときは、賃貸人たる地位の留保の合意（605条の2第2項）をしていない限り、当該不動産の賃貸人の地位が譲受人に移転する（同条1項）。そして、譲受人が当該不動産の賃貸人の地位の移転を賃借人に対抗するには、当該不動産の所有権移転登記が必要となる（同条3項、最判昭49.3.19）。

以上より、妥当なものはA、Dであり、正解は**3**となる。

民法Ⅰ　即時取得

2023年度
専門 No.13

民法に規定する即時取得に関する記述として、判例、通説に照らして、妥当なのはどれか。

1　即時取得者は、即時取得の効果として、所有権又は留置権を原始取得するため、前主についていた権利の制限は消滅する。

2　他人の山林を自己の山林と誤信して伐採した者が、動産となった立木を占有した場合には、即時取得が適用される。

3　占有者が、古物商又は質屋以外の者である場合において、公の市場で盗品を善意で買い受け、即時取得したとき、被害者は、占有者が支払った代価を弁償しなければ、その物を回復することができない。

4　最高裁判所の判例では、物の譲渡人である占有者が、占有物の上に行使する権利はこれを適法に有するものと推定されない以上、即時取得を主張する譲受人たる占有取得者において、過失のないことを立証することを要するとした。

5　最高裁判所の判例では、即時取得は、前主の占有を信頼して取引をした者を保護する制度であるため、占有取得の方法が一般外観上変更を来さない占有改定による場合であっても、即時取得が適用されるとした。

解説　**正解　3**　TAC生の選択率 91%　TAC生の正答率 75%

1　×　「又は留置権」という部分が妥当でない。ある動産について即時取得が成立すると、その動産について行使する権利を取得（原始取得）する（192条）。ここにいう動産について行使する権利とは、取引行為によって取得できる所有権及び質権を意味する。留置権や先取特権は取引行為によって取得する物権ではないので、即時取得の対象とはならない。

2　×　「即時取得が適用される」という部分が妥当でない。即時取得は、目的物が動産であり、「取引行為」により占有を取得した場合の規定である。立木の伐採は事実上の行為であり、「取引行為」とはいえないため、即時取得の適用はない（大判昭7.5.18）。

3　○　条文により妥当である。占有者が、盗品又は遺失物を、競売若しくは公の市場において、又はその物と同種の物を販売する商人から、善意で買い受けたときは、被害者又は遺失者は、占有者が支払った代価を弁償しなければ、その物を回復することができない（194条）。競売、公の市場、商店といった不特定多数の者が取引をする場所から、善意で盗品・遺失物を買い受けたときは、その取引を保護する必要性が大きいから、代価の弁償をしなければ回復請求できないとしたものである。

4　×　全体が妥当でない。判例は、譲受人たる占有取得者については、無過失も推定されるので、過失のないことを立証する必要はないとしている（最判昭41.6.9）。その理由は、物の譲渡人である占有者が、占有物の上に行使する権利はこれを適法に有するものと推定されている以上（188条）、その者から占有を取得する善意取得者が、前主の無権利を疑わなくても過失ありとはいえないということによる。

5　×　「即時取得が適用されるとした」という部分が妥当でない。判例は、民法192条による権利取得のためには、一般外観上従来の占有状態に変更を生ずるがごとき占有を取得することを要し、このような変更をきたさない占有改定による占有取得には即時取得の適用はないとしている（最判昭35.2.11）。

民法I　所有権

2023年度
専門 No.14

民法に規定する所有権の取得に関する記述として、妥当なのはどれか。

1　埋蔵物は、遺失物法の定めるところに従い公告をした後、3箇月以内にその所有者が判明しないときには、これを発見した者がその所有権を取得するが、他人の所有する物の中から発見された埋蔵物については、これを発見した者ではなく、その他人がその所有権を取得する。

2　所有者を異にする物が混和して識別することができなくなったときには、混和物についての主従の区別の有無にかかわらず、各物の所有者が、その混和の時における価格の割合に応じて、その混和物を共有する。

3　最高裁判所の判例では、ゴルファーが誤ってゴルフ場内にある人工池に打ち込み、放置したいわゆるロストボールは、ゴルフ場側において、早晩その回収、再利用を予定していたとしても、ゴルフ場側の所有に帰さない無主物であるとした。

4　最高裁判所の判例では、公有水面を埋め立てるため投入された土砂は、その投入によって直ちに公有水面の地盤に附合して国の所有となり、独立した動産としての存在を失うとした。

5　最高裁判所の判例では、建築途上において未だ独立の不動産に至らない建前に、第三者が材料を供して工事を施し、独立の不動産である建物に仕上げた場合において、この建物の所有権の帰属は、民法の動産の附合の規定によるのではなく、同法の加工の規定に基づき決定すべきとした。

解説　正解　5　TAC生の選択率 57%　TAC生の正答率 46%

1 × 「3箇月以内」、「これを発見した者ではなく、その他人がその所有権を取得する」という部分が妥当でない。埋蔵物は、遺失物法の定めるところに従い公告をした後6か月以内にその所有者が判明しないときは、これを発見した者がその所有権を取得する（241条本文）。ただし、埋蔵物が他人の所有する物の中から発見された場合は、これを発見した者及びその他人が等しい割合でその所有権を取得する（241条ただし書）。

2 × 「混和物についての主従の区別の有無にかかわらず」という部分が妥当でない。混和については、動産の付合と同様に扱われる（245条）。したがって、原則として、混和物の所有権は主たる動産の所有者に帰属し（243条）、混和物について主従の区別をすることができない場合に、各動産の所有者が混和の時点の価格の割合に応じて混和物を共有することになる（244条）。

3 × 「ゴルフ場側の所有に帰さない無主物であるとした」という部分が妥当でない。判例は、ゴルファーが誤ってゴルフ場内の人工池に打ち込み、放置したいわゆるロストボールは、ゴルフ場側が早晩その回収、再利用を予定しているときは、ゴルフ場の所有に帰したもので、無主物ではないとしている（最決昭62.4.10）。

4 × 「その投入によって直ちに公有水面の地盤に附合して国の所有となり、独立した動産としての存在を失うとした」という部分が妥当でない。判例は、公有水面を埋め立てるために投入された土砂は、その投入によって直ちに公有水面の地盤に付合して国の所有となることはないとする。その上で、原則として、埋立権者が埋立地の所有権を取得するのに伴い、民法242条本文（不動産の付合）によってその土砂の所有権をも取得するまでは、独立した動産としての存在を失わず、埋立権と別個に譲渡することができるとしている（最判昭57.6.17）。

5 ○ 判例により妥当である。判例は、建築途中において未だ独立の不動産に至らない建前に、第三者が材料を供して工事を施し、独立の不動産である建物に仕上げた場合における建物所有権の帰属は、民法246条2項の加工の規定に基づいて決定されるとしている（最判昭54.1.25）。

民法Ⅰ　占有権　2021年度 専門 No.14

民法に規定する占有権に関する記述として、妥当なのはどれか。

1　占有者の承継人は、その選択に従い、自己の占有のみを主張し、又は自己の占有に前の占有者の占有を併せて主張することができ、前の占有者の占有を併せて主張する場合であっても、その瑕疵(かし)は承継しない。

2　悪意の占有者は、果実を返還し、かつ、既に消費し、又は過失によって損傷した果実の代価を償還する義務を負うが、収取を怠った果実の代価を償還する義務は負わない。

3　占有物が占有者の責めに帰すべき事由により滅失したときは、その回復者に対し、善意であって、所有の意思のない占有者は、その滅失により現に利益を受けている限度で賠償する義務を負い、その損害の全部を賠償することはない。

4　占有者が、盗品又は遺失物を、競売若しくは公の市場において、又はその物と同種の物を販売する商人から、善意で買い受けたときは、被害者又は遺失者は、占有者が支払った代価を弁償しなければその物を回復することができない。

5　占有者がその占有を妨害されたときは、占有保持の訴えにより、損害の賠償を請求することができるが、他人のために占有をする者は、その訴えを提起することができない。

解説　正解　4

TAC生の選択率 85%　TAC生の正答率 66%

1 × 「前の占有者の占有を併せて主張する場合であっても、その瑕疵は承継しない」という部分が妥当でない。占有者の承継人は、その選択に従い、自己の占有のみを主張し、又は自己の占有に前の占有者の占有を併せて主張することができる（187条1項）。ただし、前の占有者の占有を併せて主張する場合には、その瑕疵も承継する（187条2項）。前主の瑕疵も承継することで、本権者との均衡を図る趣旨である。

2 × 「収取を怠った果実の代価を償還する義務は負わない」という部分が妥当でない。悪意の占有者は、果実を返還し、かつ、既に消費し、過失によって損傷し、又は収取を怠った果実の代価を償還する義務を負う（190条1項）。悪意の占有者は、果実を取得する権能のある本権を有しないことを知りつつ占有する者であり、果実を収取するに値しないから、代価を含めた果実の全てを返還させる趣旨である。

3 × 「その滅失により現に利益を受けている限度で賠償する義務を負い、その損害の全部を賠償することはない」という部分が妥当でない。占有物が占有者の責めに帰すべき事由によって滅失したときは、その回復者に対し、善意の占有者は、その滅失によって現に利益を受けている限度において賠償をする義務を負う（191条本文）。ただし、所有の意思のない占有者は、善意であるときであっても、全部の賠償をしなければならない（191条ただし書）。したがって、本記述は「所有の意思のない占有者」であるから、損害の全部を賠償しなければならない。

4 ○ 条文により妥当である。占有者が、盗品又は遺失物を、競売若しくは公の市場において、又はその物と同種の物を販売する商人から、善意で買い受けたときは、被害者又は遺失者は、占有者が支払った代価を弁償しなければ、その物を回復することができない（194条）。競売、公の市場、商店といった不特定多数の者が取引をする場所から、善意で盗品・遺失物を買い受けたときは、その取引を保護する必要性が大きいから、代価の弁償をしなければ回復請求できないとしたものである。

5 × 「他人のために占有をする者は、その訴えを提起することができない」という部分が妥当でない。占有者がその占有を妨害されたときは、占有保持の訴えにより、その妨害の停止及び損害の賠償を請求することができる（198条）。これは、他人のために占有をする者がその占有を妨害された場合も同様である（197条後段）。

民法Ⅰ　地上権　2022年度 専門 No.14

民法に規定する地上権に関する記述として、判例、通説に照らして、妥当なのはどれか。

1　地上権は、土地の所有者の承諾なしに賃貸することができるが、土地の所有者の承諾なしに譲渡することはできない。

2　第三者が土地の使用又は収益をする権利を有する場合において、その権利又はこれを目的とする権利を有する全ての者の承諾があるときは、地下又は空間を目的とする地上権を設定することができる。

3　地代の支払は地上権の要素であるため、無償で地上権を設定することはできない。

4　地上権者が土地の所有者に定期の地代を支払わなければならない場合において、不可抗力により収益に損失があったときは、地上権者は、土地の所有者に地代の免除又は減額を請求することができる。

5　最高裁判所の判例では、地上権を時効取得する場合、土地の継続的な使用という外形的事実が存在すればよく、その使用が地上権行使の意思に基づくことが客観的に表現されている必要はないとした。

解説　正解　2

TAC生の選択率 62%　TAC生の正答率 47%

1　×　「土地の所有者の承諾なしに譲渡することはできない」という部分が妥当でない。地上権は物権であるから、地上権者は、土地所有者の承諾を得ることなく、その地上権を自由に譲り渡すことができる。地上権者は、地上権が設定された土地を他人に賃貸することもできる（大判明36.12.23）。

2　○　条文により妥当である。地下又は空間は、工作物を所有するため、上下の範囲を定めて地上権の目的とすることができる（269条の2第1項前段）。この地上権は、第三者がその土地の使用又は収益をする権利を有する場合においても、その権利又はこれを目的とする権利を有するすべての者の承諾があるときは、設定することができる（269条の2第2項前段）。

3　×　全体が妥当でない。地上権の設定に際して、地代の支払は義務ではないので、地上権の成立要件ではない（266条1項参照）。したがって、無償で地上権を設定することもできる。

4　×　「土地の所有者に地代の免除又は減額を請求することができる」という部分が妥当でない。地上権者が土地の所有者に定期の地代を支払わなければならない場合において、不可抗力により収益に損失を受けた場合でも、地代の減免を請求することはできない（266条1項、274条）。

5　×　「土地の継続的な使用という外形的事実が存在すればよく、その使用が地上権行使の意思に基づくことが客観的に表現されている必要はないとした」という部分が妥当でない。判例は、地上権の時効取得が成立するためには、土地の継続的な使用という外形的事実が存在するほかに、その使用が地上権行使の意思に基づくものであることが客観的に表現されていることを要するとしている（最判昭45.5.28）。

民法Ⅰ　先取特権

2021年度
専門 No.15

民法に規定する先取特権に関する記述として、妥当なのはどれか。

1　先取特権は、その目的物の売却、賃貸、滅失又は損傷によって債務者が受けるべき金銭その他の物に対し、行使することができるが、先取特権者がその払渡し又は引渡しの前に差押えをしても、債務者が先取特権の目的物につき設定した物権の対価については、行使することができない。

2　農業の労務の先取特権は、その労務に従事する者の最後の１年間の賃金に関し、その労務によって生じた果実について存在するが、工業の労務の先取特権は一切存在しない。

3　不動産の工事の先取特権は、工事の設計、施工又は監理をする者が債務者の不動産に関してした工事の費用に関し、その不動産について存在し、この先取特権は、工事によって生じた不動産の価格の増加が現存する場合に限り、その増価額についてのみ存在する。

4　同一の動産について特別の先取特権が互いに競合する場合において、動産の保存の先取特権について数人の保存者があるときは、必ず前の保存者が後の保存者に優先する。

5　一般の先取特権者は、不動産については、まず特別担保の目的とされていないものから弁済を受けなければならず、不動産以外の財産の代価に先立って不動産の代価を配当する場合も同様である。

解説　正解　3　TAC生の選択率 52%　TAC生の正答率 46%

1 ×「債務者が先取特権の目的物につき設定した物権の対価については、行使することができない」という部分が妥当でない。先取特権は、その目的物の売却、滅失又は損傷によって債務者が受けるべき金銭その他の物に対しても、その払渡し又は引渡しの前に差押えをすることを条件として、行使することができる（304条1項）。これは、債務者が先取特権の目的物につき設定した物権の対価についても、同様である（304条2項）。

2 ×「工業の労務の先取特権は一切存在しない」という部分が妥当でない。工業の労務の先取特権は、その労務に従事する者の最後の3か月間の賃金に関し、その労務によって生じた製作物について存在する（324条）。なお、「農業の労務の先取特権は、その労務に従事する者の最後の1年間の賃金に関し、その労務によって生じた果実について存在する」という部分は妥当である（323条）。

3 ○ 条文により妥当である。不動産の工事の先取特権は、工事の設計、施工又は監理する者が債務者の不動産に関してした工事の費用に関し、その不動産について存在する（327条1項）。そして、当該先取特権は、工事によって生じた不動産の価格の増加が現存する場合に限り、その増価額についてのみ存在する（327条2項）。

4 ×「必ず前の保存者が後の保存者に優先する」という部分が妥当でない。同一の動産について特別の先取特権が互いに競合する場合において、動産の保存の先取特権について数人の保存者があるときは、後の保存者が前の保存者に優先する（330条1項後段）。

5 ×「不動産以外の財産の代価に先立って不動産の代価を配当する場合も同様である」という部分が妥当でない。一般の先取特権者は、まず不動産以外の財産から弁済を受け、なお不足があるのでなければ、不動産から弁済を受けることができず（335条1項）、不動産については、まず特別担保の目的とされていないものから弁済を受けなければならない（335条2項）。一般の先取特権は債務者の総財産を担保とするので（306条）、他の債権者をできる限り害さないように配慮する趣旨である。ただし、不動産以外の財産の代価に先立って不動産の代価を配当する場合には、これらの規定が適用されない（335条4項）。

民法Ⅰ　質権

2020年度
専門 No.15

民法に規定する質権に関する記述として、妥当なのはどれか。

1　質権者は、その権利の存続期間内において、自己の責任で、質物について、転質をすることができ、この場合において、転質をしたことによって生じた損失については、不可抗力によるものであれば、その責任を負わない。

2　質権者は、質権の目的である債権を直接に取り立てることができ、また、債権の目的物が金銭であるときは、自己の債権額に対応する部分に限り、これを取り立てることができる。

3　動産質権者は、継続して質物を占有しなければ、その質権をもって第三者に対抗することができず、質物の占有を奪われたときは、質権に基づく返還請求により、その質物を回復することができる。

4　不動産質権者は、管理の費用を支払い、その他不動産に関する負担を負うが、設定行為に別段の定めがない限り、質権の目的である不動産の用法に従い、その使用及び収益をすることができない。

5　不動産質権の存続期間は、10年を超えることができないが、設定行為でこれより長い期間を定めたときであれば、その期間は10年を超えることができ、また、不動産質権の設定は、更新することができる。

解説　正解 2

TAC生の選択率 78%　TAC生の正答率 64%

1 ×「不可抗力によるものであれば、その責任を負わない」という部分が妥当でない。質権者は、その権利の存続期間内において、自己の責任で、質物について、転質をすることができる（348条前段、責任転質）。この場合において、転質をしたことによって生じた損失については、不可抗力によるものであっても、その責任を負う（同条後段）。

2 ○ 条文により妥当である。質権者は、質権の目的である債権を直接に取り立てることができる（366条１項）。そして、債権の目的物が金銭であるときは、質権者は、自己の債権額に対応する部分に限り、これを取り立てることができる（同条２項）。

3 ×「質権に基づく返還請求により、その質物を回復することができる」という部分が妥当でない。動産質権者は、継続して質物を占有しなければ、その質権をもって第三者に対抗することができないとする点は妥当である（352条）。しかし、動産質権者は、質物の占有を奪われたときは、占有回収の訴えによってのみ、その質物を回復することができる（353条）。

4 ×「質権の目的である不動産の用法に従い、その使用及び収益をすることができない」という部分が妥当でない。不動産質権者は、管理の費用を支払い、その他不動産に関する負担を負うとする点は妥当である（357条）。しかし、不動産質権者は、設定行為に別段の定めがなければ、質権の目的である不動産の用法に従い、その使用及び収益をすることができる（356条、359条）。

5 ×「その期間は10年を超えることができ」という部分が妥当でない。不動産質権の存続期間は、10年を超えることができず、設定行為でこれより長い期間を定めたときであっても、その期間は10年とする（360条１項）。なお、不動産質権の設定は、更新することができるとする点は妥当であるが、その存続期間は、更新の時から10年を超えることができない（同条２項）。

民法Ⅰ　抵当権

2022年度
専門 No.15

民法に規定する抵当権に関する記述として、通説に照らして、妥当なのはどれか。

1　抵当権設定契約の抵当権設定者は、必ずしも債務者に限られず、債務者以外の第三者であっても、抵当権設定者とすることができる。

2　抵当権の目的とすることができるものは不動産に限られ、地上権及び永小作権を抵当権の目的とすることはできない。

3　抵当権の順位は、各抵当権者の合意によって変更することができ、利害関係を有する者の承諾を得る必要はない。

4　抵当権の処分方法のうち、転抵当とは、同一の債務者に対する抵当権のない他の債権者の利益のために抵当権を譲渡することをいう。

5　債務者又は抵当権設定者でない者が、抵当不動産について取得時効に必要な要件を具備する占有をしても、抵当権は消滅しない。

解説　**正解　1**　TAC生の選択率 83%　TAC生の正答率 79%

1　○　条文により妥当である。抵当権者は、債務者又は第三者が占有を移転しないで債務の担保に供した不動産について、他の債権者に先立って自己の債権の弁済を受ける権利を有する（369条1項）。したがって、第三者であっても、抵当権設定者とすることができる。

2　×　「不動産に限られ、地上権及び永小作権を抵当権の目的とすることはできない」という部分が妥当でない。抵当権者は、債務者又は第三者が占有を移転しないで債務の担保に供した不動産について、他の債権者に先立って自己の債権の弁済を受ける権利を有する（369条1項）。地上権及び永小作権も、抵当権の目的とすることができる（369条2項）。

3　×　「利害関係を有する者の承諾を得る必要はない」という部分が妥当でない。抵当権の順位は、各抵当権者の合意によって変更することができる。ただし、利害関係を有する者があるときは、その承諾を得なければならない（374条1項）。

4　×　「転抵当」という部分が妥当でない。同一の債務者に対する抵当権のない他の債権者の利益のために抵当権を譲渡することを抵当権の譲渡という（376条1項後段）。転抵当とは、抵当権を他の債権の担保とすることをいう（376条1項前段）。

5　×　「抵当権は消滅しない」という部分が妥当でない。債務者又は抵当権設定者でない者が抵当不動産について取得時効に必要な要件を具備する占有をしたときは、抵当権は、これによって消滅する（397条、抵当不動産の時効取得による抵当権の消滅）。

民法Ⅰ　根抵当権　2023年度 専門 No.15

民法に規定する根抵当権に関する記述として、妥当なのはどれか。

1　根抵当権者は、元本の確定前に債務の引受けがあったとき、引受人の債務について、その根抵当権を行使することができる。

2　元本の確定前においては、根抵当権の担保すべき債権の範囲の変更をすることができるが、後順位の抵当権者その他の第三者の承諾を得ることを要する。

3　根抵当権者は、担保すべき元本の確定すべき期日の定めがない場合には、いつでも、元本の確定を請求することができ、元本はその請求の時に確定する。

4　根抵当権者は、確定した元本及び利息その他の定期金の全部について、極度額を限度として、その根抵当権を行使することができるが、債務の不履行により生じた損害の賠償については、その根抵当権を行使することができない。

5　元本の確定後において現に存する債務の額が根抵当権の極度額を超えるとき、抵当不動産について所有権を取得した第三者は、その極度額に相当する金額を払い渡し、又は供託して、その根抵当権の消滅請求をすることができない。

解説　正解　3　TAC生の選択率 59%　TAC生の正答率 44%

1　×「その根抵当権を行使することができる」という部分が妥当でない。元本の確定前に債務の引受けがあったときは、根抵当権者は、引受人の債務について、その根抵当権を行使することができない（398条の7第2項）。

2　×「後順位の抵当権者その他の第三者の承諾を得ることを要する」という部分が妥当でない。根抵当権の担保すべき債権の範囲は、元本の確定前であれば変更することができ（398条の4第1項）、後順位の抵当権者その他の第三者の承諾は不要である（398条の4第2項）。根抵当権においては、極度額を超えては担保されないので、担保すべき債権の範囲を変更しても後順位の抵当権者等の利害関係者に不利益を及ぼす可能性はないからである。

3　○　条文により妥当である。元本確定期日は定めても、定めなくてもよい。そして、元本確定期日を定めなかった場合、根抵当権者は、いつでも元本の確定を請求することができ、その請求の時に担保すべき元本は確定する（398条の19第2項、3項）。

4　×「債務の不履行により生じた損害の賠償については、その根抵当権を行使することができない」という部分が妥当でない。根抵当権者は、確定した元本並びに利息その他の定期金及び債務の不履行によって生じた損害の賠償の全部について、極度額を限度として、その根抵当権を行使することができる（398条の3第1項）。

5　×「その根抵当権の消滅請求をすることができない」という部分が妥当でない。元本の確定後において現に存する債務の額が根抵当権の極度額を超えるとき、抵当不動産について所有権を取得した第三者は、その極度額に相当する金額を払い渡し、又は供託して、その根抵当権の消滅請求をすることができる（398条の22第1項）。

民法Ⅱ　債務不履行　2021年度 専門 No.16

民法に規定する債務不履行に関する記述として、妥当なのはどれか。

1　債権者が債務の履行を受けることができない場合において、履行の提供があった時以後に当事者双方の責めに帰することができない事由によってその債務の履行が不能となったときは、その履行の不能は、債務者の責めに帰すべき事由によるものとみなす。

2　債務者が任意に債務の履行をしないときは、債権者は、民事執行法その他強制執行の手続に関する法令の規定に従い、直接強制、代替執行、間接強制その他の方法による履行の強制を裁判所に請求することができるが、債務の性質がこれを許さないときは、この限りでない。

3　債務者がその債務の本旨に従った履行をしないとき、債権者は、その債務の不履行が契約その他の債務の発生原因及び取引上の社会通念に照らして債務者の責めに帰することができない事由によるものであるときであっても、これによって生じた損害の賠償を請求することができる。

4　金銭の給付を目的とする債務の不履行の損害賠償については、債権者が損害の証明をすることを要し、その損害賠償の額は債務者が遅滞の責任を負った最初の時点における法定利率によって定める。

5　当事者は、債務の不履行について損害賠償の額を予定することができるが、当事者が金銭でないものを損害の賠償に充てるべき旨を予定することはできない。

解説　**正解　2**　TAC生の選択率 80%　TAC生の正答率 61%

1　×「債務者の責めに帰すべき事由によるものとみなす」という部分が妥当でない。債権者が債務の履行を受けることを拒み、又は受けることができない場合（受領遅滞の場合）において、履行の提供があった時以後に当事者双方の責めに帰することができない事由によってその債務の履行が不能となったときは、その履行の不能は、債権者の責めに帰すべき事由によるものとみなす（413条の２第２項）。

2　○　条文により妥当である。債務者が任意に債務の履行をしないときは、債権者は、民事執行法その他強制執行の手続に関する法令の規定に従い、直接強制、代替執行、間接強制その他の方法による履行の強制を裁判所に請求することができる（414条１項本文）。ただし、債務の性質がこれを許さないときは、この限りでない（414条１項ただし書）。

3　×「債務者の責めに帰することができない事由によるものであるときであっても、これによって生じた損害の賠償を請求することができる」という部分が妥当でない。債務者がその債務の本旨に従った履行をしないとき又は債務の履行が不能であるときは、債権者は、これによって生じた損害の賠償を請求することができる（415条１項本文）。ただし、その債務の不履行が契約その他の債務の発生原因及び取引上の社会通念に照らして債務者の責めに帰することができない事由によるものであるときは、この限りでない（415条１項ただし書）。

4　×「債権者が損害の証明をすることを要し」という部分が妥当でない。金銭の給付を目的とする債務の不履行については、その損害賠償の額は、原則として、債務者が遅滞の責任を負った最初の時点における法定利率によって定める（419条１項本文）。この損害賠償については、債権者は、損害の証明をすることを要しない（419条２項）。

5　×「当事者が金銭でないものを損害の賠償に充てるべき旨を予定することはできない」という部分が妥当でない。当事者は、債務の不履行について損害賠償の額を予定することができる（420条１項）。また、民法420条の規定（賠償額の予定）は、当事者が金銭でないものを損害の賠償に充てるべき旨を予定した場合について準用する（421条）。したがって、当事者が金銭でないものを損害の賠償に充てるべき旨を予定することも認められる。

民法Ⅱ　債権者代位権

2021年度
専門 No.17

民法に規定する債権者代位権に関するＡ～Ｄの記述のうち、妥当なものを選んだ組合せはどれか。

Ａ　債権者は、その債権が強制執行により実現することのできないものであるときは、被代位権利を行使することができない。

Ｂ　債権者は、その債権の期限が到来しない間は、保存行為であっても、裁判上の代位によらなければ被代位権利を行使することができない。

Ｃ　債権者は、被代位権利を行使する場合において、被代位権利が金銭の支払を目的とするものであるときは、相手方に対し、金銭の支払を自己に対してすることを求めることができない。

Ｄ　債権者が被代位権利を行使した場合であっても、債務者は、被代位権利について、自ら取立てその他の処分をすることを妨げられず、この場合においては、相手方も、被代位権利について、債務者に対して履行をすることを妨げられない。

1　Ａ　Ｂ

2　Ａ　Ｃ

3　Ａ　Ｄ

4　Ｂ　Ｃ

5　Ｂ　Ｄ

解説　正解　3

TAC生の選択率 88%　TAC生の正答率 85%

A　○　条文により妥当である。債権者は、その債権が強制執行により実現することのできないものであるときは、被代位権利を行使することができない（423条3項）。債権者代位権は、金銭債権の引当てとなる債務者の責任財産を保全するための制度であり、その後の強制執行の準備をするためのものだからである。

B　×「保存行為であっても、裁判上の代位によらなければ被代位権利を行使することができない」という部分が妥当でない。債権者は、その債権の期限が到来しない間は、被代位権利を行使することができないが、保存行為は、この限りでない（423条2項）。したがって、保存行為であれば、その債権の期限が到来しない間であっても、被代位権利を行使することができる。なお、裁判上の代位は、平成29年民法改正に伴い廃止されている。

C　×「相手方に対し、金銭の支払を自己に対してすることを求めることができない」という部分が妥当でない。債権者は、被代位権利を行使する場合において、被代位権利が金銭の支払又は動産の引渡しを目的とするものであるときは、相手方に対し、その支払又は引渡しを自己に対してすることを求めることができる（423条の3前段）。債務者が受取りを拒むことが考えられる金銭の支払又は動産の引渡しの場合に、債権者代位権の実効性確保のため認められたものである。

D　○　条文により妥当である。債権者が被代位権利を行使した場合であっても、債務者は、被代位権利について、自ら取立てその他の処分をすることを妨げられない。この場合においては、相手方も、被代位権利について、債務者に対して履行をすることを妨げられない（423条の5）。債権者による代位権の行使により債務者の処分権限が失われるとすると、債務者の地位が著しく不安定になるからである。

以上より、妥当な組合せはA、Dであり、正解は**3**となる。

民法Ⅱ　詐害行為取消権

2023年度
専門 No.17

民法に規定する詐害行為取消権に関する記述として、妥当なのはどれか。

1　債権者は、債務者が債権者を害することを知ってした詐害行為の取消しを裁判所に請求することができるが、この行為は、法律行為に限られるため、弁済を含まない。

2　債権者は、その債権が詐害行為の前に生じたものである場合に限り、詐害行為取消請求をすることができ、最高裁判所の判例では、詐害行為取消権によって保全される債権の額には、詐害行為後に発生した遅延損害金は含まれないとした。

3　債務者が、その有する財産を処分する行為をした場合において、受益者から相当の対価を取得しているときは、その行為の当時、対価として取得した金銭について隠匿等の処分をする意思を有していれば、隠匿等の処分をするおそれを現に生じさせなくとも、債権者は詐害行為取消請求をすることができる。

4　債権者は、受益者に対する詐害行為取消請求において、債務者がした行為の取消しとともに、その行為によって受益者に移転した財産の返還を請求することができ、受益者がその財産の返還をすることが困難であるときは、その価額の償還を請求することができる。

5　受益者に対する詐害行為取消請求に係る訴えにおいては、受益者と債務者を共同被告とし、債権者は、訴えを提起したときは、遅滞なく、他の全ての債権者に対し、訴訟告知をしなければならない。

解説　**正解　4**　TAC生の選択率 77%　TAC生の正答率 80%

1　×　「法律行為に限られるため、弁済を含まない」という部分が妥当でない。詐害行為取消請求の対象となるのは、財産権を目的とする行為である（424条1項、2項）。財産権を目的とする行為とは、売買・贈与などの契約、抵当権・保証などの担保の設定、債務の消滅行為（弁済等）といった財産的行為をいう。なお、担保の設定、債務の消滅行為は詐害性の弱い行為であることから、詐害性に関する判断の特則が規定されている（424条の3）。

2　×　「その債権が詐害行為の前に生じたものである場合に限り」、「詐害行為後に発生した遅延損害金は含まれないとした」という部分が妥当でない。債権者は、その債権が詐害行為の前の原因に基づいて生じたものである場合に限り、詐害行為取消請求をすることができる（424条3項）。条文上は「詐害行為の前に生じた」ではない。さらに、判例は、詐害行為が成立する場合、詐害行為後に発生した遅延損害金も詐害行為取消請求により保全される債権の額に含まれるとしている（最判平8.2.8）。

3　×　「隠匿等の処分をするおそれを現に生じさせなくとも、債権者は詐害行為取消請求をすることができる」という部分が妥当でない。債務者が、その有する財産を処分する行為をした場合に、受益者から相当の対価を取得しているときは、①その行為が不動産の金銭への換価により債務者において隠匿等の処分をするおそれを現に生じさせるものであること、②債務者がその行為の当時に隠匿等の処分をする意思を有していたこと、③受益者が、その行為の当時債務者が隠匿等の処分をする意思を有していたことを知っていたこと、という3つの要件を全て満たすときに限り、詐害行為取消請求をすることができる（424条の2第1号～3号）。同条は、相当価格処分行為の詐害性を原則として否定し、例外的に3つの要件を全て満たす場合に詐害行為取消請求を認めるものである。

4　○　条文により妥当である。受益者に対する詐害行為取消請求において、債権者は、債務者がした詐害行為の取消しとともに、詐害行為によって受益者に移転した財産の返還（現物返還）を請求することができ、受益者による財産の返還が困難であるときは、その価額の返還（価額償還）を請求することができる（424条の6第1項）。

5　×　「受益者と債務者を共同被告とし」、「他の全ての債権者に対し」という部分が妥当でない。受益者に対して詐害行為取消請求をしようとする債権者は、受益者を被告として訴えを提起することを要する（424条の7第1項1号）。また、債権者が受益者を被告として訴えを提起したときは、遅滞なく債務者に対して訴訟告知をしなければならない（424条の7第2項）。

民法Ⅱ　弁済　2023年度 専門 No.16

民法に規定する弁済に関する記述として、妥当なのはどれか。

1　受領権者である、債権者及び法令の規定又は当事者の意思表示によって弁済を受領する権限を付与された第三者を除き、取引上の社会通念に照らして受領権者としての外観を有する者に対してした弁済は、その弁済をした者が善意であり、かつ、過失がなかったときに限り、その効力を有する。

2　弁済をすることができる者は、債務者の負担した給付に代えて他の給付をすることにより債務を消滅させる、要物契約である代物弁済をすることができ、その弁済をすることができる者が当該他の給付をしたときには、その給付は、弁済と同一の効力を有する。

3　弁済の費用について別段の意思表示がないときには、その費用は、債権者と債務者の双方が等しい割合で負担するが、債権者が住所の移転によって弁済の費用を増加させたときには、その増加額は、債権者が負担する。

4　債権に関する証書がある場合において、債権者がこの証書を所持するときには、債権はなお存在するものと推定され、債務の一部の弁済をした者は、いかなる場合においても、この証書の返還を請求することができる。

5　弁済をすることができる者が無過失で債権者を確知することができないときには、債権者のために弁済の目的物を供託することができるが、この弁済をすることができる者は、当該無過失について主張・立証責任を負う。

解説　**正解　1**　TAC生の選択率 81%　TAC生の正答率 42%

1　○　条文により妥当である。債権の受領権者（債権者及び法令の規定又は当事者の意思表示によって弁済を受領する権限を付与された第三者）以外の者であって、取引上の社会通念に照らして受領権者としての外観を有するものに対してした弁済は、その弁済をした者が善意であり、かつ、過失がなかったときに限り、その効力を有する（478条）。

2　×　「要物契約である」という部分が妥当でない。代物弁済は、弁済をすることができる者（弁済者）と債権者との間で、債務者の負担した給付に代えて他の給付をすることにより債務を消滅させる旨の契約（代物弁済契約）を締結し、弁済者が当該他の給付をした場合に、その給付が弁済と同一の効力を有することになるものをいう（482条）。代物弁済契約は、弁済者・債権者間において代物の給付により債務を消滅させる合意をすることで成立する諾成契約である。したがって、代物の給付は、債務を消滅させるために必要となるが、代物弁済契約の成立には不要である。

3　×　「債権者と債務者の双方が等しい割合で負担するが」という部分が妥当でない。弁済の費用について別段の定めがないときは、その費用は債務者の負担となるが（485条本文）、債権者が住所の移転その他の行為によって弁済の費用を増加させたときは、その増加額は、債権者の負担となる（485条ただし書）。

4　×　「債権はなお存在するものと推定され」、「いかなる場合においても、この証書の返還を請求することができる」という部分が妥当でない。民法には、債権者が債権に関する証書（債権証書）を所持する場合に、債権がなお存在するものと推定されるとする規定は存在しない。また、民法には、弁済をした者が全部の弁済をした（債務の全部を弁済した）ときに、債権証書の返還を請求することができるとする規定は存在するが（487条）、債務の一部の弁済をした者が、債権証書の返還を請求することができるとする規定は存在しない。

5　×　「当該無過失について主張・立証責任を負う」という部分が妥当でない。弁済をすることができる者（弁済者）が債権者を確知することができないときは、債権者のために弁済の目的物を供託することができる（494条2項本文）。ただし、弁済者に過失があるときは、この限りでない（494条2項ただし書）。したがって、債権者が弁済者に過失があることについて主張・立証責任を負う。なお、一般的に、債権者を確知できない原因は債権者側の事情であることが多く、弁済者側に無過失であることの主張・立証責任を負わせることは妥当でないことから、平成29年の民法改正で現在の条文に表現が改められたものである。

民法II 相殺

2020年度
専門 No.17

民法に規定する相殺に関する記述として、判例、通説に照らして、妥当なのはどれか。

1 相殺が有効になされるためには、相対立する債権の弁済期について、自働債権は必ずしも弁済期にあることを必要としないが、受働債権は常に弁済期に達していなければならない。

2 相殺は、双方の債務の履行地が異なるときであってもすることができ、この場合において、相殺をする当事者は、相手方に対し、これによって生じた損害を賠償する必要はない。

3 相殺は、対立する債権がいずれも有効に存在していなければならないので、時効により債権が消滅した場合には、その消滅前に相殺適状にあっても、その債権者はこれを自働債権として相殺することができない。

4 最高裁判所の判例では、賃金過払による不当利得返還請求権を自働債権とし、その後に支払われる賃金の支払請求権を受働債権としてする相殺は、過払と賃金の清算調整が合理的に接着していない時期にされても、違法ではないとした。

5 最高裁判所の判例では、賃貸借契約が賃料不払のため適法に解除された以上、たとえその後、賃借人の相殺の意思表示により当該賃料債務が遡って消滅しても、その解除の効力に影響はないとした。

解説　正解　5

TAC生の選択率 73%　TAC生の正答率 60%

1 × 「自働債権は必ずしも弁済期にあることを必要としないが、受働債権は常に弁済期に達していなければならない」という部分が妥当でない。相殺が有効になされるための要件の一つである「双方の債務が弁済期にあるとき」（505条1項本文）について、判例は、自働債権の弁済期は到来していなければならないとする（大判昭8.5.30）。また、受働債権については、債務者が期限の利益を放棄することができるが（136条2項本文）、期限の利益の放棄又は喪失等により、受働債権の弁済期が現実に到来していることを要するとしている（最判平25.2.28）。

2 × 「これによって生じた損害を賠償する必要はない」という部分が妥当でない。相殺は、双方の債務の履行地が異なるときであっても、することができる。この場合において、相殺をする当事者は、相手方に対し、これによって生じた損害を賠償しなければならない（507条）。

3 × 全体が妥当でない。時効によって消滅した債権（自働債権）がその消滅以前に相殺に適するようになっていた場合には、その債権者は、相殺をすることができる（508条）。もっとも、判例は、508条が適用されるためには、消滅時効が援用された自働債権が、その消滅時効期間が経過する以前に受働債権と相殺適状にあったことを要するとしている（最判平25.2.28）。

4 × 「過払と賃金の清算調整が合理的に接着していない時期にされても、違法ではないとした」という部分が妥当でない。判例は、本記述のような適正な賃金の額を支払うための手段たる相殺（調整的相殺）は、必ずしも労働基準法24条1項の禁止するところではないが、許されるべき相殺は、過払いのあった時期と賃金の清算調整の実を失わない程度に合理的に接着した時期においてされた場合でなければならないとしている（最判昭44.12.18、福島県教組事件）。

5 ○ 判例により妥当である。判例は、相殺の意思表示は双方の債務が互いに相殺に適したる始めに遡ってその効力を生ずることは、民法506条2項の規定するところであるが、この遡及効は相殺の債権債務それ自体に対してであって、相殺の意思表示以前既に有効になされた契約解除の効力には何らの影響を与えるものでないとしている（最判昭32.3.8）。

民法Ⅱ　連帯債務

2022年度
専門 No.16

民法に規定する連帯債務に関する記述として、通説に照らして、妥当なのはどれか。

1　連帯債務者の１人について生じた事由には、絶対的効力が認められるのが原則であるが、連帯債務者の１人と債権者の間に更改があったときには、例外として相対的効力が認められる。

2　数人が連帯債務を負担するときには、債権者は、全ての連帯債務者に対して、順次に債務の履行を請求することができるが、同時に全部の債務の履行を請求することはできない。

3　連帯債務者の１人が債権者に対して債権を有する場合において、当該債権を有する連帯債務者が相殺を援用しない間は、その連帯債務者の負担部分の限度において、他の連帯債務者は、債権者に対して債務の履行を拒むことができる。

4　連帯債務者の１人が弁済をし、共同の免責を得たときには、その連帯債務者は、他の連帯債務者に対し求償権を有するが、その求償には、弁済をした日以後の法定利息は含まれない。

5　不真正連帯債務の各債務者は、同一の内容の給付について全部を履行すべき義務を負うが、債務者間に主観的な関連がないため、１人の債務者が弁済をしても他の債務者は弁済を免れない。

解説　正解　3

TAC生の選択率 87%　TAC生の正答率 87%

1　×　全体が妥当でない。連帯債務者の１人の行為又は１人について生じた事由は、他の連帯債務者に対してその効力を生じないのが原則である（441条本文、相対的効力の原則）。もっとも、連帯債務者の１人と債権者との間に更改があったときは、債権は、全ての連帯債務者の利益のために消滅する（438条、絶対的効力）。

2　×「同時に全部の債務の履行を請求することはできない」という部分が妥当でない。数人が連帯して債務を負担するときは、債権者は、その連帯債務者の１人に対し、又は同時に若しくは順次に全ての連帯債務者に対し、全部又は一部の履行を請求することができる（436条）。

3　○　条文により妥当である。連帯債務者の１人が債権者に対して債権を有する場合において、その債権を有する連帯債務者が相殺を援用しない間は、その連帯債務者の負担部分の限度において、他の連帯債務者は、債権者に対して債務の履行を拒むことができる（439条２項、履行拒絶権）。

4　×「弁済をした日以後の法定利息は含まれない」という部分が妥当でない。連帯債務者の１人が弁済をし、その他自己の財産をもって共同の免責を得たときは、その連帯債務者は、他の連帯債務者に対し、その免責を得るために支出した財産の額（その財産の額が共同の免責を得た額を超える場合にあっては、その免責を得た額）のうち各自の負担部分に応じた額の求償権を有する（442条１項）。そして、この求償は、弁済その他免責があった日以後の法定利息及び避けることができなかった費用その他の損害の賠償を包含する（442条２項）。

5　×「１人の債務者が弁済をしても他の債務者は弁済を免れない」という部分が妥当でない。不真正連帯債務の各債務者は、各自、同一内容の給付につき全部を履行すべき義務を負い、そのうちの１人が弁済すれば債務者全員が債務を免れると解されている。

民法Ⅱ　債権譲渡　2022年度 専門 No.17

民法に規定する債権の譲渡に関するＡ～Ｄの記述のうち、通説に照らして、妥当なものを選んだ組合せはどれか。

Ａ　債権譲渡は、従前の債権が消滅して同一性のない新債権が成立する更改と異なり、債権の同一性を変えることなく、債権を譲渡人から譲受人に移転する契約である。

Ｂ　譲渡を禁止する旨の意思表示がされた金銭の給付を目的とする債権が譲渡され、その債権の全額に相当する金銭を債務の履行地の供託所に供託した場合には、供託をした債務者は、譲渡人に供託の通知をする必要はない。

Ｃ　債権が譲渡された場合において、その意思表示の時に債権が現に発生していないときは、譲受人は、債権が発生した後に債務者が承諾をしなければ、当該債権を取得することができない。

Ｄ　現に発生していない債権を含む債権の譲渡は、確定日付のある証書によって、譲渡人が債務者に通知をし、又は債務者が承諾をしなければ、債務者以外の第三者に対抗することができない。

1　Ａ　Ｂ

2　Ａ　Ｃ

3　Ａ　Ｄ

4　Ｂ　Ｃ

5　Ｂ　Ｄ

解説　**正解　3**　TAC生の選択率 69%　TAC生の正答率 72%

A　○　通説により妥当である。債権譲渡とは、債権をその同一性を変えることなく、譲渡人から譲受人へと移転させる契約である。契約の形態としては、売買、贈与、代物弁済等が考えられる。これに対して、更改とは、当事者が従前の債務に代えて、それと同一性を有しない新たな債務を発生させる契約である（513条）。したがって、更改が行われると、従前の債権が消滅し、それと同一性を有しない新債権が成立することになる。

B　×　「譲渡人に供託の通知をする必要はない」という部分が妥当でない。債務者は、譲渡制限の意思表示がされた金銭の給付を目的とする債権が譲渡されたときは、その債権の全額に相当する金銭を債務の履行地の供託所に供託することができる（466条の2第1項）。そして、供託をした債務者は、遅滞なく、譲渡人及び譲受人に供託の通知をしなければならない（466条の2第2項）。

C　×　「債権が発生した後に債務者が承諾をしなければ、当該債権を取得することができない」という部分が妥当でない。債権の譲渡は、その意思表示の時に債権が現に発生していることを要しない（466条の6第1項）。そして、債権が譲渡された場合において、その意思表示の時に債権が現に発生していないときは、譲受人は、発生した債権を当然に取得する（466条の6第2項）。

D　○　条文により妥当である。債権の譲渡（現に発生していない債権の譲渡を含む。）は、譲渡人が債務者に通知をし、又は債務者が承諾をしなければ、債務者その他の第三者に対抗することができない（467条1項）。そして、この通知又は承諾は、確定日付のある証書によってしなければ、債務者以外の第三者に対抗することができない（467条2項）。

以上より、妥当なものはA、Dであり、**3**が正解となる。

民法Ⅱ　契約

2023年度
専門 No.19

民法に規定する契約の解除に関する記述として、妥当なのはどれか。

1　当事者の一方がその解除権を行使した場合は、各当事者は、その相手方を原状に復させる義務を負い、また、この場合において、金銭以外の物を返還するときには、その受領の時以後に生じた果実をも返還しなければならない。

2　解除権を有する者がその解除権を有することを知らずに、故意に契約の目的物を著しく損傷し、又は返還することができなくなったときは、解除権は消滅する。

3　当事者の一方が数人ある場合には、契約の解除は、そのうちの１人から又はそのうちの１人に対してすることができ、当事者のうちの１人の解除権が消滅しても、他の者の解除権は消滅しない。

4　債権者の責めに帰すべき事由により債務者がその債務を履行しない場合において、債権者が相当の期間を定めてその履行の催告をし、その期間内に履行がないときは、債権者は、契約の解除をすることができる。

5　債務者がその債務の一部の履行を拒絶する意思を明確に表示した場合において、残存する部分のみで契約をした目的を達することができるときには、債権者は、催告をすることなく、直ちに契約の全部の解除をすることができる。

解説　正解　1　TAC生の選択率 80%　TAC生の正答率 27%

1 〇 条文により妥当である。当事者の一方がその解除権を行使したときは、各当事者は、その相手方を原状に復させる義務を負う（545条１項本文）。この場合において、金銭以外の物を返還するときは、その受領の時以後に生じた果実をも返還しなければならない（545条３項）。

2 × 「解除権は消滅する」という部分が妥当でない。解除権者が、①自己の故意又は過失によって契約の目的物を著しく損傷し、若しくは返還できなくなった場合や、②加工又は改造によって他の種類の物に変えた場合には、解除権が消滅する（548条本文）。ただし、解除権者が自らに解除権があるのを知らず、①又は②の行為をした場合には、解除権の消滅の効果が生じない（548条ただし書）。

3 × 「そのうちの１人から又はそのうちの１人に対してすることができ」、「他の者の解除権は消滅しない」という部分が妥当でない。当事者の一方が数人いる場合には、契約の解除は、その全員から又は全員に対してのみ、することができる（544条１項）。さらに、当事者のうちの１人について解除権が消滅したときは、他の者についても解除権が消滅する（544条２項）。解除は当事者の法律関係に重大な影響を及ぼすため、解除権の不可分性が認められている。

4 × 「契約の解除をすることができる」という部分が妥当でない。当事者の一方がその債務を履行しない場合において、相手方が相当の期間を定めてその履行の催告をし、その期間内に履行がないときは、相手方は、契約の解除をすることができる（541条本文）。もっとも、債務の不履行が債権者の責めに帰すべき事由によるものであるときは、債権者は契約の解除をすることができない（543条）。なお、帰責事由のある債権者からの契約解除が許されないのは、催告によらない解除（542条）の場合も同様である。

5 × 「直ちに契約の全部の解除をすることができる」という部分が妥当でない。催告によらない解除については、契約の全部解除（542条１項）と一部解除（542条２項）の２つがある。債務者がその債務の一部の履行を拒絶する意思を明確に表示した場合において、契約の全部解除をするためには、残存する部分のみでは契約をした目的を達成することができないことを要する（542条１項３号、契約目的達成不能）。残存する部分のみで契約をした目的を達することができるときは、一部解除ができるにとどまる（542条２項２号）。

民法II　贈与　2023年度 専門 No.18

民法に規定する贈与に関する記述として、妥当なのはどれか。

1　贈与は、当事者の一方がある財産を無償で相手方に与える契約であり、目的物の引渡しによって、その効力を生じる。

2　贈与は、当事者の一方が自己の財産を無償で相手方に与える契約であり、他人の所有に属する物の贈与が有効となることはない。

3　書面によらない贈与は、各当事者が解除をすることができるものであり、履行の終わった部分についても、例外なく、契約を解除することができる。

4　贈与者は、贈与の目的である物又は権利を、贈与の目的として特定した時の状態で引き渡し、又は移転することを約したものと推定される。

5　定期の給付を目的とする贈与は、贈与者が死亡した場合にはその効力を失うが、受贈者が死亡した場合にはその効力が受贈者の相続人に移転する。

解説 **正解 4** TAC生の選択率 75% TAC生の正答率 63%

1 × 「目的物の引渡しによって、その効力を生じる」という部分が妥当でない。贈与は、当事者の一方がある財産を無償で相手方に与える意思を表示し、相手方が受諾することによって、その効力を生じる（549条）。したがって、贈与者と受贈者の意思の合致のみで成立する諾成契約で、対価なしで一方的に相手方に財産を与える無償契約・片務契約である。

2 × 「自己の」、「他人の所有に属する物の贈与が有効となることはない」という部分が妥当でない。贈与契約の目的物は「ある財産」であるから（549条、**1**解説参照）、贈与する財産は他人の財産であってもよい。なお、平成29年の民法改正において、「自己の財産」が「ある財産」に改められ、他人物贈与の有効性が明らかにされている。

3 × 「履行の終わった部分についても、例外なく、契約を解除することができる」という部分が妥当でない。書面によらない贈与は、各当事者が解除することができるが（550条本文）、履行の終わった部分については、各当事者は解除ができない（550条ただし書）。なお、民法550条本文に基づく解除ができない場合でも、贈与者の契約不適合や履行遅滞などの他の理由に基づく解除をすることは可能である。

4 ○ 条文により妥当である。贈与者は、贈与の目的である物又は権利を、贈与の目的として特定した時の状態で引き渡し、又は移転することを約したものと推定される（551条1項）。

5 × 「受贈者が死亡した場合にはその効力が受贈者の相続人に移転する」という部分が妥当でない。定期の給付を目的とする贈与は、贈与者又は受贈者の死亡によって、その効力を失う（552条）。なお、この規定は任意規定であるから、特約により反対の意思表示をすることは可能である。

民法Ⅱ　売買　2021年度 専門 No.18

民法に規定する売買に関する記述として、妥当なのはどれか。

1　売買の一方の予約は、相手方が売買を完結する意思を表示した時から、売買の効力を生ずるが、その意思表示について期間を定めなかったときは、予約者は、相手方に対し、相当の期間を定めて、その期間内に売買を完結するかどうかを確答すべき旨の催告をすることができる。

2　買主が売主に手付を交付したときは、相手方が契約の履行に着手した後であっても、買主はその手付を放棄し、売主はその倍額を現実に提供することで、契約の解除をすることができる。

3　他人の権利を売買の目的としたときは、売主は、その権利を取得して買主に移転する義務を負うが、他人の権利には、権利の一部が他人に属する場合におけるその権利の一部は含まれない。

4　引き渡された目的物が種類、品質又は数量に関して、買主の責めに帰すべき事由により、契約の内容に適合しないものであるときには、買主は売主に対し、目的物の修補による履行の追完を請求することはできるが、代替物の引渡し又は不足分の引渡しによる履行の追完を請求することはできない。

5　売主が買主に売買の目的として特定した目的物を引き渡した場合において、その引渡しがあった時以後にその目的物が当事者双方の責めに帰することができない事由によって損傷したときは、買主は、その損傷を理由として、代金の減額の請求をすることができる。

解説　正解　1　TAC生の選択率 82%　TAC生の正答率 75%

1　○　条文により妥当である。売買の一方の予約は、相手方が売買を完結する意思を表示した時から、売買の効力を生ずる（556条1項）。そして、この意思表示について期間を定めなかったときは、予約者は、相手方に対し、相当の期間を定めて、その期間内に売買を完結するかどうかを確答すべき旨の催告をすることができる（556条2項前段）。

2　×　「相手方が契約の履行に着手した後であっても」という部分が妥当でない。買主が売主に手付を交付したときは、買主はその手付を放棄し、売主はその倍額を現実に提供して、契約の解除をすることができる（557条1項本文、手付解除）。ただし、その相手方が契約の履行に着手した後は、この限りでない（557条1項ただし書）。契約の履行に着手した相手方の信頼を保護する趣旨から、相手方の履行着手後は手付解除を認めないことにしている。

3　×　「他人の権利には、権利の一部が他人に属する場合におけるその権利の一部は含まれない」という部分が妥当でない。他人の権利を売買の目的としたときは、売主は、その権利を取得して買主に移転する義務を負うが、ここでの「他人の権利」には、権利の一部が他人に属する場合におけるその権利の一部が含まれる（561条）。

4　×　「目的物の修補による履行の追完を請求することはできるが」という部分が妥当でない。引き渡された目的物が種類、品質又は数量に関して契約の内容に適合しないものであるときは、買主は、売主に対し、目的物の修補、代替物の引渡し又は不足分の引渡しによる履行の追完を請求することができる（562条1項本文、買主の追完請求権）。しかし、当該不適合が買主の責めに帰すべき事由によるものであるときは、買主は、民法562条1項の規定による履行の追完の請求をすることができない（562条2項）。

5　×　「買主は、その損傷を理由として、代金の減額の請求をすることができる」という部分が妥当でない。売主が買主に目的物（売買の目的として特定したものに限る）を引き渡した場合において、その引渡しがあった時以後に、その目的物が当事者双方の責めに帰することができない事由によって滅失し、又は損傷したときは、買主は、その滅失又は損傷を理由として、履行の追完の請求、代金の減額の請求、損害賠償の請求及び契約の解除をすることができない（567条1項前段、目的物の滅失等についての危険の移転）。

民法Ⅱ　賃貸借　2020年度 専門 No.18

民法に規定する賃貸借に関する記述として、判例、通説に照らして、妥当なのはどれか。

1　賃貸人が賃貸物の保存に必要な行為をしようとする場合において、そのために賃借人が賃借をした目的を達することができなくなるときは、賃借人は、これを拒むこと又は賃料の減額を請求することができる。

2　賃借人は、賃借物について賃貸人の負担に属する必要費を支出したときは、賃貸人に対し、賃貸借を終了した時に限り、その費用の償還を請求することができる。

3　最高裁判所の判例では、家屋の賃貸借における敷金契約は、賃貸人が賃借人に対して取得することのある債権を担保するために締結されるものであって、賃貸借契約に付随するものであるから、賃貸借の終了に伴う賃借人の家屋明渡債務と賃貸人の敷金返還債務とは、一個の双務契約によって生じた対価的債務の関係にあり、特別の約定のない限り、同時履行の関係に立つとした。

4　最高裁判所の判例では、適法な転貸借関係が存在する場合、賃貸人が賃料の不払を理由として賃貸借契約を解除するには、特段の事情のない限り、転借人に通知をして賃料の代払の機会を与えなければならないとした。

5　最高裁判所の判例では、土地賃借権が賃貸人の承諾を得て旧賃借人から新賃借人に移転された場合であっても、敷金に関する敷金交付者の権利義務関係は、敷金交付者において賃貸人との間で敷金をもって新賃借人の債務の担保とすることを約し、又は新賃借人に対して敷金返還請求権を譲渡する等、特段の事情のない限り、新賃借人に承継されないとした。

解説　正解　5　TAC生の選択率 81％　TAC生の正答率 71％

1　×　「賃借人は、これを拒むこと又は賃料の減額を請求することができる」という部分が妥当でない。賃貸人が賃貸物の保存に必要な行為をしようとする場合には、賃借人は、これを拒むことができない（606条２項）。また、この場合に賃料減額請求を認める規定も存在しない。賃貸人が賃借人の意思に反して保存行為をしようとする場合において、そのために賃借人が賃借をした目的を達することができなくなるときは、賃借人は、契約の解除をすることができるにとどまる（607条）。

2　×　「賃貸借を終了した時に限り」という部分が妥当でない。賃借人は、賃借物について賃貸人の負担に属する必要費を支出したときは、賃貸人に対し、「直ちに」その償還を請求することができる（608条１項）。

3　×　「一個の双務契約によって生じた対価的債務の関係にあり、特別の約定のない限り、同時履行の関係に立つとした」という部分が妥当でない。判例は、敷金契約は賃貸借契約そのものではないから、賃貸借の終了に伴う賃借人の家屋明渡債務と賃貸人の敷金返還債務とは、一個の双務契約によって生じた対価的債務の関係にあるものとすることはできず、また、両債務の間には著しい価値の差が存在しうることからしても、両債務の間に同時履行の関係を認めることは、必ずしも公平の原則に合致するものとはいいがたいとしている（最判昭49.9.2）。令和２年４月施行の改正民法も、賃借人の家屋明渡債務と賃貸人の敷金返還債務との関係は、前者が先履行である旨を明らかにしている（622条の２第１項１号）。

4　×　「転借人に通知をして賃料の代払の機会を与えなければならないとした」という部分が妥当でない。判例は、土地の賃貸借契約において、適法な転貸借が存在する場合に、賃貸人が賃料の不払を理由に契約を解除するには、特段の事情がない限り、転借人に通知をして賃料の代払の機会を与えなければならないものではないとしている（最判平6.7.18）。

5　○　判例により妥当である。判例は、賃借権が旧賃借人から新賃借人に移転され賃貸人がこれを承諾したことにより旧賃借人が賃貸借関係から離脱した場合には、敷金交付者（旧賃借人）が、賃貸人との間で敷金をもって新賃借人の債務不履行の担保とすることを約し、又は新賃借人に対して敷金返還請求権を譲渡するなど特段の事情のない限り、敷金に関する敷金交付者の権利義務関係は新賃借人に承継されないとしている（最判昭53.12.22）。その理由として、敷金をもって将来新賃借人が新たに負担することとなる債務まで担保すべきと解することは、敷金交付者に予期に反して不利益を被らせる結果となって相当でないことを指摘している。

民法Ⅱ　組合

2021年度
専門 No.19

民法に規定する組合に関する記述として、妥当なのはどれか。

1　金銭を出資の目的とした場合において、組合員がその出資をすることを怠ったときは、その利息を支払わなければならないが、損害賠償責任は負わない。

2　各組合員は、組合の業務の決定及び執行をする権利を有しないときは、その業務及び組合財産の状況を検査することができない。

3　組合員は、死亡、破産手続の開始の決定を受けたこと及び後見開始の審判を受けたことによってのみ、脱退する。

4　組合員の除名は、正当な事由がある場合に限り、他の組合員の一致によってすることができ、その場合には除名した組合員にその旨を通知しなくてもその組合員に対抗することができる。

5　清算人の職務は、現務の結了、債権の取立て及び債務の弁済、残余財産の引渡しであり、清算人は、これらの職務を行うために必要な一切の行為をすることができる。

解説　**正解　5**　TAC生の選択率 41%　TAC生の正答率 42%

1　×「損害賠償責任は負わない」という部分が妥当でない。金銭を出資の目的とした場合において、組合員がその出資をすることを怠ったときは、その利息を支払うほか、損害の賠償をしなければならない（669条）。

2　×「その業務及び組合財産の状況を検査することができない」という部分が妥当でない。各組合員は、組合の業務の決定及び執行をする権利を有しないときであっても、その業務及び組合財産の状況を検査することができる（673条）。

3　×「のみ」という部分が妥当でない。組合員は、死亡、破産手続開始の決定を受けたこと、後見開始の審判を受けたことのほか、除名の場合にも脱退する（679条各号）。また、組合契約で組合の存続期間を定めなかったとき、又はある組合員の終身の間組合が存続すべきことを定めたときは、各組合員は、いつでも脱退することができ（678条1項本文）、組合の存続期間を定めた場合であっても、各組合員は、やむを得ない事由があるときは、脱退することができる（678条2項）。

4　×「除名した組合員にその旨を通知しなくてもその組合員に対抗することができる」という部分が妥当でない。組合員の除名は、正当な事由がある場合に限り、他の組合員の一致によってすることができる（680条本文）。ただし、除名した組合員にその旨を通知しなければ、これをもってその組合員に対抗することができない（680条ただし書）。

5　○　条文により妥当である。清算人の職務は、①現務の結了、②債権の取立て及び債務の弁済、③残余財産の引渡しであり（688条1項各号）、清算人は、①〜③の職務を行うために必要な一切の行為をすることができる（688条2項）。

民法Ⅱ　不法行為

2022年度
専門 No.19

民法に規定する不法行為に関する記述として、判例、通説に照らして、妥当なのはどれか。

1　不法行為の成立には、その行為によって損害が発生したことが必要となるが、この損害とは、財産的な損害であり、精神的な損害などの非財産的損害は含まない。

2　緊急避難とは、他人の不法行為に対し、自己又は第三者の権利又は法律上保護される利益を防衛するため、やむを得ず行う加害行為であり、その加害行為をした者は損害賠償の責任を負わない。

3　最高裁判所の判例では、不法行為による損害賠償額を過失相殺するには、被害者に責任能力がなければならず、被害者が未成年者である場合には、その過失は一切斟酌(しんしゃく)されないとした。

4　数人が共同の不法行為によって他人に損害を加えたときは、行為者間に共同の認識がなくても、客観的に関連共同している場合には、各自が連帯してその損害を賠償する責任を負う。

5　人の生命又は身体を害する不法行為による損害賠償請求権は、被害者又はその法定代理人が、損害及び加害者を知った時から３年間行使しないときには、時効によって消滅し、不法行為の時から20年間行使しないときも、同様である。

解説　正解　4　TAC生の選択率　83%　TAC生の正答率　77%

1　×　「精神的な損害などの非財産的損害は含まない」という部分が妥当でない。他人の身体、自由若しくは名誉を侵害した場合又は他人の財産権を侵害した場合のいずれであるかを問わず、民法709条の規定により損害賠償の責任を負う者は、財産以外の損害に対しても、その賠償をしなければならない（710条）。したがって、不法行為における損害には、財産的損害だけでなく、財産以外の損害（非財産的損害）も含まれる。

2　×　「緊急避難」という部分が妥当でない。他人の不法行為に対し、自己又は第三者の権利又は法律上保護される利益を防衛するため、やむを得ず加害行為をした者は損害賠償の責任を負わないとするのは「正当防衛」である（720条１項）。緊急避難とは、他人の物から生じた急迫の危難を避けるためその物を損傷した場合をいう（720条２項）。

3　×　「被害者に責任能力がなければならず、被害者が未成年者である場合には、その過失は一切斟酌されないとした」という部分が妥当でない。過失相殺は、裁判所が損害賠償額を定めるにあたり、公平の見地から被害者にも過失があれば考慮できる制度である（722条２項）。そして、被害者が未成年者であった場合、未成年者に責任能力までは必要なく、事理弁識能力が備わっていれば足りるとしている（最大判昭39.6.24）。

4　○　判例により妥当である。数人が共同の不法行為によって他人に損害を加えたときは、各自が連帯してその損害を賠償する責任を負う（719条１項前段、狭義の共同不法行為）。そして、判例は、民法719条１項前段の共同不法行為が成立するためには、不法行為者間に意思の共通もしくは共同の認識のあること（主観的関連共同）は必要でなく、単に客観的に権利侵害が共同でなされること（客観的関連共同）で足りるとしている（最判昭32.3.26）。

5　×　「３年間」という部分が妥当でない。人の生命又は身体を害する不法行為による損害賠償請求権は、被害者又はその法定代理人が、損害及び加害者を知った時から５年間行使しないときには、時効によって消滅し、不法行為の時から20年間行使しないときも、同様である（724条の２、724条）。

民法Ⅱ　親権

2023年度
専門 No.20

民法に規定する親権に関する記述として、判例、通説に照らして、妥当なのはどれか。

1　実子が嫡出子であるときは、父母による親権の共同行使を原則とするため、親権は、父母の共同の意思決定により行われなければならず、双方の合意があっても、父母の一方が単独名義で行うことはできない。

2　実子が非嫡出子であるときは、母が単独親権者となるが、父が認知した場合には、父母が共同して親権を行うこととなり、父が単独親権者となることはない。

3　親権を行う者は、子の利益のために、子の監護及び教育をする権利を有し、義務を負うが、この義務には、監護及び教育に伴う費用の負担までも含むものではない。

4　父又は母による親権の行使が困難であることにより、子の利益を害するときには、家庭裁判所は、請求によらず職権で、その父又は母について、親権停止の審判をすることができる。

5　最高裁判所の判例では、利益相反行為の判断基準について、一貫して、親権者の意図やその行為の実質的効果から判断すべきであり、その行為の外形から判断すべきではないとしている。

解説　正解　3　TAC生の選択率 60%　TAC生の正答率 8%

1　×「双方の合意があっても、父母の一方が単独名義で行うことはできない」という部分が妥当でない。親権は、父母の婚姻中は父母が共同して行うことが原則であり（818条3項本文、共同行使の原則）、例外的に父母の一方が親権を行うことができないときに、他の一方が単独で行うことができる（818条3項ただし書）。したがって、父母の意見が一致しない場合は、親権を行うことはできない。もっとも、判例は、父母双方の合意がある場合には、その一方が単独名義で親権を行うことは許されるとしている（最判昭32.7.5）。単独名義によるものであっても、父母双方の同意に基づくものであれば共同行使の原則に抵触しないといえるからである。

2　×「父母が共同して親権を行うこととなり、父が単独親権者となることはない」という部分が妥当でない。非嫡出子の親権は母が行うが、父が認知した場合、その子に対する親権は、父母の協議で父を親権者と定めたときに限り、父が行う（819条4項）。

3　○　条文・通説により妥当である。親権を行う者は、子の利益のために子の監護及び教育をする権利を有し、義務を負う（820条）。ここにいう「子の監護及び教育」とは、実際に監護・教育を行う（親が直接子の面倒をみる）ことであって、必ずしも監護・教育に伴う費用を負担することと同一ではないと解されている。

4　×「請求によらず職権で」という部分が妥当でない。父又は母による親権の行使が困難又は不適当であることにより子の利益を害するときは、家庭裁判所は、子、その親族、未成年後見人、未成年後見監督人又は検察官の請求により、その父又は母について、親権停止の審判をすることができる（834条の2第1項）。

5　×「一貫して、親権者の意図やその行為の実質的効果から判断すべきであり、その行為の外形から判断すべきではないとしている」という部分が妥当でない。判例は、民法826条にいう利益相反行為に該当するかどうかは、親権者が子を代理してなした行為自体を外形的客観的に考察して判定すべきであって、当該代理行為をなすについての親権者の動機、意図をもって判定すべきでないとしている（最判昭42.4.18）。

民法Ⅱ　遺言　2022年度 専門 No.20

民法に規定する遺言に関する記述として、妥当なのはどれか。

1　遺言とは、遺言者の死亡とともに一定の効果を発生させることを目的とする相手方のない単独行為であり、未成年者もその年齢にかかわらずこれをすることができる。

2　自筆証書で遺言をする場合において、自筆証書遺言にこれと一体のものとして相続財産の全部又は一部の目録を添付するときには、その目録についても遺言者が自書することを要し、パソコンにより作成することはできない。

3　秘密証書又は公正証書で遺言をする場合には、その保管者は、相続の開始を知った後、これを家庭裁判所に提出しなければならず、その検認を請求する必要がある。

4　遺言に停止条件を付した場合において、その条件が遺言者の死亡後に成就したときは、遺言は、いかなる場合であっても、遺言者の死亡の時に遡ってその効力を生ずる。

5　遺言者は、遺言で、１人又は数人の遺言執行者を指定し、又はその指定を第三者に委託することができるが、未成年者及び破産者は遺言執行者となることができない。

解説　**正解　5**　TAC生の選択率 73%　TAC生の正答率 46%

1　×「未成年者もその年齢にかかわらずこれをすることができる」という部分が妥当でない。遺言は、遺言者の死亡とともに一定の効果を発生させることを目的とする相手方のない単独行為である。そして、遺言をするのに行為能力は不要で、15歳に達した者は、遺言をすることができる（961条）。

2　×「その目録についても遺言者が自書することを要し、パソコンにより作成することはできない」という部分が妥当でない。自筆証書によって遺言をするには、遺言者が、その全文、日付及び氏名を自書し、これに印を押さなければならない（968条1項）。もっとも、自筆証書にこれと一体のものとして相続財産の全部又は一部の目録を添付する場合には、その目録については、自書することを要しない（968条2項前段）。したがって、パソコンにより作成することができる。

3　×「又は公正証書」という部分が妥当でない。遺言書の保管者は、相続の開始を知った後、遅滞なく、これを家庭裁判所に提出して、その検認を請求しなければならないが（1004条1項前段）、公正証書遺言についてはこの規定は適用されない（1004条2項）。公正証書遺言については、偽造や変造のおそれが少ないからである。

4　×「いかなる場合であっても、遺言者の死亡の時に遡ってその効力を生ずる」という部分が妥当でない。遺言は遺言者の死亡の時から効力を生じる（985条1項）。しかし、遺言に停止条件を付した場合において、遺言者の死後に条件が成就したときは、条件が成就した時から効力を生じる（985条2項）。

5　○　条文により妥当である。遺言者は、遺言で、1人又は数人の遺言執行者を指定し、又はその指定を第三者に委託することができる（1006条1項）。そして、未成年者及び破産者は、遺言執行者となることができない（1009条）。これは、遺言者の意思を尊重するとともに、公正が要求される遺言執行者の職務の性質上、これらの者は一般にその職務の適格を欠くと考えられるからである。

ミクロ経済学　企業の短期供給曲線　2020年度 専門 No.22

次の図は、短期の完全競争市場において、縦軸に単位当たりの価格・費用を、横軸に生産量をとり、ある企業が生産する製品についての平均費用曲線をAC、平均可変費用曲線をAVC、限界費用曲線をMCで表したものであるが、この図に関する記述として、妥当なのはどれか。ただし、点B、C及びDはそれぞれ平均費用曲線、平均可変費用曲線及び限界費用曲線の最低点である。

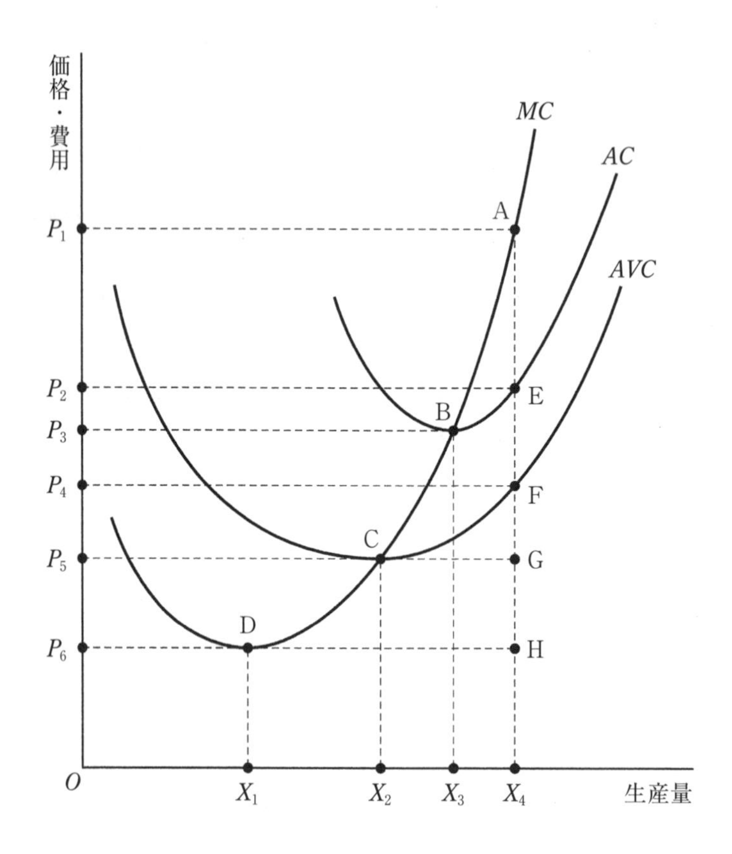

1　製品の価格がP_1で生産量がX_4であるとき、限界費用と価格が点Aで一致し、企業の利潤は最大となる。

2　製品の価格がP_1で生産量がX_4であるとき、固定費用は平均固定費用に生産量X_4を掛けたものであるから、面積P_1AEP_2に等しい。

3　製品の価格がP_3で生産量がX_3であるとき、価格が平均固定費用の最小値及び限界費用と等しくなるが、このときの点Bを損益分岐点という。

4　製品の価格がP_5で生産量がX_2であるとき、損失は発生するが、可変費用と固定費用の一部は賄うことができるので、企業は生産の継続を選択する。

5　製品の価格がP_6で生産量がX_1であるとき、企業の最適生産量はゼロになり、このときの点Dを操業停止点という。

解説　正解　1

TAC生の選択率 90%　TAC生の正答率 65%

題意の図において、損益分岐点は平均費用曲線ACの最低点である点Bであり、損益分岐価格はP_3となる。また、操業停止点は平均可変費用曲線の最低点である点Cであり、操業停止価格はP_5となる。以上を踏まえた上で、各選択肢の当否を検討する。

1　○

2　×　製品価格がP_1で生産量がX_4であるとき、平均固定費用は平均費用から平均可変費用を差し引いた線分EFの長さで表されるため、固定費用は面積P_2EFP_4の大きさに等しくなる。なお、面積P_1AEP_2は現下における純利潤の大きさを表している。

3　×　製品価格がP_3で生産量がX_3であるとき、価格は平均費用の最小値である損益分岐価格と等しくなっている。

4　×　製品価格がP_5で生産量がX_2であるとき、価格が平均可変費用の最小値である操業停止価格と等しくなっており、この企業は可変費用の全てを賄うことができるが、固定費用と同額の損失（赤字）を被ることになる。

5　×　操業停止点は点Cである。

ミクロ経済学　操業停止点

2023年度
専門 No.22

完全競争市場において、ある企業の短期の総費用関数が、

$TC = X^3 - 6X^2 + 16X + 32$ 〔TC：総費用、X：生産量〕

で示されるとき、この企業の操業停止点における価格として、妥当なのはどれか。

1　3

2　4

3　7

4　15

5　16

解説　**正解　3**　TAC生の選択率 88%　TAC生の正答率 73%

平均可変費用の最小値（損益分岐価格）を求める。与件から、平均可変費用は、

$AVC = X^2 - 6X + 16$

で表されるから、これを生産量について微分してゼロと置けば、平均可変費用の最小値における生産量が得られる。

$AVC' = 2X - 6 = 0 \rightarrow X = 3$

上記の平均可変費用関数にこの値を代入したものが、損益分岐価格である。

$AVC = 3^2 - 6 \cdot 3 + 16 = 7$

ミクロ経済学　利潤最大化

2021年度
専門 No.22

完全競争市場において、ある財を生産し販売している企業の平均費用が、

$AC = X^2 - 12X + 90$　$\left[\begin{array}{l} AC：平均費用 \\ X(X \geqq 0)：財の生産量 \end{array}\right]$

で表されるとする。

財の価格が150であるとき、この企業の利潤が最大となる財の生産量はいくらか。

1　9

2　10

3　11

4　12

5　13

解説　正解　2

TAC生の選択率 88%　TAC生の正答率 95%

まず、総費用TCを求めると、

$TC = X \times AC$

$= X^3 - 12X^2 + 90X$

となり、これより限界費用を求めると、

$MC = \frac{dTC}{dX}$

$= 3X^2 - 24X + 90$

を得る。

題意より、財の価格は150であるから、利潤最大化条件（財の価格＝限界費用）は、

$150 = 3X^2 - 24X + 90$

となり、これより利潤最大化生産量が、

$(X - 10)(X + 2) = 0$

$\therefore \quad X = 10$

と求められる。よって、**2**が正解となる。

ミクロ経済学　効用最大化

2022年度
専門 No.21

ある消費者が、所得の全てをX財、Y財の購入に支出し、この消費者の効用関数が、

$U = X^2 \cdot Y^3$　〔U：効用水準　X：X財の消費量　Y：Y財の消費量〕

で示されるとする。

この消費者の所得が90,000、X財の価格が45、Y財の価格が60であるとき、効用最大化をもたらすX財の最適消費量及びY財の最適消費量の組合せとして、妥当なのはどれか。

	X財の最適消費量	Y財の最適消費量
1	800	900
2	900	825
3	1,000	750
4	1,100	675
5	1,200	600

解説　正解　1

TAC生の選択率 81%　TAC生の正答率 93%

まず、コブ＝ダグラス型効用関数の計算公式を用いて、X財の最適消費量を求めると、

$$X = \frac{2}{2+3} \times \frac{90{,}000}{45} = 800$$

となる。

次に、同じく計算公式を用いて、Y財の最適消費量を求めると、

$$Y = \frac{3}{2+3} \times \frac{90{,}000}{60} = 900$$

となる。よって、**1**が正解となる。

ある財の需要曲線と供給曲線がそれぞれ、

$D=3a-P$ 〔D：財の需要量、P：財の価格〕
$S=2P$ 〔S：財の供給量、a：正の定数〕

で示されるとき、均衡点におけるこの財の需要の価格弾力性として、妥当なのはどれか。

1 $\frac{1}{4}$

2 $\frac{1}{2}$

3 1

4 $\frac{3}{2}$

5 2

解説 正解 2

TAC生の選択率 80% TAC生の正答率 72%

需要曲線から、$-\frac{\Delta D}{\Delta P}=1$であるから、需要の価格弾力性は、

$$e=1\cdot\frac{P}{D}=\frac{P}{D}$$

として求めることができる。均衡数量をxとすると、均衡において$D=S=x$であり、次式が成り立つ。

$$e=\frac{P}{D}=\frac{P}{x}$$

同様に、供給曲線から、$x=2P$が均衡において成り立つから、これをeの右辺に代入して、

$$e=\frac{P}{x}=\frac{P}{2P}=\frac{1}{2}$$

を得る。

なお、需要曲線と供給曲線から均衡を求めてもよい。

$$\left.\begin{array}{l}D=3a-P\\S=2P\end{array}\right\}\rightarrow\underbrace{2P}_{S}=\underbrace{3a-P}_{D}\rightarrow P=a\rightarrow D=S=2a$$

したがって、均衡における需要の価格弾力性は、

$$e=-\frac{\Delta D}{\Delta P}\cdot\frac{P}{D}=1\cdot\frac{a}{2a}=\frac{1}{2}$$

である。

ミクロ経済学　市場調整過程

2022年度
専門 No.24

次の図ア～オは、縦軸に価格を、横軸に需要量・供給量をとり、市場におけるある商品の需要曲線を*DD*、供給曲線を*SS*で示したものであるが、このうち、ワルラス的調整過程において市場均衡が不安定であり、マーシャル的調整過程において市場均衡が安定であり、及びクモの巣の調整過程において市場均衡が安定であるものとして、妥当なのはどれか。

ア

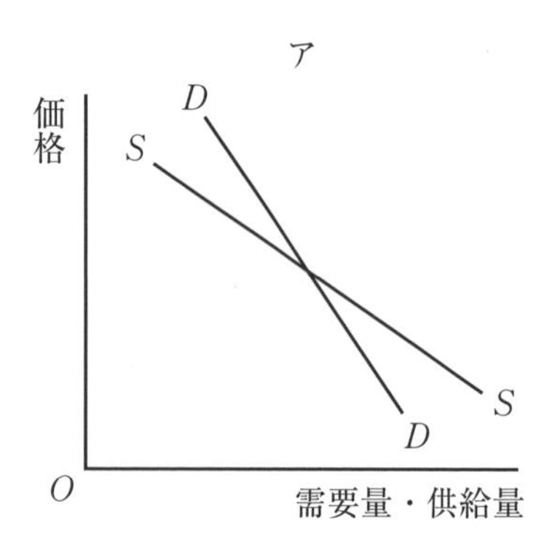

イ

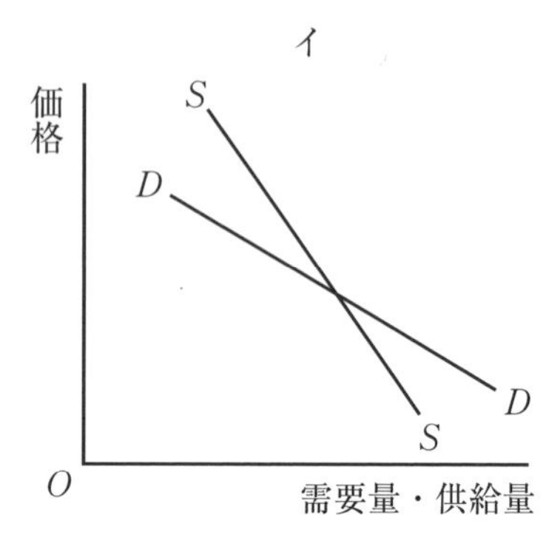

ウ

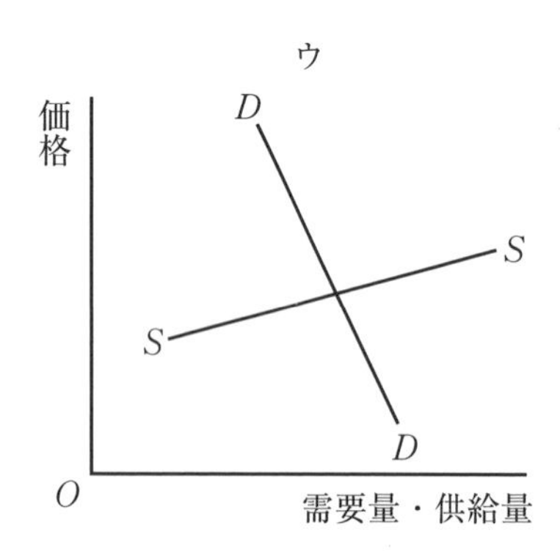

エ

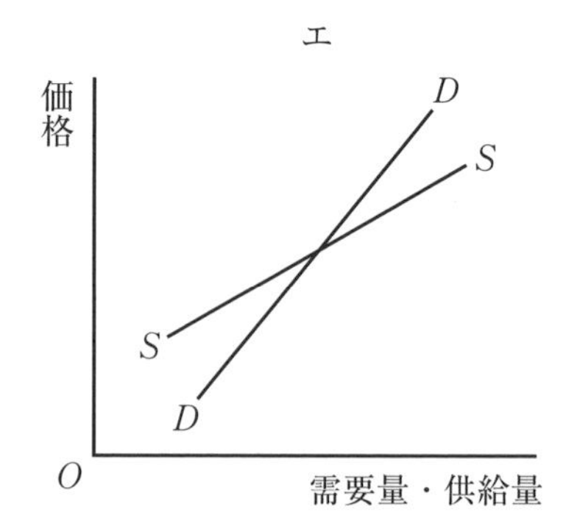

オ

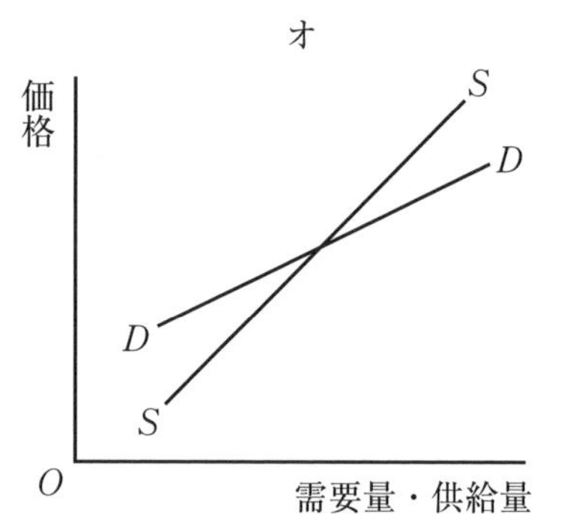

1　ア

2　イ

3　ウ

4　エ

5　オ

解説　**正解　5**　TAC生の選択率 82%　TAC生の正答率 81%

ワルラス的調整過程において市場均衡が不安定となるのは、均衡価格より高い価格の下で超過需要、低い価格の下で超過供給となる市場であることから、アとオがワルラス的に不安定となる。一方、マーシャル的調整過程において市場均衡が安定となるのは、均衡取引量より多い取引量の下で超過供給価格、少ない取引量の下で超過需要価格となる市場であることから、ア、ウ、オがマーシャル的に安定となる。

さらに、クモの巣の調整過程において市場均衡が安定となるのは、供給曲線の傾きが需要曲線の傾きよりも急となる市場であることから、イとオがクモの巣的に安定である。

よって、市場均衡がワルラス的に不安定、マーシャル的に安定、クモの巣的に安定であるのは図オであることから、**5**が正解となる。

ミクロ経済学　長期均衡　2022年度 専門 No.22

完全競争下の産業について、どの企業の費用条件も同一であり、それぞれの企業の費用関数が、

$C=X^3-6X^2+90X$ 〔C：総費用、X：財の生産量〕

で示されるとする。企業の参入・退出が自由であるとして、この産業の長期均衡における価格はどれか。ただし、財の生産量Xは0より大きいものとする。

1　3

2　9

3　27

4　81

5　243

解説　正解 4

TAC生の選択率 68%　TAC生の正答率 76%

どの企業の費用関数も同一である場合、産業の長期均衡価格は損益分岐価格に他ならない。そこで、損益分岐価格を計算する。まず、題意の費用関数から平均費用ACを求める。

$AC=X^2-6X+90$　……(1)

平均費用曲線の最低点が損益分岐点であることから、(1)式を生産量で微分して最小化をはかると、損益分岐点における生産量が、

$$\frac{dAC}{dX}=0 \rightarrow 2X-6=0$$

$$\therefore\ X=3$$

と求められる。これを(1)式に代入することにより、損益分岐価格（長期均衡価格）が81と求められる。

よって、**4**が正解となる。

完全競争市場において、ある財の需要曲線と供給曲線がそれぞれ、

$D=-P+200$ ［D：需要量、S：供給量、P：価格］

$S=4P-100$

で表されるとする。この財１単位当たり20の従量税が賦課されるとすると、そのときに生じる厚生損失はいくらか。

1 120

2 124

3 128

4 140

5 160

解説　正解　5

TAC生の選択率 84%　TAC生の正答率 91%

まず、需給均衡条件式より、$D=S=x$とおいて（x：取引量）、与式を次のように書き直す。

需要曲線：$P=-x+200$ ……(1)

供給曲線：$P=\frac{1}{4}x+25$ ……(2)

また、20の従量税が課されると、この従量税分だけ供給曲線が上方へシフトすることから、(2)式は次のようになる。

課税後の供給曲線：$P=\frac{1}{4}x+45$ ……(3)

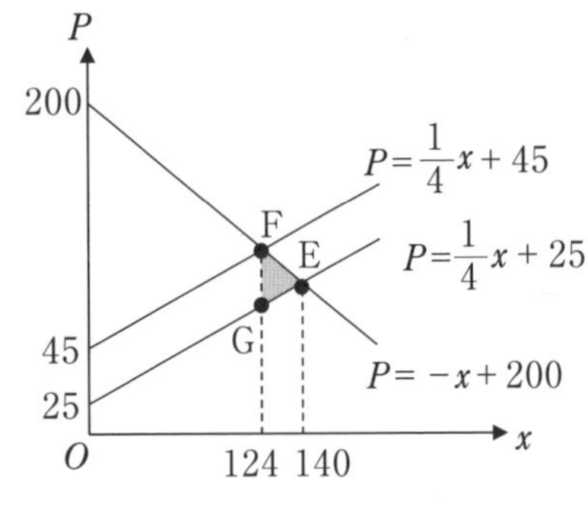

ここで、(1)式、(2)式、(3)式を図示したものが右の図であるが、最大化された社会的総余剰からの減少分である厚生損失は三角形EFGの面積で表されることから、これを求める。

まず、(1)式と(2)式より、課税前の均衡における取引量（点Ｅの横軸座標）が140と求められ、(1)式と(3)式より、課税後の均衡における取引量（点Ｆの横軸座標）が124と求められることから、厚生損失は、

$$厚生損失=20\times(140-124)\times\frac{1}{2}$$

$$=160$$

と求められる。よって、**5**が正解となる。

ミクロ経済学　価格差別

ある独占企業が、市場をAとBの２つに分割し、同一財にそれぞれの市場で異なる価格をつけて販売する場合において、それぞれの市場における需要曲線が、

$D_A = 24 - P_A$　〔D_A：A市場における需要量、P_A：A市場における価格〕
$D_B = 32 - 2P_B$　〔D_B：B市場における需要量、P_B：B市場における価格〕

で示されるとする。

この企業の総費用曲線が、

$TC = 28 + X^2$　〔TC：総費用、X：生産量〕

として示されるとき、それぞれの市場における利潤が最大となる価格の組合せとして、妥当なのはどれか。ただし、この財の市場間での転売はできないものとする。

	A市場	B市場
1	5	2
2	10	4
3	13	9
4	14	14
5	19	15

解説　正解　5　TAC生の選択率 40%　TAC生の正答率 46%

独占企業が利潤を最大化するとき、各市場における限界収入と限界費用が一致するような生産量（販売量）を選ぶ。

与件から、市場A、Bに関する限界収入MR_A、MR_Bは、それぞれ、

$$P_A = 24 - \underbrace{x_A}_{D_A} \rightarrow MR_A = 24 - 2x_A$$

$$P_B = 16 - \frac{1}{2} \times \underbrace{x_B}_{D_B} \rightarrow MR_B = 16 - x_B$$

である。ただし、x_Aとx_Bは市場A、B向けの生産量である。

独占企業がどの市場向けに生産量を１単位増やしても、生産量Xは１単位だけ増加する$(X = x_A + x_B)$から、独占企業の限界費用は、費用関数より、

$$MC = 2X$$

と表せる（x_A、x_Bに関する限界費用は、どちらも総費用をXについて微分したものに等しい）。

よって、各市場について、限界収入と限界費用を一致させた次の連立方程式を解けばよい。

$$MR_A = MC \rightarrow 24 - 2x_A = 2X \rightarrow 12 - x_A = X \cdots (1)$$

$$MR_B = MC \rightarrow 16 - x_B = 2X \cdots (2)$$

ここでは、(1)(2)を足し合わせて、先にXを求める。

$$(12 - x_A) + (16 - x_B) = 3X \rightarrow 28 - (x_A + x_B) = 3X$$

左辺のカッコ内は、$X(=x_A + x_B)$そのものだから、

$$28 - X = 3X \rightarrow X = 7$$

となる。この結果を(1)(2)に代入すると、各市場における生産量が得られるから、冒頭の逆需要関数に代入して価格を求めればよい。

(1)　$12 - x_A = 7 \rightarrow x_A = 5 \rightarrow P_A = 24 - 5 = 19$

(2)　$16 - x_B = 2 \cdot 7 \rightarrow x_B = 2 \rightarrow P_B = 16 - \frac{1}{2} \times 2 = 15$

ミクロ経済学　価格政策

2021年度
専門 No.25

公益企業への価格政策に関する記述として、妥当なのはどれか。

1　限界費用価格形成原理とは、公益企業に対し、価格を限界費用と一致するように規制することであり、社会的余剰の最大化を実現するが、赤字を補填するためには、政府の補助金が必要となることがある。

2　平均費用価格形成原理とは、公益企業に対し、価格を平均費用と一致するように規制することであり、独立採算が実現することはない。

3　公益企業によるピークロード価格は、需要の多いピークの時間帯の料金を安くし、需要の少ないオフピークの時間帯の料金を高く設定する料金である。

4　ヤードスティック規制は、公益企業の価格の引上げ率に上限を定めずに、価格に上限を定め、その範囲で公益企業が自由に価格を決めるものである。

5　二部料金制を採用して社会的余剰を最大にするには、利用量に関係ない一定の基本料金と、平均費用価格形成原理による従量料金を設定しなければならない。

解説　正解　1　TAC生の選択率 62%　TAC生の正答率 84%

1　○

2　×　平均費用価格形成原理とは、公益企業に対し、価格を平均費用と一致するように規制することであり、独立採算が実現する。

3　×　公益企業によるピークロード価格は、需要の多いピーク時の時間帯の料金を高くし、需要の少ないオフピークの時間帯の料金を低く設定する料金である。

4　×　ヤードスティック規制は、地域内で独占的に供給を行う公益企業に対して、他の地域において同じような費用構造で供給を行う企業と比較して、利潤が獲得しやすい価格設定を行わせる規制をいう。なお、本肢はプライス・キャップ規制についての記述である。

5　×　二部料金制を採用して社会的余剰を最大にするには、利用量に関係ない一定の基本料金と、限界費用価格形成原理による従量料金を設定しなければならない。

ミクロ経済学 最適資源配分

2023年度
専門 No.24

次の図は、２人の消費者A、BとX財、Y財の２つの財からなる交換経済のエッジワースのボックス・ダイアグラムである。図において、横軸と縦軸の長さは、それぞれX財とY財の全体量を表す。図中のU_1、U_2、U_3は消費者Aの無差別曲線、V_1、V_2、V_3は消費者Bの無差別曲線、WW'は契約曲線、TT'は予算制約線、g点は消費者の初期保有点をそれぞれ表している。この図の説明として妥当なのはどれか。

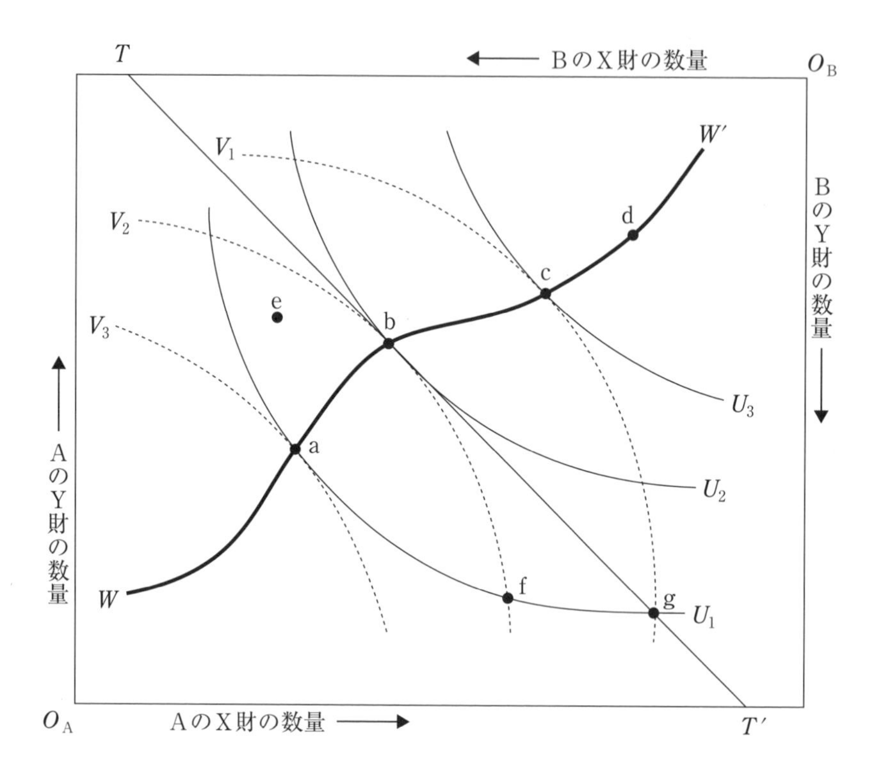

1　a点では、Aの２財の限界代替率は、Bのそれより小さく、X財、Y財をより多くAに配分すれば、配分の効率性は増加する。

2　b点は競争均衡において達成される配分であるから、a点、c点より配分の効率性の観点から望ましい配分である。

3　d点はパレート最適な配分ではあるが、A、Bの限界代替率は必ずしも等しくない。

4　e点からc点への移行はパレート改善ではないが、g点からb点への移行はパレート改善である。

5　f点と比較すると、a点、b点、c点はいずれも配分の効率性の観点から望ましい配分である。

解説　**正解　4**　TAC生の選択率 81%　TAC生の正答率 61%

1　×　a点は契約曲線上の配分であり、契約曲線上の任意の点は２人の無差別曲線の接点だから、２人の限界代替率は一致する。また、契約曲線上の任意の配分はパレート最適であり、それ以上配分を変えてもパレート改善できない。

2　×　これらの点はどれもパレート最適な配分だから、（資源）配分の効率性の観点からは比較不能である（パレート最適な配分どうしを比較しても優劣は決められない）。なお、b点は、初期保有点（g点）に対する競争均衡（の一つ）である。

3　×　契約曲線上の任意の点において、２人の限界代替率は一致する。

4　○　e点からc点に配分を変えると、Bの効用は減少するからパレート改善ではない。また、g点からb点へ配分を変えると２人とも効用が増すから、パレート改善である。

5　×　f点から配分を変える場合、そのコア配分に属す点であればパレート改善できる（より望ましい）。a点、b点はf点のコア配分に属すが、c点は属していない。実際、f点からc点に配分を変えると、Bの効用が減るのでパレート改善できない。

ミクロ経済学　シュタッケルベルク・モデル

2020年度
専門 No.23

同質的な財Xを生産する企業1、企業2からなる複占市場において、Xの需要関数が、

$D=32-P$　$\begin{pmatrix} D：財Xの需要量 \\ P：財Xの価格 \end{pmatrix}$

で表されるとする。また、企業1、企業2の費用関数はそれぞれ、

$C_1=2Q_1+10$　［C_1：企業1の総費用　Q_1：企業1の生産量］

$C_2=4Q_2$　［C_2：企業2の総費用　Q_2：企業2の生産量］

で表されるとする。

企業1が先導者、企業2が追随者として行動するとき、シュタッケルベルク均衡における企業1、企業2のそれぞれの生産量の組合せとして、妥当なのはどれか。

	企業1の生産量	企業2の生産量
1	6	11
2	9	10
3	12	7
4	16	6
5	19	3

解説　正解 4

TAC生の選択率 30%　TAC生の正答率 60%

最初に、需給均衡条件式（$D = Q_1 + Q_2$）を題意の需要関数に代入することで、次の逆需要関数を得る。

$P = 32 - Q_1 - Q_2$　……(1)

まず、クールノー競争の要領で、フォロワー（追随者）である企業2の利潤最大化条件から企業2の反応関数を求める。企業2の限界収入 MR_2 は(1)式における企業2の生産量 Q_2 の係数を2倍することにより、また企業2の限界費用 MC_2 は題意の費用関数 C_2 を Q_2 で微分することにより、それぞれ以下のように求められる。

$MR_2 = 32 - Q_1 - 2Q_2$

$MC_2 = 4$

したがって、企業2の反応関数は利潤最大化条件（$MR_2 = MC_2$）より、

$32 - Q_1 - 2Q_2 = 4$

$\rightarrow Q_2 = -\frac{1}{2}Q_1 + 14$　……(2)

と求められる。

次に、独占の要領で、リーダー（先導者）である企業1の利潤最大化条件から企業1の利潤最大化生産量を求める。そこで、(1)式に(2)式を代入し、逆需要関数から企業2の生産量 Q_2 を消去する。

$P = 32 - Q_1 - \left(-\frac{1}{2}Q_1 + 14\right)$

$= 18 - \frac{1}{2}Q_1$　……(3)

企業1の限界収入 MR_1 は(3)式における企業1の生産量 Q_1 の係数を2倍することにより、また企業1の限界費用 MC_1 は題意の費用関数 C_1 を Q_1 で微分することにより、それぞれ以下のように求められる。

$MR_1 = 18 - Q_1$

$MC_1 = 2$

したがって、企業1の利潤最大化条件（$MR_1 = MC_1$）より、企業1の利潤最大化生産量が、

$18 - Q_1 = 2$

$\therefore Q_1 = 16$

と求められる。この結果を、企業2の反応関数である(2)式に代入することで、$Q_2 = 6$ を得る。よって、**4**が正解となる。

ミクロ経済学　ゲーム理論

2022年度
専門 No.23

次の表は、企業Ａ、Ｂ間のゲームについて、企業Ａが戦略Ｓ、Ｔ、Ｕ、Ｖ、企業Ｂが戦略Ｗ、Ｘ、Ｙ、Ｚを選択したときの利得を示したものである。表中の括弧内の左側の数字が企業Ａの利得、右側の数字が企業Ｂの利得である場合のナッシュ均衡に関する記述として、妥当なのはどれか。ただし、両企業が純粋戦略の範囲で戦略を選択するものとする。

		企業Ｂ			
		戦略Ｗ	戦略Ｘ	戦略Ｙ	戦略Ｚ
企業Ａ	戦略Ｓ	（1，4）	（4，1）	（3，5）	（9，3）
	戦略Ｔ	（4，1）	（1，4）	（5，6）	（1，9）
	戦略Ｕ	（3，3）	（3，5）	（7，8）	（8，1）
	戦略Ｖ	（3，6）	（9，7）	（5，6）	（2，5）

1　ナッシュ均衡は、存在しない。

2　ナッシュ均衡は、企業Ａが戦略Ｕ、企業Ｂが戦略Ｗを選択する組合せのみである。

3　ナッシュ均衡は、企業Ａが戦略Ｖ、企業Ｂが戦略Ｘを選択する組合せのみである。

4　ナッシュ均衡は、企業Ａが戦略Ｕ、企業Ｂが戦略Ｙを選択する組合せ及び企業Ａが戦略Ｖ、企業Ｂが戦略Ｘを選択する組合せの２つである。

5　ナッシュ均衡は、企業Ａが戦略Ｓ、企業Ｂが戦略Ｚを選択する組合せ、企業Ａが戦略Ｔ、企業Ｂが戦略Ｙを選択する組合せ及び企業Ａが戦略Ｕ、企業Ｂが戦略Ｗを選択する組合せの３つである。

解説　正解　**4**

TAC生の選択率 85%　TAC生の正答率 90%

題意の利得表における両企業の最適反応は、以下の通りである。

		企業B			
		戦略W	戦略X	戦略Y	戦略Z
企業A	戦略S	(1，4)	(4，1)	(3，⑤)	(⑨，3)
	戦略T	(④，1)	(1，4)	(5，6)	(1，⑨)
	戦略U	(3，3)	(3，5)	(⑦，⑧)	(8，1)
	戦略V	(3，6)	(⑨，⑦)	(5，6)	(2，5)

企業Aの最適反応は、

●企業Bが戦略Wのとき、戦略Tを選択する。
　(戦略Tの利得4＞戦略Uの利得3＝戦略Vの利得3＞戦略Sの利得1)

●企業Bが戦略Xのとき、戦略Vを選択する。
　(戦略Vの利得9＞戦略Sの利得4＞戦略Uの利得3＞戦略Tの利得1)

●企業Bが戦略Yのとき、戦略Uを選択する。
　(戦略Uの利得7＞戦略Tの利得5＝戦略Vの利得5＞戦略Sの利得3)

●企業Bが戦略Zのとき、戦略Sを選択する。
　(戦略Sの利得9＞戦略Uの利得8＞戦略Vの利得2＞戦略Tの利得1)

他方、企業Bの最適反応は、

●企業Aが戦略Sのとき、戦略Yを選択する。
　(戦略Yの利得5＞戦略Wの利得4＞戦略Zの利得3＞戦略Xの利得1)

●企業Aが戦略Tのとき、戦略Zを選択する。
　(戦略Zの利得9＞戦略Yの利得6＞戦略Xの利得4＞戦略Wの利得1)

●企業Aが戦略Uのとき、戦略Yを選択する。
　(戦略Yの利得8＞戦略Xの利得5＞戦略Wの利得3＞戦略Zの利得1)

●企業Aが戦略Vのとき、戦略Xを選択する。
　(戦略Xの利得7＞戦略Wの利得6＝戦略Yの利得6＞戦略Zの利得5)

以上より、相互に最適戦略を取り合っている状況を示すナッシュ均衡の組合せは、

{企業Aの戦略，企業Bの戦略}＝{戦略U，戦略Y}、{戦略V，戦略X}

となることから、**4**が正解となる。

生産の外部不経済が存在する経済において、企業Aと企業Bの費用関数が次のように表されているものとする。

$C_A = X_A{}^2 + 30X_A$　［C_A：企業Aの総費用、X_A：企業Aの生産量］

$C_B = X_B{}^2 + X_A \cdot X_B$　［C_B：企業Bの総費用、X_B：企業Bの生産量］

また、企業Aの生産する財の価格は80、企業Bの生産する財の価格は70で、一定であるとする。

このとき、各企業がそれぞれ、相手企業の生産量を所与として利潤最大化を行っている状態から、両企業の利潤の合計が最大化されている状態に移行するために、企業Aが減らさなければならない生産量として、妥当なのはどれか。

1　10

2　15

3　20

4　25

5　30

解説　正解　2　TAC生の選択率　25%　TAC生の正答率　46%

①企業Aの利潤最大化

企業Aは、生産する財の価格80と限界費用（私的限界費用）MC_Aが一致するよう生産する。与件から、$MC_A = 2X_A + 30$だから、価格と一致させて、

$$80 = 2X_A + 30 \quad \rightarrow \quad X_A = 25 \cdots (1)$$

となる。

②利潤の合計を最大化

この場合、各企業が選ぶ生産量は、価格＝社会的限界費用を満たす。与件から、企業Aが生産量を１単位増やすと企業Bの総費用はX_Bだけ増加するが、企業Bが１単位多く生産しても企業Aの総費用は変化しない。つまり、企業Bについては、私的な限界費用が社会的な限界費用そのものに等しい。

企業Aについて、価格＝社会的限界費用は、

$$80 = MC_A + X_B = (2X_A + 30) + X_B \quad \rightarrow \quad 2X_A + X_B = 50 \cdots (2)$$

と表せ、企業Bについて、価格＝社会的限界費用は、MC_Bを限界費用（私的限界費用）として、

$$70 = MC_B = 2X_B + X_A \quad \rightarrow \quad X_A + 2X_B = 70 \cdots (3)$$

と表せる。(2)(3)を連立させて解けば、各企業について、社会的に望ましい生産水準（合計利潤を最大化する生産量）は、

$$X_A = 10 \cdots (4)$$

$$X_B = 30$$

となる。よって、(1)(4)より、企業Aは生産量を15だけ減らす必要がある。

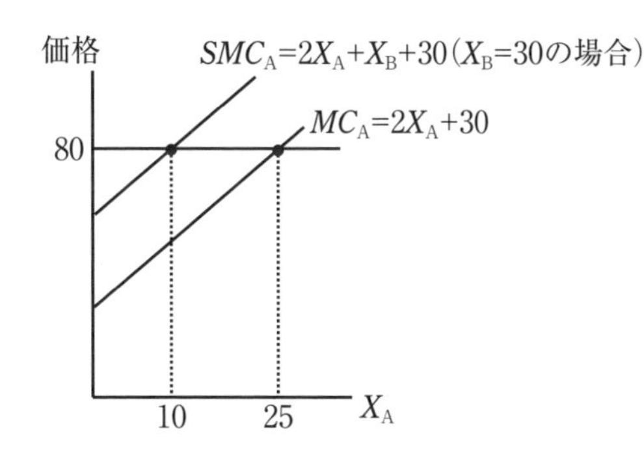

ミクロ経済学　外部不経済

2020年度
専門 No.25

完全競争市場において、市場全体の私的総費用が、

$PC = X^2 + 20X + 10$　［PC：私的総費用の大きさ、X：財の生産量］

と表されるものとし、生産に伴う外部不経済から、

$C = \frac{1}{2}X^2$　［C：外部不経済による費用］

が社会的に発生するとする。

また、この市場の需要関数が、

$X = -\frac{1}{2}P + 50$　［P：財の価格］

で表されるとき、政府がこの市場に対して、生産量１単位につきTの課税をする場合、総余剰が最大となる「T」と「税収」の組合せとして、妥当なのはどれか。

	T	税収
1	8	100
2	8	120
3	16	104
4	16	208
5	16	256

解説　正解 **5**　TAC生の選択率 26%　TAC生の正答率 52%

まず、財を生産するための私的限界費用PMCは、題意の私的総費用関数を微分することにより、

$PMC = 2X + 20$　……(1)

と求められる。また、財の生産にともなう限界費用（限界損失）MLは、題意の外部不経済による費用関数を微分することにより、

$ML = X$　……(2)

と求められる。よって、(1)式に(2)式を加えることで、社会的限界費用SMCは、

$$SMC = PMC + ML$$
$$= 2X + 20 + X$$
$$= 3X + 20 \quad \cdots\cdots(3)$$

と求められる。

さらに、題意の需要関数から市場の逆需要関数として、

$P = -2X + 100$　……(4)

を得るが、総余剰が最大となる生産量は、需要曲線と社会的限界費用曲線の交点で決定されることから、$P = SMC$とおいて、(3)式と(4)式を連立させれば、総余剰を最大にする生産量が、

$$-2X + 100 = 3X + 20$$
$$\therefore X = 16$$

と求められる。これを(2)式に代入すれば限界損失が16と計算できるが、これが総余剰を最大にする生産量1単位当たりの課税（ピグー税）の大きさとなる。また、税収の大きさは1単位当たりの課税×生産量であるから、

$$税収 = 16 \times 16$$
$$= 256$$

となる。以上より、**5**が正解となる。

マクロ経済学　産業連関表　2022年度 専門 No.29

次の表は、ある国の、２つの産業部門からなる産業連関表を示したものであるが、この表に関する以下の記述において、文中の空所A、Bに該当する数字の組合せとして、妥当なのはどれか。ただし、投入係数は、全て固定的であると仮定する。

<table>
<tr><th colspan="2" rowspan="2">産出
投入</th><th colspan="2">中間需要</th><th colspan="2">最終需要</th><th rowspan="2">総産出額</th></tr>
<tr><th>産業Ⅰ</th><th>産業Ⅱ</th><th>国内需要</th><th>純輸出</th></tr>
<tr><td rowspan="2">中間投入</td><td>産業Ⅰ</td><td>50</td><td>50</td><td>ア</td><td>10</td><td>イ</td></tr>
<tr><td>産業Ⅱ</td><td>25</td><td>100</td><td>40</td><td>35</td><td>200</td></tr>
<tr><td colspan="2">付加価値</td><td>75</td><td>50</td><td></td><td></td><td></td></tr>
<tr><td colspan="2">総投入額</td><td>150</td><td>ウ</td><td></td><td></td><td></td></tr>
</table>

この国の、現在の産業Ⅰの国内需要「ア」は［　A　］である。

今後、産業Ⅰの国内需要「ア」が70％増加した場合、産業Ⅱの総投入額「ウ」は［　B　］％増加することになる。

	A	B
1	40	6
2	40	8
3	40	24
4	80	46
5	80	68

解説　正解　2

TAC生の選択率 38％　TAC生の正答率 64％

まず、産業連関表において、各産業の総投入額と総産出額が等しくなることから、

産業Ⅰの総投入額＝産業Ⅰの総産出額　→　150＝ イ

産業Ⅱの総投入額＝産業Ⅱの総産出額　→　ウ ＝200

となる。また、産業Ⅰの販路構成から、

産業Ⅰの販路構成：50＋50＋ア＋10＝イ　→　ア＝40

と求められる。よって、Aは40となる。

次に、以下の手順に従って投入産出分析を行う。

［STEP 1］

まず、各産業の総産出額（総投入額）の増加分を求めるために、各産業の販路構成を定式化する。

産業Ⅰの販路構成：50＋50＋40＋10＝150　……(1)

産業Ⅱの販路構成：25＋100＋40＋35＝200　……(2)

[STEP 2]

産業Ⅰの総産出額150で(1)式と(2)式の左辺第1項を割って掛け、産業Ⅱの総産出額200で(1)式と(2)式の左辺第2項を割って掛ける。

産業Ⅰ：$\frac{50}{150} \times 150 + \frac{50}{200} \times 200 + 40 + 10 = 150$ ……(1')

産業Ⅱ：$\frac{25}{150} \times 150 + \frac{100}{200} \times 200 + 40 + 35 = 200$ ……(2')

[STEP 3]

分数を既約分数に直すとともに、産業Ⅰの総産出額150をx_{I}、産業Ⅱの総産出額200をx_{II}、産業Ⅰの国内需要40をf_{I}、産業Ⅱの国内需要40をf_{II}と記号で置き換える。

産業Ⅰ：$\frac{1}{3}x_{\text{I}} + \frac{1}{4}x_{\text{II}} + f_{\text{I}} + 10 = x_{\text{I}}$ ……(3)

産業Ⅱ：$\frac{1}{6}x_{\text{I}} + \frac{1}{2}x_{\text{II}} + f_{\text{II}} + 35 = x_{\text{II}}$ ……(4)

[STEP 4]

（各産業の純輸出が、国内需要や総産出額に依存しないと仮定して、）(3)式と(4)式の変化分をとって整理する。

産業Ⅰ：$-\frac{2}{3}\Delta x_{\text{I}} + \frac{1}{4}\Delta x_{\text{II}} + \Delta f_{\text{I}} = 0$ ……(3')

産業Ⅱ：$\frac{1}{6}\Delta x_{\text{I}} - \frac{1}{2}\Delta x_{\text{II}} + \Delta f_{\text{II}} = 0$ ……(4')

[STEP 5]

産業Ⅰの国内需要が28(＝40×0.7)増加し、産業Ⅱの国内需要は変化しないことから、(3')式と(4')式に$\Delta f_{\text{I}} = 28$、$\Delta f_{\text{II}} = 0$を代入する。

産業Ⅰ：$-\frac{2}{3}\Delta x_{\text{I}} + \frac{1}{4}\Delta x_{\text{II}} + 28 = 0$ ……(5)

産業Ⅱ：$\frac{1}{6}\Delta x_{\text{I}} - \frac{1}{2}\Delta x_{\text{II}} + 0 = 0$ ……(6)

[STEP 6]

(5)式と(6)式を連立させて、Δx_{I}とΔx_{II}について解くことにより、$\Delta x_{\text{I}} = 48$、$\Delta x_{\text{II}} = 16$と求められることから、産業Ⅱの総投入額（総産出額）の増加率は、

$$\frac{\Delta x_{\text{II}}}{x_{\text{II}}} \times 100\% = \frac{16}{200} \times 100\%$$

$$= 8\%$$

と求められ、Bは8となる。

以上より、**2**が正解となる。

憲法 行政法 民法Ⅰ 民法Ⅱ ミクロ経済学 マクロ経済学

マクロ経済学　インフレギャップ・デフレギャップ　2020年度 専門 No.26

次の図は、縦軸に消費C、投資I及び政府支出Gを、横軸に国民所得Yをとり、完全雇用国民所得をY_0、総需要Dが$D=C+I+G$、総供給がY_Sのときの均衡国民所得をY_1で表したものである。

今、$Y_0=300$、$C=40+0.4Y$、$I=20$、$G=60$であるとき、Y_0に関する記述として、妥当なのはどれか。

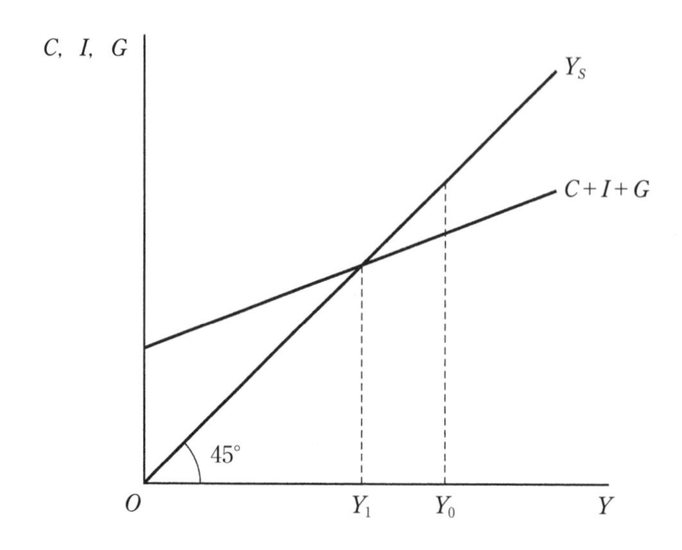

1　Y_0では、インフレ・ギャップが生じているため、政府支出を40減少させれば、完全雇用国民所得が実現される。

2　Y_0では、インフレ・ギャップが生じているため、政府支出を60増加させれば、超過需要が解消される。

3　Y_0では、デフレ・ギャップが生じているため、政府支出を40減少させれば、超過供給が解消される。

4　Y_0では、デフレ・ギャップが生じているため、政府支出を60増加させれば、完全雇用国民所得が実現される。

5　Y_0では、デフレ・ギャップが生じているため、政府支出を80増加させれば、完全雇用国民所得が実現される。

解説　正解　4　　TAC生の選択率 85%　TAC生の正答率 88%

題意より、与件を代入すれば、総需要Dと総供給Y_Sは以下のように表される。

$$D = C + I + G$$
$$= 40 + 0.4Y + 20 + 60$$
$$= 0.4Y + 120 \quad \cdots\cdots(1)$$
$$Y_S = Y \quad \cdots\cdots(2)$$

完全雇用国民所得Y_0は300であるから、(1)式と(2)式に$Y=300$を代入すれば、完全雇用国民所得における総需要と総供給が、

$$D = 240$$
$$Y_S = 300$$

となる。

このとき、総需要が総供給を下回ることからデフレ・ギャップが発生しており、その大きさは、

デフレ・ギャップ＝完全雇用国民所得下の総供給－完全雇用国民所得下の総需要
＝300－240
＝60

と求められる。ここで、完全雇用国民所得を実現するためには、デフレ・ギャップと同じ大きさだけ政府支出を増加させればよいことから、**4**が正解となる。

マクロ経済学　信用創造

2021年度
専門 No.27

新規の預金100万円が、ある市中銀行に預けられたとき、この預金をもとに市中銀行全体で預金準備率をXとして信用創造が行われ、900万円の預金額が創造された場合、信用創造乗数として、正しいのはどれか。ただし、全ての市中銀行は過剰な準備金をもたず、常にこの準備率が認めるところまでの貸出しを行うものとする。

1　0.1

2　0.9

3　1

4　10

5　11

解説　正解　4

TAC生の選択率 72%　TAC生の正答率 28%

預金総額をD、新規の預金（本源的預金）をH、支払準備率（預金準備率、現金準備率）をrとすると、預金総額は、

$$D=\frac{1}{r}\times H$$

と表され、$\frac{1}{r}$を信用創造乗数という。

ここで、新規の預金100万円に対して、新たに創造される預金額が900万円であることから、預金総額は1,000万円となり、信用創造乗数は、

$$\frac{1}{r}=\frac{1{,}000\text{万円}}{100\text{万円}}$$
$$=10$$

と求められる。よって、**4**が正解となる。

ある国のマクロ経済モデルが次のように表されているとする。

$$Y=C+I+G$$
$$C=0.6(Y-T)+50$$
$$I=60-r$$
$$G=50$$
$$T=20$$
$$L=M$$
$$L=0.1Y+10-r$$
$$M=10$$

〔Y：国民所得、C：民間消費
I：民間投資、G：政府支出
T：租税、r：利子率
L：貨幣需要量、M：貨幣供給量〕

このモデルにおいて、政府支出が50から60に増加したとき、クラウディング・アウト効果によって生じる国民所得の減少分の大きさとして、妥当なのはどれか。

1　5

2　10

3　15

4　20

5　25

解説　正解　1

TAC生の選択率 73%　TAC生の正答率 55%

貨幣市場について、Mは不変だから次の関係が成り立つ。

$$\Delta L=0.1\Delta Y-\Delta r=0 \quad\rightarrow\quad \Delta r=0.1\Delta Y \cdots(1)$$

同様に、財市場について、$\Delta G=10$のとき、次の関係が成り立つ。

$$\left.\begin{array}{l}\Delta Y=\Delta C+\Delta I+\Delta G\\ \Delta C=0.6\Delta Y\\ \Delta I=-\Delta r\\ \Delta G=10\end{array}\right\} \rightarrow\ 0.4\Delta Y=-\Delta r+10\cdots(2)$$

ここで、(2)について、$\Delta r=0$とすれば、

$$0.4\Delta Y=0+10 \quad\rightarrow\quad \underline{\Delta Y=25}$$

となり、r上昇前の国民所得の増加が25であることがわかる。

r上昇後については、(1)(2)より、

$$0.4\Delta Y=-0.1\Delta Y+10 \quad\rightarrow\quad \underline{\Delta Y=20}$$

だけ国民所得が増加することになる。

よって、求める国民所得の減少分の大きさは、$25-20=5$である。

マクロ経済学　IS-LM分析　2022年度 専門 No.26

次の図Ⅰ及び図Ⅱは、２つの異なるモデルについて縦軸に利子率を、横軸に国民所得をとり、IS曲線とLM曲線を描いたものであるが、それぞれの図に関する以下の記述において、文中の空所Ａ～Ｄに該当する語又は語句の組合せとして、妥当なのはどれか。

図Ⅰ

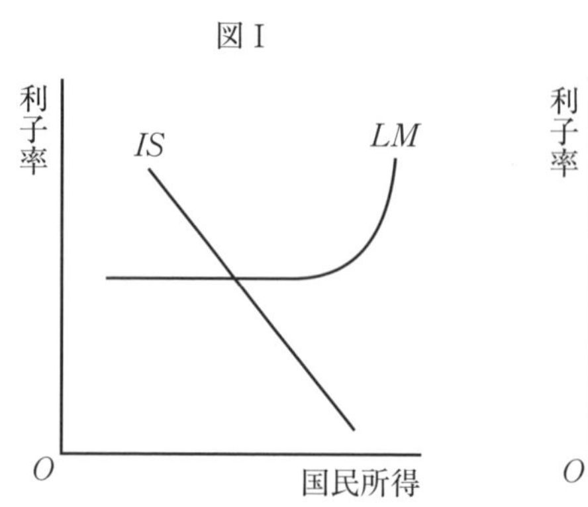

図Ⅱ

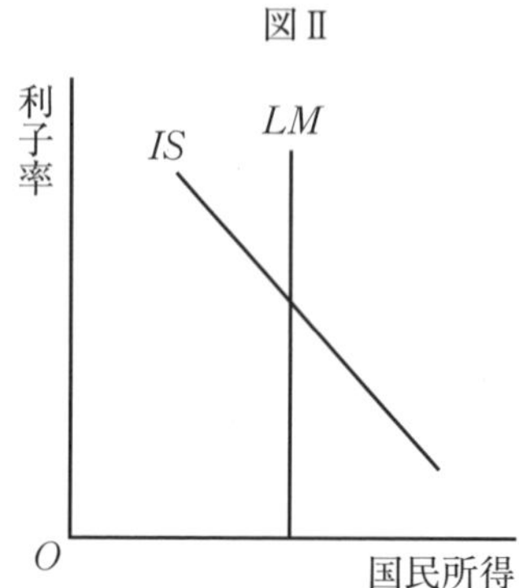

図Ⅰのように、LM曲線がIS曲線と交わる部分で水平になる状況は「流動性のわな」といわれ、ケインズの流動性選好理論によれば、一定限度まで利子率が［　A　］することで貨幣需要の弾力性が［　B　］となるため、金融政策は無効である。

図Ⅱのように、LM曲線が垂直になる状況では、政府支出を増加させると、国民所得は［　C　］が、利子率は［　D　］するという「100％クラウディング・アウト」が起こる。

	A	B	C	D
1	下落	無限大	変化しない	上昇
2	下落	無限大	増加する	下落
3	上昇	無限大	変化しない	上昇
4	上昇	ゼロ	増加する	下落
5	上昇	ゼロ	変化しない	上昇

解説　正解　1

TAC生の選択率 82％　TAC生の正答率 82％

図Ⅰのように、LM曲線がIS曲線と交わる部分で水平になる状況は「流動性のわな」といわれ、ケインズの流動性選好理論によれば、一定限度まで利子率が［A：下落］することで貨幣需要の（利子）弾力性が［B：無限大］となるため、金融政策は無効である。

図Ⅱのように、LM曲線が垂直になる状況では、政府支出を増加させると、国民所得は［C：変化しない］が、利子率は［D：上昇］するという「100％クラウディング・アウト」が起こる。

よって、**1**が正解となる。

ある国の経済において、マクロ経済モデルが次のように表されているとする。

$Y=C+I+G$
$C=20+0.5(Y-T)$
$I=55-4r$
$G=20$
$T=40$
$L=100+Y-2r$
$M=150$
$L=M$

〔Y：国民所得、C：民間消費
I：民間投資、G：政府支出
r：利子率、T：租税
L：貨幣需要量、M：貨幣供給量〕

このモデルにおいて、政府が税収を変えずに政府支出を20増加させる場合、国民所得はいくら増加するか。ただし、物価水準は一定であると仮定する。

1 4

2 6

3 8

4 10

5 12

解説 正解 3 TAC生の選択率 78% TAC生の正答率 89%

与式より、IS曲線とLM曲線の式を立て、変化分をとって整理する。

IS曲線：$Y=20+0.5(Y-T)+55-4r+G$

→ $0.5\Delta Y+4\Delta r=\Delta G$

→ $0.5\Delta Y+4\Delta r=20$ ……(1)

LM曲線：$100+Y-2r=150$

→ $\Delta Y-2\Delta r=0$ ……(2)

(1)式と(2)式を連立させて解くことにより、$\Delta Y=8$と求められる。よって、**3**が正解となる。

マクロ経済学 AD-AS分析

2020年度
専門 No.28

次のⅠ図はケインズ派、Ⅱ図は古典派のケースについて、縦軸に物価を、横軸に国民所得をとり、総需要曲線を*AD*、総供給曲線を*AS*とし、その２つの曲線の交点をE_1で表したものであるが、それぞれの図の説明として妥当なのはどれか。ただし、Ⅰ図における総供給曲線*AS*は、国民所得Y_0で垂直であるとする。

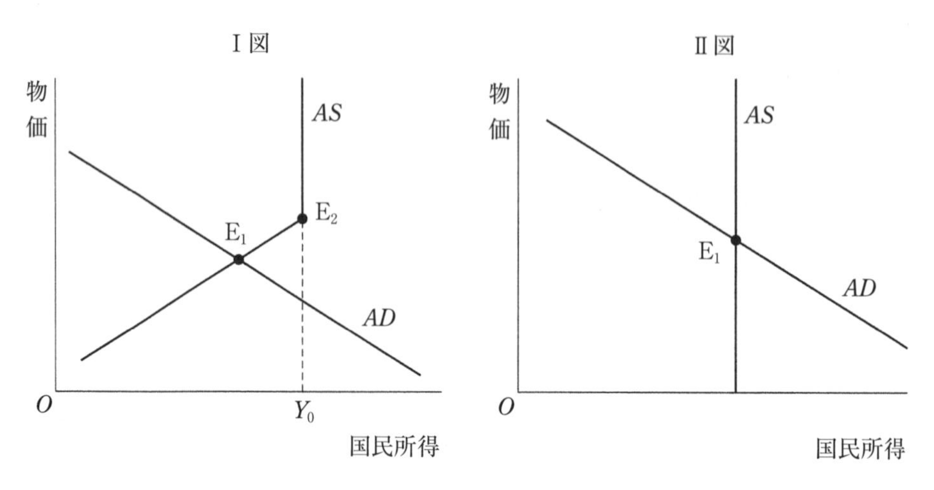

1　Ⅰ図では、政府支出を増加させる財政政策が実施され、総需要曲線*AD*が右へシフトして均衡点がE_1からE_2に移動した場合、物価が上昇するとともに国民所得も増加し、均衡点E_2では完全雇用が達成される。

2　Ⅰ図では、生産要素価格が上昇すると総供給曲線*AS*が上へシフトして均衡点E_1が移動し、物価が上昇するが国民所得は減少することとなり、このようにして生じるインフレーションをディマンド・プル・インフレーションという。

3　Ⅱ図では、貨幣供給量を増加させる金融緩和政策が実施されると、総需要曲線*AD*が左へシフトして均衡点E_1が移動するが、国民所得は変化しない。

4　Ⅱ図では、政府支出を増加させる財政政策が実施され、総需要曲線*AD*が右へシフトして均衡点E_1が移動した場合、物価が下落するが、このようにして生じるインフレーションをコスト・プッシュ・インフレーションという。

5　Ⅱ図では、労働市場に摩擦的失業と非自発的失業のみが存在しているため、総供給曲線*AS*が垂直となっている。

解説　正解　1

TAC生の選択率 67%　TAC生の正答率 69%

IS-LM分析から導出され、財の総需要を表す総需要曲線は、ケインズ派と古典派のいずれにおいても、通常は右下がりの曲線として表され、拡張的財政政策や金融緩和政策による総需要の増加にともなって右方シフトする。

一方、労働市場で決定される雇用量に基づいた財の総供給を表す総供給曲線は、ケインズ派においては、非自発的失業が発生する状況に対応した右上がりの部分と、完全雇用に対応した垂直の部分で表されるのに対して、古典派においては、完全雇用に対応した垂直の部分のみで表されるという違いがある。また、右上がりの総供給曲線は、原材料価格や生産要素価格の上昇によって左上方シフトするが、垂直の総供給曲線は、完全雇用における雇用量が変化しない限りシフトしないという違いも有している。

以上を踏まえ、各選択肢の当否を検討する。

1　○

2　×　生産要素価格の上昇にともない総供給曲線*AS*が上へシフトすることで生じるインフレーションは、コスト・プッシュ・インフレーションという。

3　×　貨幣供給量を増加させる金融緩和政策が実施されると、総需要曲線*AD*は右へシフトする。

4　×　政府支出を増加させる財政政策が実施され、総需要曲線*AD*が右へシフトすることで生じる物価の上昇は、ディマンド・プル・インフレーションという。

5　×　完全雇用における雇用量の下では、労働市場において摩擦的失業と自発的失業が存在しており、非自発的失業は生じていないことから、総供給曲線*AS*が垂直となる。

マクロ経済学　スタグフレーション

2023年度
専門 No.29

次の文は、スタグフレーションに関する記述であるが、文中の空所A～Dに該当する語句の組合せとして、妥当なのはどれか。

1970年代に先進国で起こった、不況と［　A　］が同時に生じるスタグフレーションは、下図において、［　B　］の増加などにより、［　C　］が［　D　］にシフトすることで発生した。

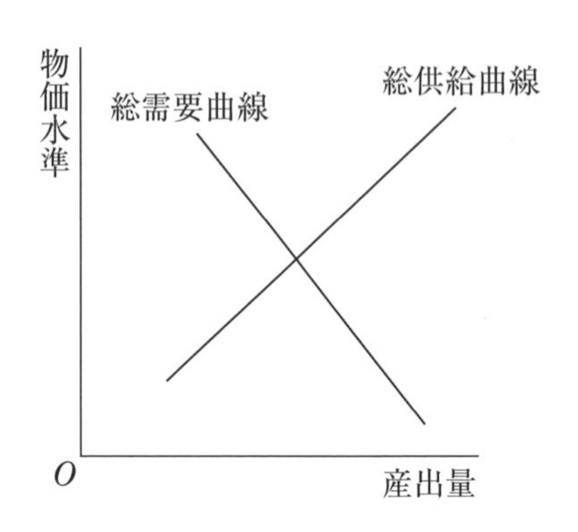

	A	B	C	D
1	インフレーション	生産コスト	総供給曲線	左上方
2	インフレーション	生産コスト	総需要曲線	右上方
3	インフレーション	政府支出	総需要曲線	右上方
4	デフレーション	生産コスト	総供給曲線	左上方
5	デフレーション	政府支出	総需要曲線	右上方

解説　正解　1

TAC生の選択率 79%　TAC生の正答率 66%

スタグフレーションは、インフレーション（A）と失業率の上昇（不況）が同時に生じて、右下がりのフィリップス曲線が適用されない状況を指す。

失業率の上昇は均衡における産出量の減少によって表され、不況（需要不足）で産出量が減少するには総供給曲線（C）が左上方（D）にシフトしなければならず、このシフトは原油の高騰などの生産コスト（B）の増加により発生する。

マクロ経済学　消費関数の理論　2023年度 専門 No.26

消費関数の理論に関する記述として、妥当なのはどれか。

1　ケインズ型消費関数は、消費が現在の所得に依存するものであり、所得が上昇すると、平均消費性向が下落する。

2　クズネッツは、実証研究により、平均消費性向は短期、長期のいずれにおいても一定とはならず、変動することを示した。

3　デューゼンベリーは、消費は現在の所得ではなく過去の最高所得に依存するとするデモンストレーション効果を提唱した。

4　フリードマンは、消費が所得だけではなく、預金などの流動資産にも依存するとする流動資産仮説を提唱した。

5　トービンは、所得を恒常所得と変動所得に分け、消費は恒常所得に依存し、変動所得は消費に影響が及ばないとする恒常所得仮説を提唱した。

解説　正解　1　TAC生の選択率 76%　TAC生の正答率 71%

1　○　ケインズ型（短期消費関数）の場合、基礎消費（正の値）の存在により、所得が増加すると平均消費性向が減少する。

2　×　クズネッツが示したのは、平均消費性向が長期において（ほぼ）一定であるということである。

3　×　デューゼンベリーが提唱したのは相対所得仮説である。その中に、デモンストレーション効果（誇示効果）と呼ばれ、個人の消費が友人などの消費行動にも影響を受けるとした仮説があるが、過去の最高所得に依存するとしたものは習慣形成仮説と呼ばれている。

4　×　フリードマンが主張したのは恒常所得仮説である。

5　×　トービンが主張したのは流動資産仮説である。

マクロ経済学　加速度原理

第1期の国民所得を290、第2期の国民所得を320、第3期の国民所得及び資本ストックをそれぞれ380、950とするとき、加速度原理により求められる第2期の投資の値として、妥当なのはどれか。ただし、資本係数は一定とする。

1　45

2　60

3　75

4　90

5　150

解説　正解　3

TAC生の選択率 56%　TAC生の正答率 75%

加速度原理による第2期の投資I_2の値は、資本係数v（定数）、国民所得Y_tを用いて、与件から、

$$I_2 = v(Y_2 - Y_1) = v(320 - 290) = 30v$$

で表される。

資本係数は各期における資本ストックK_tと国民所得Y_tの比率であり、両方の値が与えられているのは第3期である。数値を代入すると、

$$v = \frac{K_3}{Y_3} = \frac{950}{380} = 2.5$$

であるから、この値を使って第2期の投資を求めることができる。

$$I_2 = 30v = 30 \times 2.5 = 75$$

現在毎年500万円の所得があり、800万円の資産を保有している45歳の人がいる。この人が65歳まで働き、85歳まで寿命があり、55歳までの10年間は現在と同額の所得があるが、その後65歳までの10年間は毎年の所得が300万円となり、その後85歳までの20年間は所得がないという予想の下で、今後生涯にわたって毎年同額の消費を行うとしたとき、この人が15年後の60歳の時の年間貯蓄額はいくらか。ただし、個人の消費行動はライフサイクル仮説に基づき、遺産は残さず、利子所得はないものとする。

1 10万円

2 50万円

3 80万円

4 100万円

5 220万円

解説 正解 3

TAC生の選択率 63% TAC生の正答率 84%

最初に、毎年同額の消費額をc[万円]として、題意の状況をまとめておく。

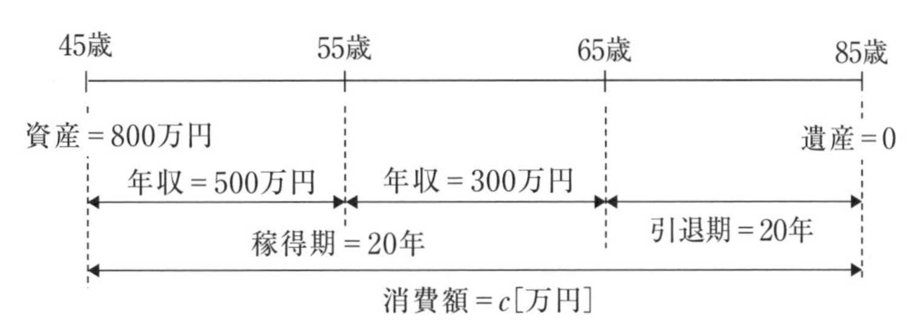

この図より、生涯にわたる総消費額は$40c$[万円]となり、生涯所得である、

500[万円]×10[年]＋300[万円]×10[年]＋800[万円]＝8800[万円]

と等しくなることから、この人の毎年の消費額は、$c=220$[万円]となる。

ここで、この人が60歳のときの貯蓄額は、

貯蓄額＝所得－消費額
＝300－220
＝80[万円]

と求められる。よって、**3**が正解となる。

ある国の経済において、マクロ経済モデルが次のように表されているとする。

$Y=C+I+G+X-M$ 　Y：国民所得
$C=0.4Y+8$ 　C：民間消費
$I=16$ 　I：民間投資
$G=52$ 　G：政府支出
$X=60$ 　X：輸出
$M=0.4Y+20$ 　M：輸入

このモデルにおいて、貿易収支を均衡させるために必要となる政府支出Gの変化に関する記述として、妥当なのはどれか。

1 政府支出を12減少させる。

2 政府支出を16減少させる。

3 政府支出を20減少させる。

4 政府支出を24増加させる。

5 政府支出を28増加させる。

解説　正解　2　TAC生の選択率 71%　TAC生の正答率 87%

貿易収支の均衡とは、輸出と輸入の均衡を意味するが、これを達成する国民所得は、

$X-M=0 \quad \rightarrow \quad 60-(0.4Y+20)=0$

より、$Y=100$と求められる。すなわち、財市場における均衡国民所得が100であれば、貿易収支が均衡する。

次に、$X-M=0$に注意して、財市場における需給均衡条件式に政府支出以外の与件を代入すると、

$Y=0.4Y+8+16+G$

$\rightarrow 0.6Y=24+G$

となる。この式に貿易収支を均衡させる国民所得（$Y=100$）を代入すれば、これを実現させるために必要な政府支出の大きさが36と求められるが、当初の政府支出が52であることから、貿易収支を均衡させるために必要な政府支出Gの変化分は-16となる。

よって、**2**が正解となる。

マクロ経済学　マンデル＝フレミング・モデル　2021年度 専門 No.26

次の図は、点Eを自国の政策が発動される前の均衡点とし、資本移動が完全である場合のマンデル＝フレミングモデルを表したものであるが、これに関する記述として、妥当なのはどれか。ただし、このモデルにおいては、世界利子率に影響を与えることはない小国を仮定し、世界利子率はr_wで定まっているものとし、物価は一定とする。

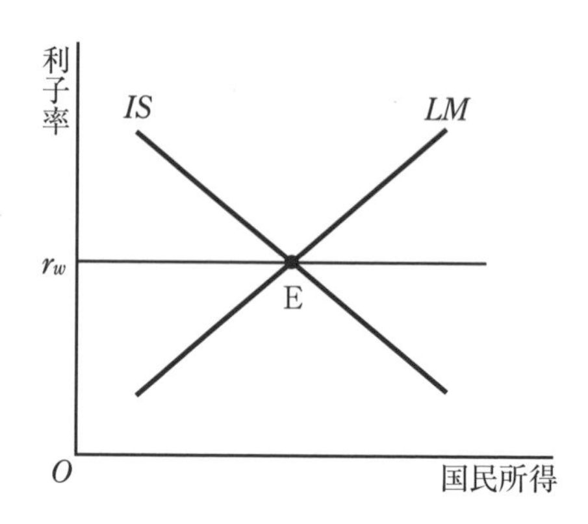

1　変動為替相場制の下で、金融緩和政策がとられると、LM曲線が右にシフトし国内利子率が下落するので、資本流出が起こり、為替レートの減価により輸出が拡大し、需要が増加しIS曲線が右にシフトする。

2　変動為替相場制の下で、拡張的な財政政策がとられると、IS曲線が右にシフトし国内利子率が上昇するので、資本流出が起こり、貨幣供給量が増大するため、LM曲線が右にシフトする。

3　変動為替相場制の下で、金融緩和政策がとられると、LM曲線が右にシフトし国内利子率が下落するので、資本流出が起こり、為替レートの増価により輸入が拡大し、需要が増加しIS曲線が右にシフトする。

4　固定為替相場制の下で、金融緩和政策がとられると、LM曲線が右にシフトし国内利子率が下落するので、資本流出が起こり、貨幣供給量が増大するため、IS曲線が右にシフトする。

5　固定為替相場制の下で、拡張的な財政政策がとられると、IS曲線が右にシフトし国内利子率が上昇するので、資本流出が起こり、貨幣供給量が減少するため、LM曲線が左にシフトする。

解説　**正解　1**　TAC生の選択率 77%　TAC生の正答率 78%

1　○

2　×　変動為替相場制の下で、拡張的な財政政策がとられると、IS曲線が右にシフトし国内利子率が上昇するので、資本流入が起こり、為替レートの増価により輸出が減少し、需要が減少することでIS曲線が左にシフトする。

3　×　変動為替相場制の下で、金融緩和政策がとられると、LM曲線が右にシフトし国内利子率が下落するので、資本流出が起こり、為替レートの減価により輸出が拡大し、需要が増加することでIS曲線が右にシフトする。

4　×　固定為替相場制の下で、金融緩和政策がとられると、LM曲線が右にシフトし国内利子率が下落するので、資本流出が起こる。為替レートの減価を生じさせないための自国通貨買い・外国通貨売り介入にともない貨幣供給量が減少し、LM曲線が左にシフトする。

5　×　固定為替相場制の下で、拡張的な財政政策がとられると、IS曲線が右にシフトし国内利子率が上昇するので、資本流入が起こる。為替レートの増価を生じさせないための自国通貨売り・外国通貨買い介入にともない貨幣供給量が増加し、LM曲線が右にシフトする。

マクロ経済学　経済成長理論　2023年度 専門 No.30

次の式は、実質GDPをY、全要素生産性をA、資本ストックをK、労働投入量をLとして、コブ＝ダグラス型生産関数で表したものである。全要素生産性の成長率、資本ストックの成長率及び労働投入量の成長率がいずれも３％であるとき、実質GDPの成長率として、妥当なのはどれか。

$$Y=AK^{0.3}L^{0.7}$$

1　３％

2　６％

3　９％

4　12％

5　15％

解説　正解　2　TAC生の選択率 73%　TAC生の正答率 88%

与式を変形して次のように表す。

$$Y=AK^{0.3}L^{0.7} \quad \rightarrow \quad g_Y=g_A+0.3g_K+0.7g_L$$

ただし、g_iは変数$i=Y$、A、K、Lの成長率とする。

与件から、$g_A=g_K=g_L=3\%$だから、

$$g_Y=(1+0.3+0.7)\times 3\%=6\%$$

となる。

成長会計方程式

2020年度
専門 No.30

次の式は、実質GDPをY、全要素生産性をA、資本ストックをK、労働投入量をLとして、コブ＝ダグラス型生産関数で表したものである。実質GDPの成長率が８％、全要素生産性の成長率が４％、労働投入量の成長率が２％であるとき、資本ストックの成長率の値はどれか。

$Y=AK^{0.4}L^{0.6}$

1　６％

2　７％

3　８％

4　９％

5　10％

解説　正解　2

TAC生の選択率　72％　TAC生の正答率　87％

まず、題意の生産関数から、成長会計方程式を求める。

$$\frac{\Delta Y}{Y}=\frac{\Delta A}{A}+0.4\times\frac{\Delta K}{K}+0.6\times\frac{\Delta L}{L} \quad \cdots\cdots(1)$$

この(1)式に、実質GDPの成長率$\frac{\Delta Y}{Y}=8\%$、全要素生産性の成長率$\frac{\Delta A}{A}=4\%$、および、労働投入量の成長率$\frac{\Delta L}{L}=2\%$を代入して整理すれば、資本ストックの成長率$\frac{\Delta K}{K}$が、

$$8=4+0.4\times\frac{\Delta K}{K}+0.6\times 2$$

$$\therefore\frac{\Delta K}{K}=7\%$$

と求められる。よって、**2**が正解となる。

財政学　財政の機能

2023年度
専門 No.34

財政の機能に関するA～Dの記述のうち、妥当なものを選んだ組合せはどれか。

A　J.S.ミルは、財政の機能を、資源配分機能、所得再分配機能及び経済安定化機能の３つに分類した。

B　資源配分機能には、国防、警察のように、非排除性と非競合性を備え、市場では十分に供給できない公共財を供給するなどの役割がある。

C　所得再分配機能には、失業保険の給付や、一定税率の課税により、所得格差を是正する役割がある。

D　経済安定化機能には、フィスカル・ポリシーなどにより、インフレーションや失業を引き起こす景気変動を小さくする役割がある。

1　A　B

2　A　C

3　A　D

4　B　C

5　B　D

解説　正解　5

TAC生の選択率　85%　TAC生の正答率　40%

A　×　選択肢の記述にあるような財政の機能を分類したのはマスグレイブである。

B　○

C　×　厳密に言えば、選択肢の記述にある「一定税率の課税」を所得比例税と考えると所得格差の是正がはかれるために正しいと言えるが、出題者に忖度して我が国の消費税のような間接税に関するものとすれば、間接税には逆進性があるので所得格差の是正には寄与しないと判断できる。ただ、恐らく出題者は所得再分配をはかるには「一定税率の課税」ではなく「累進課税」が正しいと言いたかったのであろうと推察するが、もしそうならば浅はかな出題であると言える。

D　○

財政学　国家財政制度

2021年度
専門 No.31

我が国における国の特別会計に関する記述として、妥当なのはどれか。

1　特別会計は、国が特定の事業を行う場合、特定の資金を保有してその運用を行う場合その他特定の歳入をもって特定の歳出に充て一般の歳入歳出と区分して経理する必要がある場合に限り、法律により設置するものである。

2　特別会計の予算は、一般会計とともに内閣から国会に提出され、国会の議決を必要としない。

3　特別会計は、特別会計に関する法律に基づいて統廃合等が進み、その数は減少しており、当該法律の施行後に特別会計は新設されていない。

4　特別会計は、一般会計とは異なり、弾力条項が特別会計に関する法律に規定されていないため、歳入の増加に応じて歳出を増加させることはできない。

5　特別会計の剰余金は、一般の歳入歳出と区分して経理する必要があるため、特別会計に関する法律の規定により、一般会計の歳入に繰り入れることができない。

解説　正解　1

TAC生の選択率　82%　TAC生の正答率　84%

1　○

2　×　特別会計予算は一般会計予算とともに、国会に提出され、審議・議決を受けなければならない。

3　×　特別会計に関する法律が成立（2007）して以降、2012年度に東日本大震災復興特別会計が新設されている。

4　×　財政投融資特別会計では弾力条項が規定されている。また、歳入の増加に応じて歳出を増加させることを弾力条項としている点も不適切である。

5　×　特別会計の剰余金は、（一部の特別会計を除き）翌年度の歳入に繰り入れる金額を除き、予算の定めるところにより、一般会計に繰り入れることができる規定が設けられている。

財政学　予算制度

2022年度
専門 No.31

我が国の予算制度に関する記述として、妥当なのはどれか。

1　予算の内容は、財政法に、予算総則、歳入歳出予算、継続費、繰越明許費、一時借入金及び国庫債務負担行為の６つが定められている。

2　歳入歳出予算は、担当の組織別に区分されており、国会の議決を要する目までの区分を議定科目という。

3　国庫債務負担行為は、支払が多年度に及ぶ契約を結ぶことを認めるものであり、予算原則のうち、それぞれの会計年度の支出はその会計年度の収入によって賄われなければならないという単一予算主義の例外である。

4　暫定予算は、会計年度発足後も予算が成立しない場合、一定期間に関わる暫定の予算を組むものであり、本予算の成立後も失効するものではない。

5　補正予算は、予算作成後に生じた事由に基づき特に緊要となった経費の支出を行うため必要な予算の追加を行う場合や、予算作成後に生じた事由に基づいて、予算に追加以外の変更を加える場合に組むことができる。

解説　正解　5

TAC生の選択率 75%　TAC生の正答率 56%

1　×　財政法（16条）で予算の内容は、予算総則、歳入歳出予算、継続費、繰越明許費、国庫債務負担行為の５つと定められている。

2　×　「目」は国会の議決が不要な行政科目である。

3　×　それぞれの会計年度の支出はその会計年度の収入によって賄わなければならないとする原則を「会計年度独立の原則」という。ちなみに「単一予算主義」とは、予算が一つの会計ですべて経理することが望ましいとするものである。

4　×　暫定予算は本予算が成立すれば失効する（暫定予算は当該年度予算の前借りであるので、一会計年度の予算が成立すればその役割を終える）。

5　○

財政学　公債

2022年度 専門 No.32

公債の負担に関するA～Dの記述のうち、妥当なものを選んだ組合せはどれか。

A　ラーナーらの新正統派は、内国債は、将来世代に償還のための租税負担をもたらすが、将来世代全体としてみると、償還のための租税を負担する納税者と償還を受ける公債保有者とは同一世代に属するため、両者の間で所得再分配が生じるにすぎず、負担は将来世代に転嫁されないとした。

B　ブキャナンは、租税による財源調達が民間貯蓄と民間消費を共に減少させるのに対し、公債による財源調達は民間貯蓄のみを減少させることから、租税による財源調達に比べて、より大きな民間投資の減少をもたらして将来所得を減少させ、負担は将来世代に転嫁されるとした。

C　ボーエン＝デービス＝コップは、現在世代においては、購入した公債を将来世代に売却して世代全体の生涯消費を一定に保つことができ負担は生じないが、将来世代においては、償還のための増税により公債を保有しない人々の消費が減少し、世代全体の生涯消費も減少するため、負担は将来世代に転嫁されるとした。

D　モディリアーニは、一方的な強制力による取引が負担を生じさせると考え、現在世代においては、個人が自発的に公債を購入することにより負担は生じないが、将来世代においては、償還のための租税負担によって個人の効用や利用可能な資源が強制的に減少させられるため、負担は将来世代に転嫁されるとした。

1　A　B

2　A　C

3　A　D

4　B　C

5　B　D

解説　正解　2

TAC生の選択率 69%　TAC生の正答率 65%

A　○

B　×　まわりくどい言い方をしているが、ブキャナンではなくモディリアーニに関する記述である。一般に成熟した経済下では民間投資の生産性向上効果が政府支出の生産性向上効果を上回るため、政府支出が増加する代わりに民間投資が減少する（政府支出と民間投資の代替性）と、将来的な所得の減少につながるので、将来世代へ負担が転嫁される。

C　○

D　×　モディリアーニではなくブキャナンに関する記述である。

財政学　地方債　2021年度 専門 No.32

地方債に関するA～Dの記述のうち、妥当なものを選んだ組合せはどれか。

A　地方公共団体は、総務大臣又は都道府県知事と協議を行うことで、その同意が得られない場合であっても、あらかじめ地方財政審議会に報告すれば、地方債を発行することができる。

B　地方公共団体の歳出は、原則として地方債以外の歳入をもって、その財源としなければならないが、出資金及び貸付金の財源とする場合においては、地方債をもってその財源とすることができる。

C　実質公債費比率が政令で定める数値未満である地方公共団体が民間等資金債の起債をする場合には、必ず総務大臣又は都道府県知事との協議を要し、事前に総務大臣又は都道府県知事に対して届け出なければならない。

D　地方債の元利償還金の支払を遅延している地方公共団体が、起こした地方債の利率を変更しようとする場合には、政令で定めるところにより、総務大臣又は都道府県知事の許可を受けなければならない。

1　A　B

2　A　C

3　A　D

4　B　C

5　B　D

解説　正解　5

TAC生の選択率 64%　TAC生の正答率 31%

A　**×**　地方財政審議会ではなく、地方議会が正しい。ちなみに地方財政審議会とは、地方交付税、地方譲与税、各種交付金、地方公共団体の翌年度の歳入歳出総額の見込額等に関し、法令によりその権限に属させられた事項を審議し、総務大臣に必要な勧告をするものである。

B　**○**

C　**×**　実質公債費比率が18%未満の地方公共団体は、総務大臣または都道府県知事との協議は不要で、届出のみで起債ができる。

D　**○**

財政学　租税理論

2023年度
専門 No.33

租税理論に関する記述として、妥当なのはどれか。

1　税負担における能力説は、租税を公共サービスの対価とみなし、各個人が公共サービスから得る利益の大きさに応じて租税を負担するのが公平であるという考え方である。

2　税負担の公平には、支払能力の等しい人は等しく負担をすべきであるという垂直的公平の概念と、支払能力の異なる人は異なる負担をすべきであるという水平的公平の概念がある。

3　アダム・スミスは、租税は国家経費を賄うのに十分なものでなければならず、その時々の財政需要の増減に応じて税収を伸縮的に増減できる制度でなければならないという財政政策上の原則を提唱した。

4　ラムゼイは、課税の効率性の観点から、課税に伴う超過負担を最小にするために、需要の価格弾力性がより低い財に対して、より高い税率をかけるべきであるという逆弾力性のルールを主張した。

5　サイモンズは、課税対象となる所得として、ある一定期間内における消費額及び資産の純増加額から成る包括的所得を定義したが、この資産の純増加額にはキャピタル・ゲインは含まれない。

解説　正解　4

TAC生の選択率　80%　TAC生の正答率　81%

1　×　選択肢の記述は利益説（応益説）に関するものである。

2　×　垂直的公平と水平的公平の説明が逆である。

3　×　選択肢の記述はA.ワグナーが提唱したものである。

4　○

5　×　キャピタル・ゲインも資産の純増加額に含まれる。

財政学　租税の分類

2022年度
専門 No.33

我が国の租税の分類に関する記述として、妥当なのはどれか。

1　直接税、間接税の分類は、使途が特定されているか否かによるものであり、揮発油税は直接税、たばこ税は間接税である。

2　普通税、目的税の分類は、転嫁が予定されているか否かによるものであり、所得税は普通税、消費税は目的税である。

3　所得課税、消費課税、資産課税の分類は、課税ベースによるものであり、法人税は所得課税、酒税は消費課税、相続税は資産課税である。

4　国税、地方税の分類は、課税を行う政府によるものであり、関税は国税、国際観光旅客税は地方税である。

5　比例税、累進税の分類は、税率によるものであり、相続税は比例税、所得税は累進税である。

解説　正解　3

TAC生の選択率 70%　TAC生の正答率 78%

1　×　直接税、間接税の分類は、納税義務者と担税者が一致するか否か、すなわち租税の転嫁が予定されているか否かで分類されたものである。また、揮発油税は間接税である。

2　×　普通税、目的税の分類は、その使途が限定されているか否か、使途が限定されない一般財源となるか、使途が限定される特定財源となるかで分類されたものである。

3　○

4　×　国際観光旅客税は国税に分類される。

5　×　相続税は累進税に分類される。

財政学　地方財政計画　2023年度 専門 No.32

地方財政計画に関する記述として、妥当なのはどれか。

1　地方財政計画とは、地方財政法に基づく翌年度の地方団体の歳入歳出総額の見込額に関する書類のことであり、内閣が毎年度作成し、国会に提出するとともに、一般に公表しなければならない。

2　地方財政計画は、地方財政規模の把握や、地方団体に対し翌年度の財政運営の指針を示すという役割に加えて、地方財源を保障する役割などを担うものである。

3　地方財政計画に示される歳入歳出総額は、地方団体が翌年度において現実に収入及び支出する額を集計して見込んだものであり、実際の決算と差が生じることはない。

4　地方財政計画の歳出は、地方団体の営む全ての財政活動の分野を対象とすることから、普通会計のほか、国民健康保険事業や公営企業会計などの公営事業会計も全て含まれる。

5　地方財政計画の歳入には、一般財源である地方税、地方譲与税、地方交付税が主に計上されるが、特定財源である国庫支出金及び地方債は計上されない。

解説　正解　2　TAC生の選択率 72%　TAC生の正答率 62%

1　×　地方財政計画は地方交付税法に基づいて策定される。

2　○

3　×　地方財政計画は内閣（総務省）が策定する見積もりであり、各地方公共団体の実際の予算を反映して決定しているものではない。また、仮に地方財政計画が各地方公共団体の実際の予算を反映しているものだとしても、予算と決算の差額は生じるのは常であるので誤りであると判断できるであろう。

4　×　地方財政計画は普通会計に関するものである。

5　×　地方財政計画の歳入には国庫支出金や地方債についても計上されている。

財政学　地方税の原則　2020年度 専門 No.33

地方税の原則に関する記述として、妥当なのはどれか。

1　応能性の原則とは、公共サービスからの受益に応じて税を負担すべきであるという考え方であり、事業税はこの原則を具体化した例である。

2　自主性の原則とは、公共サービスの費用についてはできるだけ構成員が負担を分け合うという考え方であり、住民税の均等割はこの原則を具体化した例である。

3　普遍性の原則とは、社会の発展と共に拡大する行政需要に対応するために、収入の伸びが必要であるという考え方であり、法人住民税はこの原則を具体化した例である。

4　伸張性の原則とは、どの地域にも税源が存在して税収入を上げられることであり、固定資産税はこの原則を具体化した例である。

5　安定性の原則とは、地方税については景気の変動に左右されない税目が望ましいというものであり、地方消費税はこの原則を具体化した例である。

解説　正解　5

TAC生の選択率 73%　TAC生の正答率 63%

1　×　この記述は受益者負担の原則に関する記述であるので、応益性の原則とするのが正しい。また、地方税の原則に応能性の原則は存在しない。

2　×　自主性の原則とは、地域が自ら課税標準や税率等を決定できることをいう。

3　×　普遍性の原則とは、地域によって税収の偏在が少ないことをいう。

4　×　地方税の原則に伸張性の原則は存在しない。

5　○

財政学 シャウプ税制 2021年度 専門 No.33

シャウプ勧告及びシャウプ税制に関する記述として、妥当なのはどれか。

1 所得税が見直され、キャピタル・ゲインの全額課税等包括的な課税ベースの構成とし、最高税率の引下げが行われた。

2 富裕税が創設され、500万円超の純資産に対し、単一税率を導入するとともに、相続税と贈与税が一本化された。

3 法人税が見直され、法人普通所得に累進税率を導入し、所得税との二重課税の調整を促進した。

4 地方税は、家屋税が見直されて付加価値税が創設され、付加価値税の課税団体を市町村に限定した。

5 地方交付税制度が地方平衡交付金制度に変更され、道府県民税が創設されるなど、市町村優先の地方税体系が変更された。

解説 正解 1

TAC生の選択率 47% TAC生の正答率 35%

1 ○

2 × 富裕税は5,000万円以上の資産について、0.3%～3%の税率を課税するものであった。

3 × 法人税は35%の単一税率（比例税）が採用された。

4 × 地租、家屋税が廃止され、市町村税に固定資産税が創設された。

5 × シャウプ税制時に創設されたのは地方財政平衡交付金制度であり、その後、地方交付税制度が成立して現在に至る。

財政学　戦後日本財政史

2023年度
専門 No.31

戦後の我が国の財政に関する記述として、妥当なのはどれか。

1　戦後の傾斜生産方式によりデフレが進んだが、1949年のドッジ・ラインによる財政引締めによりデフレは収束した。

2　戦後初となる、1965年度の建設公債、1966年度の特例公債の発行により本格的な公債政策が開始され、1965年度以降、建設公債は毎年発行されている。

3　バブル経済により税収が増加した1990年度は、特例公債を発行することなく当初予算を編成した。

4　1989年４月に税率５％の消費税が導入されたが、地方消費税を含めた税率は、2014年４月には８％に、2019年10月には10％に段階的に引き上げられた。

5　1997年に制定された財政構造改革法は、翌年５月には、特例公債発行枠の抑制を図るために改正されたが、同年、当面の景気回復に向け、凍結された。

解説　正解　3

TAC生の選択率 66%　TAC生の正答率 37%

1　×　傾斜生産方式で進行したのはインフレーションである。

2　×　1965年度に発行された戦後初の国債は歳入補填債である。また1966年度から発行が開始になったのが建設国債であり、以降、継続的に建設国債は発行されている。

3　○

4　×　平成元（1989）年４月に税率３％の消費税（国税）が導入された。以降、平成９（1997）年４月に消費税（国税）の税率が３％から４％へ引き上げられると同時に地方消費税（道府県税）が税率１％で創設され、いわゆる消費税率（国税＋地方税）は５％となった。また、平成26（2014）年４月に消費税（国税）の税率が４％から6.3％へ、地方消費税（道府県税）の税率が１％から1.7％へ引き上げられ、消費税率（国税＋地方税）が８％となり、令和元（2019）年10月には消費税（国税）の税率が6.3％から7.8％へ、地方消費税（道府県税）の税率が1.7％から2.2％へ引き上げられ、消費税率（国税＋地方税）が10％となった。

5　×　財政構造改革法が平成10（1998）年５月に改正されたのは、特例公債（赤字国債）の発行枠の抑制を一時的に停止するためである。なお、本肢の正誤判断は出来なくてよい。（特別区特有のいたずらに細かい知識を問うものであり、財政学という学問の知識として覚えるに値しないものである。）

財政学　財政理論

財政理論に関する記述として、妥当なのはどれか。

1　ルーカスは、国家や自治体などの政府活動は、社会の進歩に伴い、新しい多様な機能を拡大するだけでなく、旧来の機能をも充実させていくため、経費の膨張につながるとする経費膨張の法則を主張した。

2　ピグーは、支出により雇用、生産、所得等を変化させ、労働力と財購入に充てられる経費を移転的経費と呼び、支出により国民所得の総量に変化を与えない、補助金や社会保障給付などの経費を非移転的経費と呼んだ。

3　ブキャナンは、議会制民主主義のもとでは、財政支出の削減や増税が支持されにくく、拡張的な財政政策ばかりが実施されることにより、財政赤字が常態化するため、憲法に均衡財政原則を明記すべきと主張した。

4　マネタリストの理論では、民間の各経済主体は利用可能な情報を活用して将来を予想し、それに従って経済行動を決定するため、裁量的な財政政策は人々が予見しうる限り、長期的にも短期的にも無効であるとした。

5　サプライサイド経済学では、経済を活性化するためには、高い税率や累進課税によって、人々の勤労意欲や企業の投資意欲を刺激する供給面の政策が必要であるとした。

解説　正解　3

TAC生の選択率 65%　TAC生の正答率 53%

1　×　選択肢の記述はA.ワグナーに関するものである。

2　×　移転的経費と非移転的経費の説明が逆である。なお、本肢は判断できなくて良い。

3　○

4　×　選択肢の記述はルーカスら合理的期待形成学派に関するものである。

5　×　サプライサイド経済学は、高い税率や累進課税は人々の勤労意欲や企業の投資意欲を減退させてしまうため、減税によって供給面を刺激する政策を実施することの必要性を説いている。

財政学　財政理論

2020年度
専門 No.34

財政理論に関する記述として、妥当なのはどれか。

1 「国富論」を著したアダム・スミスは、国家の経費を国防、司法、公共事業及び王室費の４つに限定すべきとする安価な政府論を批判し、重商主義を主張した。

2 「財政学」を著したアドルフ・ワグナーは、国家活動は拡大すると述べ、経費膨張の法則を提唱し、シュタイン、シェフレとあわせてドイツ正統派財政学における３巨星とされた。

3 「自由放任の終焉」を著したルーカスは、消費と投資からなる有効需要の不足を補うには、政府が公債財源によって、公共投資を積極的に推進する必要があると主張した。

4 「財政理論」を著したマスグレイブは、財政の機能を、資源配分機能と所得再分配機能の２つに分類したが、そのうち所得再分配機能は、ドイツ正統派財政学で重視されたものである。

5 「赤字財政の政治経済学」を著したフリードマンは、ハーベイ・ロードの前提に立ったケインズ主義を批判し、均衡財政原則を憲法に盛り込む必要があるとする公共選択論を提唱した。

解説　正解　2

TAC生の選択率 71％　TAC生の正答率 67％

1 × アダム・スミスは安価な政府論を主張し、重商主義を批判した。

2 ○

3 × ルーカスは合理的期待形成学派と呼ばれる古典派経済学の流れをくむ学派に属する。よって、「公共投資を積極的に推進する必要がある」との主張をするはずがない。

4 × マスグレイブは財政の機能を資源配分機能、所得再分配機能、経済安定化機能の３つに分類をした。

5 × この記述はブキャナンに関するものである。

公共財の理論に関するA～Dの記述のうち、妥当なものを選んだ組合せはどれか。

A　純粋公共財は、非排除性と非競合性を持つ財であり、非排除性とは、財の対価を支払わなくてもその財やサービスの消費から排除されない性質をいい、非競合性とは、ある人が財やサービスを消費したとしても、他の人々の同じ財やサービスの消費を減らすことはない性質をいう。

B　準公共財とは、純粋公共財と私的財との中間に位置する財であり、国や地方自治体が提供する国防、警察、消防は全てこれに該当する。

C　ナッシュ均衡では、公共財の自発的な供給により、他人の公共財に対する選択とは独立して各人が最適な公共財の負担を決めるため、公共財は過小供給となる。

D　リンダール均衡では、政府が各個人に公共財の負担比率を提示し、各個人はその負担比率のもとで最適な公共財需要水準を政府に表示することにより、公共財が最適に供給されるため、フリーライダーの問題が生じることはない。

1　A　B

2　A　C

3　A　D

4　B　C

5　B　D

解説　正解　2

TAC生の選択率 90%　TAC生の正答率 75%

A　**○**

B　**×**　準公共財とは、非排除性と非競合性を併せ持つ純粋公共財と、非排除性と非競合性のいずれも持たない私的財との中間に位置する財であるが、国や地方自治体が提供する国防、警察、消防は全て純粋公共財に該当すると考えられる。

C　**○**

D　**×**　リンダール均衡では、公共財の最適供給条件であるサミュエルソン条件が満たされるが、各個人が正しく公共財需要水準を政府に表示するとは限らず、フリーライダー問題の発生を回避することはできない。

以上より、妥当な記述はAとCであり、**2**が正解となる。

ここでは、記述Cについて知らなくとも、消去法によって**2**が正解であることが判別できれば十分であるが、一般に、「他人の公共財に対する選択とは独立して、自らにとって最適な負担に基づいて公共財の自発的な供給を決定するナッシュ均衡においては、公共財は過少供給となる」ことが知られており、結果だけでも覚えておくとよいであろう。

財政学 マスグレイブ＝ミラーの安定化指標

2021年度
専門 No.35

国民所得をY、消費をC、投資をI、政府支出をG、租税をTとし、

$$Y=C+I+G$$
$$C=C_0+0.75(Y-T)$$

が成り立つものとする。

ここで、Tは所得に応じて税額が増える比例税$T=T_0+0.2Y$であるとする。

このときの政府支出の増加による国民所得の変動を、所得とは無関係に一定の税額が課せられる定額税の場合と比較したとき、ビルト・イン・スタビライザーの働きにより、乗数効果が低下する割合はいくらか。ただし、政府支出の増加分は同じものとする。

1 $\frac{1}{8}$

2 $\frac{1}{4}$

3 $\frac{3}{8}$

4 $\frac{1}{2}$

5 $\frac{5}{8}$

解説 正解 3

TAC生の選択率 59%　TAC生の正答率 69%

「ビルト・イン・スタビライザーの働きによって、乗数効果が低下する割合」とは、安定化指標（マスグレイブ＝ミラー指標）のことであり、安定化指標Sは、

$$S=1-\frac{1-c}{1-c(1-t)}$$ ［c：限界消費性向、t：限界税率］

で表される。本問における限界消費性向と限界税率は、与式からそれぞれ、$c=0.75$、$t=0.2$と判読できることから、これらを代入すれば、

$$S=1-\frac{1-0.75}{1-0.75(1-0.2)}$$
$$=\frac{3}{8}$$

と求められる。よって、**3**が正解となる。

経営学　株式会社　2021年度 専門 No.40

会社法に規定する株式会社に関する記述として、妥当なのはどれか。

1　株式会社は、2006年に施行された会社法により、大会社、中会社、小会社に区分され、そのうち大会社は、資本金が５億円以上又は負債額が200億円以上に該当する会社をいう。

2　株式会社の設立には、最低資本金制度により資本金は最低1,000万円を必要とし、かつ、１人又は２人以上の取締役を置かなければならない。

3　株式会社のうち、指名委員会等設置会社とは、指名委員会、監査委員会及び報酬委員会を置く会社をいうが、指名委員会等設置会社は、取締役会を置いてはならない。

4　株式会社は、定款の定めによって、会計監査人を置くことができるが、公開会社でない大会社は、会計監査人を置かなければならない。

5　株式会社のうち、大会社は、公開会社でないものであっても、必ず監査役会を置かなければならない。

解説　正解　4

TAC生の選択率 27%　TAC生の正答率 37%

1　×　2006年の会社法施行以前の旧商法では、大会社、中会社、小会社に区分されていたが、現在の会社法では、そうした区分は撤廃され、「大会社」と「大会社以外の会社」に区分される。なお、会社法では、資本金５億円以上又は負債200億円以上の会社を「大会社」といい、それ以外の会社を「大会社以外の会社」という。

2　×　2006年の会社法施行以前の旧商法では、株式会社には1,000万円の最低資本金制度が設けられていたが、現在の会社法では、最低資本金制度は撤廃されている。また、現在の会社法では、取締役は、原則として１人以上（取締役会設置会社では３人以上）であればよい。

3　×　指名委員会等設置会社は、指名委員会、監査委員会及び報酬委員会を置く会社であるという本肢前半の記述は正しい。しかし、指名委員会等設置会社では取締役会の設置が必要である。

4　○

5　×　現在の会社法において、株式会社は、原則として監査役会を設置する必要はない。ただし、大会社である公開会社は、監査等委員会設置会社及び指名委員会等設置会社を除いて、監査役会を設置しなければならない。したがって、基本的に監査役会の設置義務は、大会社である公開会社に限られる。また、必ず監査役会を置かなければならないわけではなく、監査等委員会設置会社や指名委員会等設置会社は除かれる。

財政学
経営学
政治学
行政学
社会学

経営学 生産管理

2022年度
専門 No.39

生産管理に関する記述として、妥当なのはどれか。

1 テイラー・システムとは、経営者の経験と勘に基づいていた現場の作業管理に、時間・動作研究により設定した課業に基づく管理法を取り入れたものであり、課業管理を推進するために、差率出来高賃金制度を導入した。

2 フォード・システムとは、人が仕事に向かって移動する移動組立方式と、製品、部品、生産工程の標準化による自動車の大量生産システムであり、生産コストの大幅な削減という生産性の向上をもたらした。

3 ジャスト・イン・タイムとは、必要なものを、必要な時に、必要な量だけ生産することであり、後工程が前工程の生産量を決定するプッシュ方式が採用される。

4 セル生産方式とは、１人又は数人の作業者で全ての工程を担当するものであり、ライン生産方式と比較して、作業者が受け持つ範囲が広く、少品種多量生産に適している。

5 シックスシグマとは、日本企業が開発した品質管理手法であり、統計の活用で問題の測定や分析をし、その問題点を改善し、製品不良の発生率を100万分の3.4回に抑える高レベルの目標を設定するもので、世界各国に普及している。

解説 正解 1

TAC生の選択率 61％　TAC生の正答率 51％

1 ○

2 × フォード・システムにおける移動組立法とは、ベルトコンベヤー・システムのことであり、本肢記述のように「人が仕事に向かって移動する」生産方式ではない。

3 × ジャスト・イン・タイムとは、必要なものを、必要な時に、必要な量だけ生産することであり、後工程が前工程に指示するという記述は正しい。しかし、後工程が前工程に指示するのはプッシュ方式ではなくプル方式である。

4 × セル生産方式に関する本肢前半の記述は概ね正しい。しかし、セル生産方式はライン生産方式に比較して多品種少量生産に適している。

5 × シックスシグマとは、日本企業ではなく、1980年代に米国のモトローラ社が開発した品質管理・経営管理手法である。シックスシグマが、製品不良の発生率を100万分の3.4回に抑えることを目標としているといった記述は概ね正しい。

経営学　モチベーション理論

2021年度
専門 No.36

モチベーション理論に関する記述として、妥当なのはどれか。

1　マグレガーは、目標による管理をＸ理論、伝統的管理論をＹ理論と名付け、Ｘ理論では、人間は自分が進んで身を委ねた目標のためには自ら自分に鞭打って働くものであるとした。

2　アルダーファーは、ERG理論において、人間の欲求を生存（Existence）、関係（Relatedness）、成長（Growth）の３つに分類し、それぞれの欲求が同時に存在することはないとした。

3　アダムスは、期待理論において、個人が不公平を認知すると、それを解消しようとするモチベーションが生じるという前提で、ここでいう不公平とは、自分の報酬が他者のそれと等しくない場合に感じるものであるとした。

4　ハーズバーグは、動機付け－衛生理論において、職務満足をもたらす要因を衛生要因、職務不満足をもたらす要因を動機付け要因と呼び、従業員の動機付けには職務充実が有効であるとした。

5　マズローは、欲求階層説において、人間の欲求は生理的欲求から自己実現欲求までの５段階の階層をなしており、人間は、低次の欲求が満たされると、より高次の欲求に動機付けられるとした。

解説　正解　5

TAC生の選択率 65%　TAC生の正答率 96%

1　×　Ｘ理論は伝統的管理論の人間観である。また、人間は自分が進んで身を委ねた目標のためには自ら自分に鞭打って働くものであるとし、目標による管理が行われるのはＹ理論である。

2　×　アルダーファーのERG理論によれば、人間の欲求は、生存（Existence）、関係（Relatedness）、成長（Growth）の３つに分類されるが、それぞれの欲求は同時に存在することもある。

3　×　期待理論の研究者は、ヴルームなどである。アダムスは衡平（公平）理論の研究者である。衡平（公平）理論は、人間は、賃金や待遇などにおいて他人との比較で感じる不公平感がモチベーションに関係すると考える理論である。

4　×　ハーズバーグは、動機付け－衛生理論において、職務満足をもたらす要因を動機づけ要因、職務不満足をもたらす要因を衛生要因と呼び、従業員の動機付けには職務充実が有効であるとした。

5　○

経営学　賃金制度　2021年度 専門 No.39

賃金制度に関する記述として、妥当なのはどれか。

1　賃金とは、労働者が提供する労働の対償であり、使用者からその労働の対価として労働者に支払う給料や賞与をいうが、労働基準法における賃金に手当は含まれない。

2　職務給とは、労働者が担当する職務を基準として、その価値に応じて賃金が決まるものであり、職務分析と職務評価を実施し、職務等級ごとに決定され、同一の職務であれば同一の賃金となる。

3　職能給とは、労働者の職務遂行能力を基準として決定される賃金をいうが、この能力は、顕在的な能力に限られるものであり、潜在的な能力は含まれず、労働者の異動の妨げになる。

4　年功給とは、企業が従業員の前年度の仕事の業績を基準として、1年単位で賃金を決定するものであり、目標管理制度に基づいて期初に業績目標が設定され、期末にその業績の評価が行われる。

5　コンピテンシー給とは、従業員があらかじめ決められた価格で一定期間内に自社株を購入し、株価が上昇すれば利益を得ることができるものであり、優秀な人材確保の手段や従業員の業績向上に向けた動機付けとなる。

解説　正解　2

TAC生の選択率 47%　TAC生の正答率 72%

1　×　労働基準法第11条では、「この法律で賃金とは、賃金、給料、手当、賞与その他名称の如何を問わず、労働の対償として使用者が労働者に支払うすべてのものをいう。」とされており、労働基準法の賃金に手当は含まれる。

2　○

3　×　職能給とは、職務ではなく担当する労働者の職務遂行能力で賃金などを決定する方法であり、本肢前半の記述は正しい。しかし、一般的に、職務遂行能力には、顕在的な能力だけでなく、潜在的な能力も含まれる。また、職能給では、すぐに賃金変動がないため、労働者の人事異動が行いやすいという特徴がある。

4　×　年功給とは、年齢や勤続年数により給料などの待遇が決定される制度である。本肢の「企業が従業員の前年度の仕事の業績（等）を基準として、1年単位で賃金を決定」するのは年棒制である。年棒制は、賃金を年単位で決定する制度であり、通常、労働者の業績等に関する目標の達成度を評価する方法である。

5　×　コンピテンシー給とは、様々な解釈があるが、一般的には、コンピテンシー（特定職務を遂行するための個人の能力、知識など）を、実務上での重要度に応じて評価することにより賃金を決定する方法であり、能力給の一種である。本肢の記述は概ねストック・オプションに関するものである。

経営学　人的資源管理　2022年度 専門 No.38

人的資源管理に関する記述として、妥当なのはどれか。

1　フレックスタイム制とは、業務の性質上、その遂行方法等を労働者の裁量に委ねる必要がある場合に、実際に労働した時間とは関わりなく、労使協定等で定めた時間を働いたとみなす制度である。

2　ジョブ・ローテーションとは、労働者にいくつかの職務を定期的、計画的に経験させ、適性を把握する方法であり、経営管理者の育成を目的とすることはない。

3　ワークシェアリングとは、労働者間で仕事を分かち合うことによって、雇用の維持、拡大をする考え方であり、雇用維持型、雇用創出型、多様就業対応型などの類型がある。

4　OJTとは、従業員が個人の意思で能力開発に努めることであり、企業が費用負担等の支援をする場合もある。

5　目標管理制度とは、各従業員が自己の具体的な達成目標は設定せず、組織目標の達成度を評価する制度である。

解説　正解　3　TAC生の選択率 63%　TAC生の正答率 78%

1　×　フレックスタイム制とは、一定期間について事前に定められた総労働時間の範囲内で、労働者が、始業や終業の時間を自由に決めることができる制度である。なお、フレックスタイム制を導入した場合でも、コアタイムなど必ず勤務しなければならない時間帯を定めることもある。また、本肢の記述は概ね「裁量労働制」に関するものである。

2　×　ジョブ・ローテーションとは、企業内における定期的な配置転換のことである。したがって、労働者にいくつかの職務を経験させるという記述は正しい。しかし、ジョブ・ローテーションは、労働者の適性を把握するという意味もあるが、それだけではなく、会社の業務全般について広く浅い知識を身につけたゼネラリスト型の労働者を育成するため、結果として経営管理者の育成につながることもある。

3　○

4　×　OJT（オン・ザ・ジョブ・トレーニング）とは、職場内訓練であり、仕事の実践を通して必要な能力を身につけさせていく方法である。本肢のように、企業が費用負担等の支援をするのはどちらかといえばOff-JTである。Off-JTとは、企業外部の大学や専門学校などで受ける職場外訓練である。

5　×　目標管理制度とは、従業員が自ら一定期間の自己の具体的な目標を設定し、その目標の達成度合いなどを上司との面談などで評価する制度である。

経営学　コンティンジェンシー理論

2020年度
専門 No.36

コンティンジェンシー理論に関する記述として、妥当なのはどれか。

1　ウッドワードには、「新しい企業組織」の著書があり、英国のサウス・エセックス地域の製造業100社を調査して、技術が組織構造を規定するという命題を生み出し、大量生産には有機的組織が有効であると指摘した。

2　リーダーシップの状況適応理論を最初に提唱したフィードラーは、LPC尺度を考案し、どのような状況下でも有効な唯一最善のリーダーシップ・スタイルが存在することを明らかにした。

3　ローレンスとローシュには、「組織の条件適応理論」の著書があり、組織の分化と統合のパターンと環境との関係を研究して、不確実性が高い環境に適応している組織は、分化と統合の同時極大化を図っていることを指摘した。

4　SL理論を提唱したハーシーとブランチャードは、有効なリーダーシップ・スタイルは、フォロワーの成熟度に応じて変えることが必要であるとし、成熟度が高いフォロワーに対しては、指示的リーダーシップが有効であるとした。

5　バーンズとストーカーは、エレクトロニクス分野に進出したスコットランドの企業20社を調査し、環境に応じて組織を機械的組織と有機的組織に分類して、技術革新の激しい環境では官僚的な機械的組織が有効であるとした。

解説　正解　3

TAC生の選択率 52%　TAC生の正答率 70%

1　×　本肢前半部分の記述は概ね正しい。しかし、ウッドワードによれば大量生産には有機的組織ではなく機械的組織が適合的である。

2　×　フィードラーがLPC尺度を用いた研究を行ったなどの記述は正しい。しかし、フィードラーのリーダーシップの状況適応理論（コンティンジェンシー理論）では、どのような状況下でも有効な唯一最善のリーダーシップ・スタイルは存在せず、状況によって有効なリーダーシップ・スタイルは変わることを主張した。

3　○

4　×　本肢前半部分の記述は概ね正しい。しかし、ハーシーとブランチャードによれば成熟度が高いフォロワーに対しては、委任的リーダーシップ（課業志向と対人関係志向が共に低いスタイル）が有効であるとした。

5　×　バーンズとストーカーは、技術革新の激しい環境では有機的組織が有効であるとした。

経営学　経営組織　2022年度 専門 No.37

経営組織に関する記述として、妥当なのはどれか。

1　プロジェクト・チームとは、ある特定の課題を解決するために、期間を区切らずに編成される組織であり、通常、目的に応じて組織横断的に選出されたメンバーで構成される。

2　ファンクショナル組織とは、職能別職長制に基づくものであり、部下の指導を専門的に行うことが可能となり、命令系統が一元化されるなどの長所を有する。

3　ライン・アンド・スタッフ組織とは、ライン組織に専門領域を担当するスタッフ部門を付け加え、ライン業務に対して専門的立場からアドバイスすることで、ライン組織の長所を生かしながら、短所を補おうとする組織である。

4　事業部制組織とは、製品別や地域別などにメンバーが編成される組織であり、事業部間で資源を共有することでコストを節約できるという長所がある一方、市場環境の変化に迅速に対応できないという短所がある。

5　マトリックス組織とは、製品と職能、製品と地域など複数の命令系統を持つ組織であり、複数の組織形態の長所を生かし、責任や権限が明確になりやすいという特徴がある。

解説　正解　3

TAC生の選択率 63%　TAC生の正答率 54%

1　×　プロジェクト・チームは、特定の課題解決のための臨時の小組織であり、通常、期間を区切って編成される。

2　×　ファンクショナル組織は、管理者の負担が軽くなるという長所があるが、命令系統が多元化して組織内に混乱が生じるという短所がある。

3　○

4　×　事業部制組織では、事業部間で資源の重複が生じるという短所がある一方、決定権限者と現場情報との距離が短くなり、現場の状況に則した迅速な意思決定が可能になるという長所がある。

5　×　マトリックス組織では、適切な資源管理ができるなどの長所がある一方、命令系統が多元化して責任や権限があいまいになりやすいという短所がある。

経営学　日本的経営　2022年度 専門 No.40

日本的経営に関する記述として、妥当なのはどれか。

1　アベグレンは、「日本の経営」において、日本的経営の特徴として、終身雇用、年功制及び企業別労働組合を指摘した。

2　ヴォーゲルは、「ジャパン・アズ・ナンバーワン」において、日本的経営を高く評価し、そのトップダウン方式の経営を学ぶべきとした。

3　オオウチは、「日本的経営の系譜」において、旧来の日本的経営の効率性原理と競争性原理に、人間性原理と社会性原理を加えるべきとした。

4　マグレガーは、「セオリーZ」において、日本的経営の特徴として、緩やかな昇進、集団による意思決定、人に対する全面的な関わりを指摘した。

5　ヨーロッパ経済協力機構（OEEC）は、1972年の対日労働報告書の中で、日本的経営の特徴である三種の神器が、日本企業の強みであると取り上げた。

解説　正解　1　TAC生の選択率 36%　TAC生の正答率 65%

1　○

2　×　ヴォーゲルの著書である『ジャパン・アズ・ナンバーワン』（1979）が、日本的経営を高く評価したという記述は正しい。しかし、日本的経営はトップダウン方式ではなくボトムアップ方式の経営である。

3　×　オオウチの著書は『セオリーZ』（1981）である。『日本的経営の原理』（1963）を著したのは間宏である。

4　×　マグレガーは『企業の人間的側面』（1960）において、X・Y理論を提唱した研究者である。『セオリーZ』を著したのはW.オオウチである。

5　×　日本的経営の三種の神器を指摘した1972年の対日労働報告書は、経済協力開発機構（OECD）が作成したものであり、ヨーロッパ経済協力機構（OEEC）ではない。

経営学　M&A

2021年度
専門 No.37

企業のM&Aに関する記述として、妥当なのはどれか。

1　LBOとは、企業の経営陣や従業員が、自己資金のみで、自社又は自社の事業を買収することで、親会社から子会社が独立することや、上場を廃止して株式を非公開化することに用いられる。

2　TOBとは、株式公開買付けのことであり、不特定多数の株主に対して公告し、株式市場を通さずに株式を買い集めることをいい、それには敵対的TOBと友好的TOBがある。

3　ゴールデンパラシュートとは、敵対的買収に対する防衛策の一つで、買収を仕掛けられた企業が、買収を仕掛けた企業に対して、逆に買収を仕掛けることである。

4　ポイズンピルとは、敵対的買収に対する防衛策の一つで、買収によって経営者が解任された際に、多額の割増退職金を支給することをあらかじめ定めておくことで、買収コストを大きくすることである。

5　ホワイトナイトとは、敵対的買収に対する防衛策の一つで、新株を与える権利を会社が既存株主に与えておき、敵対的買収者以外の株主に大量の新株を発行して買収者の持ち株比率を低下させることである。

解説　正解　2

TAC生の選択率 51%　TAC生の正答率 72%

1　×　LBO（レバレッジド・バイ・アウト）とは、株式の買収に必要な資金を被買収企業の資産や将来キャッシュ・フローを担保にした負債で調達することである。本肢にある企業の経営陣や従業員が、自社又は自社の事業を買収することは、MBO（マネジメント・バイアウト）という。

2　○

3　×　ゴールデンパラシュートとは、被買収企業の経営陣が巨額の退職金をもらって買収企業に経営権を引き渡すことをいう。本肢にある買収を仕掛けられた企業が、買収を仕掛けた企業に対して、逆に買収を仕掛けることは、パックマン・ディフェンスとよばれる。

4　×　ポイズンピルとは、買収成功時に買収会社に不利になるような条項を、被買収企業が予め備えておくことにより、買収を防衛しようとする手法である。本肢のように割増退職金に限定されるわけではない。

5　×　ホワイトナイトとは、買収を仕掛けられた企業の経営陣が、敵対的な買収者の代わりにより友好的な別の企業に、自分たちに有利な条件で買収してもらいたいと望むとき助けを依頼する相手企業のことをいう。

財政学
経営学
政治学
行政学
社会学

経営学　意思決定

2022年度
専門 No.36

経営における意思決定に関するA～Dの記述のうち、妥当なものを選んだ組合せはどれか。

A　サイモンは、意思決定を定型的意思決定と非定型的意思決定に分類した上で、これらに適用する技法を伝統的なものと現代的なものに分類した。

B　アンゾフは、企業の意思決定を戦略的意思決定、管理的意思決定及び業務的意思決定の３つに分類した。

C　バーナードは、意思決定プロセスが情報活動、設計活動、選択活動及び検討活動の４段階から構成されると明らかにした。

D　コモンズは、組織的意思決定を選択機会、参加者、問題及び解という４つの流れが偶然に交錯した産物であるとするごみ箱モデルを提唱した。

1　A　B

2　A　C

3　A　D

4　B　C

5　B　D

解説　正解　1

TAC生の選択率 48%　TAC生の正答率 52%

A　○

B　○

C　×　意思決定プロセスを複数の段階に分類したのは、バーナードではなくサイモンである。

D　×　ゴミ箱モデルを提唱したのは、コモンズではなく、コーエン、マーチ、オルセンである。

経営学　経営戦略論　2023年度 専門 No.37

経営戦略論に関する記述として、妥当なのはどれか。

1　ポーターは、企業の競争優位の源泉を経営資源とする考え方である、資源ベース論を提唱した。

2　資源ベース論が企業の内部を重視するものであるのに対し、バーニーが提唱したポジショニング論は、企業の外部環境を重視するものである。

3　VRIOフレームワークとは、経済価値、希少性、模倣困難性及びこれらを活用する組織を競争優位のための条件とし、経営資源を分析するものである。

4　VRIOフレームワークでは、企業の保有する資源に経済価値はあるが、希少性がない場合には、競争劣位になるとした。

5　ルメルトは、著書「コア・コンピタンス経営」で、コア・コンピタンスを、顧客に特定の利益を与え、他社にまねできない企業の核となる能力とした。

解説　正解　3　TAC生の選択率 41％　TAC生の正答率 73％

1　×　ポーターは資源ベース論ではなくポジショニング論の研究者である。

2　×　バーニーはポジショニング論ではなく資源ベース論の研究者である。

3　○

4　×　VRIOフレームワークでは、競争力・収益性は以下のような関係にある。経済価値がない場合には、競争力がない。経済価値はあるが希少性がない場合には、並の競争力で、通常レベルの収益性である。経済価値と希少性はあるが、模倣困難ではない場合には、現在は競争力があり収益性も高いが、持続的ではなく一時的である。経済価値・希少性があり、模倣困難であり、組織能力も高い場合には、現在は競争力があり収益性は高く、かつ持続的である。

5　×　「コア・コンピタンス経営」の著者はルメルトではなくハメルとプラハラッドである。

経営学　投資決定論

2023年度
専門 No.38

投資決定論に関するA～Dの記述のうち、妥当なものを選んだ組合せはどれか。

A　投資利益率（ROI）とは、特定の投資案件に対して、どの程度の利益が生み出されているのかを示す指標であり、数値が低いほど投資効率が良く、有利な投資である。
B　ポートフォリオ理論によると、危険回避的投資家は、ある収益率の期待値をもたらす有価証券の組合せの中から、最小のリスクのものを選択して、分散投資行動をとる。
C　正味現在価値法とは、資本コストを用いて割引計算される一定期間内の将来の収益の現在価値を足し合わせ、そこから投資額を差し引くことで正味現在価値を算定し、これがプラスになる場合に、投資案を採用する方法である。
D　回収期間法とは、投資した資金が何年で回収できるかを示す回収期間を計算し、回収期間の短い投資案を優先して採用する方法であるが、貨幣の時間価値を考慮しないため、日本企業では普及していない。

1　A　B

2　A　C

3　A　D

4　B　C

5　B　D

解説　正解　4

TAC生の選択率 23%　TAC生の正答率 77%

A　×　投資利益率は、数値が高いほど投資効率がよく、有利な投資である。

B　○

C　○

D　×　回収期間法に関する記述は概ね正しい。しかし、回収期間法は日本企業で普及している手法である。

経営学　SECIモデル　2023年度 専門 No.40

SECIモデルに関するA～Dの記述のうち、妥当なものを選んだ組合せはどれか。

A　野中郁次郎と竹内弘高は、ナレッジ・マネジメントにおける知識創造モデルとして、SECIモデルを提唱した。

B　SECIモデルにおいては、暗黙知とは、主観的、理性的な知であり、形式知とは、客観的、経験的な知である。

C　SECIモデルには、暗黙知と形式知を相互に変換する４つのモードとして、共同化、表出化、連結化及び内面化がある。

D　SECIモデルの４つのモードのうち、共同化は、暗黙知を言語などにより形式知に変換するプロセスである。

1　A　B

2　A　C

3　A　D

4　B　C

5　B　D

解説　正解　2　TAC生の選択率 8%　TAC生の正答率 30%

A　**○**

B　**×**　暗黙知とは、明確な言語や数式で表現できない知識であり、形式知とは、明確な言語や数式で表現できる知識である。

C　**○**

D　**×**　SECIモデルの４つのモードのうち、共同化とは、暗黙知の暗黙知への変換のことである。たとえば、共通の体験によって以心伝心に暗黙知が暗黙知として伝達されることである。なお、表出化は、暗黙知の形式知への変換のことである。たとえば、ある従業員の経験に基づく知識が言語や数式に表現されることである。連結化とは、形式知の形式知への変換のことである。たとえば、何種類かの資料などの形式知を結合して新しい形式知を生み出すことである。内面化とは、形式知の暗黙知への変換のことである。たとえば、行動による学習を通じて、形式知が個人の体験という形で暗黙知として内面化されることをいう。

経営学 リーダーシップ理論

2023年度
専門 No.36

次の文は、リーダーシップ理論に関する記述であるが、文中の空所A～Dに該当する語又は人物名の組合せとして、妥当なのはどれか。

［ A ］が提唱したPM理論では、リーダーシップ行動をＰ機能（［ B ］）とＭ機能（［ C ］）に分類している。

リーダーシップは、Ｐ機能とＭ機能の強弱により、PM型、Pm型、Mp型及びpm型の４つに分類され、生産性が最も高いのは、［ D ］とした。

	A	B	C	D
1	三隅二不二	目標達成機能	集団維持機能	PM型
2	三隅二不二	集団維持機能	目標達成機能	PM型
3	三隅二不二	目的達成機能	集団維持機能	pm型
4	ハーシー＝ブランチャード	集団維持機能	目的達成機能	pm型
5	ハーシー＝ブランチャード	目的達成機能	集団維持機能	PM型

解説　正解　1

TAC生の選択率 57%　TAC生の正答率 76%

正しい文章は以下となる。

［A：三隅二不二］が提唱したPM理論では、リーダーシップ行動をＰ機能（［B：目標達成機能］）とＭ機能（［C：集団維持機能］）に分類している。

リーダーシップは、Ｐ機能とＭ機能の強弱により、PM型、Pm型、Mp型及びpm型の４つに分類され、生産性が最も高いのは、［D：PM型］とした。

経営学　マーケティング　2023年度 専門 No.39

マーケティングに関する記述として、妥当なのはどれか。

1 マーケティング・チャネルとは、業界の構造や収益力を分析するための手法であり、新規参入の脅威、業界内の競争状況、代替製品の圧力、売り手の交渉力、買い手の交渉力の５つの要因がある。

2 プロダクト・ポートフォリオ・マネジメントとは、縦軸に市場成長率、横軸に相対的市場占有率をとったマトリックスにより、企業の事業や製品がどこに位置付けられているかを分析するための手法であり、市場成長率が高いが、相対的市場占有率が低い製品は「金のなる木」に位置付けられる。

3 プロダクト・ライフサイクルとは、製品のたどる段階を成長期、成熟期、衰退期の３つにモデル化したものであり、成長期においては製品の用途や効能を顧客に丁寧に説明するプロモーションが有効である。

4 マーケティング・ミックスとは、企業が行うマーケティング手段の組合せのことであり、企業側の観点から見ると製品、価格、プロモーション、問題解決の4Pに、顧客側の観点から見ると対価、利便性、コミュニケーション、流通チャネルの4Cに分類することができる。

5 SWOT分析とは、経営戦略を分析するためのツールの１つであり、企業の内部環境に関する強みと弱み、企業の外部環境に関する機会と脅威の４つで、経営環境を整理し、分析するものである。

解説　正解　5

TAC生の選択率 54%　TAC生の正答率 85%

1 × マーケティング・チャネルとは流通経路のことである。本肢の記述はポーターの５フォースに関するものである。

2 × プロダクト・ポートフォリオ・マネジメント（PPM）に関する本肢前半の記述は概ね正しい。しかし、市場成長率が高く、相対的市場占有率が低い製品は「問題児」である。「金のなる木」は、市場成長率が低く、相対的市場占有率が高い製品である。

3 × プロダクト・ライフサイクルでは、通常、導入期、成長期、成熟期、衰退期の４つにモデル化される。

4 × 4Pとは、①製品（Product）、②価格（Price）、③流通経路（Place）、④プロモーション（Promotion）である。また、4Cとは、①顧客にとっての価値（Customer Valueまたは顧客ソリューション；Customer Solution）、②顧客コスト（Customer Cost）、③利便性（Convenience）、④コミュニケーション（Communication）である。

5 ○

政治学 政治権力

2021年度
専門 No.41

政治権力に関する記述として、妥当なのはどれか。

1 「共産党宣言」を著したフリードリヒは、唯物史観を展開し、資本主義社会では、資本家階級が政治的にも支配階級であり、政治権力はその手中に握られているとした。

2 バクラックとバラッツは、権力には2つの顔があり、1つは多元主義論者のいう顔、もう1つは非決定の顔であるとし、また、非決定権力とは決定作成の範囲を安全な争点に制限する権力であるとした。

3 ラスウェルは、多元主義的権力論を1次元的権力論、非決定権力論を2次元的権力論と呼び、自らの権力論を3次元的権力論として、3次元的権力論では争点が当人に意識されることすらなく権力が行使されるとした。

4 「パワー・エリート」を著したメリアムは、アメリカ社会では主要な権力は経済、政治、軍事の3領域に存在しており、それらの指導者は互いに接近し、アメリカの権力エリートを形成しているとした。

5 「政治学入門」を著したフーコーは、権力は2人ないしそれ以上の人々の関係の上に成り立つやりとりであり、所有物というよりも関係として記述されるのが適当であるとした。

解説 正解 2

TAC生の選択率 77% TAC生の正答率 61%

1 × 「共産党宣言」を著したのはマルクスとエンゲルスである。

2 ○ バクラックとバラッツが展開した権力論として正しい記述である。

3 × 本肢のような権力論の分類を行い、自らを3次元的権力観としたのはルークスである。

4 × 「パワー・エリート」を著したのはミルズである。それ以外の記述は「パワー・エリート」についての正しい説明である。

5 × 本肢の記述は権力の関係概念にあたり、フーコーが唱えたものではなくダールの主張であるといえよう。

政治学　支配の３類型

2023年度 専門 No.41

ウェーバーの支配の３類型に関する記述として、妥当なのはどれか。

1　ウェーバーは、服従者の自発的な承認ではなく、強制力によって権力が権威として受け入れられた状態を支配と呼んだ。

2　正しい手続で定められた法によって支配されている類型は、合法的支配に分類され、人々は法ではなく、法を制定した人物としての権力者に服従する。

3　支配者のもつ伝統的権威を永遠、不変のものとみなし、これに服従する類型は、伝統的支配に分類され、伝統、しきたり、先例が重んじられる官僚制による支配がこの類型の典型である。

4　支配者が特別な能力を有する人物とみなされ、それゆえその人に従うという類型は、カリスマ的支配に分類され、カリスマ性は支配者個人に属することから、権力継承は一切認められない。

5　ウェーバーによる支配の３類型は、理念型として設定されたものであり、現実の支配形態は、これらの混合型として存在しているとされる。

解説　正解　5

TAC生の選択率 91%　TAC生の正答率 80%

1　×　ウェーバーは、強制力によってではなく、服従者の自発的な承認によって権力が権威として受け入れられた状態を支配と呼んだ。

2　×　後半が誤り。合法的支配では、人々は、法を制定した人物としての権力者ではなく法に服従する。したがって、人物が交代しても合法的支配は継続する。

3　×　官僚制による支配は、合法的支配の典型例である。

4　×　「権力継承は一切認められない」が誤り。カリスマ性は原則として支配者個人に属するが、ウェーバーはその例外として、血筋にカリスマが引き継がれる世襲カリスマ、地位にカリスマが引き継がれる官職カリスマの存在にも言及している。

5　○　ウェーバーは様々な類型を提示しているが、いずれも理念型として設定されている。

政治学　国家論　2022年度 専門 No.45

一元的国家論又は多元的国家論に関する記述として、妥当なのはどれか。

1　一元的国家論は、個人や社会集団に対する国家の独自性を強調し、国家は絶対的な主権を有するとして、ラスキらにより唱えられたものである。

2　一元的国家論は、国家を資本家階級が労働者階級を抑圧するための搾取機関であるとして、ヘーゲルらにより唱えられたものである。

3　多元的国家論は、国家と社会を区別し、国家は社会内の多くの集団と並立する一つの集団にすぎないとして、ホッブズらにより唱えられたものである。

4　多元的国家論は、第二次世界大戦後、国家が統制を強め、個人の自由への脅威となる中、国家の権力化に歯止めをかけるために出てきた政治思想である。

5　多元的国家論は、国家の絶対的優位性を認めず、社会を調整する機能としての相対的優位性のみ認めるものである。

解説　正解　5

TAC生の選択率 68%　TAC生の正答率 57%

1　×　「個人や社会集団に対する国家の独自性を強調し、国家は絶対的な主権を有する」という一元的国家論の主張はヘーゲルらによるものであり、ラスキは多元的国家論を主張した人物である。

2　×　国家について、「資本家階級が労働者階級を抑圧するための搾取機関である」と捉えるのは、ヘーゲルではなくマルクスの階級国家論である。

3　×　「国家と社会を区別し、国家は社会内の多くの集団と並立する一つの集団にすぎない」という多元的国家論の主張はラスキらによるものであり、ホッブズは社会契約説の立場から人工的な国家論を主張した人物である。

4　×　多元的国家論は、第二次世界大戦後ではなく第一次世界大戦前後に出てきた政治思想である。この思想は、20世紀初頭からの行政国家化の進展に対抗して、国家の権力化に歯止めをかけることを目指して登場している。

5　○　多元的国家論では、国家は国民社会の中にたくさんある社会集団の一つにすぎず、各集団の調整役として相対的に優位するのみと捉えている。

政治学　議会

2023年度
専門 No.42

議会の類型に関する記述として、妥当なのはどれか。

1　アメリカの政治学者レイプハルトは、議会をアリーナ型議会、変換型議会の２つに分類した。

2　アリーナ型議会は、アメリカ連邦議会などの、与野党が討論を通じて争点を明確にする機能を果たす議会であり、変換型議会は、イギリス議会などの、社会の要求を法律に変換していく機能を果たす議会である。

3　イギリス議会は、三読会制を採っており、第一読会で実質的な法案審議が行われ、第二読会、第三読会は形式的なものとなる。

4　日本の国会は、本会議中心主義を採っており、実質的な法案審議を委員会では行っていないことから、イギリス型の議会に分類される。

5　アメリカ連邦議会は、委員会の権限が大きい委員会中心主義を採っており、議員により提案された法案の多くは、委員会における法案審議で、否決や修正をされる。

解説　正解　5

TAC生の選択率 84%　TAC生の正答率 47%

1　×　議会をアリーナ型議会と変換型議会に分類したのは、ポルスビーである。レイプハルトは多極共存型民主主義モデルを提示し、民主主義を多数決型（ウェストミンスター型）とコンセンサス型（合意型）に分類したことで知られている。

2　×　「アメリカ連邦議会」と「イギリス議会」が逆である。

3　×　実質的な法案審議が行われるのは、第二読会である。第一読会では法律案の題名が朗読されるのみであり、法律案に関する審議は行われない。

4　×　日本の国会は委員会中心主義を採っており、この点ではアメリカ連邦議会と同様である。

5　○　アメリカ連邦議会では、本会議よりも少人数で構成される委員会で実質的な法案審議が行われることから、ログ・ローリング（「票の貸し借り」）がしばしば見られる。

政治学　イギリスの政治制度

2022年度
専門 No.42

イギリスの政治制度に関する記述として、妥当なのはどれか。

1　イギリスは、成文の憲法典を持たないが、マグナ・カルタなどの歴史的文書や慣習が基本法の役割を果たしており、裁判所が違憲立法審査権を持つ。

2　イギリスでは、下院議員が小選挙区比例代表併用制で選ばれており、二大政党制となっている。

3　イギリスの議会において、実質的な権限を有しているのは下院であるが、下院優位の原則は、法で明確にされているものではない。

4　イギリスの内閣は、下院第一党の党首が首相となり、また、全閣僚を下院議員から選ばなければならない。

5　イギリスでは、野党第一党が「影の内閣」を組織し、政権を取った場合に備えている。

解説　正解　5

TAC生の選択率 89%　TAC生の正答率 79%

1　×　「裁判所が違憲立法審査権を持つ」が誤り。イギリスの裁判所は、違憲立法審査権を持たない。

2　×　「小選挙区比例代表併用制で選ばれており」が誤り。イギリスの下院議員は、比例代表制を併用せずに、小選挙区制のみで選ばれている。

3　×　「法で明確にされているものではない」が誤り。イギリスの下院優位の原則は、1911年に制定された議会法で明確に成文化されており、ごく一部の例外を除いて、下院は貴族院の同意なしに法律を制定することができる。

4　×　「全閣僚を下院議員から」が誤り。イギリスの内閣は、全閣僚を議員から選ばなければならないが、それは下院議員に限定されず、上院議員から選ぶこともできる。

5　○　イギリスの「影の内閣」は公職とされており、その運営には予算が計上されている。

政治学 | 選挙制度 | 2021年度 専門 No.42

選挙制度に関するA～Dの記述のうち、妥当なものを選んだ組合せはどれか。

A　選挙制度には、多数代表制や比例代表制等があり、1つの選挙区から1人の代表を選出する小選挙区制は多数代表制の典型であるが、小選挙区制を採用している国には、アメリカ、イギリス、カナダ等がある。

B　小選挙区2回投票制とは、絶対多数でなければ当選せず、1度で決まらない場合は上位者で決選投票を行うものであり、イタリアが国民議会選挙で採用している。

C　比例代表制では、世論の分布を議会に反映させるため、各党の得票数に応じて議席が配分され、その党の獲得議席の分だけ政党が作成した名簿の上位から当選とする非拘束名簿式が多く用いられており、この方式では有権者は政党のみを選ぶこととなる。

D　デュヴェルジェの法則とは、小選挙区制は二大政党制をもたらし、比例代表制は多党制をもたらすという、選挙制度と政党システムの関係について示したものである。

1　A　B

2　A　C

3　A　D

4　B　C

5　B　D

解説　正解　3

TAC生の選択率 89%　TAC生の正答率 74%

A　**○**

B　**×**　小選挙区2回投票制を採用しているのは、イタリアではなくフランスの国民議会（下院）である。

C　**×**　本記述は拘束名簿式の説明であれば妥当である。比例代表制の非拘束名簿式では、政党は順位を決めずに名簿を届け出ることになり、政党内での名簿掲載者の個人名の得票順に当選が決まっていく。そのため、有権者は政党のみならず個人名での投票も可能である。

D　**○**　デュヴェルジェの法則として正しい記述である。

以上により、AとDが正しい記述となり、**3**が正解である。

財政学
経営学
政治学
行政学
社会学

政治学　ポリアーキー　2021年度 専門 No.45

次の文は、ダールのポリアーキー論に関する記述であるが、文中の空所A～Cに該当する語の組合せとして、妥当なのはどれか。

ダールは、デモクラシーの条件を測定するために、言論・集会・結社の自由などをどの程度許容しているかといった次元である［A］と、政治にどの程度関与できるかといった次元である［B］という２つの基準を設けた。

この２つの次元の両方が高い状態にあるのがポリアーキーであり、［A］の程度が高く［B］が低いものが［C］体制であるとした。

	A	B	C
1	公的異議申立て	包括性	競争的寡頭
2	包括性	公的異議申立て	競争的寡頭
3	公的異議申立て	包括性	包括的抑圧
4	包括性	公的異議申立て	包括的抑圧
5	公的異議申立て	包括性	閉鎖的抑圧

解説　正解　1

TAC生の選択率 89%　TAC生の正答率 55%

A 「公的異議申立て」が該当する。

B 「包括性」が該当する。公的異議申立て（自由化）とは、反体制勢力の活動の自由への許容度、包括性（参加）とは、どのくらい多くの人々に政治参加が認められているかを意味する。ダールは、この２つを現存する民主主義体制の程度を測る基準とし、この２基準を組み合わせて政治体制を４種類（閉鎖的抑圧体制、競争的寡頭体制、包括的抑圧体制、ポリアーキー）に分類した。

C 「競争的寡頭」が該当する。まず、A「公的異議申し立て」が自由化であることに着目すれば（たとえ寡頭の意味が分からなくとも）「抑圧」が含まれている「包括的抑圧」や「閉鎖的抑圧」が不適切であることは判断できる。また、競争的寡頭の「寡頭」とは少数支配者の意であり、「包括性（参加）が低い」という記述とも合致する。

政治学 投票行動

2020年度
専門 No.43

次の文は、投票行動研究に関する記述であるが、文中の空所A～Dに該当する語句又は人物名の組合せとして、妥当なのはどれか。

[A]らを中心とするコロンビア大学のグループは、1940年の大統領選挙の時にオハイオ州エリー郡で有権者の調査を行い、有権者の[B]により形成される政治的先有傾向が投票行動に大きな関係があることを明らかにした。

一方、A.キャンベルらを中心とするミシガン大学のグループは、[B]から投票行動を説明しようとしたコロンビア・グループを批判し、[C]を重視していった。また、ミシガン・グループは、政党、争点、候補者に対する選好とその強度が重要であるとし、特に、有権者の政党との結び付きを[D]として捉え、この要因を中心に投票行動を分析した。

	A	B	C	D
1	ラザースフェルド	社会的属性	心理的要因	政党帰属意識
2	ラザースフェルド	心理的要因	社会的属性	政党帰属意識
3	ラザースフェルド	社会的属性	心理的要因	業績投票モデル
4	フィオリーナ	心理的要因	社会的属性	業績投票モデル
5	フィオリーナ	社会的属性	心理的要因	政党帰属意識

解説 正解 1

TAC生の選択率 91% TAC生の正答率 86%

A 「ラザースフェルド」が該当する。フィオリーナは、有権者は過去の業績に対する評価に基づいて投票先を決めているとする業績投票モデルを1980年代に提唱した学者である。

B 「社会的属性」が該当する。コロンビア大学のラザースフェルドは社会学者であるため、社会的属性に注目して投票行動を説明している。

C 「心理的要因」が該当する。キャンベルらを中心とするミシガン大学のグループは社会心理学者であるため、社会的属性を考慮に入れつつも心理的要因を重視して投票行動を説明している。

D 「政党帰属意識」が該当する。ここで政党帰属意識とは、政党に対する仲間意識・愛着感のことである。ミシガン・グループによれば、政党帰属意識は家庭等で長期的に形成され、一度形成されるとほとんど変化しないために投票行動の主要因となる一方で、短期間で形成される争点態度や候補者イメージは投票行動への影響が弱く、特に争点態度の影響が最も弱いとしている。

ともあれ、「政党帰属意識」という言葉を全く知らなくても、この文章の前後に「業績」という言葉は一切登場せず、また直後に「この要因」と書いてあることから（「モデル」が「要因」というのはおかしいことから）考えても「業績投票モデル」が入らないことはわかる。

以上の組合せにより、**1**が正解となる。

政治学　政党　2023年度 専門 No.43

政党又は政党制に関する記述として、妥当なのはどれか。

1　デュヴェルジェは、国民共同の利益のために特定の原理に基づいて結合した集団である政党を、個人的利益を追求する徒党と明確に区別して定義し、政党の積極的な役割を評価した。

2　リプセットとロッカンは、西欧諸国の1960年代の政党システムは、1920年代の社会的亀裂構造を反映しているとする凍結仮説を主張した。

3　ミヘルスは、民主主義的な政党においては、党内の少数者の手に組織運営の実質的権限が集中することはないため、寡頭制が確立されることはないとした。

4　シャットシュナイダーは、選挙制度と政党制の関係について、小選挙区制は二大政党制を生み出す確率が高く、比例代表制は多党制を生み出す傾向があるとした。

5　バークは、政党には、集団や個人が提起する政治的要求を政策上の主要選択肢に転換し、政策決定の場で処理しうるようにまとめ上げる利益表出機能があるとした。

解説　正解　2

TAC生の選択率 84%　TAC生の正答率 73%

1　×　これは、デュヴェルジェではなくバークに関する記述である。国民代表の原理を提示したバークは、政党についても国民共同の利益を目指す集団として定式化した。

2　○　ただし、1960年代後半になると西欧諸国の政党システムも流動化し、凍結仮説の妥当性が失われることとなった。

3　×　「集中することはない」と「確立されることはない」が誤り。ミヘルスは、民主主義的な政党であっても、組織の拡大に伴って党内の少数者の手に組織運営の実質的権限が集中し寡頭制が確立されるという「寡頭制の鉄則」を提唱した。

4　×　これは、シャットシュナイダーではなくデュヴェルジェが提唱したデュヴェルジェの法則に関する記述である。シャットシュナイダーはアメリカの政治学者で政党制や圧力団体の研究者だが、近年の地方上級レベルの公務員試験ではほとんど出題されなくなっている。

5　×　これは、バークではなくアーモンドに関する記述である。また、「政治的要求を政策上の主要選択肢に転換し、政策決定の場で処理しうるようにまとめ上げる」のは、利益表出機能ではなく利益集約機能である。政治システム論者のアーモンドは、「機能」という観点で政治現象を分析した。

政治学　マス・メディア　2022年度 専門 No.43

マスメディアの影響に関する記述として、妥当なのはどれか。

1　ガーブナーらは、暴力行為が頻繁に出るテレビを長時間見る人ほど、現実社会で暴力に巻き込まれる可能性が大きいと考える比率が高く、他人への不信感が強まることを示し、培養理論を提起した。

2　コミュニケーションの２段階の流れ仮説では、マスメディアが発する情報は、オピニオン・リーダーを介して、パーソナル・コミュニケーションにより多くの人々に伝わるとし、マスメディアの限定効果説を否定した。

3　アイエンガーとキンダーは、マスメディアが特定の争点を強調すると、その争点が有権者の政治指導者等に対する評価基準の形成に影響を与えるとし、このことをフレーミング効果と名付けた。

4　クラッパーは、マスメディアの報道により、自分の意見が少数派だと感じた人は、孤立することを恐れて、他人の前で自分の意見の表明をためらうという沈黙の螺旋（らせん）仮説を提起した。

5　アナウンスメント効果とは、マスメディアの選挙予測報道が、有権者の投票行動に影響を与えることをいい、アナウンスメント効果の１つであるバンドワゴン効果は、不利と報道された候補者に票が集まる現象である。

解説　正解　1

TAC生の選択率 85%　TAC生の正答率 53%

1　○　ガーブナーらの培養理論は、マスメディアの新強力効果説に位置づけられる。

2　×「マスメディアの限定効果説を否定した」が誤り。コミュニケーションの２段階の流れ仮説はマスメディアの限定効果説の代表例である。

3　×　これは、フレーミング効果ではなくプライミング効果に関する記述である。それに対してフレーミング効果とは、マスメディアが報道する際の枠組み（フレーム）によって、人々の情報の受け取り方が影響を受ける効果を指す。

4　×　これは、クラッパーではなくノエル＝ノイマンに関する記述である。クラッパーは、マスメディアの限定効果説を定式化した人物として知られている。

5　×　これは、バンドワゴン効果ではなくアンダードッグ効果に関する記述である。バンドワゴン効果は問題文の記述とは逆で、有利と報道された候補者に票が集まる現象を指す。

政治学　政治文化論

2023年度
専門 No.45

アーモンドとヴァーバの政治文化論に関する記述として、妥当なのはどれか。

1　アーモンドとヴァーバは、「現代市民の政治文化」で、アメリカ、イギリス、西ドイツ、イタリア、日本の、政治システム、入力機構、出力機構、自己を対象として分析し、政治文化を参加型、臣民型、未分化型の３類型に分けた。

2　参加型政治文化は、国民の多くが政治システム、入力機構、出力機構、自己の全てを志向する場合であり、５か国でこれに最も近い政治文化を持つのがアメリカで、次はイギリスとした。

3　臣民型政治文化は、国民の多くが入力機構及び自己にのみ肯定的な態度をとり、政治システム及び出力機構に対しては信頼感を持っていない場合であり、西ドイツとイタリアがこれに近い政治文化を持つとした。

4　未分化型政治文化は、国民の多くが政治システム、入力機構、出力機構、自己の全てに明確な態度を形成していない場合であり、日本がこれに近い政治文化を持つとした。

5　現実の政治文化は各類型の混合であり、民主主義の安定に適合する政治文化は、参加型に近いものだが、臣民型が混合されたものとし、これを政治的社会化と呼んだ。

解説　正解　2

TAC生の選択率 70%　TAC生の正答率 26%

1　×　日本ではなくメキシコが該当する。アーモンドとヴァーバが分析対象としたのは、ヨーロッパ（イギリス、西ドイツ、イタリア）とアメリカ大陸（アメリカ、メキシコ）であり、アジアやアフリカは対象となっていない。

2　○　アーモンドとヴァーバによれば、参加型、臣民型、未分化型の類型は理念型であり完全に対応する国はないが、アメリカとイギリスは参加型に近い政治文化を持つとした。

3　×　「入力機構及び自己」と「政治システム及び出力機構」が逆である。臣民型政治文化は、積極的に政治に働きかけることのない受動的な政治文化として定式化されている。

4　×　日本ではなくメキシコが該当する。**1**の解説文で述べたように、日本はこの研究の分析対象となっていない。

5　×　これは、政治的社会化ではなく市民文化に関する記述である。ただし、アーモンドとヴァーバが定式化した市民文化は、参加型に近いものだが、それに臣民型と未分化型が混合されたものである。なお、政治的社会化とは、個人が政治に対する価値や態度を学習し形成する過程を意味する。

政治学　政治的無関心　2022年度 専門 No.41

リースマン又はラスウェルの政治的無関心の分類に関する記述として、妥当なのはどれか。

1　リースマンは、身分に基づく特定の少数者が統治を行った前近代社会のように、庶民が自分の政治的責任を知りながらもそれを果たすには至らない状態を、伝統型無関心に分類した。

2　リースマンは、価値観が多様化したことで大衆が政治以外の対象に価値を見いだし、政治的な知識や情報を持たず非行動的で傍観者的な態度をとっている状態を、現代型無関心に分類した。

3　ラスウェルは、商売、芸術、恋愛などに関心を奪われ、政治に対する関心が低下する場合を、脱政治的態度に分類した。

4　ラスウェルは、かつては政治に関与したものの、自己の期待を充足できず政治に幻滅している場合を、無政治的態度に分類した。

5　ラスウェルは、無政府主義者のように、政治そのものを軽蔑したり否定する場合を、反政治的態度に分類した。

解説　正解　5　TAC生の選択率 90%　TAC生の正答率 82%

1　×　「庶民が自分の政治的責任を知りながらも」が誤り。リースマンが定式化した伝統型無関心とは、庶民には政治的責任がない状況下での無関心である。前近代社会では、政治に関する知識・権限を有しているのはごく少数の特権階級だけであり、それ以外の者は政治の当事者とはならない。それゆえ、庶民には政治的責任はなく、無関心になるのも当たり前といえる。

2　×　「政治的な知識や情報を持たず」が誤り。リースマンが定式化した現代型無関心とは、大衆も政治的な知識・情報を持っているにもかかわらず（政治の当事者であるにもかかわらず）傍観者的な態度を取っている状態を指す。また、「価値観が多様化したことで大衆が政治以外の対象に価値を見いだし」の部分は、ラスウェルらが定式化した無政治的態度の特徴である。

3　×　これは、無政治的態度に近い記述である。

4　×　これは、脱政治的態度に関する記述である。

5　○　反政治的態度は、現行の政治に積極的な関心を持っていない点で、無関心の一類型とされる。

政治学　近代の西洋政治思想

2023年度
専門 No.44

近代の西洋政治思想に関する記述として、妥当なのはどれか。

1　ボダンは、深刻な政争が続くフランスで「国家論」を著し、主権を国家の絶対的にして永続的な権力とし、国家秩序を維持するためには、絶対的権威をもった主権が必要不可欠であるとした。

2　イギリスでは、国王ジェームズ１世に仕えたボシュエやフィルマーが、君主は国家の主権を神から授けられたとする王権神授説を唱え、絶対王政を正当化した。

3　ロックは、自然状態である万人の万人に対する闘争の状態を回避するために、各人は社会契約を相互に結び、国家を形成するとし、国家が国民の信託した内容に反した場合には、国家に対する抵抗権が認められるとした。

4　モンテスキューは、立法権、執行権及び連合権による三権分立制を唱え、三権相互の抑制と均衡を保つことができれば、市民の権利と自由は保障されるとした。

5　ルソーは、共通の利益をめざす一般意志により営まれる国家では、人民が自由で平等な主権者となるとし、一般意志の表出の妨げにならないという理由で、代議政治を強調した。

解説　正解　1

TAC生の選択率 84%　TAC生の正答率 44%

1　○　ボダンは、「主権」という概念を初めて定式化した人物として知られている。

2　×　ボシュエはフランスでルイ14世に、フィルマーはイギリスでチャールズ１世に仕えた。

3　×「自然状態である万人の万人に対する闘争の状態を回避するために、各人は社会契約を相互に結び、国家を形成する」としたのは、ロックではなくホッブズである。

4　×「立法権、執行権及び連合権」による権力分立制を唱えたのは、ロックである。モンテスキューは、立法権、司法権、行政権による三権分立制を唱えた。

5　×「代議政治を強調」が誤り。ルソーは人々の自由を奪う危険性のある代議政治（間接民主制）を批判し、直接民主制を主張した。

政治学　現代政治学

2020年度
専門 No.45

次の文は、現代政治学に関する記述であるが、文中の空所A～Dに該当する語、語句又は人物名の組合せとして、妥当なのはどれか。

現代政治学は、1908年に出版された「政治における人間性」と「[A]」の２冊の書物に始まる。「政治における人間性」を著したイギリスの政治学者[B]は、人間の政治行動は必ずしも合理的なものではないとして従来の制度論的政治学を批判し、政治学の研究に[C]的なアプローチが必要なことを主張した。

また、「[A]」を著したアメリカの政治学者ベントレーも、制度論的政治学を「死せる政治学」と呼んで批判し、政治を[D]間の対立と相互作用等と捉え、政治学の研究に社会学的な視点を導入した。

	A	B	C	D
1	統治過程論	イーストン	哲学	個人
2	統治過程論	ウォーラス	心理学	集団
3	統治過程論	イーストン	心理学	集団
4	政治分析の基礎	ウォーラス	心理学	個人
5	政治分析の基礎	イーストン	哲学	個人

解説　正解　2

TAC生の選択率 87%　TAC生の正答率 78%

現代政治学に関する問題であることから、空欄Bが「ウォーラス」なのはすぐにわかる。次に、ベントレーが利益集団研究の先駆者ということで、空欄Dが「集団」というのも予想しやすい。これらを含む組合せは**2**だけであることから、空欄A・Cを判別できなくても**2**が正解とわかる。

A 「統治過程論」が該当する（この本のタイトル The Process of Government は、『統治の過程』、『政治の過程』などという訳語が充てられることもある）。それに対して『政治分析の基礎』は、D.イーストンの著作名である。

B 「ウォーラス」が該当する。G.ウォーラス（1858～1932）は、A.ベントレー（1870～1957）とともに20世紀の現代政治学や政治過程論を確立した人物として知られている。それに対してイーストン（1917～2014）は、政治システム論を確立した人物として知られているが、『政治における人間性』と『統治過程論』が出版された1908年にはまだ生まれていない。

C 「心理学」が該当する。伝統的な政治学は、哲学・法学・歴史学の強い影響下で形成されたが、ウォーラスは19世紀末から体系化された心理学・精神分析学の観点を政治学に採り入れようとした。

D 「集団」が該当する。ベントレーは、集団間の相互作用という観点から政治現象を分析し、利益集団研究の先駆けとなった。

政治学　ロールズ、ノージックの思想

2022年度
専門 No.44

ロールズ又はノージックの政治思想に関する記述として、妥当なのはどれか。

1 ロールズは、原初状態の概念に示唆を得て、無知のヴェールに覆われた自然状態を想定し、そこから正義の2原理を導出した。

2 ロールズの正義の第1原理は、平等な自由原理と呼ばれ、各人は他の人々にとっての同様な自由と両立しうる最大限の基本的自由への平等な権利を持つべきであるとするものである。

3 ロールズの正義の第2原理には、格差原理と公正な機会均等原理の2つの要素が存在し、また、第1原理と第2原理が衝突した場合には、第2原理が優先される。

4 ノージックは、「アナーキー・国家・ユートピア」を著し、夜警国家を批判して、福祉国家に移行することを主張した。

5 ノージックは、平等な顧慮と尊重への権利としての平等権を提唱し、また、配分的平等の理論を、福利の平等論と資源の平等論に大別し、資源の平等論は実現不可能なものとした。

解説　正解　2

TAC生の選択率 76%　TAC生の正答率 36%

1 × 「原初状態」と「自然状態」が逆である。ロールズは、社会契約論が想定する自然状態の概念に示唆を得て、無知のヴェールに覆われた原初状態を想定し、そこから正義の2原理を導出した。

2 ○ ロールズは、自由原理を最優先のものと捉えている。

3 × 「第2原理が優先される」が誤り。ロールズは、第1原理と第2原理が衝突した場合には、第1原理が優先されるとしている。

4 × おおむね「夜警国家」と「福祉国家」が逆になっている。ただし正確にいうと、ノージックは、福祉国家を批判して、最小国家に移行することを主張した。

5 × これは、ノージックではなく、おおむねR.ドゥウォーキンを想定した記述となっている。ただし最後の記述が逆で、ドゥウォーキンは資源の平等論の立場であることを明言している。

財政学
経営学
政治学
行政学
社会学

行政学　シュタインの行政学

2022年度
専門 No.49

シュタインの行政学に関する記述として、妥当なのはどれか。

1　シュタインは、物質的資財とともに、国民の労働力、才能も含んだ国家資財を維持、増殖することを目的とした警察学を、財政学から分化させた。

2　シュタインの行政学は、官房学的行政学の集大成と位置付けられ、アメリカ行政学の形成に、直接的に強い影響を及ぼした。

3　シュタインは、国家をあらゆる個人の意思と行為が１つの人格にまで高められた共同体であるとし、階級による不平等を抱えた社会に国家が対立することはないとした。

4　シュタインは、国家は憲政と行政の２つの原理から成り立ち、憲政は国民の参加により国家意思を形成する過程であり、行政は国家意思を実現する過程であるとした。

5　シュタインは、憲政なき行政は無力であるとし、憲政と行政の関係は一方向的であり、行政に対する憲政の絶対的な優越を説いた。

解説　正解　4

TAC生の選択率　69%　TAC生の正答率　86%

1　×　これは、シュタインではなくユスティに関する記述である。絶対主義国家では、警察の名の下に国家の活動範囲が個人の私的生活にまで拡大適用されており警察国家と呼ばれていたが、市民革命とともに警察の範囲が限定されるようになり、ユスティが定式化した意味での警察学も成立しえなくなった。それゆえ、市民社会を前提としたシュタインの行政学が登場することになる。

2　×　「直接的に強い影響を及ぼした」が誤り。たしかにアメリカ行政学の端緒となったW.ウィルソンは、行政研究におけるドイツとの比較の重要性を主張したが、官僚制が発達していなかったアメリカではドイツ行政学の成果をそのまま導入できなかったため、あくまで参考程度の影響といえる。

3　×　「社会に国家が対立することはない」が誤り。シュタインにとって、社会は個々人が自己利益を基本原理としてバラバラに活動する場であるのに対して、国家は１つの人格にまで高められた共同体である。このように、個別性という社会の特性と、一体性という国家の特性は原理的に対立するがゆえに、両者の関係性を考察したのがシュタインの行政学といえる。

4　○　これはシュタインの行政学の定番の言い回しなので、覚えておこう。

5　×　「一方向的」と「絶対的な優越」が誤り。シュタインによれば、憲政なき行政は無力だが、行政なき憲政は無内容であり、憲政と行政は相互優位の関係にある。

行政学　アメリカ行政学

2023年度
専門 No.49

アメリカ行政学の展開に関する記述として、妥当なのはどれか。

1　1883年に、ガーフィールド大統領がペンドルトン法を制定し、スポイルズ・システムが見直され、公務員の資格任用制が導入された。

2　ウィルソンは、論文「行政の研究」において、行政の領域は、政治の固有の領域であるビジネスの領域の外にあるとして、政治・行政二分論を主張した。

3　グッドナウは、著書「政治と行政」において、国家の意思の表現を政治、国家の意思の執行を行政とし、行政から司法を除いた狭義の行政のうち、執行的機能についてのみ、政治の統制が必要とした。

4　ウィロビーは、ローズベルト大統領が設置したブラウンロー委員会に参画し、ライン・スタッフ理論を基に、大統領府の創設を提言した。

5　ホワイトは、ニューディール時代の実務経験から、「政策と行政」を著し、行政とは政策形成であり、政治過程の1つであるとし、政治と行政の関係は、連続的であると指摘した。

解説　正解　3

TAC生の選択率 67%　TAC生の正答率 47%

1　×　ペンドルトン法制定のきっかけの1つとなったのがガーフィールド大統領の暗殺事件であり、制定時の大統領はアーサーである。ここでアーサー大統領の名前を覚える必要は全くないが、ガーフィールド大統領の暗殺後にペンドルトン法が制定されたという流れは覚えておこう。

2　×　正しくは、「政治の固有の領域であるビジネスの領域の外にある」ではなく「政治の固有の領域の外にあるビジネスの領域にある」である。修飾関係がわかりにくい悪文だが、ウィルソンが政治とビジネスを区別したことは確認しておこう。

3　○　グッドナウは行政が果たしている機能を、①準司法的機能、②執行的機能、③組織の設立や保持の機能の3つに分けた上で、政治から統制を受ける範囲は執行的機能に限定されるべきで、他の機能については国家の意思とは関係のないものであるから自由裁量に任せるべきであると主張した。

4　×　これは、ウィロビーではなくギューリックに関する記述である。「ローズベルト大統領が設置したブラウンロー委員会に参画」、「ライン・スタッフ理論」、「大統領府の創設を提言」で判別できる。

5　×　これは、ホワイトではなくアップルビーに関する記述である。正統派行政学に位置づけられるホワイトは、政治と行政を明確に区別する政治行政二分法の立場を採る。

行政学　ホーソン実験

2020年度
専門 No.49

次の文は、ホーソン実験に関する記述であるが、文中の空所Ａ～Ｄに該当する語、語句又は人物名の組合せとして、妥当なのはどれか。

1920年代半ばに始まったホーソン実験は、［Ａ］論の創始者であるハーバード大学の［Ｂ］とその弟子のレスリスバーガーらのグループが、シカゴのウェスタン・エレクトリック社のホーソン工場で行ったものである。

この工場における実験は、［Ｃ］で主張されている物理的な作業条件と作業能率の関係をテストするために行われたものであった。

しかし、実験の結果、作業能率には、物理的な作業環境ではなく、職場における［Ｄ］な人間関係が大きな影響を与えていることが明らかとなった。

	A	B	C	D
1	現代組織	テイラー	科学的管理法	インフォーマル
2	人間関係	メイヨー	科学的管理法	インフォーマル
3	現代組織	テイラー	満足化モデル	フォーマル
4	現代組織	メイヨー	科学的管理法	フォーマル
5	人間関係	メイヨー	満足化モデル	インフォーマル

解説　**正解　2**　TAC生の選択率 92%　TAC生の正答率 90%

Ａ　「人間関係」が該当する。現代組織論は、C.バーナードが創始者とされる。

Ｂ　「メイヨー」が該当する。F.テイラーは、空欄Ｃの科学的管理法の提唱者として知られている人物である。

Ｃ　「科学的管理法」が該当する。満足化モデルは、H.サイモンが意思決定論の中で提唱したモデルである。

Ｄ　「インフォーマル」が該当する。テイラーの科学的管理法は、職場におけるフォーマルな人間関係に注目して作業能率の向上を目指したが、ホーソン実験により、職場におけるインフォーマルな人間関係が作業能率に大きな影響を与えていることが明らかになった。

行政学　ウェーバーの官僚制論

2021年度
専門 No.46

M.ウェーバーの官僚制論に関する記述として、妥当なのはどれか。

1　M.ウェーバーは、近代官僚制の構成要件として、官僚制の活動は規則で客観的に定められた権限に基づいて行われるものであるとする、専業制の原則を挙げた。

2　M.ウェーバーは、近代官僚制の構成要件として、職員は上司によって任命されるとする契約制の原則を挙げ、上司以外が任免権を持つ場合は指揮命令による統制が確実に行われないため、純粋な官僚制ではないとした。

3　M.ウェーバーは、支配の正統性という観点から支配の類型を伝統的支配、カリスマ的支配、合法的支配の３つに分け、官僚制を合法的支配の典型として位置付けた。

4　M.ウェーバーは、石膏（こう）事業所の事例研究を通じて、組織の上位者が下位者に規則の強制を行う懲罰型官僚制と、両者の同意に基づく代表的官僚制という２つの類型を導き出した。

5　M.ウェーバーは、官僚制では規則に基づき職務が遂行されるが、規則が強調されることにより、規則を守ること自体が目的化する目的の転移が生じ、官僚は臨機応変の措置がとれなくなるとした。

解説　正解　3

TAC生の選択率 89%　TAC生の正答率 91%

1　×　本肢は「専業制の原則」を「規則による規律の原則及び明確な権限の原則」に入れ替えれば妥当な説明となる。専業制の原則とは職員はその業務を唯一の職業とし、兼業や副業などを例外とするというものである。

2　×　本肢は「契約制の原則」を「任命制の原則」に入れ替えれば妥当な説明である。契約制の原則とは官僚制における上下関係はあくまで契約に基づくものであり、職務を離れたところでは上司と部下の間には上下関係はなく、さらに職員は自由に契約を解除（辞職）できるというものである。

3　○　M.ウェーバーの説明として妥当である。合法的支配は実際には様々な形態がありうる。例えば合議制であっても、それが規則に基づいて運営される限りは合法的支配である。その中で官僚制は「合法的支配の最も純粋な型」とウェーバーは位置づけたのである。

4　×　本肢はウェーバーではなく、A.ゴールドナーの説明であれば妥当である。ゴールドナーは懲罰的官僚制つまりウェーバーが論じた規律に従う官僚制が必ずしも期待した通りに機能するわけでないことを論じている。なお、ゴールドナー自身は正確には官僚制を懲罰型官僚制、代表的官僚制、模擬的官僚制の３つに分類しており、本肢では模擬的官僚制についての説明が抜けている。

5　×　本肢はウェーバーではなく、R.マートンの説明であれば妥当である。本肢で説明されているように、規則が期待した通りに機能せず逆の結果をもたらすことを「官僚制の逆機能」という。

行政学　ストリート・レベルの行政職員　2023年度 専門 No.46

ストリート・レベルの行政職員に関するA～Dの記述のうち、妥当なものを選んだ組合せはどれか。

A　キングスレーは、広い裁量を持ち、対象者と直接接触してサービスを供給する行政職員を、ストリート・レベルの行政職員とした。
B　ストリート・レベルの行政職員には、外勤の警察官や福祉事務所のケースワーカーのほか、公立学校の教員などが挙げられる。
C　ストリート・レベルの行政職員はエネルギー振り分けの裁量を持つが、全ての業務を十分に遂行することはほぼ不可能であり、ディレンマに直面する。
D　ストリート・レベルの行政職員は広い裁量権を持つが、多様な法令等のルールによって拘束されているため、法適用の裁量はない。

1　A　B

2　A　C

3　A　D

4　B　C

5　B　D

解説　正解　4　TAC生の選択率 77%　TAC生の正答率 78%

A　×　ストリート・レベルの行政職員について論じたのは、キングスレーではなくリプスキーである。キングスレーは、イギリスの公務員の出自を調査し、代表的官僚制の概念を提示したことで知られている。

B　○　ストリート・レベルの行政職員には、検察官や裁判官なども含まれている。

C　○　ストリート・レベルの行政職員の業務は多岐にわたるため、優先順位を定めることが必要となる。このエネルギー振り分けの裁量を持つことがストリート・レベルの行政職員の大きな特徴と言われている。

D　×　ストリート・レベルの行政職員は、法適用の裁量も持つ。

以上の組み合わせにより、**4**が正解となる。

行政学　能率　2023年度 専門 No.47

次の文は、行政の能率概念に関する記述であるが、文中の空所A～Cに該当する語又は人物名の組合せとして、妥当なのはどれか。

［A］は、ある目的にとって能率的であるということは、必ずしも他の目的にとって能率的なことを意味しないと考え、能率概念を［B］と［C］に分ける二元的能率観を提唱した。

すなわち、目標が明確で判断のしやすい場合には［B］が成立し、能率の判断基準が個人の主観に大きく依存している場合には［C］が成立するとした。

	A	B	C
1	ディモック	機械的能率	規範的能率
2	ディモック	客観的能率	社会的能率
3	ディモック	機械的能率	社会的能率
4	ワルドー	客観的能率	規範的能率
5	ワルドー	機械的能率	社会的能率

解説　正解 4　TAC生の選択率 70%　TAC生の正答率 42%

A 「ワルドー」が該当する。「二元的能率観を提唱した」という記述で判断できる。ディモックは社会的能率を重視した人物である。

B 「客観的能率」が該当する。

C 「規範的能率」が該当する。「機械的能率／社会的能率」は辻清明の分類であり、ほぼ「客観的能率／規範的能率」に対応するが、ワルドーの用語ではない。

行政学　広域行政　2023年度 専門 No.50

我が国の広域行政に関する記述として、妥当なのはどれか。

1　広域行政とは、複数の地方公共団体が区域を越えて、事務を広域的に処理することをいい、事務の委託や事務組合などの方式があり、このうち、役場事務組合が、最も多く利用されている。

2　地方自治法に規定される普通地方公共団体の協議会は、普通地方公共団体が、その事務の一部を共同して管理し、及び執行するために設けることができ、法人格を有する。

3　地方自治法に規定される事務の委託は、普通地方公共団体が、その事務の一部を他の普通地方公共団体に管理し、及び執行させるものであるが、委託した事務の権限は、委託した普通地方公共団体が有する。

4　地方自治法に規定される一部事務組合は、市区町村間でその事務の一部を共同処理するために設けるものであり、都道府県と市区町村の間で設けることはできない。

5　地方自治法に規定される広域連合は、普通地方公共団体及び特別区が、その事務で、広域にわたり処理することが適当なものを処理するために設けることができ、また、国や都道府県から権限や事務の移譲を可能にするものである。

解説　正解　5

TAC生の選択率　50%　TAC生の正答率　75%

1　×　役場事務組合制度は、2011年の地方自治法改正により廃止されている。

2　×　協議会は、普通地方公共団体の協議により定められる規約で設置される組織であるが、法人格を有せず、協議会固有の財産又は職員を有さない。

3　×　当該事務についての法令上の責任は受託した地方公共団体に帰属することとなるので、委託した地方公共団体は、委託の範囲内において、委託した事務を執行及び管理する権限を失うことになる。

4　×　一部事務組合は、都道府県と市区町村の間で設けることもできる。

5　○　広域連合は1994年に新設された。

行政学　中央行政機構　2022年度 専門 No.46

我が国の中央行政機構における行政委員会又は庁に関する記述として、妥当なのはどれか。

1　行政委員会は、政治的中立性の確保や複数当事者の利害調整などを根拠に設置される独任制の行政機関である。

2　行政委員会は、内閣府又は省の外局として設置され、内閣府の長としての内閣総理大臣又は各省大臣の統括の下に置かれながら、内部部局とは異なる独立性を有する。

3　行政委員会は、主任の行政事務について、法律又は政令の制定を必要と認めるときには、案をそなえて、内閣総理大臣に提出して、閣議を求めることができる。

4　庁は、事務量が膨大である場合などに、事務処理上の便宜性に基づき、内部部局として設置されるものである。

5　庁の長官は、政令、内閣府令及び省令以外の規則その他の特別の命令を自ら発することができない。

解説　正解　2

TAC生の選択率 54%　TAC生の正答率 58%

1　×　行政委員会は、独任制ではなく合議制の行政機関である。委員会は独りで決定する組織ではない。

2　○　行政委員会は、内閣総理大臣又は各省大臣の統括の下に置かれつつも、内部部局や庁とは異なり、一定の独立性を有している。

3　×　これは、行政委員会ではなく各省大臣に関する記述である（国家行政組織法12条）。行政委員会には法案提出権がなく、「その機関の所掌事務について、それぞれ主任の各省大臣に対し、案をそなえて、省令を発することを求めることができる」だけである（同法12条２項）。

4　×　庁は内部部局ではなく外局である。

5　×　各庁の長官は、別に法律の定めるところにより、政令及び省令以外の規則その他の特別の命令を自ら発することができる（国家行政組織法13条）。

行政学　内閣　2020年度 専門 No.46

我が国の内閣制度に関する記述として、妥当なのはどれか。

1　内閣総理大臣は、日本国憲法の下では、国務大臣単独輔弼（ほひつ）制によりその地位が「同輩中の首席」とされており、各大臣の任免権を持たない。

2　内閣官房長官は、閣議を主宰し、内閣の重要政策に関する基本的な方針その他の案件を発議するが、国務大臣をもって充てることを要しない。

3　内閣官房は、閣議事項の整理や行政各部の施策の統一を図るために必要な総合調整等を行い、ここに経済財政諮問会議等の重要政策会議が設置されている。

4　内閣府には、内閣総理大臣を直接的に補佐するための「知恵の場」としての役割があり、内閣法により新設された組織である。

5　内閣法制局には、閣議に付される法律案、政令案及び条約案を審査し、これに意見を付し、及び所要の修正を加えて、内閣に上申する事務がある。

解説　正解　5

TAC生の選択率 57%　TAC生の正答率 40%

1　×　これは、大日本帝国憲法（明治憲法）下における内閣制度に関する記述である。日本国憲法では、内閣総理大臣は各大臣の任免権を有する（憲法68条）。

2　×　「閣議を主催し、内閣の重要政策に関する基本的な方針その他の案件を発議する」のは、内閣官房長官ではなく内閣総理大臣である。また、「内閣官房長官は、国務大臣をもつて充てる」と内閣法で規定されている（内閣法13条２項）。

3　×　経済財政諮問会議等の重要政策会議は、内閣官房ではなく内閣府に設置されている。

4　×　内閣府は、内閣法ではなく内閣府設置法により2001年に新設された組織である。また、内閣総理大臣を直接的に補佐するのは内閣官房の役割とされており、内閣府は内閣官房の総合戦略機能を助ける「知恵の場」とされる。

5　○　内閣法制局は、法制的な面から内閣を直接補佐する機関として置かれており、閣議に付される法律案・政令案・条約案の審査や法令の解釈などの任務に当たっている。

行政学　ギルバートの行政統制

2023年度
専門 No.48

次のA～Eの我が国の行政統制を、ギルバートの行政統制の類型に当てはめた場合、内在的・制度的統制に該当するものを選んだ組合せとして、妥当なのはどれか。

A　上司による職務命令
B　同僚職員の評価
C　官房系統組織による管理統制
D　議会による統制
E　大臣の私的諮問機関による批判

1　A　C
2　A　D
3　B　D
4　B　E
5　C　E

解説　**正解　1**　TAC生の選択率 73%　TAC生の正答率 78%

A　**○**　上司は行政組織内部の人間なので内在的であり、職務命令は規則などに基づく公式的なものなので制度的となる。

B　**×**　これは、内在的・非制度的統制に該当する。同僚職員は行政組織内部の人間なので内在的だが、その評価は法制度に基づく公式的なものではなく非公式的なものなので非制度的となる。

C　**○**　官房系統組織は行政組織内部に位置づけられるので内在的であり、管理統制は規則などに基づく公式的なものなので制度的となる。

D　**×**　これは、外在的・制度的統制に該当する。議会は行政組織外部に位置づけられるので外在的であり、議会による統制は憲法などに基づく公式的なものなので制度的となる。

E　**×**　これは、外在的・非制度的統制に該当する。諮問機関は行政組織外部に位置づけられるので外在的であり、私的諮問機関は法令に基づかずに設置される非公式的なものなので非制度的となる。

以上の組み合わせにより、**1**が正解となる。

行政学　中央地方関係

中央地方関係の類型に関するA～Dの記述のうち、妥当なものを選んだ組合せはどれか。

A　中央地方関係は、従来からヨーロッパ大陸型と英米型に大別され、それぞれフランス、イギリスを原型とし、ヨーロッパ大陸型は分権・分離型の地方自治、英米型は集権・融合型の地方自治と称されている。

B　分権・分離型の地方自治では、地方政府の事務権限は、法律により明示的に授権され、また、授権された事務権限の範囲をめぐる訴訟が多くみられ、地方政府に対して立法統制と司法統制が行われている。

C　集権・融合型の地方自治では、歴史的に絶対専制君主や貴族らの勢力が強力であったため、近代国家の形成に当たり封建時代の地域区分をそのまま全て容認し、地方行政区画に設定するとともに、その地方行政機構に自治権を付与している。

D　集権・融合型の地方自治では、中央政府に内政の総括官庁としての内務省が設置され、そこから官吏として派遣された地方総合出先機関の地方長官が、中央政府の各省が所管する事務を一元的に調整して執行している。

1　A　B

2　A　C

3　A　D

4　B　C

5　B　D

解説　**正解　5**　TAC生の選択率 74%　TAC生の正答率 85%

A　×　ヨーロッパ大陸型は集権・融合型の地方自治、英米型は分権・分離型の地方自治と称されている。

B　○　分権・分離型の地方自治では、地方政府の事務権限は、法律により明示的に授権されているため、中央政府は立法により地方政府を統制できる（立法統制）。また、法律で明示されていることから、その解釈が中央政府と地方政府で分かれた場合は、裁判によって判断することができる（司法統制）。

C　×　「封建時代の地域区分をそのまま全て容認」以降が誤り。集権・融合型の地方自治では、歴史的に封建諸勢力が強力であったことから、その存続をそのまま容認していると国民国家の統一を維持することができない。そこで、封建領主たちを首都に集めて宮廷貴族へと変えるとともに、封建時代の地域区分を大幅に変更して全く新しい地方行政区画を設定し、そこに中央の官僚を送り込んで地方下部機構とした。

D　○　CとDでは記述されている中央地方関係が逆であることから、どちらかが間違いであることはわかるだろう。

以上の組合せにより、**5**が正解となる。

行政学　地方自治　2021年度 専門 No.50

我が国の地方自治に関するA～Dの記述のうち、妥当なものを選んだ組合せはどれか。

A　中核市は、政令指定都市が処理することができる事務のうち、都道府県がその区域にわたり一体的に処理することが効率的な事務等を除いた事務を処理することができ、その指定要件は人口20万人以上である。

B　広域連合は、地方公共団体の組合の一つであり、普通地方公共団体及び特別区の事務で広域的な処理が適当と認めるものについて、広域計画を作成し、広域計画の実施のために必要な連絡調整を図り、その事務の一部を広域にわたり総合的に処理するために設けることができる。

C　条例に基づく住民投票は、公職選挙法の適用を受けるため外国人や未成年者に投票権を与えることはできず、また、投票の結果には法的拘束力がないとされている。

D　地方公共団体の議会に対する請願及び陳情は、国籍を問わず行うことができ、請願は議員の紹介を要しないが、陳情は議員の紹介により文書を提出しなければならない。

1　A　B

2　A　C

3　A　D

4　B　C

5　B　D

解説　正解　1　TAC生の選択率 64%　TAC生の正答率 65%

A　○　中核市の説明として妥当である。2021年６月現在中核市は全国に62市存在している。

B　○　広域連合の説明として妥当である。2021年６月現在広域連合は116設置されている。

C　×　まず「公職選挙法の適用を受けるため」という点が誤り。公職選挙法は公職（国会議員、地方公共団体の議会の議員及び首長）の選挙に関して定めたものであり、条例に基づく住民投票には適用されない。また「外国人や未成年者に投票権を与えることはできず」という点も誤り。条例に基づく住民投票はあくまで地方公共団体の自治の一部として行われるものであり、ごく一部ではあるが定住外国人や未成年者の投票を認める条例を制定している地方公共団体もある。

D　×　請願と陳情の説明が逆になっているので誤り。請願の提出には議員の紹介が必要であり、陳情には不要である。請願については地方自治法や議会の会議規則においてその手続が定められており、地方自治法では議員の紹介を要するとされている。請願は議会においてその採否を決定するものであるため、議員の紹介などの条件が設けられているのである。

以上により、AとBが正しい記述となり、**1**が正解となる。

行政学　情報公開制度　2020年度 専門 No.48

我が国の情報公開制度に関する記述として、妥当なのはどれか。

1 情報公開制度は、山形県金山町や神奈川県等、地方自治体の条例制定が国による法制化に先行していたが、国においても「行政機関の保有する情報の公開に関する法律（行政機関情報公開法）」が1999年に制定された。

2 行政機関情報公開法では、日本国民だけでなく外国人を含む何人も行政文書の開示請求をすることができると定められ、「知る権利」の文言が明記された。

3 行政機関情報公開法の対象となる行政文書とは、行政機関の職員が職務上作成し、又は取得した文書であって、職員が組織的に用いるものとして当該行政機関が保有しているものをいい、官報や白書もこれに含まれる。

4 行政機関の長は、行政機関情報公開法に基づく開示請求があったときは、原則として請求のあった行政文書を開示する義務を負うが、個人に関する情報が記録されている場合に限り、当該行政文書を不開示にすることができる。

5 行政機関情報公開法は、審査請求前置主義を採用しており、不開示決定を受けた開示請求者は、審査請求を経なければ訴訟を提起することができない。

解説　正解 1　TAC生の選択率 85%　TAC生の正答率 71%

1 ○ 2001年には「独立行政法人等の保有する情報の公開に関する法律」も制定され、「行政機関の保有する情報の公開に関する法律」と合わせて、国民に対し政府の説明責任を全うする観点から、行政機関及び独立行政法人等（すべての独立行政法人及び政府の一部を構成するとみられる特殊法人・認可法人等）が保有する文書についての開示請求権等が定められている。

2 × 行政機関情報公開法の条文には、「知る権利」の文言はない。

3 × 行政機関情報公開法では、「官報、白書、新聞、雑誌、書籍その他不特定多数の者に販売することを目的として発行されるもの」は、情報公開の対象外となっている（行政機関情報公開法２条２項１号）。そもそも、これらの刊行物はすでに不特定多数の者に公開されているのだから、行政機関情報公開法の公開対象に含める必要はない。

4 × 個人に関する情報が記録されている場合だけでなく、公にすることにより、国の安全が害されるおそれ、他国や国際機関との信頼関係が損なわれるおそれがある情報など、行政機関情報公開法では様々な不開示情報が規定されている。

5 × 行政機関情報公開法は、審査請求前置主義を採用していない（自由選択主義を採用）。そのため、審査請求を経なくても訴訟を提起することができる（審査請求前置主義と自由選択主義の違いは、通常は行政法で扱う内容である）。

行政学　政策決定

2021年度
専門 No.48

政策決定の理論に関する記述として、妥当なのはどれか。

1　アリソンは、「経営行動」を著し、目的の規定、選択肢の列挙、各選択肢がもたらすであろう結果の予測、結果の評価や比較から決定される合理的意思決定モデルを批判した。

2　サイモンには、マーチとの共著「オーガニゼーションズ」があり、人間の認知能力には限界があり、最適化ではなく満足化基準を満たす選択肢を選ぶという満足化モデルを提示した。

3　エチオーニは、多元的集団の利益を追求している人々の行動が相互に調整を受け、結果として公共の利益に沿うものになるという多元的相互調節の理論を提唱した。

4　リンドブロムは、効率的な資源の活用のために影響力の高い政策については、実現可能性の高い限定された複数の選択肢を選んで綿密に分析を加える一方で、その他の政策についてはインクリメンタリズムに委ねる混合走査法を提唱した。

5　オルセンは、「決定の本質」を刊行し、合理的行為者モデル、組織過程モデル、官僚政治モデルの３つの意思決定モデル（概念レンズ）を提示して、キューバ・ミサイル危機を分析した。

解説　正解　2

TAC生の選択率 74%　TAC生の正答率 76%

1　×　本肢はアリソンではなく、サイモンについての説明であれば妥当である。アリソンは**5**で説明されている通り、キューバ危機を題材に意志決定について３つのモデルを提示している。

2　○　サイモンの説明として妥当である。経済学は人間が最適化（効用最大化）を目指すと仮定するのに対して、サイモンは現実の人間は最善にはこだわらず適当なところで意思決定を行うとする満足化モデルを提唱した。

3　×　本肢はエチオーニではなくリンドブロムについての説明であれば妥当である。多元的相互調節はインクリメンタリズムと対をなす理論である。

4　×　本肢はリンドブロムではなくエチオーニについての説明であれば妥当である。エチオーニはすべての意思決定がインクリメンタリズムによって行われるわけではなく、問題の性質に合わせて使い分けが行われると考えたのである。

5　×　本肢はオルセンではなくアリソンについての説明であれば妥当である。アリソンは政府を擬人化した合理的行為者モデル、政府を下位組織の集合体と考える組織過程モデル、政治家や職員個人などの役職者（アクター）に焦点をあてた官僚政治モデルを提示している。なお、オルセンはマーチらとともに「ごみ缶モデル」を提唱した人物である。

行政学　政策評価

2020年度
専門 No.47

政策評価に関する記述として、妥当なのはどれか。

1　イギリスやニュージーランドで形成されたPPBSは、民間企業における経営理念や手法を行政実務の現場に導入して、行政の効率化や活性化を図ろうとするものである。

2　アメリカで形成されたNPM（新公共管理）は、費用便益分析を予算編成過程で活用し、資源配分の合理化を行うもので、ケネディ政権が導入したものである。

3　我が国の行政における政策評価は、地方公共団体が先行して導入しており、その例としては、三重県の事務事業評価システムや北海道の「時のアセスメント」がある。

4　我が国の「行政機関が行う政策の評価に関する法律」による政策評価では、各省庁が事業評価、実績評価、総合評価の３方式による事後評価を行っているが、事前評価が行われることはない。

5　我が国では「行政機関が行う政策の評価に関する法律」により、行政機関は、必要性、効率性又は有効性のみの観点から、自ら政策を評価するとともに、その評価の結果を政策に適切に反映させなければならない。

解説　正解　3

TAC生の選択率　78%　TAC生の正答率　78%

1　×　これは、PPBSではなくNPMに関する記述である。

2　×　これは、NPMではなくPPBSに関する記述である。問題文のように、PPBSはケネディ政権が国防総省の予算編成に導入して成果を上げたが、次のジョンソン政権で連邦政府の他の部局の予算編成にも導入したところうまくいかず、その後は採用されていない。

3　○　2001年には行政機関政策評価法（行政機関が行う政策の評価に関する法律）が制定され、国レベルでも行政における政策評価が実施されている。

4　×　行政機関政策評価法による政策評価では、事前評価の実施も義務づけられている（行政機関政策評価法９条）。

5　×　行政機関政策評価法では、行政機関は、「必要性、効率性又は有効性の観点その他当該政策の特性に応じて必要な観点から、自ら評価するとともに、その評価の結果を当該政策に適切に反映させなければならない。」としている（行政機関政策評価法３条）。

社会学 自殺論

2023年度
専門 No.54

デュルケームの「自殺論」に関するA～Eの記述のうち、妥当なものを選んだ組合せはどれか。

A　デュルケームは、死が当人自身による行為から生じ、当人がその結果の生じ得ることを予知していた場合を、自殺と定義した。
B　デュルケームは、無規制あるいはアノミーの状態に陥る不況は自殺を増加させる一方、好況は自殺を減少させるとした。
C　デュルケームは、自己本位的自殺は、宗教社会、家族社会、政治社会といった個人の属している社会の統合の強さに反比例して増減するとした。
D　デュルケームは、過度の規制から生じる閉塞感から人々が図る自殺を宿命的自殺とし、このタイプは、今日でも、重要性をもつとした。
E　デュルケームは、集団本意的自殺を、個人の自我が所属する集団に置かれているように、集団の凝集性が弱い状態で生じる自殺とした。

1　A　C

2　A　D

3　B　D

4　B　E

5　C　E

解説　正解　1

TAC生の選択率 59%　TAC生の正答率 48%

A　○　ここでいう「行為」には、消極的行為（何もしないこと）も含まれる。

B　×　デュルケームによれば、アノミー的自殺はむしろ好況時に増加する。

C　○「増減」は増加と減少の両方を含む言葉で、「社会の統合の強さに反比例して減少」（つまり、統合が強くなると自己本位的自殺は減る）なら妥当だが、「社会の統合の強さに反比例して増加」は微妙な表現である。しかし、消去法でこれが正解になるのだろう。

D　×　デュルケームは『自殺論』の中で宿命的自殺について、「今日では、このタイプはほとんど重要性をもたない」と述べている。宿命的自殺は『自殺論』で独自の章を割り当てられず、アノミー的自殺の章の註で触れられているだけである（邦訳で500～600字程度）。

E　×　集団本位的自殺は、集団の凝集性が「強い」状態で生じる自殺である。なお、集団本意的自殺は誤記だが、正解肢ではないためなのか、正誤の発表はなかった。

以上の組合せにより、**1**が正解となる。

社会学　社会の構造と機能

2022年度 専門 No.53

社会の構造と機能に関する記述として、妥当なのはどれか。

1 ハーバーマスは、構造は行為によって再生産されるとし、構造の二重性などの概念からなる構造化理論を提唱した。

2 マートンは、機能について、社会システムの適応にプラスとなる順機能とマイナスとなる逆機能に、また、顕在的機能と潜在的機能に区別した。

3 ギデンズは、社会システムがその要素を自己において継続的に再生産するとしたオートポイエティック・システムの理論を提唱した。

4 パーソンズは、AGIL図式を示し、その中で社会システムの４機能要件を普遍、個別、業績及び所属とした。

5 ルーマンは、「コミュニケーション的行為の理論」において、合理的討議による合意により、秩序ある社会が構成されるとした。

解説　正解 2

TAC生の選択率 63%　TAC生の正答率 85%

1 × これは、ハーバーマスではなくギデンズに関する記述である。「構造の二重性」、「構造化理論」から判別できる。

2 ○ 順機能／逆機能、顕在的機能／潜在的機能は分類の基準が異なることから、この２つをさらに組み合わせて、顕在的順機能／顕在的逆機能／潜在的順機能／潜在的逆機能の４つに分類することができる。

3 × これは、ギデンズではなくルーマンに関する記述である。「社会システムがその要素を自己において継続的に再生産」、「オートポイエティック・システム」で判別できる。

4 × ４機能要件の中身が誤り。正しくは、「適応」、「目標達成」、「統合」、「潜在性」の４つである。「普遍、個別、業績及び所属」は、パーソンズによるパターン変数の一部を成している。

5 × これは、ルーマンではなくハーバーマスに関する記述である。「コミュニケーション的行為の理論」、「合理的討議による合意」で判別できる。

社会学　社会変動論　2021年度 専門 No.53

スペンサーの社会変動論に関する記述として、妥当なのはどれか。

1　スペンサーは、「実証哲学講義」を著し、人間精神が、神学的、形而上学的、実証的という段階に発展するのに対応して、人間社会も、軍事的、法律的、産業的という段階に発展するという、3段階の法則を提唱した。

2　スペンサーは、「社会学原理」を著し、社会進化論の立場から、社会は、単純社会から複合社会へ、また、軍事型社会から産業型社会へと進化するとした。

3　スペンサーは、「社会闘争の機能」を著し、主要な2つの階級の対立と闘争が、全体社会の構造変動を引き起こすとし、労使関係における階級闘争の制度化を主張した。

4　スペンサーは、脱工業化社会とは、経済では財貨の生産からサービスの生産へと移行し、職業構成では専門職・技術職階層が優位に立つ社会であるとした。

5　スペンサーは、マルクスの唯物史観に反対し、伝統的社会、離陸のための先行条件期、離陸期、成熟への前進、高度大衆消費時代の5段階に区分した経済成長段階説を展開した。

解説　正解　2

TAC生の選択率 66%　TAC生の正答率 88%

1　×　これは、コントの社会変動論に関する記述である。「実証哲学講義」、「神学的、形而上学的、実証的」、「軍事的、法律的、産業的」、「3段階の法則」で判別できる。

2　○　単純社会とは共通の祖先から出た子孫の集まりで他の社会と合併していない社会、複合社会とは単純社会が複数合併した社会を指す。合併が進むと、二重複合社会・三重複合社会となる。

3　×　「主要な2つの階級の対立と闘争が」以降は、ダーレンドルフの社会変動論に関する記述である。「階級闘争の制度化」で判別できる。また、『社会闘争の機能』を著したのは、（公務員試験ではマイナーな人物なので覚える必要は全くないが）コーザーである。

4　×　これは、ベルの社会変動論に関する記述である。「脱工業化社会」、「財貨の生産からサービスの生産へと移行」、「専門職・技術職階層が優位に立つ社会」で判別できる。

5　×　これは、ロストウの社会変動論に関する記述である。「マルクスの唯物史観に反対」と、それ以降の記述で判別できる。

社会学　社会システム論　2020年度 専門 No.53

次の文は、パーソンズの社会システム論に関する記述であるが、文中の空所ア～エに該当する語又は語句の組合せとして、妥当なのはどれか。

1956年にスメルサーと共に「［ア］」を著したパーソンズは、社会システムの存続のための機能要件として、AGIL図式を提唱した。

AGIL図式は、Aを適応、Cを日標達成、Iを統合、Lを潜在的パターン維持と緊張処理と表し、それぞれの間でインプット・アウトプットの相互交換がされる。

この4つの機能に従って、社会システムは、Aが［イ］、Gが［ウ］、Iが社会的連帯、Lが文化という4つの下位システムに機能分化し、それぞれが更に下位システムに機能分化するとしている。

なお、パーソンズの理論的立場は、［エ］と呼ばれている。

	ア	イ	ウ	エ
1	経済と社会	経済	政治	構造機能主義
2	社会的世界の意味構成	政治	経済	意味学派
3	経済と社会	経済	政治	意味学派
4	社会的世界の意味構成	経済	政治	構造機能主義
5	経済と社会	政治	経済	構造機能主義

解説　正解 1　TAC生の選択率 63%　TAC生の正答率 57%

ア 「経済と社会」が該当する。『社会的世界の意味構成』は、A.シュッツの主著である。

イ 「経済」が該当する。

ウ 「政治」が該当する。

エ 「構造機能主義」が該当する。「意味学派」は、「意味」という観点から社会を分析する理論家たちの総称であり、一般的にはシュッツ、H.ガーフィンケル、H.ブルーマー、E.ゴフマンらの立場が該当する。

社会学　フランクフルト学派　2021年度 専門 No.55

フランクフルト学派の社会学理論に関する記述として、妥当なのはどれか。

1　マンハイムらは、バークレー世論研究グループとの共同研究により、「権威主義的パーソナリティ」を刊行し、反民主主義的な傾向を測定するファシズム尺度（Ｆ尺度）を考案した。

2　ハーバーマスには、「コミュニケーション的行為の理論」の著作があり、コミュニケーションの行為によって相互に了解しあう世界を生活世界とし、システムによる生活世界の植民地化が進んでいるとした。

3　ホルクハイマーは、「イデオロギーとユートピア」を著し、イデオロギーを部分的イデオロギーと全体的イデオロギーに分け、全体的イデオロギーをさらに特殊的イデオロギーと普遍的イデオロギーに区別した。

4　マルクーゼには、「自由からの逃走」の著作があり、第一次世界大戦の敗戦後、ドイツでは自由が重荷となった人々が孤独で無力となり、自由を放棄し、独裁者に服従したことを明らかにした。

5　エーバーマンは、「複製技術時代の芸術作品」を著し、複製技術の発展によって芸術作品の礼拝的価値は展示的価値となり、アウラの消滅が生じたとした。

解説　正解　2

TAC生の選択率 56%　TAC生の正答率 81%

1　×　『権威主義的パーソナリティ』の刊行やＦ尺度の考案を行ったのはマンハイムらではなく、アドルノをはじめとするフランクフルト学派である。

2　○　ホルクハイマー、アドルノ、フロム、ベンヤミン、マルクーゼらはフランクフルト学派の第一世代とされるのに対して、30歳ほど年下のハーバーマスは第二世代に位置づけられる。

3　×　これは、ホルクハイマーではなくマンハイムに関する記述である。ハンガリー出身のマンハイムは、第一次世界大戦後にドイツに移住してフランクフルト大学の教授となったが、ホルクハイマーが所長を務めていた社会研究所とは距離を取っていたこともあり、フランクフルト学派には位置づけられていない。

4　×　これは、マルクーゼではなくフロムに関する記述である。マルクーゼは先進産業社会における管理社会的な状況を批判した著作『一次元的人間』で知られているが、公務員試験で彼の社会学理論が出題される可能性は低いので、覚える必要はない。

5　×　これは、エーバーマンではなくベンヤミンに関する記述である。エーバーマンは、フランクフルト大学でハーバーマスの助手を務めた人物だが、他の公務員試験で彼の社会学理論が出題される可能性はほぼない。

社会学　文化　2022年度 専門 No.54

次の文は、文化に関する記述であるが、文中の空所A～Dに該当する語又は人物名の組合せとして、妥当なのはどれか。

［A］は、文化が受容される社会的範囲の観点から、普遍的文化、［B］文化及び［C］文化の3つのカテゴリーに区分し、普遍的文化は、［D］などのようにその社会のほとんどの成員に支持され受け入れられているもの、［B］文化は、ある特定の職業集団、世代、階級などに限ってみられるもの、［C］文化は、趣味などのように人々の嗜好によって個人的に選択されるものとした。

	A	B	C	D
1	リントン	任意的	特殊的	芸術
2	リントン	特殊的	任意的	道徳
3	タイラー	任意的	特殊的	道徳
4	タイラー	任意的	特殊的	芸術
5	タイラー	特殊的	任意的	道徳

解説　正解　2

TAC生の選択率 61%　TAC生の正答率 62%

A 「リントン」が該当する。タイラーは、「文化人類学の父」と呼ばれるイギリスの人類学者であり、文化を「ある社会の一員としての人間によって獲得された知識・信仰・芸術・道徳・法・慣習、およびその他の能力や習慣を含む複合体」と包括的に定義した。

B 「特殊的」が該当する。

C 「任意的」が該当する。「個人的に選択される」から判別できる。「任意」とは「意思に任せる」(＝選択可能) ということである。

D 「道徳」が該当する。「芸術」については、人によっては好みに合わず、受入れない場合もある。それに対して「道徳」は、有無を言わせずに受入れることを強制されるものである。したがって、普遍的文化の例としては「道徳」の方が妥当といえる。

社会学　社会集団　2023年度 専門 No.55

次の文は、日本の社会集団に関する記述であるが、文中の空所Ａ～Ｄに該当する語又は人物名の組合せとして、妥当なのはどれか。

[A]は、日本社会では、[B]を同じくするということよりも、[C]の共有が集団構成の重要な原理となっており、個人は[D]集団への一方的帰属を求められるとした。
[C]によって形成される集団は、他の集団に対して明確な枠をつくり、「ウチの者」、「ヨソ者」といった意識を強める。こうした集団の内部では、人間関係は序列化され、先輩、後輩等の「タテ」の関係が発達するとした。

	A	B	C	D
1	中根千枝	資格	場	単一
2	中根千枝	場	資格	複合
3	高田保馬	資格	場	単一
4	丸山眞男	場	資格	単一
5	丸山眞男	資格	場	複合

解説　正解　1

TAC生の選択率 62%　TAC生の正答率 81%

A 「中根千枝」が該当する。高田保馬は、社会集団論における「基礎社会／派生社会」の分類で知られている。また丸山眞男は、社会学においては、日本文化論での「たこつぼ型／ササラ型」の対比で知られている。

B 「資格」が該当する。欧米などの「ヨコ社会」では、資格の共有が集団構成の重要な原理となっている。

C 「場」が該当する。日本のような「タテ社会」では、場の共有が集団構成の重要な原理となっており、それぞれが持つ資格は違っても場を共有していれば仲間となる。

D 「単一」が該当する。第２段落の「他の集団に対して明確な枠をつくり、『ウチの者』、『ヨソ者』といった意識を強める」という記述から想像できるだろう。単一集団へ帰属しているからこそ、「ウチの者」と「ヨソ者」が明確になるのである。

次の文は、社会集団の類型に関する記述であるが、文中の空所A～Dに該当する語の組合せとして、妥当なのはどれか。

マッキーヴァーは、集団を[A]と[B]に区別し、[A]を、一定の地域における自生的な共同生活の範囲であり、社会的類似性、共属感情を持つとし、例として、[C]を挙げている。

一方、[B]は、[A]の器官として働き、特定の関心を追求するために人為的に作られた機能集団とし、例として、[D]を挙げている。

	A	B	C	D
1	アソシエーション	コミュニティ	国家	都市
2	アソシエーション	コミュニティ	都市	国家
3	アソシエーション	コミュニティ	都市	家族
4	コミュニティ	アソシエーション	国家	都市
5	コミュニティ	アソシエーション	都市	家族

解説　**正解　5**　TAC生の選択率 69%　TAC生の正答率 43%

A 「コミュニティ」が該当する。「一定の地域における自生的な共同生活の範囲」で判別できる。

B 「アソシエーション」が該当する。「[A]の器官」、「機能集団」で判別できる。

C 「都市」が該当する。マッキーヴァーは、国家は他の諸集団を統制する役割を果たしているもののアソシエーションであり、コミュニティである国民社会の中で行政的・政治的機能を果たす一集団に過ぎないとして、多元的国家論を展開している。

D 「家族」が該当する。ここで、マッキーヴァーが念頭に置いているのは核家族であるため、包括的・自生的な社会集団とはいえず、アソシエーションに該当する。なお、前述のように国家もアソシエーションではあるものの、選択肢の組合せにより、妥当なのは「家族」となる。

社会学 階級・階層

2021年度
専門 No.52

階級又は階層に関する記述として、妥当なのはどれか。

1 階級とは、学歴、職業、財産といった社会的資源の不平等によって生じる序列を何らかの基準で区分けした場合、同じ区分に入る人々の集合であり、階層とは、生産手段の所有、非所有によって区別される人々の集合のことである。

2 新中間層とは、20世紀になり、産業の高度化につれて所有と経営の分離や労働者層の技能別分化が起こったことにより出現した、現場の生産労働者のことである。

3 ダーレンドルフには、「産業社会における階級および階級闘争」の著作があり、産業社会の成熟とともに、労働者、資本家いずれの階級でも組織が形成され、階級闘争に一定のルールができあがると、階級闘争の激しさが増すとした。

4 デービスとムーアは、社会成層の中で上位を占める人々は社会の中で重要性の高い仕事をしている人々であり、高い報酬や威信が与えられるが、この不平等の存在が社会全体の機能を低下させるとした。

5 ブルデューには、「ディスタンクシオン」の著作があり、文化の保有が資本として機能することに着目して階級格差を論じ、文化資本という概念とともに、文化的再生産を唱えた。

解説 正解 5

TAC生の選択率 61% TAC生の正答率 79%

1 × 「階級」と「階層」の説明文が逆になっている。少なくとも「生産手段の所有、非所有」という記述で気づけるようにしておきたい。

2 × 「現場の生産労働者」が誤り。これは旧来型の労働者である。新中間層とは、生産工程には直接従事しない事務職・専門職等を指す。

3 × 「階級闘争の激しさが増す」が誤り。ダーレンドルフによれば、階級闘争に一定のルールができあがると（階級闘争の制度化）、ルールの枠組みの中での闘争となるため、階級闘争は弱められていく。

4 × デービスとムーアは、機能主義の立場から、不平等の存在が人々に上昇意欲を与えて有能な人材が重要な役割に配置されるようにするとして、その存在は機能的だと主張した。

5 ○ ブルデューは、文化資本を有することが競争の場面では有利に働くことから、階級格差が再生産されるとした。

社会学	ホーソン実験	2023年度 専門 No.52

次の文は、ホーソン実験に関する記述であるが、文中の空所A～Cに該当する語又は人物名の組合せとして、妥当なのはどれか。

1924年から1932年にかけて、アメリカのウェスタン・エレクトリック社のホーソン工場において実験が行われ、メイヨーや［ A ］などの研究者が参加した。
この実験では、継電器組立実験や面接計画などを通じて、［ B ］と呼ばれる視座を生み出し、テイラー的発想に対して異議を唱えた。
また、工場の現場で行われていた集団的生産制限の仕組みを追求するために行われたバンク配線実験では、集団内部の人間の行動を統制する［ C ］の存在が明らかにされた。

	A	B	C
1	イリイチ	人間関係論	シャドウ・ワーク
2	イリイチ	科学的管理法	インフォーマル・グループ
3	ホックシールド	人間関係論	インフォーマル・グループ
4	レスリスバーガー	人間関係論	インフォーマル・グループ
5	レスリスバーガー	科学的管理法	シャドウ・ワーク

解説　**正解　4**　TAC生の選択率 77%　TAC生の正答率 90%

A 「レスリスバーガー」が該当する。イリイチは後述するシャドウ・ワークや脱学校化社会の概念で、ホックシールドは感情労働の概念で知られている。

B 「人間関係論」が該当する。科学的管理法は、テイラーが提唱した立場である。

C 「インフォーマル・グループ」が該当する。シャドウ・ワークはイリイチが提唱した概念であり、市場経済を背後で支えている不払い労働を指す。

社会学　社会運動論　2023年度 専門 No.53

社会運動論に関するA～Dの記述のうち、妥当なものを選んだ組合せはどれか。

A　オルソンは、価値付加プロセスにより一般化された信念が形成され、人々が非制度的な行動を行うとする集合行動論を提唱した。
B　マッカーシーらは、組織や資源の動員、戦略を重視して、社会運動の合理性を説明する資源動員論を提唱した。
C　トゥレーヌらは、ポスト産業社会において、社会運動の担い手が、マイノリティなど多様に変化したことに着目した新しい社会運動論を提唱した。
D　資源動員論と新しい社会運動論には、実証主義的で、組織レベルの分析に焦点を置くなどの共通性がある。

1　A　B

2　A　C

3　A　D

4　B　C

5　B　D

解説　正解　4　TAC生の選択率 18%　TAC生の正答率 35%

A　**×**　これは、オルソンではなくスメルサーに関する記述である。スメルサーは、師のパーソンズと共にAGIL図式を定式化した『経済と社会』を著した後、集合行動論の体系化に取り組み、産業革命期の群集行動が社会変動に至る過程を分析している。

B　**○**　資源動員論とは、社会運動組織が人材・資金・外部からの支持などを動員する過程に注目して、その活動を説明する理論である。

C　**○**　新しい社会運動論は、旧来型の社会運動（かつての労働運動など）がめざしていたような体制変革や国家権力の奪取を目標としない点を特徴としており、典型例は女性解放運動や環境運動などである。

D　**×**　新しい社会運動論は、集合的アイデンティティへの志向など、表出的な（運動への参加自体に価値が見出される）社会運動であり、実証主義的とはいえない。

以上の組合せにより、**4**が正解となる。

社会学　マクルーハンの理論

2021年度
専門 No.54

次の文は、マクルーハンの理論に関する記述であるが、文中の空所Ａ～Ｄに該当する語又は語句の組合せとして、妥当なのはどれか。

マクルーハンには、「　Ａ　」や「メディア論」等の主著があり、「メディアはメッセージである」と述べた。彼は、メディアを人間の感覚能力や運動能力が外化したものと捉え、映画のように情報の精細度が高い　Ｂ　なメディアと、テレビのように精細度が低い　Ｃ　なメディアに区別した。

また、マクルーハンは、メディアの歴史を大きく「話し言葉」「文字」「電気」という３つの時代に分け、電気メディアが「　Ｄ　」を作り出すとした。

	Ａ	Ｂ	Ｃ	Ｄ
1	沈黙の螺旋理論	ホット	クール	想像の共同体
2	グーテンベルクの銀河系	クール	ホット	想像の共同体
3	グーテンベルクの銀河系	ホット	クール	想像の共同体
4	沈黙の螺旋理論	クール	ホット	グローバル・ヴィレッジ
5	グーテンベルクの銀河系	ホット	クール	グローバル・ヴィレッジ

解説　**正解　5**　TAC生の選択率 53%　TAC生の正答率 51%

空所Ｂと空所Ｃの区別は難しいが、空所Ａは「沈黙の螺旋理論」ではないこと、空所Ｄは「想像の共同体」ではないことは明らかであるため、組合せで**5**が選べるだろう。

Ａ　「グーテンベルクの銀河系」が該当する。同書では、グーテンベルクが15世紀に活版印刷技術を発明したことで人間の感覚に根底的な変容がもたらされたとして、メディアと人間の感覚経験との関係を論じてメディア論の古典となった。

　なお、『沈黙の螺旋理論』は、ドイツの社会心理学者ノエル＝ノイマンがマスメディアを通じた世論形成過程を論じた著作である。

Ｂ　「ホット」が該当する。

Ｃ　「クール」が該当する。「ホット／クールなメディア」の二分法はマクルーハンが『メディア論』で提示したものだが、この概念の曖昧さは後に多くの批判を招いており、公務員試験で再び出題される可能性も低いので、覚える必要はない。

Ｄ　「グローバル・ヴィレッジ」が該当する。電子メディアの発達により距離の遠さは意味をなくしており、地球全体といえどもかつての村サイズの広さとしか感じられなくなったということで、マクルーハンはこれを「グローバル・ヴィレッジ」（地球村）と呼んでいる。

　なお、「想像の共同体」は、アメリカの政治学者アンダーソンが国民国家の形成を論じる過程で示した概念である。

社会学　都市社会学　2020年度 専門 No.52

都市社会学におけるホイトの理論に関する記述として、妥当なのはどれか。

1　ホイトは、都市の拡大過程における空間構造を５重の同心円でモデル化し、このモデルは、都市の中心である中心業務地区から郊外へと放射状に拡大していくとした。

2　ホイトは、地代に着目して都市空間の構造を研究した結果、都市の成長につれて、特定のタイプの地域が鉄道などの交通網に沿って、扇状に拡大していくとした。

3　ホイトには、「都市の成長」の論文があり、シカゴの成長過程とは、都市問題が集中しているインナーシティに流入した移民が都市の外側に向かって移動していき、この過程で都市も空間的に拡大するとした。

4　ホイトは、都市の土地利用パターンは単一の中心の周囲ではなく、複数の核の周囲に構築されるとし、都市が成立した当初から複数の核が存在する場合と、都市の成長と移動に伴って核が生み出される場合があるとした。

5　ホイトには、「The Nature of Cities」の論文があり、人間生態学の立場から、都市に広がる連続的な地帯は、内側の地帯が、次にくる外側の地帯への侵入によって拡大する傾向を表しており、植物生態学でいう遷移と呼べるとした。

解説　正解　2　TAC生の選択率 60%　TAC生の正答率 75%

1　×　これは、E.バージェスの同心円地帯モデルに関する記述である。「５重の同心円」で判別できる。

2　○　不動産コンサルタント会社を経営していたH.ホイトは、シカゴだけでなく多数のアメリカの都市の地価を比較し、扇形（セクター）モデルを提唱した。

3　×　これも、バージェスの同心円地帯モデルに関する記述である。バージェスは1925年に発表した論文「都市の成長」で、この議論を展開した。

4　×　これは、C.ハリスとE.ウルマンの多核心モデルに関する記述である。「複数の核」で判別できる。ホイトの扇形モデルとバージェスの同心円地帯モデルは、都市の核心を単一とするモデルである。

5　×　「The Nature of Cities」は、ハリスとウルマンが多核心モデルを提唱した論文である。また、「人間生態学の」以降の記述は、バージェスの同心円地帯モデルに関する記述である。

家族に関する記述として、妥当なのはどれか。

1 バダンテールは、中世ヨーロッパにおいては、子ども期という特別な時間は存在せず、子どもが純粋無垢(むく)で特別な保護と教育を必要とするという観念は、近代社会で誕生したことを明らかにした。

2 グードは、１組の夫婦とその未婚の子どもから成る核家族を人間社会に普遍的に存在する最小の親族集団であるとし、性、経済、生殖、教育という社会の存続に必要な４つの機能を担うとした。

3 パーソンズは、核家族は親族組織からの孤立化によって、その機能を縮小し、子どもの基礎的な社会化と大人のパーソナリティの安定化という２つの機能を果たさなくなったとした。

4 リトワクは、修正拡大家族論を提唱し、孤立核家族よりも、むしろ相互に部分的依存状態にある核家族連合が、現代の産業社会に適合的な家族形態であるとした。

5 ショーターは、家族は近代化に伴って、法律や慣習などの社会的圧力によって統制された制度的家族から、相互の愛情を基礎にした平等で対等な関係である友愛的家族へと発展するとした。

解説　正解　4

TAC生の選択率 57%　TAC生の正答率 68%

1 × これは、バダンテールではなくアリエスに関する記述である。バダンテールは、18世紀末のフランスで「母性愛」という観念が強調されるようになり「母親」のイメージが根本的に転換していったと論じた。

2 × これは、グードではなくマードックに関する記述である。グードは、世界各国の過去半世紀にわたる家族類型の変化を丹念に追うことで、家族形態が伝統的な家族から夫婦家族へと移行したことを指摘した。

3 × 正しくは、「２つの機能を果たさなくなった」ではなく「２つの機能に専門化していった」である。このようなパーソンズの議論は、家族機能専門化論と呼ばれる。

4 ○ リトワクは、物理的に同居していなくても、同居に近い経済的・心理的関係を結んでいる家族も存在するとして、このような家族形態を修正拡大家族と呼んだ。

5 × これは、ショーターではなくバージェス（とロック）に関する記述である。ショーターは、資本主義や個人主義の影響を受けて18世紀の西欧で生じた「感情革命」が近代家族の成立に影響したと主張した。

社会学　社会調査　2022年度 専門 No.55

社会調査に関する記述として、妥当なのはどれか。

1　全数調査とは、母集団を構成する単位のことごとくを、一つ一つもれなく調査する方法であり、悉皆（しっかい）調査とも呼ばれ、その代表例として、国勢調査が挙げられる。

2　標本調査とは、調査対象の一部をサンプルとして抽出して行われる調査であり、統計的な処理を前提としておらず、その代表例として、調査対象の性質を掘り下げて分析するインタビューが挙げられる。

3　標本調査においては、もともとの社会の状態をできるだけ忠実に捉えるため、母集団を明確にせず、調査結果には、標本誤差を含めた社会的特質が反映される。

4　留置き法とは、対象者に一箇所に集まってもらい、調査票を配布するとともに、調査員が調査テーマ、質問内容、回答方法を簡潔に説明し、回答してもらう方法である。

5　生活史法とは、調査者が調査の対象である社会集団やコミュニティに成員として参加することで生活を共にし、被調査者の感情や関心をも自ら経験しながら観察する方法である。

解説　正解　1

TAC生の選択率 65%　TAC生の正答率 80%

1　○「悉皆」とは、「みなをあまねく数え上げる」という意味の言葉である。

2　×「統計的な処理を前提としておらず」が誤り。標本調査には、統計的な処理を前提とする統計的調査と、前提としない非統計的調査の両方が含まれる。

3　×「母集団を明確にせず」が誤り。母集団を想定せずに統計的な標本調査はできない。そもそも標本誤差とは、母集団の値と標本の値との誤差である。したがって、母集団を想定せずに標本誤差の計算はできない。

4　×　これは、留置き法ではなく集合調査法に関する記述である。それに対して留置き法とは、調査者などが調査票を配布して被調査者自身に記入してもらうように依頼し、一定期間おいた後に再び訪問して回収する調査方法を指す。

5　×　これは、生活史法ではなく参与観察法に関する記述である。それに対して、生活史法とは、被調査者と直接対面することなく、被調査者が残した自伝・伝記・日記などを用いて、研究者が社会的文脈と関連させて生活史を再構成する調査手法を指す。

特別区（Ⅰ類／事務）問題文の出典について

本書掲載の現代文・英文の問題文は、以下の著作物からの一部抜粋です。

■本　冊

p.2　千住 博『芸術とは何か 千住博が答える147の質問』祥伝社新書
p.4　長田 弘『読書からはじまる』ちくま文庫
p.6　亀山 郁夫『人生百年の教養』講談社現代新書
p.8　岡本 太郎『自分の運命に楯を突け』青春文庫
p.10　佐々木 典士『ぼくたちに、もうモノは必要ない。増補版』ちくま文庫
p.12　金田 諦應『傾聴のコツ 話を「否定せず、遮らず、拒まず」』知的生きかた文庫
p.14　森 博嗣『面白いとは何か？ 面白く生きるには？』ワニブックスPLUS新書
p.15　岸田 劉生『美の本体』講談社学術文庫
p.16　渡辺 佑基『進化の法則は北極のサメが知っていた』河出新書
p.18　原 研哉『デザインのめざめ』河出文庫
p.20　大庭 健『いま、働くということ』ちくま新書
p.22　梶谷 真司『考えるとはどういうことか 0歳から100歳までの哲学入門』幻冬舎新書
p.24　Jake Ronaldson/鹿野 晴夫訳『英語で読むアインシュタイン』IBCパブリッシング（原文）
TAC公務員講座（訳文）
p.26　L. M. Montgomery/森安 真知子訳『英語で読む赤毛のアン』IBCパブリッシング（原文）
TAC公務員講座（訳文）
p.28　山久瀬 洋二/Jake Ronaldson訳『日本人が誤解される100の言動』IBCパブリッシング（原文）
TAC公務員講座（訳文）
p.30　Rebecca Milner/森安 真知子訳『ガイコク人ニッポン体験記』IBCパブリッシング（原文）
TAC公務員講座（訳文）
p.32　David Thayne『TOKYO City Guide』IBCパブリッシング（原文）
TAC公務員講座（訳文）
p.34　Kay Hetherly/鈴木 香織『A Taste of Japan―Cross－Cultural Observations of America and Japan』アルク（原文・訳文）
p.36　Bob Dylan/畠山 雄二訳『英文徹底解読 ボブ・ディランのノーベル文学賞受賞スピーチ』ベレ出版 1)（原文）
TAC公務員講座（訳文）
p.38　三浦 史子/Alan Gleason『英語で日本文化の本 The Japan Culture Book』ジャパンタイムズ出版（原文・訳文）
p.40　David A. Thayne『聞くだけで話す力がどんどん身につく 英語サンドイッチメソッド』アスコム（原文）
TAC公務員講座（訳文）

■別　冊

No.1　村上 春樹『村上春樹 雑文集』新潮社
No.2　本田 健『「うまくいく」考え方』プレジデント社
No.3　渡辺 和子『幸せはあなたの心が決める』PHP文庫
No.4　柳 宗悦『茶と美』講談社学術文庫
No.5　鷲田 清一『しんがりの思想 反リーダーシップ論』角川新書
No.6　Ernest Hemingway, *The Old Man and the Sea*, Arrow（原文）
　　TAC公務員講座（訳文）
No.7　Francis Pharcellus Church, "Yes, Virginia, There is a Santa Claus", ***The Sun***, 1897.9.21（原文）
　　TAC公務員講座（訳文）
No.8　山本 常朝/William Scott Wilson訳『葉隠』三笠書房 2)（原文）
　　TAC公務員講座（訳文）

読者特典 模範答案ダウンロードサービスのご案内

本書には択一試験の問題・解答解説を収めていますが、読者特典として記述式試験の問題と模範答案をダウンロードするサービスをご利用いただけます。

TAC出版書籍販売サイト「CYBER BOOK STORE」からダウンロードできますので、ぜひご利用ください（配信期限：2025年９月末日）。

ご利用の手順

① CYBER BOOK STORE（https://bookstore.tac-school.co.jp/）にアクセス

こちらのQRコードからアクセスできます

② 「書籍連動ダウンロードサービス」の「公務員 地方上級・国家一般職（大卒程度）」から、該当ページをご利用ください

⇒ この際、次のパスワードをご入力ください

202611429

公務員試験

2026年度版
特別区 科目別・テーマ別過去問題集（Ⅰ類／事務）

（2005年度版 2005年4月25日 初版 第1刷発行）

2024年10月20日 初 版 第1刷発行

編著者 TAC出版編集部
発行者 多田敏男
発行所 TAC株式会社 出版事業部（TAC出版）

〒101-8383
東京都千代田区神田三崎町3-2-18
電話 03(5276)9492(営業)
FAX 03(5276)9674
https://shuppan.tac-school.co.jp

組版 株式会社 グラフト
印刷 今家印刷株式会社
製本 東京美術紙工協業組合

ISBN 978-4-300-11429-2
N.D.C. 317

書籍のご購入は

1 全国の書店、大学生協、ネット書店で

2 TAC各校の書籍コーナーで

資格の学校TACの校舎は全国に展開!
校舎のご確認はホームページにて

資格の学校TAC ホームページ
https://www.tac-school.co.jp

3 TAC出版書籍販売サイトで

24時間
ご注文
受付中

TAC 出版 で 検索

https://bookstore.tac-school.co.jp/

新刊情報を
いち早くチェック!

たっぷり読める
立ち読み機能

学習お役立ちの
特設ページも充実!

TAC出版書籍販売サイト「サイバーブックストア」では、TAC出版および早稲田経営出版から刊行されている、すべての最新書籍をお取り扱いしています。
また、会員登録(無料)をしていただくことで、会員様限定キャンペーンのほか、送料無料サービス、メールマガジン配信サービス、マイページのご利用など、うれしい特典がたくさん受けられます。

サイバーブックストア会員は、特典がいっぱい!(一部抜粋)

通常、1万円(税込)未満のご注文につきましては、送料・手数料として500円(全国一律・税込)頂戴しておりますが、1冊から無料となります。

専用の「マイページ」は、「購入履歴・配送状況の確認」のほか、「ほしいものリスト」や「マイフォルダ」など、便利な機能が満載です。

メールマガジンでは、キャンペーンやおすすめ書籍、新刊情報のほか、「電子ブック版TACNEWS(ダイジェスト版)」をお届けします。

書籍の発売を、販売開始当日にメールにてお知らせします。これなら買い忘れの心配もありません。

公務員試験対策書籍のご案内

TAC出版の公務員試験対策書籍は、独学用、およびスクール学習の副教材として、各商品を取り揃えています。学習の各段階に対応していますので、あなたのステップに応じて、合格に向けてご活用ください!

INPUT

『みんなが欲しかった!
公務員 合格への
はじめの一歩』

A5判フルカラー

●本気でやさしい入門書
●公務員の“実際”をわかりやすく紹介したオリエンテーション
●学習内容がざっくりわかる入門講義

・数的処理（数的推理・判断推理・空間把握・資料解釈）
・法律科目（憲法・民法・行政法）
・経済科目（ミクロ経済学・マクロ経済学）

『みんなが欲しかった!
公務員 教科書&問題集』

A5判

●教科書と問題集が合体!
でもセパレートできて学習に便利!
●「教科書」部分はフルカラー!
見やすく、わかりやすく、楽しく学習!

・判断推理
・数的推理
・憲法
・民法
・行政法

『新・まるごと講義生中継』

A5判

TAC公務員講座講師
郷原 豊茂 ほか

●TACのわかりやすい生講義を誌上で!
●初学者の科目導入に最適!
●豊富な図表で、理解度アップ!

・郷原豊茂の憲法
・郷原豊茂の民法Ⅰ
・郷原豊茂の民法Ⅱ
・新谷一郎の行政法

『まるごと講義生中継』

A5判

TAC公務員講座講師
渕元 哲 ほか

●TACのわかりやすい生講義を誌上で!
●初学者の科目導入に最適!

・郷原豊茂の刑法
・渕元哲の政治学
・渕元哲の行政学
・ミクロ経済学
・マクロ経済学
・関野喬のパターンでわかる数的推理
・関野喬のパターンでわかる判断整理
・関野喬のパターンでわかる空間把握・資料解釈

要点まとめ

『一般知識
出るとこチェック』

四六判

●知識のチェックや直前期の暗記に最適!
●豊富な図表とチェックテストでスピード学習!

・政治・経済
・思想・文学・芸術
・日本史・世界史
・地理
・数学・物理・化学
・生物・地学

記述式対策

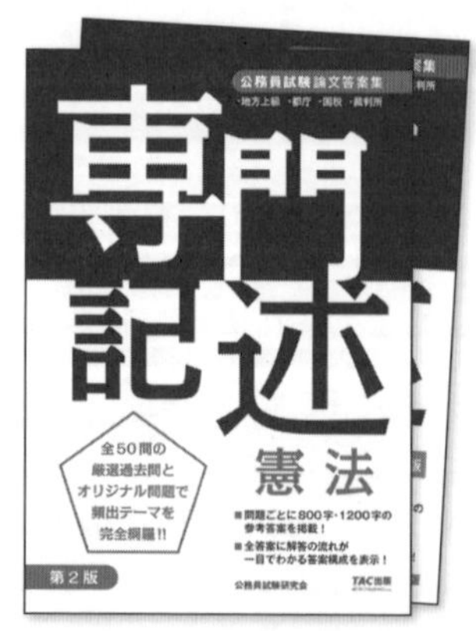

『公務員試験論文答案集
専門記述』

A5判

公務員試験研究会

●公務員試験（地方上級ほか）の専門記述を攻略するための問題集
●過去問と新作問題で出題が予想されるテーマを完全網羅!

・憲法〈第2版〉
・行政法

書籍の正誤に関するご確認とお問合せについて

書籍の記載内容に誤りではないかと思われる箇所がございましたら、以下の手順にてご確認とお問合せをしてくださいますよう、お願い申し上げます。
なお、正誤のお問合せ以外の**書籍内容に関する解説および受験指導などは、一切行っておりません。**
そのようなお問合せにつきましては、お答えいたしかねますので、あらかじめご了承ください。

1 「Cyber Book Store」にて正誤表を確認する

TAC出版書籍販売サイト「Cyber Book Store」の
トップページ内「正誤表」コーナーにて、正誤表をご確認ください。

CYBER BOOK STORE TAC出版書籍販売サイト

URL:https://bookstore.tac-school.co.jp/

2 1の正誤表がない、あるいは正誤表に該当箇所の記載がない ⇒ 下記①、②のどちらかの方法で文書にて問合せをする

★ご注意ください★

お電話でのお問合せは、お受けいたしません。
①、②のどちらの方法でも、お問合せの際には、「お名前」とともに、
「対象の書籍名(○級・第○回対策も含む)およびその版数(第○版・○○年度版など)」
「お問合せ該当箇所の頁数と行数」
「誤りと思われる記載」
「正しいとお考えになる記載とその根拠」
を明記してください。
なお、回答までに1週間前後を要する場合もございます。あらかじめご了承ください。

① ウェブページ「Cyber Book Store」内の「お問合せフォーム」より問合せをする

【お問合せフォームアドレス】

https://bookstore.tac-school.co.jp/inquiry/

② メールにより問合せをする

【メール宛先 TAC出版】

syuppan-h@tac-school.co.jp

※土日祝日はお問合せ対応をおこなっておりません。
※正誤のお問合せ対応は、該当書籍の改訂版刊行月末日までといたします。

乱丁・落丁による交換は、該当書籍の改訂版刊行月末日までといたします。なお、書籍の在庫状況等により、お受けできない場合もございます。
また、各種本試験の実施の延期、中止を理由とした本書の返品はお受けいたしません。返金もいたしかねますので、あらかじめご了承くださいますようお願い申し上げます。

TACにおける個人情報の取り扱いについて
■お預かりした個人情報は、TAC(株)で管理させていただき、お問合せへの対応、当社の記録保管にのみ利用いたします。お客様の同意なしに業務委託先以外の第三者に開示、提供することはございません(法令等により開示を求められた場合を除く)。その他、個人情報保護管理者、お預かりした個人情報の開示等及びTAC(株)への個人情報の提供の任意性については、当社ホームページ(https://www.tac-school.co.jp)をご覧いただくか、個人情報に関するお問い合わせ窓口(E-mail:privacy@tac-school.co.jp)までお問合せください。

(2022年7月現在)

2024年度　問題

〈冊子ご利用時の注意〉

この色紙を残したまま、ていねいに抜き取り、ご利用ください。

また、抜き取りの際の損傷についてのお取替えはご遠慮願います。

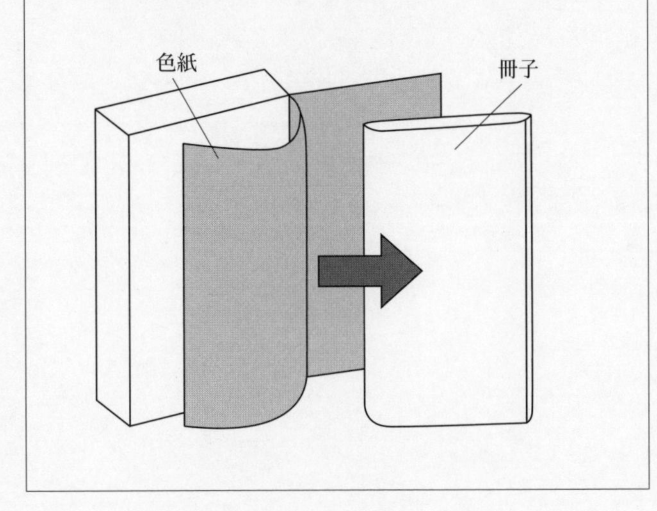

TAC出版

2024年度　教養試験　問題

現代文	主旨把握	2024年度 教養 No.1

次の文の主旨として、最も妥当なのはどれか。

おそらくご存じだとは思うけれど、小説家が（面倒がって、あるいは単に自己顕示のために）その権利を読者に委ねることなく、自分であれこれものごとの判断を下し始めると、小説はまずつまらなくなる。深みがなくなり、言葉が自然な輝きを失い、物語がうまく動かなくなる。

良き物語を作るために小説家がなすべきことは、ごく簡単に言ってしまえば、結論を用意することではなく、仮説をただ丹念に積み重ねていくことだ。我々はそれらの仮説を、まるで眠っている猫を手にとるときのように、そっと持ち上げて運び（僕は「仮説」という言葉を使うたびに、いつもぐっすり眠り込んでいる猫たちの姿を思い浮かべる。温かく柔らかく湿った、意識のない猫）、物語というささやかな広場の真ん中に、ひとつまたひとつと積み上げていく。どれくらい有効に正しく猫＝仮説を選びとり、どれくらい自然に巧みにそれを積み上げていけるか、それが小説家の力量になる。

読者はその仮説の集積を――もちろんその物語を気に入ればということだが――自分の中にとりあえずインテイクし、自分のオーダーに従ってもう一度個人的にわかりやすいかたちに並べ替える。その作業はほとんどの場合、自動的に、ほぼ無意識のうちにおこなわれる。僕が言う「判断」とは、つまりその個人的な並べ替え作業のことだ。それは別の言い方をするなら、精神の組成パターンの組み替えのサンプルでもある。そしてそのサンプリング作業を通じて、読者は生きるという行為に含まれる動性＝ダイナミズムを、我がことのようにリアルに「体験」することになる。どうしてわざわざそんなことをしなくてはならないのか？　「精神の組成パターン」を実際に組み替えることなんて、人生の中で何度もできることではないからだ。だから我々はフィクションを通して、まず試験的に仮想的に、そのようなサンプリングをおこなう必要がある。

（村上春樹「村上春樹雑文集」による）

1　小説家が自分であれこれ物事の判断を下し始めると、小説はつまらなくなる。

2　良き物語を作るために小説家がなすべきことは、結論を用意することではなく、仮説をただ丹念に積み重ねていくことである。

3　どれくらい有効に正しく仮説を選び取り、どれくらい自然に巧みにそれを積み上げていけるかが小説家の力量になる。

4　読者は仮説の集積を、ほぼ無意識のうちにわかりやすい形に並べ替えている。

5　精神の組成パターンを実際に組み替えることは、人生の中で何度もできることではない。

現代文	主旨把握	2024年度 教養 No.2

次の文の主旨として、最も妥当なのはどれか。

運命は、自分で選び取ることができます。

「この瞬間から、自分の運命を変えてみよう」と思うことが、最初のステップです。

これまでのあなたがどれだけ不運だったとしても、今日からその運の流れを変えることはできるのです。

結果はすぐに変わらなくても、いまこの瞬間から、自分が楽しいと感じること、ワクワクすることを毎日やっていけば、どんな人でも面白い人生を生きられます。

自分が好きなことを探して、誰にも気兼ねせず、夢や目標を思い切り追いかけていけばいい。

そのためには、まわりの人の意見ではなく、自分の直感を信じて動く姿勢が大切です。そのうえで、ものごとに真剣に取り組み、楽しんで生きていけばいいのです。

さらに、自分の行動によってもたらされる人生の出来事を、すべて受け入れましょう。たとえ後悔や失敗があっても、それもまた自分の人生を彩るスパイスとして、肯定的にとらえたら、ずいぶんと楽になります。

人生を変える選択肢は、毎日あなたに与えられています。

あなたがいま何歳であっても、どんな場所にいても、どんな状況にあっても、いまここから人生を変えていけます。

自分らしく生きることが、あなたの人生における、なによりの目的なのです。

そして、あなたの自由な生き方に触れて、勇気づけられたり、癒(い)やされたりする人がきっと現れてくるでしょう。人は、幸せに生きている人と会うと、自然に影響を受けるものなのです。

(本田健『「うまくいく」考え方』による)

1　これまでどれだけ不運だったとしても、今日からその運の流れを変えることはできる。

2　自分が楽しいと感じること、ワクワクすることを毎日やっていけば、どんな人でも面白い人生を生きられる。

3　まわりの人の意見ではなく、自分の直感を信じて動く姿勢が大切である。

4　人生を変える選択肢は、毎日与えられている。

5　人は、幸せに生きている人と会うと、自然に影響を受ける。

現代文　主旨把握

2024年度
教養 No.3

次の文の主旨として、最も妥当なのはどれか。

「親の意見となすびの花は、千に一つも無駄はない」という諺（ことわざ）を引き合いに出され、口答えをいっさい許さない母親に育てられた私は、幼い時は、一見、人の意見によく聞き従う子どもでした。

ところが十代後半ともなると、親にも批判的になり、それまで抑えつけられていたものが一挙に噴き出して、今度は無闇（むやみ）やたらに自己主張する人間に変わってしまいました。

好きな人の意見なら、素直に聞くけれども、嫌いな人の意見には耳を貸さない。または、相手が嫌いというだけで、正論に対しても反撥（はんぱつ）する私でした。

その私に、意見というものは、「相手」を離れて、客観的に受けとめるものだと教えてくれた人がいました。

「誰が言おうと、正しい意見には従いなさい。間違った意見に従う必要はない」

と、その人は、はっきり言ってくれました。

相手の意見を検討するためには、まず自分が自分なりの意見、判断を持っていなくてはなりません。さらに、自分の考えのみが正しいとは限らないという謙虚さと、他人には他人の考えがある、という相手の人格への尊敬も必要なのです。

自分のがそうであるように、他人の意見もまた、その人が辿（たど）ってきた人生の歴史から生まれたものであり、その人の価値基準に基づいて形成されているということを、頭に入れて聞くことがたいせつです。

いくら人の意見を聞いたとしても、最終的に決断をくだすのは、他ならぬ自分であり、したがって、その決断の結果に対する責任は、あくまでも自分が取らなければならないのだというきびしさも、忘れたくないと思います。

自分が「聞きたくない意見」を言ってくれる人をたいせつにしないといけません。そういう意見こそが、案外、自分の取るべき道を、より明確にしてくれるものだからです。

（渡辺和子「幸せはあなたの心が決める」による）

1　意見は、相手を離れて、客観的に受け止めるものである。

2　相手の意見を検討するためには、自分が自分なりの意見、判断を持っていなくてはならない。

3　他人の意見は、その人の価値基準に基づいて形成されていることを頭に入れて聞くことが大切である。

4　いくら人の意見を聞いたとしても、最終的に決断するのは自分である。

5　自分が聞きたくない意見こそが、案外、自分の取るべき道を、より明確にしてくれるものである。

次の短文A～Gの配列順序として、最も妥当なのはどれか。

A　仮りに見棄てられた器物があるとしよう。
B　同じようにここに美しい器物があったとしよう。
C　落ちる林檎（りんご）にも宇宙の法則が働くのは、ニュートンの力によると、そういえるであろう。
D　見る者が見たら甦（よみがえ）るのである。
E　だが見得ない者にとって、美しさはどこにも存在しない。
F　彼以前にも法則は働いていたといい張られるかも知れぬ。
G　だがその法則を思うのもニュートンが見出してくれたからに過ぎない。

（柳宗悦「茶と美」による）

1　A－B－D－F－C－G－E

2　A－D－C－F－G－B－E

3　A－D－F－B－E－C－G

4　A－E－B－D－G－F－C

5　A－E－C－F－D－B－G

現代文	空欄補充	2024年度 教養 No.5

次の文の空所Ａ～Ｃに該当する語の組合せとして、最も妥当なのはどれか。

地域の力というのは、行政あるいは企業のサービス業務に地域での共同生活の大半を委託するのではなく、日々の暮らしのなかで、他者に心を配る、世話をする、面倒をみるといったインターディペンデンス interdependence のネットワークをいつでも始動できるよう準備しておくなかでついてくるものであり、それが起こりうる不測の事態を回避するためにいちばん大事なことであるのに、その力が地域生活から削がれていった。高度なアメニティを得ることの［Ａ］はそれほどに重く、また一人ひとりの暮らしに大きなダメージを与えるものだった。アメニティ優先の社会が生みだしたアイロニーである。

ここでつけ加えておけば、初期の団地には現在、注目しておいてよい新しい動きもある。創設時はたしかにしがらみのない機能的な暮らしに憧れる若い世帯の［Ｂ］の空間だった。それがやがて、鉄の扉で封印された核家族の孤立のシンボルのように言われだした。そしていま、急激な高齢化とともに過疎地のようになりつつある。が、そこに身を置くと、都心の高密度でセキュリティ完備のマンション生活と比べ、コミュニティは団地のほうが生きているようにも感じる。

わたしのいた桃山台の団地に、二回りほど若い友人たちが遊びに来たことがある。眼を輝かせて仕様の細部まで見て回るので、逆にこちらが驚いた。幼少のときの「昭和」の空気を懐かしく感じたのか、それともむきだしの配管、タイルやデコラ張りの感触、がたついた襖(ふすま)や開き戸、そして平均身長がいまより低い時代の、ちょっと縮んだ空間を［Ｃ］に感じたのか。

（鷲田清一「しんがりの思想」による）

	A	B	C
1	対価	希望	新鮮
2	対価	理想	斬新
3	代償	希望	窮屈
4	代償	希望	新鮮
5	代償	理想	斬新

英文　内容合致

次の英文中に述べられていることと一致するものとして、最も妥当なのはどれか。

In the dark the old man could feel the morning coming and as he rowed he heard the trembling* sound as flying fish left the water and the hissing that their stiff set wings made as they soared away in the darkness. He was very fond of flying fish as they were his principal friends on the ocean. He was sorry for the birds, especially the small delicate dark terns* that were always flying and looking and almost never finding, and he thought, 'The birds have a harder life than we do except for the robber birds and the heavy strong ones. Why did they make birds so delicate and fine as those sea swallows when the ocean can be so cruel? She is kind and very beautiful. But she can be so cruel and it comes so suddenly and such birds that fly, dipping and hunting, with their small sad voices are made too delicately for the sea.'

He always thought of the sea as *la mar* which is what people call her in Spanish when they love her. Sometimes those who love her say bad things of her but they are always said as though she were a woman. Some of the younger fishermen, those who used buoys as floats for their lines and had motor-boats, bought when the shark livers had brought much money, spoke of her as *el mar* which is masculine. They spoke of her as a contestant or a place or even an enemy. But the old man always thought of her as feminine and as something that gave or withheld great favours and if she did wild or wicked things it was because she could not help them. The moon affects her as it does a woman, he thought.

(Ernest Hemingway：林原耕三・坂本和男「対訳ヘミングウェイ（2）」による)

＊trembling……震えること　　＊tern……アジサシ（カモメの類）

1　老人は、飛魚が海上で一番の友達だからとても好きであったが、いつも飛び回っているので可哀そうだと思っていた。

2　老人は、泥棒鳥や大きくて強い鳥は別だが、鳥は、私達よりつらい生活をしていると思った。

3　老人は、海がとても優しくなれるのに、なぜ海燕(つばめ)のようなひ弱い華奢(きゃしゃ)な鳥を造ったのかと思った。

4　若い漁師たちのある者は、海のことをエル・マルと女性風に呼んだ。

5　老人は、海が荒々しい邪悪なことをしたときは、海を男性と考えていた。

英文	内容合致	2024年度 教養 No.7

次の英文中に述べられていることと一致するものとして、最も妥当なのはどれか。

Not believe in Santa Claus! You might as well not believe in fairies! You might get your papa to hire men to watch in all the chimneys on Christmas Eve to catch Santa Claus, but even if you did not see Santa Claus coming down, what would that prove?

Nobody sees Santa Claus but that is no sign that there is no Santa Claus. The most real things in the world are those that neither children nor men can see. Did you ever see fairies dancing on the lawn? Of course not, but that's no proof that they are not there. Nobody can conceive or imagine all the wonders there are unseen and unseeable in the world.

You tear apart the baby's rattle and see what makes the noise inside, but there is a veil covering the unseen world which not the strongest man, not even the united strength of all the strongest men that ever lived, could tear apart. Only faith, poetry, love, romance, can push aside that curtain and view and picture the supernal* beauty and glory beyond. Is it all real? Ah, Virginia, in all this world there is nothing else real and abiding.

No Santa Claus! Thank God! he lives and lives forever. A thousand years from now, Virginia, nay* ten times ten thousand years from now, he will continue to make glad the heart of childhood.

(Francis Pharcellus Church：安井京子「音読して楽しむ名作英文」による)

＊supernal……崇高な　＊nay……それのみならず

1　クリスマスイブに全ての煙突を見張り、サンタクロースが降りてくるのを見ることができなかったら、サンタクロースがいないことの証明になる。

2　この世には、これまで目にすることがなかったり、見えなかったりする不思議なものがあり、その全てを理解できたり、想像できたりするわけではない。

3　赤ちゃんのガラガラは、壊さなくても中で何が音を立てているのかは分かるが、目に見えない世界には、壊すことができないベールがかかっている。

4　信じる心、詩、愛、夢のような物語だけでは、崇高で気高く美しいものを見ることはできない。

5　サンタクロースはこれからも永遠に存在し、子どもや大人の心を喜びでいっぱいにし続けるだろう。

英文	空欄補充	2024年度 教養 No.8

次の英文の空所ア～エに該当する語の組合せとして、最も妥当なのはどれか。

A certain swordsman* in his declining years* said the following:

In one's life, there are levels in the pursuit of study. In the lowest* level, a person studies but nothing comes of it, and he feels that both he and others are unskillful*. At this point he is worthless. In the middle level he is still useless but is aware of his own insufficiencies* and can also see the insufficiencies of others. In a higher level he has pride concerning his own ability, [ア] in praise from others, and [イ] the lack of ability in his fellows. This man has worth. In the highest level a man has the look of knowing nothing.

These are the levels in general. But there is one transcending level, and this is the most excellent of all. This person is aware of the endlessness of entering deeply into a certain Way and never thinks of himself as having finished. He truly knows his own insufficiencies and never in his whole life thinks that he has succeeded. He has no thoughts of pride but with self-abasement* knows the Way to the end. It is said that Master Yagyū once remarked, "I do not know the way to defeat others, but the way to defeat myself."

Throughout your life advance daily, becoming more skillful than [ウ], more skillful than [エ]. This is never-ending.

（山本常朝　William Scott Wilson「(対訳) 葉隠」による）

＊swordsman……剣客　＊declining years……晩年
＊lowest……最下の　＊unskillful……下手な
＊insufficiencies……不十分　＊self-abasement……卑下

	ア	イ	ウ	エ
1	laments	rejoices	today	yesterday
2	laments	rejoices	yesterday	today
3	rejoices	laments	yesterday	everyday
4	rejoices	laments	yesterday	today
5	salutes	smiles	today	everyday

英文	四字熟語	2024年度 教養 No.9

次の日本語の四字熟語と英文との組合せA～Eのうち、双方の意味が類似するものを選んだ組合せとして、妥当なのはどれか。

A　竜虎相搏（はく）　——　Diamonds cut diamonds.
B　一石二鳥　——　To fall between two stools.
C　羊頭狗（く）肉　——　He cries wine and sells vinegar.
D　画竜点睛（せい）　——　Too much of one thing is not good.
E　狡兎（こうと）三窟　——　Who knows most speaks least.

1　A　C

2　A　D

3　B　D

4　B　E

5　C　E

　Ａ～Ｆの６チームが、サッカーの試合を総当たり戦で２回行った。今、２回の総当たり戦の結果について、次のア～エのことが分かっているとき、確実にいえるのはどれか。

ア　各チームの引き分け数は、Ａが５試合、Ｂが２試合、Ｃが３試合、Ｄが６試合、Ｅが２試合、Ｆが４試合であった。
イ　各チームとも２チーム以上と引き分けた。
ウ　ＡはＢとは引き分けなかった。
エ　Ｄはすべてのチームと引き分けた。

1　Ａは、Ｃ、Ｄ、Ｅと１試合ずつ引き分けた。

2　Ｂは、Ｃと少なくとも１試合引き分けた。

3　Ｃは、Ｆと少なくとも１試合引き分けた。

4　Ｄは、Ｆと２試合とも引き分けた。

5　Ｆは、Ａと少なくとも１試合引き分けた。

ある暗号で「緑色」が「Ⅳえ・Ⅲい・Ⅰお・Ⅰお・Ⅱう」、「赤色」が「Ⅲい・Ⅰお・Ⅱお」で表されるとき、同じ暗号の法則で「黒色」を表したのはどれか。

1　「Ⅱえ・Ⅳあ・Ⅰう・Ⅲい・Ⅰあ」

2　「Ⅲあ・Ⅲえ・Ⅱえ・Ⅰい・Ⅰお」

3　「Ⅳお・Ⅲい・Ⅰう・Ⅲあ・Ⅱう」

4　「Ⅳお・Ⅳう・Ⅴあ・Ⅰお」

5　「Ⅳお・Ⅳう・Ⅴお・Ⅲお・Ⅴう」

寿司屋か焼肉屋のどちらかに行きたいＡ～Ｅの５人がいる。今、意見の調整を次のア～ウの順に実施し、最終的に５人全員が寿司屋に行く意見でまとまったとき、確実にいえるのはどれか。ただし、それぞれの意見の調整では、３回とも３人の中で意見の一致する２人の説得により、他の１人が意見を変えたものとする。

ア　１回目は、Ａ、Ｂ、Ｃで実施した。
イ　２回目は、Ａ、Ｃ、Ｄで実施した。
ウ　３回目は、Ｂ、Ｄ、Ｅで実施した。

1　調整前は、寿司屋に行きたい者が２人、焼肉屋に行きたい者が３人であった。

2　調整前は、Ｂは焼肉屋に行きたい意見を持っていた。

3　調整前は、Ｃは焼肉屋に行きたい意見を持っていた。

4　調整の結果、Ｄは自分の意見を２回変えた。

5　Ｅの調整前の意見は、寿司屋であったか焼肉屋であったかはわからない。

特別区人事委員会からの指示により、本問は掲載を差し控えます。

１～７の互いに異なる数字が１つ書かれた７枚のカードが２組ある。A、Bの２人がこの組を１つずつ手札として持って、各自が手札からカードを１枚ずつ出し合い、出したカードの数字を比較して、数字の大きいカードを出したほうを勝ち、同じ場合は引き分けとするゲームを行う。今、このゲームを手札がなくなるまで行い、次のア～エのことが分かっているとき、確実にいえるのはどれか。ただし、一度出したカードは手札に戻さないものとする。

ア　Aが２回目に出したカードの数字は６であり、Bが最後に出したカードの数字は１であった。
イ　Aが奇数回目に出したカードの数字はすべて奇数であった。
ウ　Aは３回、Bは４回勝って、引き分けはなかった。
エ　Bが勝ったときのカードの数字の差はすべて１であった。

1　Aが勝ったときに出したカードの数字は４、５、７であった。

2　Bが偶数回目に出したカードの数字はすべて奇数であった。

3　Bは２回目と３回目を続けて勝った。

4　Bが４回目に出したカードの数字は５であった。

5　Bが６を出したときはBが勝った。

次の図のような10個の駅から成り、両方向に電車を運行させている環状線がある。各駅とも、両隣の駅までの所要時間が２分又は３分であり、Ａ駅から各駅までの所要時間を表のとおりとするとき、所要時間が最も短い経路として妥当なのはどれか。ただし、表の所要時間はより短い経路での時間を示したものであり、同一区間であれば、所要時間は両方向とも同じであるものとする。

駅名	Ａ駅からの所要時間
B	11分
C	２分
D	７分
E	５分
F	10分
G	２分
H	12分
I	４分
J	８分

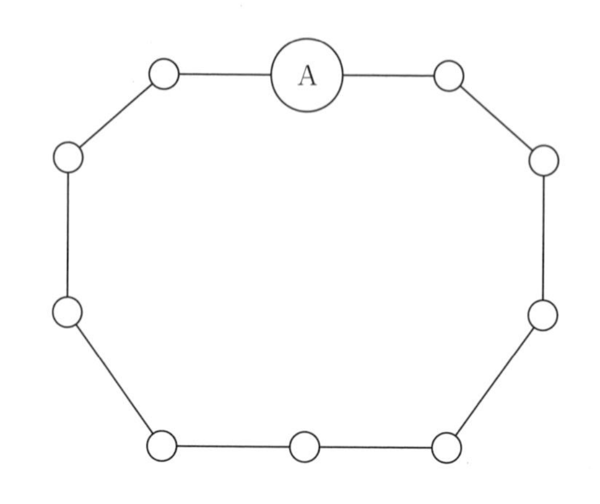

1　Ｂ駅からＩ駅まで

2　Ｄ駅からＥ駅まで

3　Ｄ駅からＪ駅まで

4　Ｅ駅からＩ駅まで

5　Ｉ駅からＪ駅まで

次の図のように、半径AOが6 cmの半円がある。今、円弧上に∠CABが15°となる点をC、∠DACが30°となる点をDとするとき、点Aと点C、点Aと点Dをそれぞれ結んだときにできる斜線部の面積はどれか。ただし、円周率はπとする。

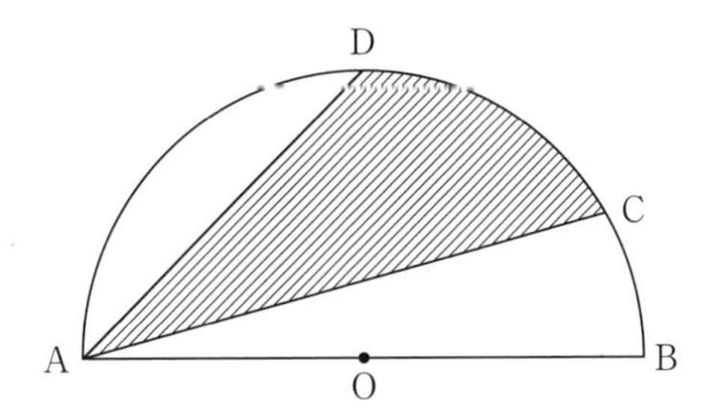

1 $\frac{9}{2}\pi+9\text{cm}^2$

2 $6\pi+18-6\sqrt{3}\text{cm}^2$

3 $6\pi+9\text{cm}^2$

4 $9\pi\text{cm}^2$

5 $15\pi-9\text{cm}^2$

数的推理	整数	2024年度 教養 No.17

ある電車は、乗車定員の56％が座れる同じ車両の11両編成で運行している。この電車に400人が乗ったとき、全員座ることができるが、500人が乗ったとき、座ることができない乗客がでる。この電車の座席数はどれか。

1　429席

2　440席

3　451席

4　462席

5　473席

A、Bの２人が、スタートから20km走ったところで折り返し、同じ道を戻ってゴールする40kmのロードレースに参加した。今、レースの経過について、次のア～ウのことが分かっているとき、Aがゴールするまでに要した時間はどれか。ただし、レースに参加したすべての選手は同時にスタートし、ゴールまでそれぞれ一定の速さで走ったものとする。

ア　Aは、15km走ったところで先頭の選手とすれ違った。
イ　Aが12km走る間に、Bは10km走った。
ウ　Bは、先頭の選手がゴールしてから２時間後にゴールした。

1　２時間

2　２時間40分

3　３時間20分

4　３時間40分

5　４時間

数的推理 | 流水算 | 2024年度 教養 No.19

ある川に沿って、50km離れた上流のＰ地点と下流のＱ地点の２地点を往復する船Ａ、Ｂがある。ＡはＰからＱへ１時間、ＢはＱからＰへ２時間かかる。今、Ｐを出発したＡがＱに着き、再びＱからＰへ向けて出発したが、Ｑを出発してから12分後に船のエンジンが停止し、そのまま川を流されたとき、ＡがＱに戻りつくのは、Ａのエンジンが停止してから何分後か。ただし、静水時におけるＡの速さはＢの1.5倍であり、川の流れ及び船の速さは一定とする。

1　24分

2　42分

3　60分

4　78分

5　96分

ある企業はAとBの２部門から構成されており、企業全体の売上げは、２部門の売上げの合計のみである。A部門の商品ａは、企業全体の売上げの36％を占め、A部門の売上げの54％を占めている。また、B部門の商品ｂは、B部門の売上げの57％を占めている。このとき、商品ｂが企業全体の売上げに占める割合はどれか。

1 14％

2 18％

3 19％

4 26％

5 38％

資料解釈　実数の表　2024年度 教養 No.21

次の表から確実にいえるのはどれか。

診療種類・制度区分別国民医療費の推移

（単位　億円）

制度区分	平成29年度	30	令和元年度	2	3
医科診療	308,335	313,251	319,583	307,813	324,025
歯科診療	29,003	29,579	30,150	30,022	31,479
薬局調剤	78,108	75,687	78,411	76,480	78,794
入院時食事・生活	7,954	7,917	7,901	7,494	7,407
訪問看護	2,023	2,355	2,727	3,254	3,929
療養費等	5,287	5,158	5,124	4,602	4,725

1　表中の各年度のうち、国民医療費の合計に占める薬局調剤の国民医療費の割合が最も大きいのは、令和２年度である。

2　令和３年度において、医科診療の国民医療費の対前年増加率は、療養費等の国民医療費のそれの2.5倍より大きい。

3　令和３年度の訪問看護の国民医療費を100としたときの平成29年度のそれの指数は、52を上回っている。

4　令和元年度において、訪問看護の国民医療費の対前年増加額は、入院時食事・生活の国民医療費の対前年減少額の25倍より小さい。

5　平成29年度から令和３年度までの５年度における歯科診療の国民医療費の１年度当たりの平均は、３兆円を下回っている。

次の表から確実にいえるのはどれか。

農産品５品目の輸入量の対前年増加率の推移

（単位　%）

品　　目	平成29年	30	令和元年	2	3
コーヒー豆	△ 6.6	△ 1.3	8.8	△10.3	2.7
紅茶	5.2	4.7	13.4	△18.9	17.8
緑茶	9.7	19.1	△ 7.2	△10.8	△18.5
カカオ豆	△13.2	6.9	△ 8.6	△ 9.4	△22.1
ココアペースト	19.8	7.7	△ 1.9	△22.8	18.2

（注）△は、マイナスを示す。

1　「紅茶」の輸入量の平成29年に対する令和元年の増加率は、「コーヒー豆」の輸入量のそれの2.3倍より大きい。

2　平成29年の「緑茶」の輸入量を100としたときの令和２年のそれの指数は、100を上回っている。

3　平成30年において、「緑茶」の輸入量は、「カカオ豆」のそれを上回っている。

4　令和２年の「ココアペースト」の輸入量を100としたときの平成29年度の指数は123を上回っている。

5　令和３年において、「コーヒー豆」の輸入量及び「ココアペースト」の輸入量は、いずれも平成30年のそれを上回っている。

次の図から確実にいえるのはどれか。

在留外国人数の推移

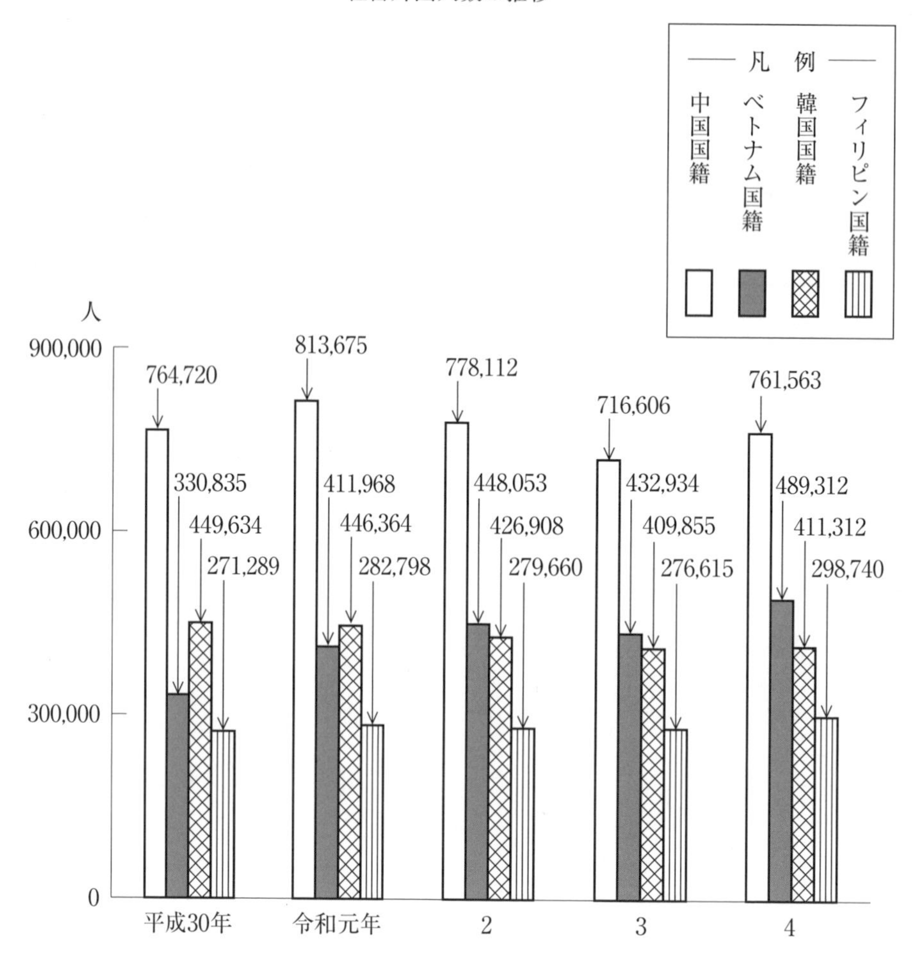

1　平成30年のフィリピン国籍の在留外国人数を100としたときの令和４年のそれの指数は、111を下回っている。

2　平成30年から令和４年までの５年におけるベトナム国籍の在留外国人数の１年当たりの平均は、42万人を下回っている。

3　令和元年において、図中の在留外国人数の合計に占める中国国籍のそれの割合は、42％を超えている。

4　令和３年における韓国国籍の在留外国人数の対前年減少率は、4.2％を超えている。

5　令和４年において、フィリピン国籍の在留外国人数の対前年増加量は、韓国国籍のそれの11倍を下回っている。

次の図から確実にいえるのはどれか。

地方財政の扶助費の目的別内訳の推移

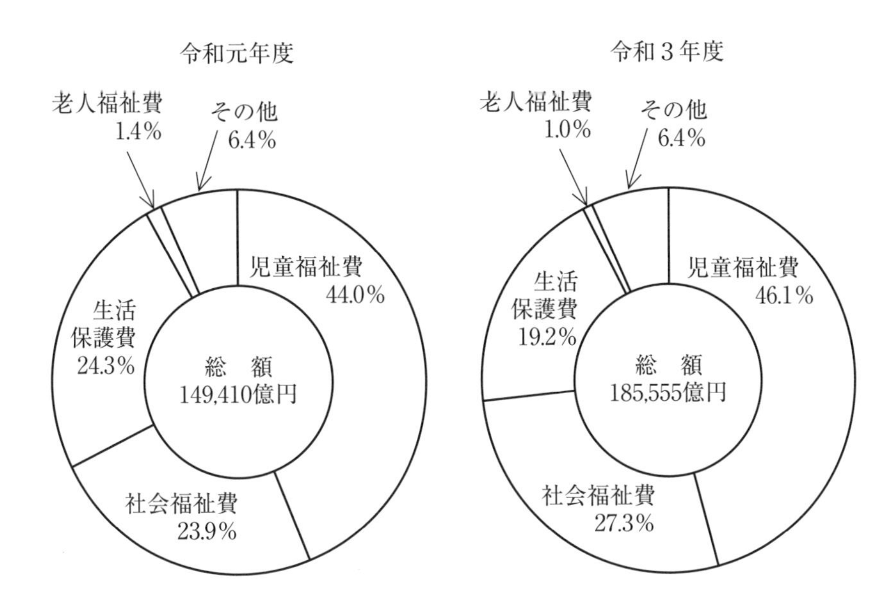

1　社会福祉費の令和元年度に対する令和３年度の増加率は、45%を上回っている。

2　令和元年度及び令和３年度の両年度とも、老人福祉費は、2,000億円を下回っている。

3　令和元年度における児童福祉費に対する老人福祉費の比率は、令和３年度におけるそれを上回っている。

4　地方財政の扶助費の総額の令和元年度に対する令和３年度の増加額に占める児童福祉費のそれの割合は、60%を超えている。

5　生活保護費の令和元年度に対する令和３年度の減少額は、700億円を上回っている。

空間把握	一筆書き	2024年度 教養 No.25

次の図の太線の一部を消去して、太線部分のみで一筆書きを可能にするとき、消去する太線の最短の長さはどれか。ただし、破線の１目盛を１cmとする。

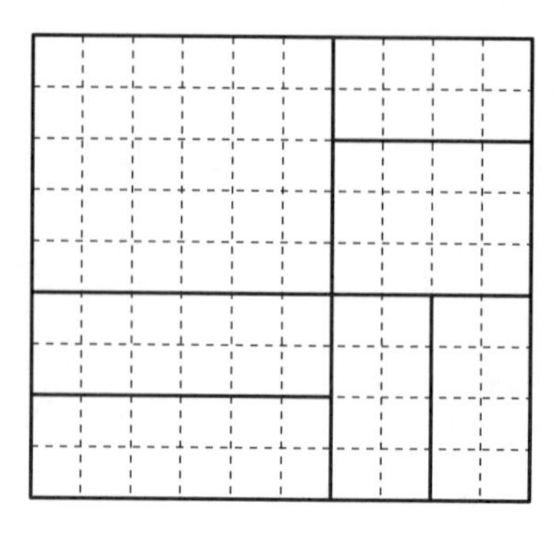

1　6 cm

2　8 cm

3　9 cm

4　10cm

5　11cm

次の図のように、つながったままの14枚の入場券があり、それぞれの券には1～14の番号が記載されている。ここから、6枚の入場券をつながったままの形で切り取るとき、残りの8枚の入場券がつながったままになるように切り取る方法は、全部で何通りか。ただし、切り取った6枚の入場券のつながりが同じ形であっても、それらに記載される番号が異なる場合は、それぞれ別の方法として数えるものとする。

1	2	3	4	5	6	7
8	9	10	11	12	13	14

1 14通り

2 18通り

3 20通り

4 30通り

5 38通り

次の図のような、１辺の長さが$2a$の立方体を60個透き間なく積み重ねてできた直方体の点Ａと点Ｂを直線で結んだとき、直線が貫いた立方体の数はどれか。

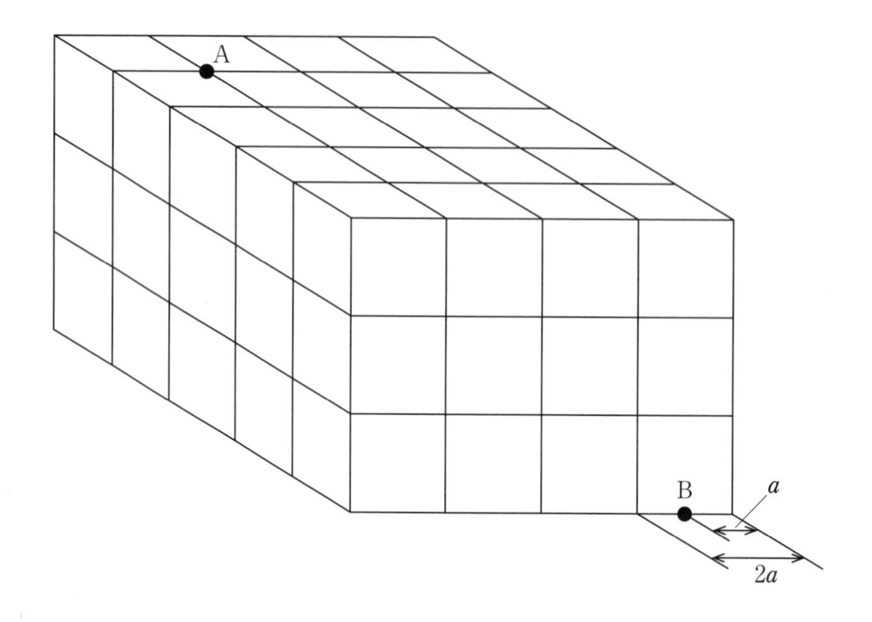

1　７個

2　８個

3　10個

4　11個

5　12個

次の図のように、台形の辺上に一辺の長さaの正五角形があり、点Pはイの位置にある。今、この正五角形が台形の外側を矢印の方向に滑ることなく回転し、２周して元の位置に戻るとき、頂点Pはどの位置にあるか。

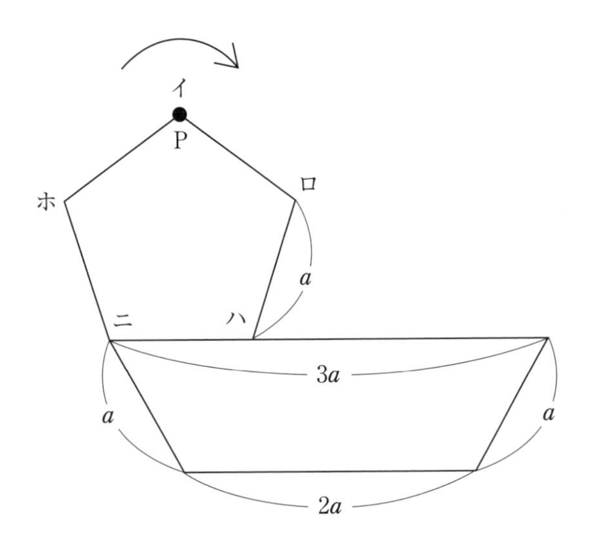

1 イ

2 ロ

3 ハ

4 ニ

5 ホ

政治　国際法

2024年度
教養 No.29

国際法に関する記述として、妥当なのはどれか。

1　グロティウスは、「戦争と平和の法」を著し、自然法の立場から国際法の基礎を築き、国際法の父と呼ばれた。

2　国際人道法は、平時国際法と呼ばれ、交戦・占領や中立の条件などを規定している。

3　国際慣習法は、国家間の慣行が法として認められたものであり、外交特権や公海自由の原則があるが、成文化されたものはない。

4　国際司法裁判所は、国家間の紛争を国際法に従って解決することを目的とし、当事国の同意がなくとも裁判を始めることができる。

5　国際刑事裁判所は、オランダのハーグに設置され、人道に対する罪を犯した個人を裁く常設の裁判所であり、日本やアメリカ等が加盟している。

法律	公害・環境に関する法律	2024年度 教養 No.30

我が国の公害防止又は環境保全に関する記述として、妥当なのはどれか。

1　高度経済成長期に各地で産業公害が多発し、四大公害訴訟が起こされるなど大きな社会問題となったことから、1967年に環境基本法が制定され、1970年のいわゆる公害国会では、公害関係14法が制定・改正された。

2　大気汚染防止法及び水質汚濁防止法では、公害を発生させた企業に公害防止費用を負担させる汚染者負担の原則がとられているが、企業側に故意や過失が無くても被害者への賠償責任を義務付ける無過失責任の原則はとられていない。

3　1997年に環境影響評価法が制定され、地方公共団体に対して、道路やダム、発電所などの大規模な地域開発が環境にどのような影響を与えたのかを、必ず事後に調査し、評価することが義務付けられた。

4　循環型社会の形成に向けて、循環型社会の基本的な枠組みとなる循環型社会形成推進基本法が制定されたほか、環境負荷を低減するための法律として、容器包装リサイクル法や家電リサイクル法、グリーン購入法がある。

5　最高裁判所は、飛行機による騒音・振動・排気ガスなどの被害に対して、空港周辺の住民が起こした大阪空港公害訴訟において、環境権への侵害を理由に、夜間飛行の差し止めと損害賠償を認めた。

政治	国際機構	2024年度 教養 No.31

国際連盟又は国際連合に関する記述として、妥当なのはどれか。

1 国際連盟は、1920年に42か国の参加を得て発足し、集団安全保障が試みられたが、日本、ドイツ、イタリアの不参加、アメリカの脱退などで第２次世界大戦の勃発を防ぐことができずに崩壊した。

2 国際連合は、1945年に51か国を原加盟国として発足し、ダンバートン・オークス会議で国際社会の平和と安全を維持することを目的として、国際連合憲章が採択された。

3 安全保障理事会は、常任理事国５か国と、総会で選任された任期２年の非常任理事国10か国によって構成され、手続き事項以外の実質事項の決定については、全ての常任理事国を含む９か国の賛成が必要である。

4 国連平和維持活動（PKO）は、紛争当事国の同意を得て、紛争の鎮静化や再発防止のために加盟国が自発的に提供した要員を国連軍（UNF）に派遣するもので、軍事的強制措置をとることができる。

5 1950年に国連総会で「平和のための結集」決議が採択され、安全保障理事会が拒否権により機能しないときは、特別総会を開催し、加盟国の過半数の賛成で武力行使も含む集団措置を勧告できるようになった。

国際経済体制の変遷に関する記述として、妥当なのはどれか。

1　ブレトンウッズ体制は、金との交換を保証したドルを基軸通貨とする固定相場制であり、金1オンス＝38ドル、1ドル308円を平価とし、為替相場の変動は平価の上下2.25％以内とされた。

2　1971年にニクソン大統領が金とドルとの交換を停止し、ブレトンウッズ体制は崩壊したが、同年、先進国によるルーブル合意が成立し、金価格に対してドルが切り上げられた。

3　1976年のキングストン合意で、金の公定価格を廃止することと変動相場制への移行が正式に承認され、金に代わってIMFのSDR（特別引き出し権）の役割を拡大することが決められた。

4　1985年に主要7か国は、レーガン政権におけるアメリカの財政赤字と貿易赤字を縮小させるため、G7を招集し、ドル安を是正するために各国が協調して為替介入を行うプラザ合意がかわされた。

5　GATTは、自由・無差別・多角を原則として、貿易自由化を推進しており、東京ラウンドでは、知的財産権の保護について、1993年に新たなルールが合意された。

思想	実存主義	2024年度 教養 No.33

次のA～Eのうち、実存主義の思想家とその主な著書の組合せとして、妥当なのはどれか。

A　キルケゴール　——　「死にいたる病」、「理性と実存」
B　ニーチェ　——　「ツァラトゥストラはこう言った」、「善悪の彼岸」
C　デューイ　——　「哲学の改造」、「人間性と行為」
D　ハイデガー　——　「存在と時間」、「形而上学とは何か」
E　サルトル　——　「存在と無」、「第二の性」

1　A　C

2　A　D

3　B　D

4　B　E

5　C　E

日本史	室町文化	2024年度 教養 No.34

室町文化に関する記述として、妥当なのはどれか。

1 南北朝時代には、歴史書や軍記物が書かれたが、軍記物には、北畠親房が南朝の正統性を説いた「太平記」がある。

2 観世座の観阿弥・世阿弥父子は、将軍足利義満の保護を受けながら、猿楽能を完成させ、世阿弥は「風姿花伝」を著した。

3 茶の湯では、村田珠光が出て、茶室で心の静けさを求める闘茶が始まり、そののち千利休によって完成された。

4 御伽草子は、絵入りの短編物語で「一寸法師」や「浦島太郎」などがあり、宗祇が全国をめぐって普及に努めた。

5 足利義政が造営した慈照寺銀閣は、北山文化を代表する建物であり、書院造は和風住宅のもとになっている。

世界史	フランス革命	2024年度 教養 No.35

フランス革命又はナポレオン戦争に関する記述として、妥当なのはどれか。

1 アンシャン＝レジーム下のフランス国家の財政は、アメリカ独立戦争への参戦によって破産状態に陥ったため、国王ルイ16世は重商主義者コルベールや銀行家ネッケルを登用して、特権身分に対する課税などの財政改革をめざした。

2 1789年５月に国民議会が開会されると、第三身分代表は、国民公会と称して憲法制定まで議会を解散しないことを誓ったが、国王ルイ16世は武力で議会を弾圧しようとしたため、パリの民衆は７月14日にバスティーユ牢獄を襲撃した。

3 1789年８月に国民議会は封建的特権の廃止を決議し、続いて、ラ＝ファイエットらが起草した独立宣言を採択したことにより、旧体制は破綻し、10月にパリの民衆はヴェルサイユに行進して国王と議会をパリに移動させた。

4 ロベスピエールを中心とするジロンド派政権は、ジャコバン派を議会から追放し、恐怖政治を行ったため、パリの民衆の不満が高まり、ロベスピエールはテルミドール９日のクーデタで権力を失い処刑された。

5 ナポレオンは、ブリュメール18日のクーデタにより総裁政府を倒し、皇帝に即位すると、トラファルガーの海戦でイギリス艦隊に敗北したが、アウステルリッツの戦いでオーストリア・ロシア連合軍を破った。

特別区人事委員会からの指示により、本問は掲載を差し控えます。

昨年（編者注：2023年）５月に開催された主要７か国首脳会議（G7広島サミット）に関するＡ～Ｄの記述のうち、妥当なものを選んだ組合せはどれか。

Ａ　G7首脳がそろって広島平和記念資料館を訪れるのは初めてで、約40分滞在し、岸田文雄首相が展示品について説明した。

Ｂ　「核軍縮に関するG7首脳広島ビジョン」を発表し、北朝鮮を念頭に、核保有国に核戦力のデータ公表を要求した。

Ｃ　ウクライナのゼレンスキー大統領が、アメリカ政府の専用機で来日し、サミットでウクライナ情勢の討議に対面で参加した。

Ｄ　生成AIの国際的なルール作りとして、「広島AIプロセス」を立ち上げ、担当閣僚で議論し、令和５年内に結果を報告するとした。

1　Ａ　Ｂ

2　Ａ　Ｃ

3　Ａ　Ｄ

4　Ｂ　Ｃ

5　Ｂ　Ｄ

昨年（編者注：2023年）11月に閣議決定された「デフレ完全脱却のための総合経済対策」に関するA～Dの記述のうち、妥当なものを選んだ組合せはどれか。

A　１世帯当たり所得税３万円と住民税１万円の定額減税を実施し、また、住民税非課税世帯には１人当たり７万円を給付するとした。
B　企業や大学の宇宙分野の技術開発を支援するため、宇宙航空研究開発機構（JAXA）に10年間の「宇宙戦略基金」を設置し、１兆円規模を支援するとした。
C　海外で研究開発した特許権などの知的財産から生じる所得に対して優遇する「イノベーションボックス税制」を創設するとした。
D　物価高対策のため、ガソリンの価格や電気・ガス料金の補助は2024年４月末まで延長し、電気・ガス料金の補助は同年５月に激変緩和の幅を縮小するとした。

1　A　B

2　A　C

3　A　D

4　B　C

5　B　D

昨年（編者注：2023年）10月に関係閣僚会議で、トラック運転手の人手不足が懸念される「2024問題」の対策としてまとめた「物流革新緊急パッケージ」に関するＡ～Ｄの記述のうち、妥当なもののみを全て挙げているのはどれか。

Ａ　政府は、再配達を減らすために、「置き配」やコンビニでの受取、ゆとりある配送日を選んだ消費者に、ポイントを付与する実証事業を行うとした。

Ｂ　政府は、物流経営責任者に、荷待ちや荷物の積み下ろし時間の短縮などの計画の作成やトラックＧメンの選任を義務付けるとした。

Ｃ　政府は、船舶輸送から転換するモーダルシフトを進め、鉄道の輸送量を、今後10年で倍増させるとした。

Ｄ　政府は、トラック運転手の残業規制が適用されることで、トラックの輸送力は、2019年度比で、2024年度に14％、2030年度に34％過剰になると試算した。

1　Ａ

2　Ａ　Ｂ

3　Ｃ　Ｄ

4　Ａ　Ｂ　Ｄ

5　Ｂ　Ｃ　Ｄ

社会事情　国際映画祭

2024年度
教養 No.40

昨年（編者注：2023年）５月の第76回カンヌ国際映画祭に関する記述として、**妥当でない**のはどれか。

1　ヴィム・ヴェンダース監督の日本作品「パーフェクト・デイズ」に主演した役所広司氏が男優賞を受賞した。

2「パーフェクト・デイズ」は、役所氏演じる東京都渋谷区の小学校教師、平山のつつましい日常を描いている。

3　是枝裕和監督の「怪物」は、小学校で起きた出来事を母親、教師、子どもの視点で描いた作品であり、脚本を書いた坂元裕二氏が脚本賞を受賞した。

4　日本作品が、コンペティション部門で男優賞と脚本賞を同時に受賞するのは初めてである。

5　最高賞のパルムドールは、フランスのジュスティーヌ・トリエ監督の「アナトミー・オブ・ア・フォール」が受賞した。

100℃に熱した200gの鉄製の容器に、10℃の水50gを入れた。水と容器が熱平衡に達したときの温度として妥当なのはどれか。ただし、水の比熱を4.2J/(g･K)、鉄の比熱を0.45J/(g･K) とし、熱は容器と水の間のみで移動することとする。

1 23℃

2 32℃

3 37℃

4 45℃

5 58℃

自己インダクタンス0.2Hのコイルに0.5Aの電流が流れているとき、このコイルに蓄えられているエネルギーとして、妥当なのはどれか。

1 1.0×10^{-2}J

2 2.5×10^{-2}J

3 5.0×10^{-2}J

4 1.0×10^{-1}J

5 2.5×10^{-1}J

次のア～エの構造式について、該当する芳香族化合物の名称の組合せとして、妥当なのはどれか。

ア

COOH

イ

OH

COOH

ウ

エ

OH

O_2N NO_2

NO_2

	ア	イ	ウ	エ
1	安息香酸	クレゾール	ナフタレン	ピクリン酸
2	安息香酸	サリチル酸	アントラセン	フタル酸
3	安息香酸	サリチル酸	ナフタレン	ピクリン酸
4	サリチル酸	安息香酸	アントラセン	フタル酸
5	サリチル酸	クレゾール	ナフタレン	フタル酸

化学	物質の状態	2024年度 教養 No.44

物質の状態に関する記述として、妥当なのはどれか。

1　国際単位系（SI）による圧力の単位には、パスカル（Pa）を用い、1 Paとは、面積1 m^2当たりに1 mmHgの力が働くときの圧力を表す。

2　大気による圧力を大気圧といい、海水面における標準大気圧は、760hPaである。

3　沸騰は、液体の蒸気圧が外圧より小さくなるときに起こり、標高が3,776mである富士山の山頂では、水は約87℃で沸騰する。

4　単位時間当たりに蒸発する分子の数と凝縮する分子の数が等しくなり、見かけ上、蒸発も凝縮も起こっていないような状態を気液平衡という。

5　液体1 molが気体になるときに放出する熱量である蒸発熱は、気体1 molが液体になるときに吸収する熱量である凝縮熱と等しい。

生物の科学史に関する記述として、妥当なのはどれか。

1 シュペーマンらは、アフリカツメガエルの初期原腸胚の原口背唇の移植実験を行い、移植された原口背唇が形成体として働き、二次胚を形成することを発見した。

2 ワトソンとクリックは、大腸菌を用いた実験によって、DNAが半保存的に複製されることを証明した。

3 ニーレンバーグらは、大腸菌をすりつぶした液に、塩基としてウラシル（U）だけを含む人工的に合成したDNAを加える実験によって、UUUというコドンがグリシンを指定している遺伝暗号であることを発見した。

4 岡崎令治は、DNAの複製でつくられる短いDNAの断片である岡崎フラグメントを発見した。

5 山中伸弥らは、ヒツジの皮膚細胞に４種類の遺伝子を導入することによって、iPS細胞（胚性幹細胞）の作製に成功した。

生物	動物の行動	2024年度 教養 No.46

動物の行動に関する記述として、妥当なのはどれか。

1　動物に遺伝的なプログラムで備わっている定型的な行動を習得的行動という。

2　動物に特定の行動を引き起こさせる刺激を定位という。

3　動物が刺激に対して一定の方向に移動することを走性といい、刺激源に対して近づく場合を負の走性、遠ざかる場合を正の走性という。

4　ミツバチは、餌場が近い場合は８の字ダンス、遠い場合は円形ダンスを行い、仲間に餌場の距離や方向を伝える。

5　動物の体外に分泌され、同種の個体に特有の行動を起こさせる物質をフェロモンといい、性フェロモンや道しるべフェロモンがある。

地学	恒星	2024年度 教養 No.47

恒星の誕生と進化に関する記述として、妥当なのはどれか。

1　恒星と恒星の間の空間には、星間ガスと星間塵からなる星間物質があり、星間ガスが周囲より濃い部分を星間雲という。

2　星間雲が恒星の光を受けて輝くと、惑星状星雲として観測される。

3　星間雲の濃い部分が自らの重力によって収縮し、中心部に超新星ができる。

4　恒星の中心温度が高くなると、水素がヘリウムになる核融合反応が始まり、安定して輝く恒星となり、これを赤色巨星という。

5　恒星の中心で核融合をする物質がなくなると、核融合が起こる部分がその外側に移動することで、中心部が収縮して外層が膨張し、白色矮(わい)星になる。

地学	地球の歴史	2024年度 教養 No.48

先カンブリア時代に関する記述として、妥当なのはどれか。

1 地球が誕生した約46億年前から５億4100万年前までの時代を先カンブリア時代といい、冥王代、始生代（太古代）、原生代に分けられる。

2 始生代初期には、地球全体が氷で覆われる全球凍結が起こり、当時の赤道付近の地層から氷河堆積物が発見された。

3 海水中に溶けている鉄は、大気中の二酸化炭素と結合して酸化鉄となって海底に沈殿し、縞状鉄鉱層が形成された。

4 細胞の中に核をもつ原核生物の最古の化石は、アメリカ・ミシガン州の約19億年前の縞状鉄鉱層から発見された。

5 アフリカのエディアカラで、先カンブリア時代末期の地層から、硬い組織をもたない単細胞生物の化石が発見された。

2024年度　専門試験　問題

憲法	労働基本権	2024年度 専門 No.1

日本国憲法に規定する労働基本権に関する記述として、最高裁判所の判例に照らして、妥当なのはどれか。

1 全逓名古屋中郵事件において、公共企業体等労働関係法の適用を受ける五現業及び三公社の職員について、その勤務条件は、憲法上、国会において法律、予算の形で決定すべきものとされており、労使による勤務条件の共同決定を内容とする団体交渉権の保障はないが、当該共同決定のための団体交渉過程の一環として予定されている争議権は、憲法上、当然に保障されるとした。

2 山田鋼業事件において、憲法は勤労者に対して団結権、団体交渉権その他の団体行動権を保障すると共に、全ての国民に対して平等権、自由権、財産権等の基本的人権も保障しており、前者が後者に対して絶対的優位を有することを認めているので、労働者が使用者側の自由意見を抑圧し、財産に対する支配を阻止することは許されるとした。

3 政令201号事件において、国家公務員は、国民全体の奉仕者として、公共の利益のために勤務し、かつ職務の遂行に当たっては全力を挙げてこれに専念しなければならないが、国民の権利は全ての公共の福祉に反しない限りにおいて最大の尊重をすることを必要とするものであるから、団結権及び団体交渉権については、一般の勤労者と同様の取扱いを受けることは当然であるとした。

4 岩手県教組学力テスト事件において、地方公務員法の規定は、地方公務員の争議行為に違法性の強いものと弱いものとを区別して、前者のみが同法にいう争議行為に当たるものとし、また、当該争議行為の遂行を共謀し、唆し、又はあおる等の行為についても、いわゆる争議行為に通常随伴する行為は単なる争議参加行為と同じく可罰性を有しないものとする解釈は是認できないとした。

5 三井美唄労組事件において、公職選挙における立候補の自由は、憲法の保障する重要な権利であるから、組合の団結を維持するための統制権の行使に基づく制約であっても、その必要性と立候補の自由の重要性とを比較衡量して、その許否を決すべきであり、組合が立候補を思いとどまるよう、勧告または説得することは、組合の統制権の限界を超えるものとして違法であるとした。

憲法　人権享有主体　2024年度 専門 No.2

日本国憲法における外国人の人権に関するＡ～Ｄの記述のうち、最高裁判所の判例に照らして、妥当なものを選んだ組合せはどれか。

Ａ　外国人に対する憲法の基本的人権の保障は、外国人在留制度の枠内で与えられているにすぎないものと解するのが相当であるが、在留期間中の憲法の基本的人権の保障を受ける行為を在留期間の更新の際に消極的な事情として斟酌(しんしゃく)されないことについては、保障が与えられているとした。

Ｂ　社会保障上の施策において在留外国人をどのように処遇するかについては、国は、特別の条約の存しない限り、その政治的判断によりこれを決定することができるのであり、その限られた財源の下で福祉的給付を行うにあたり、自国民を在留外国人より優先的に扱うことも許されるとした。

Ｃ　我が国に在留する外国人のうちでも永住者等であってその居住する区域の地方公共団体と特段に緊密な関係を持つに至ったと認められる者について、その意思を日常生活に密接な関連を有する地方公共団体の公共的事務の処理に反映させるべく、法律をもって、地方公共団体の長、その議会の議員等に対する選挙権を付与する措置を講ずることは、憲法上禁止されているものではないとした。

Ｄ　地方公務員のうち、住民の権利義務を直接形成し、その範囲を確定するなどの公権力の行使に当たる行為を行う公権力行使等地方公務員には、外国籍を有する者が就任することが想定されていると見るべきであり、外国人が公権力行使等地方公務員に就任することは、我が国の法体系として想定しておかなければならないとした。

1　Ａ　Ｂ

2　Ａ　Ｃ

3　Ａ　Ｄ

4　Ｂ　Ｃ

5　Ｂ　Ｄ

憲法　国会

2024年度
専門 No.3

日本国憲法に規定する衆議院の優越に関する記述として、妥当なのはどれか。

1　衆議院で法律案を可決し、参議院でこれと異なった議決をした場合に、参議院は両院協議会を開くことを求めることができるが、衆議院はこの両院協議会の請求を拒むことができない。

2　予算及び決算は、先に衆議院に提出しなければならないが、予算及び決算について、参議院で衆議院と異なった議決をした場合において、両院協議会を開いても意見が一致しないときは、衆議院の議決を国会の議決とする。

3　条約の締結に必要な国会の承認について、参議院で衆議院と異なった議決をした場合は、両院協議会を開かずに、衆議院の議決を国会の議決とすることができる。

4　内閣総理大臣の指名について、衆議院が指名の議決をした後、国会休会中の期間を除いて10日以内に参議院が指名の議決をしないときは、衆議院の議決を国会の議決とする。

5　衆議院で内閣の不信任の決議案を可決したときは、内閣は衆議院の解散又は総辞職をしなければならないが、衆議院が内閣の信任の決議案を否決したときは、内閣は必ず衆議院を解散しなければならない。

日本国憲法に規定する内閣又は内閣総理大臣に関する記述として、通説に照らして、妥当なのはどれか。

1 内閣は、その首長たる内閣総理大臣及びその他の国務大臣で組織され、各大臣は、主任の大臣として行政事務を分担管理することとされているが、行政事務を分担管理しない、いわゆる無任所の大臣を置くことを妨げるものではない。

2 内閣は、行政権の行使について、国会に対し連帯して責任を負うため、閣議の議決方法は全員一致によらなければならないことが内閣法で規定されている。

3 内閣総理大臣は、任意に国務大臣を罷免することができ、この罷免権は、内閣総理大臣の専権に属するため、国務大臣の罷免には天皇の認証は必要としない。

4 国務大臣は、その在任中、内閣総理大臣の同意がなければ、訴追されず、内閣総理大臣が同意を拒否した場合には、公訴時効の進行は停止しない。

5 法律及び政令には、全て主任の国務大臣が署名し、内閣総理大臣が連署することを必要とするため、この署名及び連署を欠いた場合には、法律及び政令の効力は否定される。

憲法　裁判所　2024年度 専門 No.5

日本国憲法に規定する違憲審査権に関する記述として、最高裁判所の判例に照らして、妥当なのはどれか。

1　裁判は一般的抽象的規範を制定するものではなく、個々の事件について具体的処置をつけるものであるから、その本質は一種の処分に含まれないとし、違憲審査の対象とならないとした。

2　裁判所が司法権を発動するためには、具体的な争訟事件が提起されることが必要であり、裁判所は具体的な争訟事件が提起されないのに将来を予想して憲法及びその他の法律命令等の解釈に対し存在する疑義論争に関し抽象的な判断を下すごとき権限を行い得るものではないとした。

3　最高裁判所が違憲審査権を有する終審裁判所であることを明らかにした憲法の規定は、下級裁判所が違憲審査権を有することを否定する趣旨をもっているものとした。

4　国会議員の立法行為は、立法の内容が憲法の一義的な文言に違反しているにもかかわらず国会があえて当該立法を行うという容易に想定し難いような例外的な場合に限り、国家賠償法の規定の適用上、違法の評価を受けないものといわなければならないとした。

5　衆議院の解散は、直接国家統治の基本に関する高度に政治性のある国家行為であるが、それが法律上の争訟となり、これに対する有効無効の判断が法律上可能である場合は、かかる国家行為は裁判所の審査権の対象となるとした。

行政法　行政行為

2024年度
専門 No.6

行政法学上の行政行為の分類に関する記述として、通説に照らして、妥当なのはどれか。

1　特許とは、人が本来有していない権利や権利能力等を設定する行為であり、鉱業権設定の許可や公務員の任命がこれにあたる。

2　確認とは、特定の事実や法律関係の存否を、公の権威をもって判断し、確定する行為であり、選挙人名簿への登録や市町村の境界の裁定がこれにあたる。

3　認可とは、第三者の行為を補充して、その法律上の効果を完成させる行為であり、農地の権利移転の許可や公有水面埋立の竣功（しゅんこう）の認可がこれにあたる。

4　許可とは、法令による一般的禁止を特定の場合に解除する行為であり、道路の占有許可や河川占有権の譲渡の承認がこれにあたる。

5　下命とは、作為、給付又は受忍の義務を課す行為であり、違法建築物の除却命令や納税の督促がこれにあたる。

行政法	行政行為	2024年度 専門 No.7

行政法学上の行政行為の瑕疵に関するＡ～Ｄの記述のうち、最高裁判所の判例に照らして、妥当なものを選んだ組合せはどれか。

Ａ　行政処分の瑕疵が明白であるというのは、処分の要件の存在を肯定する処分庁の認定が、処分成立の当初から、誤認であることが外形上、客観的に明白である場合を指し、瑕疵が明白であるかどうかは、処分の外形上、客観的に、誤認が一見看取し得るものであるかどうかにより決すべきものであって、行政庁が怠慢により調査すべき資料を見落としたかどうかは、処分に外形上客観的に明白な瑕疵があるかどうかの判定に直接関係を有するものではないとした。

Ｂ　行政処分の無効原因の主張としては、処分庁の誤認が重大・明白であることを抽象的事実に基づいて主張すべきであるが、地上に堅固な建物が建っているような純然たる宅地を農地と誤認して買収したという具体的な処分に重大・明白な瑕疵があると主張したり、又は、処分の取消原因が当然に無効原因を構成するものと主張することで足りると解すべきであるとした。

Ｃ　課税処分に課税要件の根幹に関する内容上の過誤が存し、徴税行政の安定とその円滑な運営の要請を斟酌（しんしゃく）してもなお、不服申立期間の徒過による不可争的効果の発生を理由として被課税者に処分による不利益を甘受させることが、著しく不当と認められるような例外的事情のある場合であっても、当該処分は、当然無効と解しないのが相当であるとした。

Ｄ　法人税青色申告についてした更正処分の通知書が、各加算項目の記載をもってしては、更正にかかる金額がいかにして算出されたのか、それが何ゆえに会社の課税所得とされるのか等の具体的根拠を知るに由ない場合、更正の付記理由には不備の違法があるが、その瑕疵は後日これに対する審査裁決において処分の具体的根拠が明らかにされたとしても、それにより治癒されるものではないと解すべきであるとした。

1　Ａ　Ｂ

2　Ａ　Ｃ

3　Ａ　Ｄ

4　Ｂ　Ｃ

5　Ｂ　Ｄ

行政代執行法に規定する代執行に関する記述として、妥当なのはどれか。

1 行政庁は、義務者が文書による戒告を受けて、指定の期限までにその義務を履行しないときは、代執行令書をもって、代執行をなすべき時期及び代執行のために派遣する執行責任者の氏名を義務者に通知しなければならないが、代執行に要する費用の概算による見積額を義務者に通知する必要はない。

2 代執行のために現場に派遣される執行責任者は、その者が執行責任者たる本人であることを示すべき証票を携帯し、要求がなくとも、これを呈示しなければならない。

3 法律により直接に命じられ、又は法律に基づき行政庁により命じられた非代替的作為義務を義務者が履行しない場合において、他の手段によってその履行を確保することが困難なときは、当該行政庁は第三者をしてその履行をさせることができる。

4 行政庁は、非常の場合又は危険切迫の場合において、代執行の急速な実施について緊急の必要があり、文書による戒告と代執行令書による通知の手続をとる暇がないときは、その手続を経ないで代執行をすることができる。

5 代執行に要した費用は、国税滞納処分の例により、これを徴収することができるが、当該費用については、行政庁は、国税及び地方税に優先して、先取特権を有する。

行政事件訴訟法に規定する取消訴訟における原告適格に関するA～Dの記述のうち、最高裁判所の判例に照らして、妥当なものを選んだ組合せはどれか。

A　風俗営業等の規制及び業務の適正化等に関する法律は、善良の風俗と清浄な風俗環境を保持することを目的としており、同法の風俗営業の許可に関する規定は、一般的公益の保護に加えて、個々人の個別的利益をも保護すべきものとする趣旨を含むと解されるため、風俗営業制限地域に指定された地域に居住する者は、同地域内における当該風俗営業の許可の取消しを求める原告適格を有するとした。

B　文化財保護法及び同法の規定に基づく静岡県文化財保護条例において、文化財の学術研究者の学問研究上の利益の保護について特段の配慮をしていると解し得る規定を見出すことはできないため、同条例による県指定史跡を研究対象としている学術研究者は、当該史跡の指定解除処分の取消しを求める原告適格を有しないとした。

C　自転車競技法施行規則が、場外車券発売施設の設置許可申請者に対し、その敷地の周辺から1,000m以内の地域にある医療施設等の位置及び名称を記載した見取図を添付することを求めているため、当該場外施設の敷地の周辺から1,000m以内の地域において居住し又は事業を営む住民は、一律に当該設置許可の取消しを求める原告適格を有するとした。

D　地方鉄道法第21条による地方鉄道業者の特別急行料金の改定の認可処分について、同条の趣旨は、専ら公共の利益を確保することにあり、当該地方鉄道の利用者の個別的な権利利益を保護することにはないため、当該地方鉄道業者の路線の周辺に居住し通勤定期券を購入するなどしてその特別急行旅客列車を利用している者は、当該認可処分の取消しを求める原告適格を有しないとした。

1　A　B

2　A　C

3　A　D

4　B　C

5　B　D

行政法　損失補償　2024年度 専門 No.10

行政法学上の損失補償に関する記述として、判例、通説に照らして、妥当なのはどれか。

1　損失補償とは、違法な公権力の行使により、特定の者に財産上の特別の犠牲が生じた場合に、その損失を社会全体の負担で補填する制度である。

2　憲法第29条第３項について、法律上損失補償の規定がない場合でも、憲法に基づき直接損失補償請求ができるとする立法指針説が通説とされている。

3　最高裁判所の判例では、公共のために必要な制限によるものは、一般的に当然に受忍すべきものとされる制限の範囲を超えて、特別の犠牲を課したと認められたとしても補償請求の余地はないとした。

4　最高裁判所の判例では、土地収用法における損失の補償は、収用の前後を通じて被収用者の財産価値を等しくならしめるような完全な補償までは必要としないとした。

5　最高裁判所の判例では、憲法は正当な補償と規定しているだけであって、補償の時期については少しも言明していないのであるから、補償が財産の供与と交換的に同時に履行されるべきことを憲法の保障するところではないとした。

民法Ⅰ　制限行為能力者　2024年度 専門 No.11

民法に規定する行為能力に関する記述として、妥当なのはどれか。

1　家庭裁判所は、精神上の障害により事理を弁識する能力を欠く常況にある者については、本人、配偶者、四親等内の親族、未成年後見人、未成年後見監督人、補助人、補助監督人又は検察官の請求により、保佐開始の審判をしなければならない。

2　法定代理人が目的を定めて処分を許した財産は、その目的の範囲内において、未成年者が自由に処分することができるが、目的を定めないで処分を許した財産は処分することができない。

3　家庭裁判所は、保佐人の同意を得なければならない行為について、保佐人が被保佐人の利益を害するおそれがないにもかかわらず同意をしないときは、被保佐人の請求があっても、保佐人の同意に代わる許可を与えることはできない。

4　行為能力の制限によって取り消すことができる行為は、制限行為能力者又はその代理人、承継人若しくは同意をすることができる者に限り、取り消すことができるが、この制限行為能力者には、他の制限行為能力者の法定代理人としてした行為にあっては、当該他の制限行為能力者を含む。

5　被保佐人が、不動産その他重要な財産に関する権利の得喪を目的とする行為をするには、その保佐人の同意を得なければならないが、新築、改築、増築又は大修繕をするには、当該保佐人の同意を得る必要はない。

民法 I　意思表示

2024年度
専門 No.12

民法に規定する意思表示に関する記述として、判例、通説に照らして、妥当なのはどれか。

1　意思表示は、表意者がその真意ではないことを知ってしたときは無効であるが、相手方がその意思表示が表意者の真意ではないことを知り、又は知ることができたときは、その意思表示は有効となる。

2　強迫による意思表示は、取り消すことができるが、善意でかつ過失がない第三者に対抗することができない。

3　表意者の重大な過失による錯誤に基づく意思表示は、相手方が表意者に錯誤があることを知り、又は重大な過失によって知らなかったときに限り、取消しをすることができる。

4　最高裁判所の判例では、通謀による虚偽の意思表示は、必ずしも双方行為に限らず、契約解除のような相手方ある単独行為についても成立し得るとした。

5　意思表示は、その通知が相手方に到達した時からその効力を生ずるが、最高裁判所の判例では、この到達とは、相手方の了知可能な状態に置かれることでは足りず、相手方本人がその通知を受領する必要があるとした。

民法Ⅰ　地上権　2024年度 専門 No.13

民法に規定する地上権に関する記述として、妥当なのはどれか。

1　地上権者が土地の所有者に定期の地代を支払わなければならない場合において、地上権者が引き続き2年以上地代の支払を怠ったときであっても、土地の所有者は、地上権者に地上権の消滅を請求することができない。

2　地上権の成立には、地代を支払わなければならず、地上権を無償で設定することはできない。

3　地上権者は、その権利が消滅した場合に、別段の慣習がないときは、その土地の竹木を収去しなければならないが、その土地を原状に復す必要はない。

4　地上権者が土地の所有者に定期の地代を支払わなければならない場合において、不可抗力により収益に損失があったときは、地上権者は、土地の所有者に地代の免除又は減額を請求することができる。

5　第三者が土地の使用又は収益をする権利を有する場合において、その権利又はこれを目的とする権利を有する全ての者の承諾があるときは、地下又は空間を目的とする地上権を設定することができる。

民法Ⅰ　占有権　2024年度 専門 No.14

民法に規定する占有権に関する記述として、判例、通説に照らして、妥当なのはどれか。

1　所有の意思の有無については、占有者の内心の意思ではなく、占有を成立させた権原又は事情から外形的客観的に判断するため、賃貸借契約における賃借人の占有は自主占有である。

2　最高裁判所の判例では、株式会社の代表取締役が会社の代表者として土地を所持する場合には、土地の直接占有者は当該代表者であって、土地を所持するものと認めるべき特段の事情がない限り、会社は占有者たる地位にないとした。

3　家畜以外の動物で他人が飼育していたものを占有する者は、その占有の開始の時に善意であり、かつ、占有取得時から１箇月以内に飼主から回復の請求を受けなかったときは、その動物について行使する権利を取得する。

4　善意の占有者は、占有物から生ずる果実を取得するが、果実には、天然果実と法定果実のほか、物の使用利益も含まれる。

5　譲渡人が譲受人の占有機関として占有をする場合は、譲受人は占有権を取得するため、占有改定が成立する。

民法Ⅰ　抵当権　2024年度 専門 No.15

民法に規定する抵当権に関する記述として、通説に照らして、妥当なのはどれか。

1　抵当権の順位は、利害関係を有する者の承諾を得ることなく、各抵当権者の合意によって変更することができる。

2　抵当権の譲渡とは、抵当権者が同一の債務者に対する他の債権者の利益のためにその抵当権を譲渡することをいう。

3　抵当権の順位の放棄とは、同一の債務者に対する後順位の抵当権者が先順位の抵当権者の利益のために抵当権の順位を放棄することをいう。

4　地上権を抵当権の目的とした地上権者は、その地上権を放棄することによって、抵当権者に対抗することができる。

5　抵当権は、その担保する債権について不履行があったときでも、その後に生じた抵当不動産の果実には及ばない。

民法Ⅱ　債務不履行　2024年度 専門 No.16

民法に規定する債務不履行に関する記述として、**妥当でない**のはどれか。

1　債務者は、債務の履行について不確定期限があるときは、その期限の到来した後に履行の請求を受けた時又はその期限の到来したことを知った時のいずれか早い時から遅滞の責任を負う。

2　債権者が債務の履行を受けることを拒み、又は受けることができない場合において、その債務の目的が特定物の引渡しであるときは、債務者は、履行の提供をした時からその引渡しをするまで、取引上の社会通念に照らして定まる善良な管理者の注意をもって、その物を保存しなければならない。

3　債務の不履行に対する損害賠償の請求は、これによって通常生ずべき損害の賠償をさせることをその目的とし、特別の事情によって生じた損害であっても、当事者がその事情を予見すべきであったときは、債権者は、その賠償を請求することができる。

4　債務者がその債務について遅滞の責任を負っている間に当事者双方の責めに帰することができない事由によってその債務の履行が不能となったときは、その履行の不能は、債務者の責めに帰すべき事由によるものとみなされる。

5　債務者が、その債務の履行が不能となったのと同一の原因により債務の目的物の代償である権利又は利益を取得したときは、債権者は、その受けた損害の額の限度において、債務者に対し、その権利の移転又はその利益の償還を請求することができる。

民法Ⅱ　債権者代位権

2024年度
専門 No.17

民法に規定する債権者代位権に関する記述として、妥当なのはどれか。

1　債権者は、自己の債権を保全するため必要があるときは、差押えを禁じられた権利を被代位権利として債権者代位権を行使することができる。

2　債権者は、被代位権利を行使する場合において、被代位権利が動産の引渡しを目的とするものであるときは、相手方に対し、その引渡しを自己に対してすることを求めることができない。

3　債権者は、その債権の期限が到来しない間は、保存行為であっても、被代位権利を行使することができない。

4　債権者が被代位権利を行使したときは、相手方は、債務者に対して主張することができる抗弁をもって、債権者に対抗することができる。

5　債権者が被代位権利を行使した場合において、債務者は、被代位権利について、自ら取立てその他の処分をすることはできず、この場合においては、相手方も、被代位権利について、債務者に対して履行をすることができない。

民法に規定する請負又は委任に関する記述として、**妥当でない**のはどれか。

1　注文者の責めに帰することができない事由によって仕事を完成することができなくなった場合において、請負人が既にした仕事の結果のうち可分な部分の給付によって注文者が利益を受けるときは、その部分は仕事の完成とみなされる。

2　注文者が破産手続開始の決定を受けたときは、請負人又は破産管財人は、契約の解除をすることができるが、仕事を完成した後は、請負人は契約を解除することはできない。

3　委任者に対して報酬を請求する特約がある場合において、受任者は、委任者の責めに帰することができない事由によって委任事務の履行をすることができなくなったとき、又は委任が履行の中途で終了したときは、既にした履行の割合に応じて報酬を請求することができる。

4　委任事務の履行により得られる成果に対して報酬を支払うことを約した場合において、その成果が引渡しを要するときは、報酬は、その成果の引渡しと同時に、支払わなければならない。

5　受任者又はその相続人若しくは法定代理人は、委任が終了した場合において、急迫の事情があるときは、委任者又はその相続人若しくは法定代理人が委任事務を処理することができるに至るまで、必要な処分をする義務はない。

民法Ⅱ	賃貸借	2024年度 専門 No.19

民法に規定する賃貸借に関する記述として、判例、通説に照らして、妥当なのはどれか。

1 賃借人は、賃借物の修繕が必要である場合において、賃貸人に修繕が必要である旨を通知したにもかかわらず、賃貸人が相当の期間内に必要な修繕をしないときに限り、その修繕をすることができる。

2 建物の所有を目的とする土地の賃貸借を除く、賃貸借の存続期間は、50年を超えることができないが、契約により、これより長い期間を定めることができる。

3 最高裁判所の判例では、更新料は、賃料と共に賃貸人の事業の収益の一部を構成するのが通常であり、その支払により賃借人は円満に物件の使用を継続することができることからすると、更新料は、一般に、賃料の補充ないし前払、賃貸借契約を継続するための対価等の趣旨を含む複合的な性質を有するものであるとした。

4 最高裁判所の判例では、民法は、賃貸人の承諾なく賃借人から第三者への賃借権の譲渡をしたときは、賃貸人は賃貸借契約を解除することができる旨を定めているが、賃借人が法人である場合において、当該法人の構成員や機関に変動が生じたときは、法人格の同一性が失われることから、当該賃借権の譲渡に当たるとした。

5 最高裁判所の判例では、家屋の賃貸借における敷金契約は、賃貸人が賃借人に対して取得することのある債権を担保するために締結されるものであって、賃貸借契約に付随するものであるから、賃貸借の終了に伴う賃借人の家屋明渡債務と賃貸人の敷金返還債務とは、一個の双務契約によって生じた対価的債務の関係にあり、特別の約定のない限り、同時履行の関係に立つとした。

民法Ⅱ	遺言	2024年度 専門 No.20

民法に規定する遺言に関する記述として、判例、通説に照らして、妥当なのはどれか。

1　成年被後見人が事理を弁識する能力を一時回復した時において遺言をするには、法定代理人の立会いがなければならない。

2　未成年者であっても15歳に達した者は、遺言をすることができ、また、遺言の証人又は立会人となることができる。

3　遺言者は、いつでも、遺言の方式に従って、その遺言の全部又は一部を撤回することができ、また、その遺言を撤回する権利を放棄することもできる。

4　自筆証書遺言をするには、遺言者が、全文、日付及び氏名を自書し、これに印を押さなければならないが、最高裁判所の判例では、遺言の全文、日付及び氏名をカーボン複写の方法で記載したものは、自書の要件に欠けるとした。

5　最高裁判所の判例では、同一証書に２人の遺言が記載されている場合は、そのうちの一方に氏名を自書しない方式の違背があるときでも、当該遺言は、民法により禁止された共同遺言に当たると解するのが相当とした。

ミクロ経済学 | 最適労働供給

2024年度
専門 No.21

ある個人は、１日の時間を全て余暇と労働に充て、この個人の効用関数が、

$U=8\sqrt{L}+Y$ 〔U：効用水準、Y：所得、L：余暇時間〕

で示されるとき、この個人が効用最大化を図った場合の１日の労働時間として、妥当なのはどれか。ただし、実質賃金率は１時間当たり１であるとする。

1　７時間

2　７時間20分

3　７時間40分

4　８時間

5　８時間20分

完全競争市場において、ある財を生産している企業の総費用関数が、

$TC=X^3-6X^2+24X+30$ 〔TC：総費用、$X(X\geqq 0)$：財の生産量〕

で表されるとする。

財の価格が120であるとき、この企業の利潤を最大にする生産量として、妥当なのはどれか。

1 4

2 5

3 6

4 7

5 8

ある独占企業において供給されるある財の生産量をQ、価格をP、平均費用をACとし、この財の需要曲線が、

$$P=36-4Q$$

で表され、また、平均費用曲線が、

$$AC=Q+6$$

で表されるとする。この独占企業が利潤を最大化する場合のラーナーの独占度の値として、妥当なのはどれか。

1 $\frac{1}{2}$

2 $\frac{1}{3}$

3 $\frac{2}{3}$

4 $\frac{1}{4}$

5 $\frac{3}{4}$

ある市場において、需要曲線DD、供給曲線SSが次の図のように与えられているとする。このとき、マーシャル的調整過程において、各均衡点ａ、ｂに関する記述として、妥当なのはどれか。

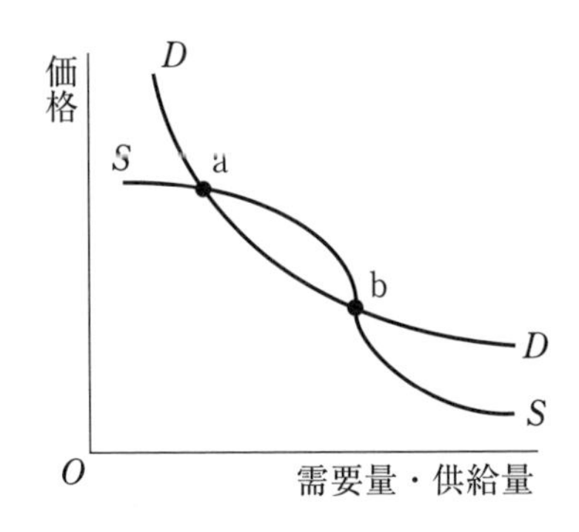

1　a 点は、左方に対しても、右方に対しても不安定である。

2　a 点は、左方に対しても、右方に対しても安定である。

3　a 点は、左方に対しては安定であり、右方に対しては不安定である。

4　b 点は、左方に対しては不安定であり、右方に対しては安定である。

5　b 点は、左方に対しては安定であり、右方に対しては不安定である。

次の表はＡ国とＢ国においてブドウ酒と毛織物を１単位生産するのに必要な労働力の単位数をそれぞれ示したものである。リカードの比較生産費説に従って、Ａ、Ｂ両国がそれぞれ比較優位を持つ商品に特化した場合、ブドウ酒と毛織物の特化による両国合計での生産増加分の単位の組合せとして、妥当なのはどれか。ただし、特化前の生産量は、両国とも、ブドウ酒１単位、毛織物１単位であるものとする。

	ブドウ酒	毛織物
Ａ国	45	40
Ｂ国	50	60

	ブドウ酒	毛織物
1	0.125	0.2
2	0.2	0.125
3	2	2
4	2.125	2.2
5	2.2	2.125

マクロ経済学 | 45度線分析 | 2024年度 専門 No.26

ある国の経済において、マクロ経済モデルが次のように表されているとする。

$Y=C+I+G$	Y：国民所得
$C=0.8(Y-T)+20$	C：消費
$I=20$	I：投資
$G=20$	G：政府支出
$T=45$	T：租税

このモデルにおいて、完全雇用国民所得が140であるとき、完全雇用を実現するために必要となる減税の大きさとして、妥当なのはどれか。

1　5

2　10

3　15

4　20

5　25

次の文は、トービンのq理論に関する記述であるが、文中の空所A～Cに該当する語句又は数式の組合せとして、妥当なのはどれか。

トービンが提唱したq理論は、q＝［ A ］で定義され、qが1よりも大きいときには、投資が［ B ］とした。
なお、［ C ］が存在するため、qは1から乖離(かいり)する。

	A	B	C
1	$\frac{\text{企業の市場価値}}{\text{資本ストックの再取得費用}}$	行われる	加速度原理
2	$\frac{\text{企業の市場価値}}{\text{資本ストックの再取得費用}}$	行われない	加速度原理
3	$\frac{\text{企業の市場価値}}{\text{資本ストックの再取得費用}}$	行われる	調整費用
4	$\frac{\text{資本ストックの再取得費用}}{\text{企業の市場価値}}$	行われない	加速度原理
5	$\frac{\text{資本ストックの再取得費用}}{\text{企業の市場価値}}$	行われる	調整費用

マクロ経済学　信用創造

2024年度
専門 No.28

ある銀行が、500億円の預金を受け入れた場合、この預金をもとに市中銀行全体で派生的に信用創造される預金額として、妥当なのはどれか。ただし、市中銀行の預金準備率は20%とし、常に準備率の限度まで貸出しを行い、預金は途中で市中銀行以外にもれることはないものとする。

1　100億円

2　500億円

3　1,000億円

4　2,000億円

5　2,500億円

ある国の経済において、マクロ経済モデルが次のように表されているとする。

$Y=C+I$
$C=30+0.4Y$
$I=50-r$
$\frac{M}{P}=L$
$L=180+0.2Y-3r$
$M=600$
$Y_F=130$

〔Y：実質国民所得、C：実質消費、I：実質投資
r：実質利子率、M：名目貨幣供給、L：実質貨幣需要
P：物価水準、Y_F：完全雇用実質国民所得〕

このモデルにおいて、経済が完全雇用水準にあるときの物価水準Pとして、妥当なのはどれか。

1　1

2　2

3　3

4　4

5　5

次の表は、ある国の経済活動の規模を表したものであるが、この場合における国民所得の大きさとして、妥当なのはどれか。

民間最終消費支出	700
政府最終消費支出	200
国内総固定資本形成	260
固定資本減耗	180
財貨・サービスの輸出	210
財貨・サービスの輸入	170
間接税	140
補助金	90
海外からの要素所得の受取り	70
海外への要素所得の支払い	60

1 970

2 980

3 1,020

4 1,200

5 1,210

財政学	財政投融資	2024年度 専門 No.31

我が国における現在の財政投融資制度に関する記述として、妥当なのはどれか。

1 財政投融資計画は、財政融資資金法第10条に基づき、財政融資、産業投資、政府保証のそれぞれの予定額を財投機関ごとに計上し策定されるが、国会に提出されない。

2 財政投融資の具体的な資金供給手法は３種類あるが、このうち財政融資は、財投機関が金融市場で発行する債券や借入金を対象に、政府が元利払いに対して行う保証である。

3 財政投融資特別会計国債とは、財政投融資特別会計において、財投機関に対して貸し付けるための資金を調達することを目的に発行される国債である。

4 財投機関債とは、財投機関が金融市場において発行する政府保証のある公募債券であり、財投機関債による資金調達は、財政投融資計画に含まれる。

5 財政投融資は、経済事情の変動などに応じ、機動的かつ弾力的に対応するために、財政融資資金の長期運用予定額は年度内に増額できるが、政府保証の限度額は増額できない。

財政学　地方財政　2024年度 専門 No.32

地方公共団体の財政の健全化に関する法律（財政健全化法）に関するＡ～Ｄの記述のうち、妥当なもののみを全て挙げているのはどれか。

A　地方公共団体は、財政健全化計画を定めたときは、速やかに、これを公表するとともに、都道府県及び指定都市にあっては総務大臣に、市町村及び特別区にあっては都道府県知事に、報告しなければならない。

B　公営企業を経営する地方公共団体の長は、毎年度、当該公営企業の前年度の決算の提出を受けた後、速やかに、資金不足比率及びその算定の基礎となる事項を記載した書類を監査委員の審査に付し、その意見を付けて当該資金不足比率を議会に報告し、かつ、当該資金不足比率を公表しなければならない。

C　総務大臣は、財政健全化団体の財政健全化計画の実施状況を踏まえ、当該財政健全化団体の財政の早期健全化が著しく困難であると認められるときは、当該財政健全化団体の長に対し、必要な勧告をすることができるが、都道府県知事は、必要な勧告をすることはできない。

D　財政健全化計画は、地方公共団体の長が作成し、議会の議決を経て定めなければならないが、財政健全化計画を変更する場合は、議会の議決を経ることを要しないが、議会の意見を聴かなければならない。

1　A

2　A　B

3　C　D

4　A　B　D

5　B　C　D

地方税の原則に関するＡ～Ｄの記述のうち、妥当なものを選んだ組合せはどれか。

Ａ　普遍性の原則とは、税源が偏ることなく存在し、どの地方団体も税収を確保できることが望ましいというものであり、この例として、固定資産税や地方たばこ税がある。

Ｂ　安定性の原則とは、社会の発展と共に拡大する行政需要に対応するために、税収を上げる必要があるというものであり、この例として、地方消費税や自動車税がある。

Ｃ　負担分任の原則とは、行政サービスの受益者である地域住民が、その地方団体の経費を負担し合うというものであり、この考え方から、住民税の課税最低限は、国の所得税よりも低く設定されている。

Ｄ　自主性の原則とは、地方税の課税標準や税率の決定に自主性が認められるべきであるとするものであり、この考え方から、地方団体は、総務大臣の許可を得ることにより、法定外普通税及び法定外目的税を新設することができる。

1　Ａ　Ｂ

2　Ａ　Ｃ

3　Ａ　Ｄ

4　Ｂ　Ｃ

5　Ｂ　Ｄ

財政学	公共財	2024年度 専門 No.34

公共財の理論に関する記述として、妥当なのはどれか。

1　準公共財には、非排除性の性質は有しているが、非競合性の性質を持たないクラブ財や、非競合性の性質は有しているが、非排除性の性質を持たないコモンズがある。

2　サミュエルソンのルールでは、公共財供給の限界費用の総和が、公共財の各個人の限界便益に一致することを、公共財の最適供給の条件としている。

3　リンダール・メカニズムとは、政府が各個人の表示した公共財の水準に応じて負担比率を調整し、全ての個人の公共財需要の表示水準が等しくなるところで、公共財の供給量を決定するものである。

4　クラーク・メカニズムとは、人々に公共財に対する正確な評価を表明させる仕組みであり、自らの評価を偽って過大に申告し、費用負担を避けようとするフリーライダーの問題を解消するために提案されたものである。

5　ナッシュ均衡では、相手の行動を所与として、自らの効用を最大化するように公共財の自発的供給量を決めるため、パレート最適が実現される。

財政学　ジニ係数

2024年度
専門 No.35

あるグループはA～Eの５人で構成され、各人の所得は、Aが４万円、Bが14万円、Cが20万円、Dが28万円、Eが34万円であるとき、このグループのジニ係数の値として、妥当なのはどれか。

1　0.148

2　0.296

3　0.352

4　0.592

5　0.704

経営学	モチベーション理論	2024年度 専門 No.36

モチベーション理論に関する記述として、妥当なのはどれか。

1　マズローは、欲求階層説において、人間の欲求は５段階の階層をなしており、人間は低次の欲求が満たされると、より高次の欲求に動機づけられるが、欠乏欲求である自己実現欲求だけは完全に満たされることはないとした。

2　マグレガーは、目標による管理をＸ理論、伝統的管理をＹ理論と名付け、現代においては低次の欲求はほとんど満たされていることから、Ｘ理論こそが人々の動機づけとして有効であるものとした。

3　ハーズバーグは、二要因理論において、職務に関する満足要因を衛生要因、職務に関する不満足要因を動機づけ要因と呼び、動機づけ要因こそが仕事へのモチベーションを高めるとした。

4　アージリスは、未成熟－成熟理論において、個人と組織の関係について、個人のパーソナリティは能動的な未成熟段階から受動的な成熟段階へ成長するものとし、人間の成熟度という考え方を導入した。

5　アルダファーは、ERG理論において、人間の欲求を生存（Existence）、関係（Relatedness）、成長（Growth）の３つに分類し、それぞれの欲求が同時に存在することもあるとした。

経営学	M&A	2024年度 専門 No.37

企業のM&Aに関する記述として、妥当なのはどれか。

1　LBOとは、企業を買収するために、不特定多数の株主に対して、株式買付けの価格、株数、期間を新聞などで公告した上で、株式市場を通さずに株式を買い集めることである。

2　TOBとは、被買収企業の資産や将来のキャッシュフローを担保として調達した資金によって、企業を買収することである。

3　クラウン・ジュエルとは、敵対的買収に対する防衛策の一つで、買収によって経営陣が退任する際に、多額の割増退職金を支給することをあらかじめ定めておき、買収コストを大きくすることである。

4　ゴールデン・パラシュートとは、敵対的買収に対する防衛策の一つで、第三者の友好的な企業に自社を買収してもらうことである。

5　パックマン・ディフェンスとは、敵対的買収に対する防衛策の一つで、買収を仕掛けられた企業が、買収を仕掛けた企業に対して、逆に買収を仕掛けることである。

経営学　賃金制度

2024年度
専門 No.38

賃金制度に関する記述として、妥当なのはどれか。

1　賃金とは、労働基準法において、賃金、給料、手当、賞与その他名称の如何を問わず、労働の対償として使用者が労働者に支払う全てのものをいう。

2　職務給とは、労働者が担当する職務を基準として、その価値に応じて決定される賃金をいい、日本では多くの企業で採用されているが、適切に運用されないと年功的賃金になるという問題点が指摘されている。

3　職能給とは、労働者の職務遂行能力を基準として決定される賃金をいい、欧米で広く採用されているが、この能力は、顕在的な能力に限られ、潜在的な能力は含まない。

4　年功給とは、賃金を１年単位で決める制度であり、前年度の業績、仕事の役割、能力等が重視されるため、公正で納得性の高い目標管理制度が不可欠である。

5　ベースアップとは、賃金表あるいはその他の一定の昇給基準に基づいて、毎年１回以上定期的に行われる賃金を引き上げる制度であり、日本では広く実施されている。

コトラーの競争戦略に関するA～Dの記述のうち、妥当なもののみを全て挙げているのはどれか。

A　リーダーとは、最大の市場シェアの企業であり、自社のシェアを維持、拡大し、市場全体を拡大させることを戦略目標とする。

B　フォロワーとは、業界２番手の企業で、リーダーに挑戦している企業であり、リーダーとの差別化を図ることを戦略目標とする。

C　ニッチャーとは、リーダーに追随する企業であり、上位企業を模倣化することを戦略目標とする。

D　チャレンジャーとは、すきま市場で独自の製品・サービスを提供している企業であり、狭いセグメントに集中化することを戦略目標とする。

1　A

2　A　B

3　C　D

4　A　B　D

5　B　C　D

国際経営の理論に関する記述として、妥当なのはどれか。

1　パールミュッターは、経営者の姿勢が多国籍企業の発展において重要であると考え、経営者の姿勢に基づいて、本国志向型、現地志向型、地域志向型、世界志向型という４つのパターンに分類するEPRGプロファイルを提示した。

2　ドーズは、組織構造の変化や意思決定権の所在から、国内企業、輸出志向企業、国際企業、多国籍企業、超多国籍企業、超国家企業の６段階で、企業の国際化が進展していくとした。

3　バーノンは、活動の配置と活動の調整によって国際戦略を類型化し、このうち活動が集中し、調整が高いものをシンプル・グローバル戦略、活動が分散し、調整が低いものをマルチ・ドメスティック戦略とした。

4　バートレットとゴシャールは、プロダクトサイクル・モデルで、製品のライフサイクルの変化に伴い、先進国から他の国へと生産拠点が移転していくプロセスを通して、経営の国際化を説明した。

5　フェアウェザーは、グローバルな効率性、現地環境への適応、イノベーションと学習という３つの課題を同時に達成できる組織として、トランスナショナル企業を提唱した。

政治学　福祉国家　2024年度 専門 No.41

エスピン＝アンデルセンの福祉国家論に関するＡ～Ｄの記述のうち、妥当なもののみを全て挙げているのはどれか。

Ａ　エスピン＝アンデルセンは、「福祉資本主義の三つの世界」を著し、福祉国家を類型化し、福祉レジーム論を唱えた。

Ｂ　エスピン＝アンデルセンは、福祉国家を、自由主義レジーム、保守主義レジーム、社会民主主義レジームの３つに分類されるとした。

Ｃ　エスピン＝アンデルセンは、「福祉国家と平等」を著し、福祉国家は、経済水準の発展とともに進展するとの収斂(しゅうれん)理論を唱えた。

Ｄ　エスピン＝アンデルセンは、階層化、脱家族化の２つの指標を用いて、福祉国家を分析し、その後、新たに脱商品化という指標を加えた。

1　Ａ

2　Ａ　Ｂ

3　Ｃ　Ｄ

4　Ａ　Ｂ　Ｄ

5　Ｂ　Ｃ　Ｄ

比例代表制の選挙において、A党は8,000票、B党は5,400票、C党は3,200票、D党は2,500票の得票があった。議席数が13議席である場合、ドント式による議席配分方法でA党、B党、C党及びD党が獲得する議席数の組合せとして、妥当なのはどれか。

	A党	B党	C党	D党
1	5議席	3議席	3議席	2議席
2	5議席	4議席	2議席	2議席
3	5議席	4議席	3議席	1議席
4	6議席	3議席	2議席	2議席
5	6議席	4議席	2議席	1議席

イデオロギーに関するＡ～Ｄの記述のうち、妥当なものを選んだ組合せはどれか。

Ａ　自由主義は、17世紀のイギリスにおいてロックらによって政治的自由主義の教説として成立し、私有財産の擁護という要素を含んでいたこともあって、都市の商工業者を中心に広まり、市民革命のイデオロギーとなった。

Ｂ　社会主義は、古くから漠然とした形で存在していたが、18世紀頃に自由主義の挑戦を受けて自覚的な政治思想となったもので、代表者であるマルクスは、伝統的秩序や伝統的価値体系を尊重し、一般市民の政治参加の強化・拡大を積極的に進めた。

Ｃ　保守主義は、資本主義を批判し、労働者階級のために生産手段の社会的所有をめざしたもので、体系だった保守主義を確立したのはE.バークであり、その思想は、労働者階級のイデオロギーとして多大な影響力を及ぼした。

Ｄ　ファシズムは、狭義ではイタリアにおけるムッソリーニ指導下の政治体制やイデオロギーをいうが、広義では民族主義的急進運動をいい、近代の個人主義の全面否定が特徴であり、一党独裁による指導者と被指導者との一体化を図る指導者原理が基本となる。

1　Ａ　Ｂ

2　Ａ　Ｃ

3　Ａ　Ｄ

4　Ｂ　Ｃ

5　Ｂ　Ｄ

政治学 | 日本の政治思想 | 2024年度 専門 No.44

近代日本の政治思想家に関する記述として、妥当なのはどれか。

1 福沢諭吉は、「文明論之概略」を著し、民友社を結成して啓蒙思想家として活躍し、脱亜論を唱えた。

2 徳富蘇峰は、政教社を創立し、雑誌「国民之友」の創刊を行い、平民主義を唱えたが、後に帝国主義を主張した。

3 中江兆民は、ルソーの「社会契約論」を翻訳した「民約訳解」を著し、自由民権運動に理論的影響を与えた。

4 陸羯南は、新聞「国民新聞」の創刊や「近時政論考」を著し、国民主義を表明して、藩閥政治を批判し、立憲主義を擁護した。

5 幸徳秋水は、「廿世紀之怪物帝国主義」を刊行し、日露戦争時には平民社を結成して新聞「日本」を創刊し、非戦論を唱えた。

現代政治学に関するA～Dの記述のうち、妥当なものを選んだ組合せはどれか。

A　ウォーラスは、「政治における人間性」を著し、人間が自己の利害に沿って合理的に行動するものとする主知主義を批判して、人間の非合理的行動も含めて政治を分析すべきであるとした。
B　コーンハウザーは、「大衆社会の政治」を著し、政治システムは、環境からの要求という入力を受けると、それに対応した政策を決定して、環境へと出力し、その政策が要求に合致したものならば、支持となって表れるとした。
C　ベントレーは、「統治過程論」を著し、制度論的政治学を「死せる政治学」と呼んで批判して、政治を諸集団の対立と相互作用、政府による調整の過程と捉えた。
D　リースマンは、「世論」を著し、マス・メディアからの情報で出来事を認識している環境を現実環境と呼び、人々が情報を単純化したり歪曲(わいきょく)したりすることをステレオタイプと呼んだ。

1　A　B

2　A　C

3　A　D

4　B　C

5　B　D

次のA～Dのうち、内閣府設置法に規定する内閣府に置かれる委員会として、妥当なもののみを全て挙げているのはどれか。

A　個人情報保護委員会
B　公安審査委員会
C　原子力規制委員会
D　公害等調整委員会

1　A

2　A　B

3　C　D

4　A　B　D

5　B　C　D

行政学	政策過程論	2024年度 専門 No.47

次の文は、NPMに関する記述であるが、文中の空所A～Cに該当する語の組合せとして、妥当なのはどれか。

NPMは、民間企業における経営手法などを行政に導入して、行政の効率化を図る考え方である。

日本では、1999年に「民間資金等の活用による公共施設等の整備等の促進に関する法律」が成立し、民間の資金、経営能力を活用して公共施設等の建設、維持管理、運営等を行う［　A　］が導入されている。また、［　B　］は、イギリスの［　C　］を参考にして創設され、政策の企画立案機能と実施機能を分離し、実施部門の効率性を図る制度である。

	A	B	C
1	指定管理者制度	独立行政法人	エージェンシー制度
2	指定管理者制度	市場化テスト	SPC
3	PFI	独立行政法人	エージェンシー制度
4	PFI	市場化テスト	SPC
5	PFI	市場化テスト	エージェンシー制度

アリソンの政策決定論に関するA～Dの記述のうち、妥当なもののみを全て挙げているのはどれか。

A　アリソンは、「決定の本質」を著し、キューバ危機を分析し、政策決定に関する3つのモデルを提示した。

B　政府内（官僚）政治モデルでは、政府を単一の行為主体として捉え、政府は、情報と計算能力を持ち、国益の最大化を選択するとされる。

C　組織過程モデルでは、政策決定は、組織の個々のプレーヤー間での駆け引きや妥協の結果であるとされる。

D　合理的行為者モデルでは、政府は、複数の組織の緩やかな連合体であり、組織内の標準作業手続きに基づいて政策決定するとされる。

1　A

2　A　B

3　C　D

4　A　B　D

5　B　C　D

行政学	現代組織論	2024年度 専門 No.49

バーナードの組織論に関する記述として、妥当なのはどれか。

1　バーナードは、「経営行動」を著し、組織とは、２人以上の人々の意識的に調整された活動や諸力の体系と定義し、協働システムの中核に含まれるものであるとした。

2　バーナードは、組織編成は、命令系統の一元化の原理、統制範囲の原理、同質性による分業の原理の３つの原理から成り、組織はこの原理の組合せによって編成されるべきであるとした。

3　バーナードは、組織が存続するためには有効性と能率性の２つが必要であり、有効性とは、組織への参加者の貢献を確保する能力、組織のメンバーの欲求を満たす度合いであるとした。

4　バーナードは、権威には、機能の権威と地位の権威の２つがあり、機能の権威とは、権威による支配のことであり、この権威とは、上司の職務に関する十分な知識や部下の信頼であるとした。

5　バーナードは、組織の意思決定の前提を、価値前提と事実前提に分けて考えたが、組織の上位にいくほど、意思決定には価値前提の占める部分が増えるとした。

我が国の地方自治における直接請求制度に関するA～Dの記述のうち、妥当なもののみを全て挙げているのはどれか。

A　条例の制定又は改廃請求は、普通地方公共団体の長に対してすることができるが、その請求の対象からは、地方税の賦課徴収並びに分担金、使用料及び手数料の徴収に関する条例が除かれている。

B　事務の監査請求は、普通地方公共団体の監査委員に対してすることができるが、その請求の対象は、違法又は不当な公金の支出など財務会計上の行為に限定されている。

C　普通地方公共団体の長の解職請求は、当該普通地方公共団体の議会の議長に対してすることができ、当該請求があった場合、議会の議長は、これを議会に付議し、その結果、議員の３分の２以上の者が出席し、その４分の３以上の者の同意があったときには、長はその職を失う。

D　普通地方公共団体の議会の解散請求は、当該普通地方公共団体の長に対してすることができ、当該請求があった場合、当該普通地方公共団体の選挙管理委員会は、これを選挙人の投票に付さなければならず、この解散の投票において過半数の同意があったときには、議会は解散する。

1　A

2　A　B

3　C　D

4　A　B　D

5　B　C　D

社会学　社会集団

2024年度
専門 No.51

社会集団の類型に関する記述として、妥当なのはどれか。

1　ギュルヴィッチは、成員相互の結合の性質により、社会集団をゲマインシャフトとゲゼルシャフトに分類した。

2　ギディングスは、集団の成立契機により、社会集団を生成社会と組成社会に分類した。

3　サムナーは、成員の関心の充足度により、社会集団をコミュニティとアソシエーションに分類した。

4　テンニースは、成員相互の接触の仕方により、社会集団を第一次集団と第二次集団に分類した。

5　クーリーは、成員の心理的特質により、社会集団を内集団と外集団に分類した。

ブルデューの階級の理論に関するＡ～Ｃの記述のうち、妥当なもののみを全て挙げているのはどれか。

Ａ　ブルデューは、アルジェリアの文化を調査、分析、研究し、「メリトクラシー」を著した。

Ｂ　ブルデューは、文化資本は、客体化された文化資本、制度化された文化資本、身体化された文化資本の３つに分類されるとした。

Ｃ　ブルデューは、文化資本が、親から子へ受け継がれることによって、不平等な階級構造が再生産されるとした。

1　Ａ

2　Ｂ

3　Ａ　Ｂ

4　Ａ　Ｃ

5　Ｂ　Ｃ

社会学	社会変動論	2024年度 専門 No.53

社会変動論に関する記述として、妥当なのはどれか。

1　コントは、人間精神が神学的段階から形而(じ)上学的段階を経て実証的段階へと発展するのに対応して、社会は軍事的段階から産業的段階を経て法律的段階へと発展するという３段階の法則を唱えた。

2　スペンサーは、社会進化論の立場に立ち、社会は、複合社会から単純社会へ、また、軍事型社会から産業型社会へと進化するとした。

3　オグバーンは、非物質文化は物質文化よりも変動が速いため、それぞれの文化の間にずれが生じ、社会に不調和をもたらすという文化遅滞の現象を指摘した。

4　ロストウは、社会の産業化について、伝統的社会から、離陸のための先行条件期、離陸期、成熟への前進期を経て、高度大衆消費時代へ至るとする経済成長段階説を主張した。

5　ベルは、脱工業社会とは、経済ではサービスの生産から財貨の生産へと比重が移行し、職業分布では専門職・技術職階層が優位に立つ社会であるとした。

次の文は、ラベリング理論に関する記述であるが、文中の空所A～Dに該当する語又は人物名の組合せとして、妥当なのはどれか。

ラベリング理論は、「アウトサイダーズ」の著者である［A］が提唱したもので、その著書において、［B］は、これを犯せば逸脱となるような［C］をもうけ、それを特定の人々に適用し、彼らにアウトサイダーのレッテルを貼ることによって逸脱を生み出すとした。さらに、この観点からすれば、逸脱とは人間の行為の性質ではなくて、むしろ、他者によってこの［C］と制裁とが、［D］に適用された結果なのであるとした。

	A	B	C	D
1	H.S.ベッカー	社会集団	規則	違反者
2	E.ゴッフマン	社会集団	烙（らく）印	逸脱者
3	E.ゴッフマン	法律	規則	逸脱者
4	E.ゴッフマン	法律	烙（らく）印	違反者
5	H.S.ベッカー	法律	烙（らく）印	違反者

社会学 | 社会調査 | 2024年度 専門 No.55

社会調査に関する記述として、妥当なのはどれか。

1 参与観察法とは、自伝や日記などの個人的記録や生活記録を用いて、個人の生涯を社会的文脈と関連づけて調査者が記録する方法である。

2 面接調査法とは、調査対象者を一堂に集めて、調査票を配布し、調査員が説明して、その場で調査対象者に回答してもらう方法である。

3 標本調査とは、調査対象の一部分をサンプルとして抽出して行われる調査であり、無作為抽出法による調査であれば、標本誤差は生じることはない。

4 留置法とは、調査員が調査対象者を訪問して調査票を配布し、後日再訪問してその回収を行う方法であり、原則として自記式である。

5 生活史法とは、調査者自身が、調査対象集団の一員として振る舞い、人々と生活を共にしながら多角的に観察する方法である。

2024年度 解答解説

〈冊子ご利用時の注意〉

この色紙を残したまま、ていねいに抜き取り、ご利用ください。

また、抜き取りの際の損傷についてのお取替えはご遠慮願います。

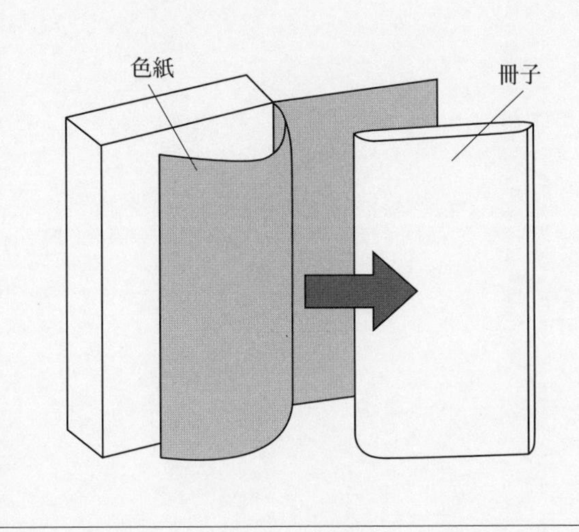

TAC出版

2024年度　教養試験　解答解説

No.1　正解　2　TAC生の正答率 57%

1　×　第1段落の内容と合致するものの、どうしたら小説がつまらなくなるかについて述べているに過ぎないため、主旨とはいえない。

2　○　第2段落の内容と合致しており、小説家（我々）がなすべきことについての言及もあるため、主旨としてふさわしい。

3　×　第2段落末尾の内容と合致するものの、本文は「小説家の力量」が何で決まるかが主題ではないため、主旨とはいえない。

4　×　最終段落冒頭の内容と合致するものの、本文は小説家がなすべきことを中心に述べられているため、読者についてのみに言及している本肢は主旨とはいえない。

5　×　最終段落の内容と合致するものの、「どうしてわざわざそんなこと（小説を読むことで自分事のようにリアルに「体験」すること）をしなくてはならないのか？」に対する答えを述べているに過ぎない。この問いは本文の主題ではないため、主旨とはいえない。

No.2　正解　4　TAC生の正答率 26%

1　×　第3段落の内容と合致するものの、第9段落には「あなたがいま何歳であっても、…どんな状況にあっても」とも述べられており、本肢の「これまでどれだけ不運だったとしても」という点は「どんな状況にあっても」の一例に過ぎないことがわかる。したがって、主旨とはいえない。

2　×　第4段落の内容と合致するものの、第10段落には「自分らしく生きること…なによりの目的」とも述べられており、筆者が「面白い人生」を生きることのみを重要視しているわけではないことがわかる。したがって、主旨とはいえない。

3　×　第6段落の内容と合致するものの、直後には「そのうえで…」、次の段落には「さらに…」と続くため、本肢の内容だけを重要視しているのではないことが読み取れる。したがって、主旨とはいえない。

4　○　第8段落と合致しており、主旨としてもふさわしい。冒頭に「運命は、自分で選び取ることができます」とあり、その選択肢は毎日与えられているという主張だと読み取ることができる。

5　×　最終段落の内容と合致するものの、幸せに生きている人と会うと人がどうなるかという点が本文の主題ではないため、主旨とはいえない。

No.3　正解　5　TAC生の正答率 43%

1　×　第4段落の内容と合致するものの、第5段落には、正しい意見には従う、間違った意見には従う必要はない、という教えも述べられており、本肢はその点には踏み込んでいないため、主旨として不十分である。

2　×　第7段落の内容と合致するものの、直後には「さらに…尊敬も必要なのです」と続くため、本肢の内容だけを重要視しているのではないことが読み取れる。したがって、主旨とはいえない。

3　×　第８段落の内容と合致するものの、第９段落には「…きびしさも、忘れたくないと思います」とあるように、本肢の内容だけを重要視しているのではないことが読み取れる。したがって、主旨とはいえない。

4　×　第９段落の内容と合致するものの、本文は「したがって…」と続いているため、本肢の内容は、「きびしさも、忘れたくないと思」う理由を述べている内容に過ぎない。

5　○　最終段落の内容と合致しており、主旨としてふさわしい。自分が聞きたくない意見について、自分の取るべき道を、より明確にしてくれるものだと筆者は述べている。それは、第５段落にある「正しい意見」だと考えることができる。

No.4　正解　2

TAC生の正答率　86%

まず、選択肢からＡが冒頭であることがわかる。また、Ａ、Ｂは「器物」を、Ｃ、Ｆ、Ｇは「法則」を話題にしていることがわかる。Ｅは逆接の接続詞「だが」から始まり、「美しさはどこにも存在しない」とあるため、直前には「美しさ」に関する内容がくると推測できる。つまり、Ｂ→Ｅとなる。Ａも「器物」を話題にしているため、Ａ「見棄てられた器物」→Ｄ「見る者が見たら甦る」という対比する内容になることが推測できる。Ａ→Ｄ、Ｂ→Ｅが含まれるのは**2**と**3**である。

次にＣ、Ｆ、Ｇであるが、Ｆには「彼」、Ｇには「その法則」とあるので、それらが話題の最初にくる可能性は低い。したがって、Ｃが最初にくると推測できる。また、Ｇは逆接の接続詞「だが」から始まり、「その法則」とある。「その法則」はＦで述べられている彼以前に働いていた法則のことを指すと考えられるため、Ｆ→Ｇとなる。Ｆの「彼」が指す男性はニュートンしか出ていないため、Ｃ→Ｆ→Ｇとなる。これは、ニュートンが法則を見出したから、我々がその存在を認識しているという内容である。これは、Ａ→Ｄ（見棄てられた器物でも見る者が見たら甦る）、Ｂ→Ｅ（美しい器物でも見得ない者にとっては美しさは存在しない）で述べられている内容と類似する。

したがって、**2**が正答としてふさわしい。

No.5　正解　4

TAC生の正答率　48%

Ａには「代償」が入る。空欄前には、地域の力が地域生活から削がれていったとあり、それがアメニティ（快適な環境）を得ることの何かだと述べられている。空欄後に「一人ひとりの暮らしに大きなダメージを与えるものだった」ともあるため、目的を達するために、犠牲にしたり失ったりするものを表す「代償」が当てはまると考えられる。「対価」とは、他人に財産・労力などを提供した報酬として受け取る財産上の利益のことである。利益は得ていないため当てはまらない。

Ｂには「希望」が入る。しがらみのない機能的な暮らしに憧れる若い世帯にとって創設時の団地がどのような空間だったのかを考えればよい。「理想」とは人がそうあってほしいと思う最高の状態のことをいい、「希望」とはあることの実現をのぞみ願うことをいう。両者の違いはほとんどないため、ＡとＣで絞り込む必要がある。

Ｃには「新鮮」が入る。筆者のいた団地に遊びに来た二回りほど若い友人たちが、眼を輝かせて仕様の細部まで見て回るという様子から、物事に今までにない新しさが感じられるさまを意味する「新鮮」がふさわしい。「斬新」とは趣向や発想などがきわだって新しいさまであり、昭和の空気のある団地には当てはまらない表現である。空欄直前に「ちょっと縮んだ空間」とはあるものの、友人が目を輝かせている様子と矛盾するため、「窮屈」も当てはまらない。

No.6　正解　2　TAC生の正答率 51%

1 × 後半の内容が誤り。老人が可哀そうに思ったのは、「飛魚」ではなく、「鳥（特にアジサシ）」である（第1段落参照）。

2 ○ 第1段落「The birds have a harder life than we do except for the robber birds and the heavy strong ones.」の内容と合致している。

3 × 前半の内容が誤り。第1段落には「Why did they make birds so delicate and fine as those sea swallows when the ocean can be so cruel?」とあり、「海はとても残酷なのに」と述べられている。

4 × 「エル・マルと女性風に」という箇所が誤り。第2段落には「as *el mar* which is masculine」、つまり「男性風」に呼んだとある。

5 × 後半が誤り。第2段落には「But the old man always thought of her as feminine」とあり、老人は海を常に女性的なものと考えていたことが読み取れる。

[訳　文]

暗闇の中、老人は朝が来るのを感じ、漕ぎながら、飛魚が水から離れるときの震える音と、飛魚が暗闇の中で飛び立つときに硬く固まった翼が発するシューという音を聞いた。飛魚は海上で一番の友達だったので、彼は飛魚がとても好きだった。彼は鳥達、特にいつも飛んでえさを探しているのにほとんど見つからない、小さな繊細な暗い色のアジサシを可哀そうだと思った。そして彼は思った、「泥棒鳥や大きくて強い鳥を除けば、鳥は私達よりもつらい生活をしている。海はとても残酷であるのに、なぜ鳥を海燕のようにひ弱く華奢に造ったのだろうか。海は優しくてとても美しい。しかし、海はとても残酷で、突然そのようになる。そして、小さな悲しい声で飛び、水に浸かり、狩りをする鳥は、海にはあまりにも繊細に造られている」と。

彼はいつも海を「ラ・マル」と考えていた。人々が海を愛するときにスペイン語で海をそう（女性風に）呼ぶ。時には海を愛する人たちが海の悪口を言うこともあるが、彼らはいつも海が女性であるかのように言う。若い漁師の中には、ブイを糸の浮きとして使う者や、サメの肝臓が大金になったときに買ったモーターボートを持っていた者がいたが、彼らは海のことを男性風に「エル・マル」と呼んでいた。彼らにとって海は競争相手、場所、あるいは敵でさえあった。しかし老人はいつも海を女性的なものであり、好意を与えたり遠ざけたりするものだと考えていたし、もし海が荒々しい邪悪なことをしたとしても、それは海にはどうすることもできなかったからだ。月は女性と同じように海にも影響を与えると彼は考えた。

[語　句]

cruel：残酷な　　contestant：競争相手

No.7　正解　2　TAC生の正答率 61%

1 × 第1段落末尾には「what would that prove?」とあり、筆者はそれが何の証明になるのかと疑問を呈している。また、第2段落冒頭には、誰も見たことがなくても、いない証明にはならないと述べられている。

2　○　第2段落末尾の内容と合致している。

3　×　第3段落には、赤ちゃんのガラガラには、目に見えない世界を覆うベールがあり、壊すことができないと述べられている。

4　×　正反対の内容の選択肢である。第3段落には、信じる心、詩などだけが、崇高で気高く美しいものを見ることができると述べられている。

5　×　最終段落には「子どもの心」を喜ばせ続けるとはあるが、「大人の心」については述べられていない。

[訳　文]

サンタクロースを信じないなんて！　それは妖精の存在を信じないようなものだ！　クリスマスイブにサンタクロースを捕まえるために、全ての煙突を見張る人たちをお父さんに雇ってもらうかもしれないが、たとえサンタクロースが降りてくるのを見なかったとしても、それが何の証明になるだろうか？

サンタクロースの姿を見たことは誰もないが、それはサンタクロースがいないという証拠にはならない。世界で最も本当のことは、子どもにも大人にも見ることができないものだ。妖精が芝生の上で踊っているのを見たことがあるかい？　もちろん、ないだろう。だが、だからといって彼らがいないという証拠にはならない。この世には、これまで目にすることがなかったり、見えなかったりする不思議なものがあり、その全てを理解できたり、想像できたりするわけではない。

赤ん坊のガラガラを分解して、中で何が鳴っているのかを確認したとしても、そこには目には見えない世界を覆うベールがあり、どんな最強の男でも、最強の男たちすべての団結した力でさえも分解することはできない。信じる心、詩、愛、夢のような物語だけが、そのカーテンを押し開き、その先にある崇高な美と栄光を見て、思い描くことができる。それは全て本当なのかって？　ああ、バージニア、この世界には、これ以外に本当で不変のものは何もないよ。

サンタクロースがいないなんて！　やれやれ！　彼は生きていて、永遠に生き続ける。今から千年後、いやそれどころか、10万年後も、彼は子どもの心を喜ばせ続けるんだ、バージニア。

[語　句]

conceive：思いつく、考える　　faith：信念

No.8　正解　4　　TAC生の正答率　49%

アには「rejoices（喜ぶ）」が入る。空欄直前に、自分の能力に誇りを持っていることが述べられているので、他者からの賞賛に対して、喜ぶという反応が適切だろう。「laments（嘆く）」や「salute（敬礼する、賞賛する）」という反応は不自然である。

イには「laments」が入る。空欄直後に仲間の能力不足とあるので、それに対して嘆くという反応が適切だろう。「rejoices」や「smiles」という反応は不自然である。

ウには「yesterday」が入る。空欄前に、人生を通じて日々進歩するということが述べられているので、昨日という過去よりも上手になるという内容であると推測できる。

エには「today」が入る。ウの内容をもとに推測すべきである。日々進歩するという文脈から、ウの時点よりも先でも上手になるという流れにすべきなので、今日というのが適切だろう。「yesterday」

となっている**1**のウは「today」であり、時系列がおかしい。「everyday」ではウとのつながりが不自然である。

［訳　文］

ある剣客は晩年にこう言った。

人生において、修行の追求には段階がある。最下位の段階では、修行しても何も得られず、自分も他人も未熟だと感じる。この時点で彼は無価値だ。中位の段階ではまだ役に立たないが、自分の不十分さを自覚し、他人の不十分さも見ることができる。より高い段階では、自分の能力に誇りを持ち、他人からの賞賛を【喜び】、そして仲間の能力不足を【嘆く】。この男には価値がある。最上位の段階では、男は何も知らないかのような風貌をしている。

これらは一般的な段階である。しかし、超越的な段階が一つあり、これは全ての中で最も優れている。この人は、ある道に深く入っていくことの果てしなさを自覚しており、自分が最後までいったとは決して考えない。彼は自分自身の不十分さを本当に知っており、生涯を通じて自分が成功したとは決して考えない。自惚れず、謙遜の姿勢で極致にたどりつく道を知っている。かつて、柳生先生は「人に勝つ道は知らず、我に勝つ道を知りたり」と述べたと言われている。

人生を通じて日々進歩し、【昨日】よりも上手に、【今日】よりも上手になる。これには終わりはない。

［語　句］

transcend：超越する　　remark：述べる

No.9　正解　1　　TAC生の正答率 36%

A　○「Diamonds cut diamonds.」は「ダイヤモンドでダイヤモンドをカットする」という意味なので、削るものと削られるものが同じ硬さをもつことから互角の好勝負と解釈できる。「竜虎相搏」も強い者同士が激しく戦うことを意味するので、双方の意味が類似する。

B　×「To fall between two stools.」は「二つの椅子の間に落ちる」という意味なので、二つのうちどちらにも座れないと解釈できる。したがって「二兎を追う者は一兎をも得ず」や「虻蜂取らず」と類似する。

C　○「He cries wine and sells vinegar.」は、「ワインと叫んで酢を売る」という意味なので、羊頭を掲げて狗肉を売る（外見と内実とに大きな差があることのたとえ）を四字熟語にした「羊頭狗肉」と類似する。

D　×「Too much of one thing is not good.」は「一つのものがたくさんありすぎるのはよくない」という意味なので、「過ぎたるは猶及ばざるが如し」と類似する。

E　×「Who knows most speaks least.」は「最も知る者は語ることが最も少ない」という意味なので、「能ある鷹は爪を隠す」と類似する。

AとCが当てはまるため、**1**が妥当である。

No.10　正解　5

TAC生の正答率 38%

問題の条件が、勝敗でなく引き分け数のみであるので、引き分け数に注目したリーグ表を作る。条件ア、ウ、エより、表1のようになる。条件イより、引き分け数が2のBとEは、異なる2チームと1試合ずつ引き分け試合がある。このことから、数字の入ったマスで着色されたマスは「引き分け数が確定」した試合であり、それ以外のマスは「2」の場合もあり得るので「暫定1」である。

表1	A	B	C	D	E	F	全引分数	残り引分数
A		0		1			5	4
B	0			1			2	1
C				1			3	2
D	1	1	1		1	1	6	1
E				1			2	1
F				1			4	3

Bの残る引き分けは1試合で、その相手はC、E、Fのいずれかであるから、ここで場合分けをする。

(i)　BとCが引き分けた場合

残りの引き分けは、Aが4試合、Cが1試合、Dが1試合、Eが1試合、Fが3試合より、これを「A、A、A、A、C、D、E、F、F、F」と書き出して表す（以下の場合分け(ii)、(iii)でも同様）。Aの引き分け相手について、F以外のC、D、Eとそれぞれ引き分けた場合、残りが「A、F、F、F」となるので、引き分け試合はAとF、FとFの対戦組合せしかなくなり不適である。よって、Aは、C、D、Eとの試合のうち2試合引き分けており、Fとは2試合とも引き分けたことになる。判明分を反映させると、表2となる。

表2	A	B	C	D	E	F	全引分数	残り引分数
A		0		1		2	5	2
B	0		1	1	0	0	2	0
C		1		1			3	1
D	1	1	1		1	1	6	1
E		0		1			2	1
F	2	0		1			4	1

(ii)　BとEが引き分けた場合

残りの引き分けは「A、A、A、A、C、C、D、F、F、F」である。Aの引き分け相手について、F以外のC、C、Dとそれぞれ引き分けた場合、残りが「A、F、F、F」となるので、引き分け試合はAとF、FとFの対戦組合せしかなくなり不適である。よって、Aは、C、C、Dとの試合のうち2試合引き分けており、Fとは2試合とも引き分けたことになる。これで残りは「A、A、C、C、D、F」で、Aはこれ以上Fとは引き分けにならないから、Aの残り2つの引き分けは「Cと2試合引き分け」または「C、Dと1試合ずつ引き分け」のいずれかである。どちらであってもCとは1試合引き分けている。判明分を反映させると、表3となる。

表3	A	B	C	D	E	F	全引分数	残り引分数
A		0	1	1	0	2	5	1
B	0		0	1	1	0	2	0
C	1	0		1	0		3	1
D	1	1	1		1	1	6	1
E	0	1	0	1		0	2	0
F	2	0		1	0		4	1

(iii) BとFが引き分けた場合

残りの引き分けは「A、A、A、A、C、C、D、E、F、F」である。Aの引き分け相手について、F以外のC、C、D、Eとそれぞれ引き分けた場合、残りが「F、F」となるので、引き分け試合はFとFの対戦組合せしかなくなり不適である。同様に、C以外のD、E、F、Fとそれぞれ引き分けた場合、残りが「C、C」となるので、引き分け試合はCとCの対戦組合せしかなくなり不適である。よって、Aは、C、Fとはそれぞれ少なくとも1試合引き分けている。判明分を反映させると、表4となる。

表4	A	B	C	D	E	F	全引分数	残り引分数
A		0	1	1		1	5	2
B	0		0	1	0	1	2	0
C	1	0		1			3	1
D	1	1	1		1	1	6	1
E		0		1			2	1
F	1	1		1			4	1

表2、3、4より、AはFとは少なくとも1試合引き分けているので、正解は**5**である。

No.11 正解 5

TAC生の正答率 47%

平文を推測する。暗号文で「緑色」が5単位、「赤色」が3単位であり、「かな」でも「ローマ字」でも文字数と単位数が合わない。そこで、英単語に直すと、「緑色」は「G・R・E・E・N」で5文字、「赤色」は「R・E・D」で3文字となり、暗号文の単位数と合致する。また、英単語の「緑色」の3文字目と4文字目および「赤色」の2文字目の「E」が同じ暗号文の単位「Iお」になっているので、この推測は正しいと判断できる。

Ⅳえ	Ⅲい	Iお	Iお	Ⅱう
G	R	E	E	N

Ⅲい	Iお	Ⅱお
R	E	D

暗号の各単位は「ローマ数字（I/Ⅱ/Ⅲ/Ⅳ/V）」と「かな（あ/い/う/え/お)」の2種類でできているので、これらを縦横にした表を用いて対応させる。暗号文の単位に対応する「G」、「R」、「E」、「N」、「D」を表に入れると、表1のようになる。

アルファベット順で連続している「D」、「E」が隣り合っていることから、「Ⅲお」が「C」、「Ⅳお」が「B」、「Vお」が「A」と推測できる。さらに、「Vえ」が「F」とすると、「え」の列も下からアルファベット順に並ぶことになる。よって、表1の右下を「A」とし、アルファベット順に上方向に並び、上までいったら、次は１つ左の列の下から並ぶ、という順になっていると推測でき、この時点で特に矛盾は生じていない（表２）。

表１	あ	い	う	え	お
Ⅰ					E
Ⅱ			N		D
Ⅲ		R			
Ⅳ				G	
Ⅴ					

表２	あ	い	う	え	お
Ⅰ			O	J	E
Ⅱ			N	I	D
Ⅲ		R	M	H	C
Ⅳ		Q	L	G	B
Ⅴ		P	K	F	A

以上の推測に基づくと、「黒色」は英単語では「B・L・A・C・K」で、暗号では「Ⅳお・Ⅳう・Ⅴお・Ⅲお・Ⅴう」となるので、正解は**5**である。

No.12　正解　1　TAC生の正答率 63%

意見を調整する前の５人の意見は、「４人対１人」または「３人対２人」の場合しかない。

まずは、５人の意見の変化を見ていく。１回目の調整前、意見が「４人対１人」の場合、１回の調整だけで全員が同じ意見になる。よって、１回目の調整前、意見は「３人対２人」であったことになる。１回目で「３人」の方に「２人」の方のうちの１人が意見を変えた場合、「４人対１人」となり、２回目の調整で全員が同じ意見になる。３回調整を行ったので、１回目の調整前の意見は「２人（寿司屋）対３人（焼肉屋）」から始まり、調整ごとに「焼肉屋」のうちの１人が意見を「寿司屋」に変えたことになる。

次に、調整を実施した３人の意見を見ていく。１回目の調整前はA、B、Cのうち２人が「寿司屋」、１人が「焼肉屋」で、１回目の調整で、「焼肉屋」が意見を変えたことになる。２回目の調整では、Dが「焼肉屋」から「寿司屋」、３回目の調整では、Eが「焼肉屋」から「寿司屋」に意見を変えたことになる。

よって、正解は**1**である。

No.13　正解なし　TAC生の正答率 100%

特別区人事委員会からの指示により、本問は掲載を差し控えます。

No.14　正解　2　TAC生の正答率 36%

A、Bがそれぞれの回で出した数字を表で整理する。条件ア、イより、表１のようになる。なお、Aは４枚の奇数を１、３、５、７回目に出したので、残りの４回目と６回目は２または４のいずれかを出したことになる。

表１	１回目	２回目	３回目	４回目	５回目	６回目	７回目
A	奇	6	奇	2／4	奇	4／2	奇
B							1

AとBが出した数字の合計は同じであるから、各回でそれぞれが出した数字の差を合計すると、0になる。条件ウ、エより、Bが勝った４回はいずれも＋１の差であったから合計＋４で、これによ

り、負けた３回の合計が－４で内訳は－１、－１、－２となる。A、Bの出したカードの数字の差が２の場合は偶奇が一致しており、差が１の場合は偶奇が一致していない。差が２であるのは一度だけで、それは表１より７回目となるから、１回目から６回目の２人の偶奇は一致していないことになる（表２）。

表２	１回目	２回目	３回目	４回目	５回目	６回目	７回目
A	奇	６	奇	２／４	奇	４／２	奇
B	偶	奇	偶	奇	偶	奇	１

したがって、この時点で正解は**2**である。なお、続きは以下のようになる。

７回目の差は２であるから、Aが７回目に出したのは３である。また、残りの回の差はすべて１であるから、Bが７を出したのは２回目である（表３）。

表３	１回目	２回目	３回目	４回目	５回目	６回目	７回目
A	奇	６	奇	２／４	奇	４／２	３
B	偶	７	偶	奇	偶	奇	１

１回目、３回目、５回目はこれらを区別する条件がない。同様に、４回目と６回目はこれらを区別する条件がないので、A、Bの数字の組合せだけを考える。１回目、３回目、５回目はAが１、５、７のいずれか、Bが２、４、６のいずれかであるから、差が１になる組合せは（A，B）＝（１，２）、（５，４）、（７，６）である。また、４回目と６回目はAが２、４のいずれか、Bが３、５のいずれかであるから、差が１になる組合せは（A，B）＝（２，３）、（４，５）となる（表４）。

表４	２回目	４／６回目		１／３／５回目			７回目
A	６	２	４	１	５	７	３
B	７	３	５	２	４	６	１

No.15　正解　4　TAC生の正答率 41%

A駅の両隣の駅はA駅からの所要時間が２分または３分であるから、C駅とG駅である。両駅はA駅からの所要時間が同じで、区別する条件がないから入れ替わっても同じである。解説ではA駅の左隣をC駅、右隣をG駅とする。C駅及びG駅の隣の駅は、A駅からの所要時間が４分または５分であるから、I駅及びE駅である。図が左右対称であり、入れ替えても同じであるから、I駅を左側のC駅の隣とする（図１）。

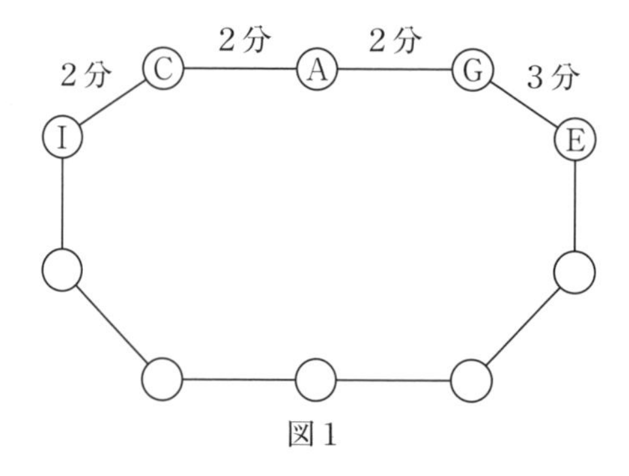

図１

I駅の隣の駅は、A駅からの所要時間が６分または７分であるからD駅であり、D駅の隣の駅は、

A駅からの所要時間が９分または10分であるからF駅である。また、E駅の隣の駅は、A駅からの所要時間が７分または８分で、D駅ではないからＪ駅であり、Ｊ駅の隣の駅は、A駅からの所要時間が10分または11分で、F駅ではないからB駅である（図２）。

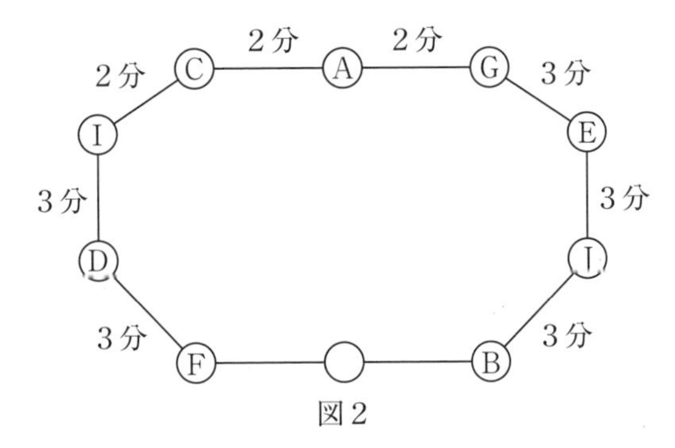

図２

F駅とB駅の間がH駅で、A駅からの所要時間が12分であるから、F側の左回り経路を用いることになる。F駅からH駅の所要時間は２分となる。B駅からH駅の所要時間は不明である（図３）。

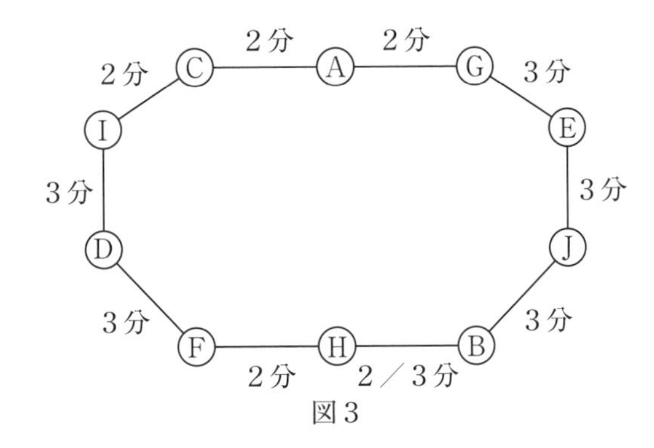

図３

選択肢ごとに所要時間を確認する。

1　B駅からＩ駅までは、右回りで10分または11分、左回りで15分である。
2　D駅からE駅までは、右回りで12分、左回りで13分または14分である。
3　D駅からＪ駅までは、右回りで15分、左回りで10分または11分である。
4　E駅からＩ駅までは、右回りで16分または17分、左回りで９分である。
5　Ｉ駅からＪ駅までは、右回りで12分、左回りで13分または14分である。

以上より、所要時間が最も短いのはE駅からＩ駅の９分となるので、正解は**4**である。

No.16　正解　3　TAC生の正答率 38%

ODとOCに補助線を引く。△AODは二等辺三角形で、∠OAD＝∠ODB＝45°より、∠AOD＝90°である。また、おうぎ形OCDは弧CDの円周角が30°より、中心角（∠COD）＝60°である。

したがって、求める面積は、直角二等辺三角形AODとおうぎ形OCDを足したものから、側辺が６cmで、頂角が150°の二等辺三角形OCAを引いたものとなる。

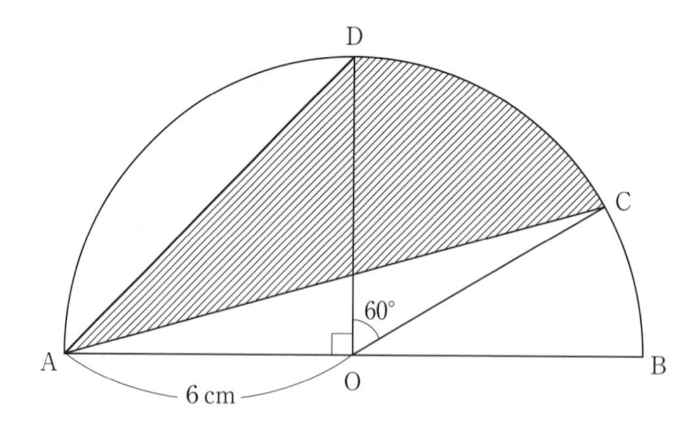

△AODの面積は$\frac{1}{2}\times6\times6=18$[cm²]、おうぎ形OCDの面積は$6^2\times\pi\times\frac{60}{360}=6\pi$ [cm²] である。

△OCAの面積を求める。CからABに垂線を引き、ABとの交点をHとおく。△OCHは30°、60°、90°の直角三角形であり、OC=6cmより、$CH=6\times\frac{1}{2}=3$[cm]となる。よって、△OCAは底辺が6cm、高さが3cmであるので、その面積は$\frac{1}{2}\times6\times3=9$[cm²]となる。

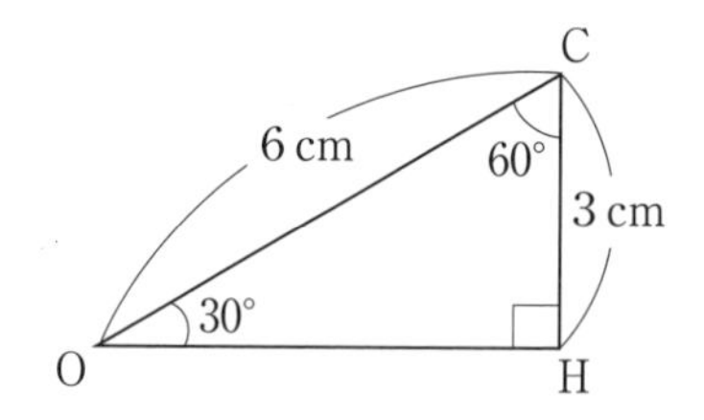

よって、求める面積は$18+6\pi-9=6\pi+9$[cm²]となるので、正解は**3**である。

No.17　正解　4

TAC生の正答率　46%

この電車の1両の乗車定員をx[人]とすると、1両の座席数は$\frac{56}{100}x=\frac{14}{25}x$と表せる。座席数は整数であるから、$x$は25の倍数となる。また、11両では乗客400人ならば全員が座れ、乗客500人では座れない乗客が出ることから、$400\leqq\frac{56}{100}x\times11<500$が成り立つ。この不等式を解くと、$64.9\cdots\leqq x<81.1\cdots$で、これを満たす25の倍数は$x=75$のみである。

よって、11両の電車の座席数は$\frac{56}{100}\times75\times11=462$[席]となるので、正解は**4**である。

No.18　正解　3

TAC生の正答率　56%

条件イについて、移動時間が同じ場合、速さと移動距離は正比の関係にあるので、(Aの速さ) と (Bの速さ) の比は、12：10=6：5となる。同様に、条件アについて、往復40kmで、15km走ったところで先頭の選手とすれ違ったとき、先頭の選手は40－15=25[km]移動したことになる。移動時間が同じ場合、速さと移動距離は正比の関係にあるので、(Aの速さ) と (先頭の選手の速さ) の比は、15：25=3：5となる。(Aの速さ)：(Bの速さ)=6：5、(Aの速さ)：(先頭の選手の速さ)=3：5=6：10より、連比を作ると、(Aの速さ)：(Bの速さ)：(先頭の選手の速さ)=6：5：10となり、これより、（Bの速さ）：（先頭の選手の速さ）＝5：10＝1：2となる。

条件ウについて、移動距離が同じ（スタートからゴールまで）場合、速さと時間は逆比の関係にあるので、（Bの時間）と（先頭の選手の時間）の比は2：1となる。先頭の選手がゴールするまでの時間をx[時間]とすると、Bの時間は（$x+2$）[時間]で、先の比と合わせると、$2:1=(x+2):2$が成り立つ。これを解くと、$x=2$[時間]で、先頭の選手はゴールするまで2時間要したことになる。

同様に、移動距離が同じ（スタートからゴールまで）場合、速さと時間は逆比の関係にあるので、（Aの時間）と（先頭の選手の時間）の比は5：3となる。Aがゴールするまでの時間をy[時間]とすると、$5:3=y:2$が成り立つ。これを解くと$y=\frac{10}{3}=3+\frac{1}{3}$[時間]で、$\frac{1}{3}$[時間]＝20[分]であるから、Aは3時間20分を要したことになる。

よって、正解は**3**である。

No.19　正解　5　TAC生の正答率 30%

静水時のBの速さをx[km/時]とすると、Aの速さは$1.5x$[km/時]となる。また、川の流れの速さをy[km/時]とおく。Aは上流Pから下流Qまでの50kmを移動するのに1時間かかり、Bは下流Qから上流Pまでの50kmを移動するのに2時間かかるから、それぞれ$(1.5x+y)\times 1=50$…①、$(x-y)\times 2=50$…②が成り立つ。①、②を連立させて解くと、$x=30$[km/時]、$y=5$[km/時]となる。

AがQを出発してから（12分＝）$\frac{1}{5}$時間後に船のエンジンが停止したとき、$(45-5)\times\frac{1}{5}=8$より、AはQから8km進んでいる。ここでエンジンが停止したので、Aはここから川の流れの5km/時の速さでQに戻っていくことになる。

よって、エンジンが停止してからQに戻りつくまで$8\div 5=\frac{8}{5}$[時間]かかる。$\frac{8}{5}$時間は、$\frac{8}{5}\times 60=96$[分]であるから、正解は**5**である。

No.20　正解　3　TAC生の正答率 39%

売上げの具体的数値がなく、割合のみで示されているので、基準となる値はどのようにおいてもよい。企業全体の売上げを100とすると、A部門の商品aの売上げは、$100\times 0.36=36$より、36となる。また、これがA部門の売上げの54％を占めていることから、A部門の売上げをxとすると、$x\times 0.54=36$が成り立つ。これを解くと、$x\times\frac{54}{100}=36 \Leftrightarrow x=36\times\frac{100}{54}=\frac{200}{3}$となる。これにより、B部門の売上げは$100-\frac{200}{3}=\frac{100}{3}$となる。よって、B部門の商品bの売上げは、$\frac{100}{3}\times 0.57=\frac{100}{3}\times\frac{57}{100}=19$より、19となる。

以上より、商品bが企業全体の売上げに占める割合は$\frac{19}{100}$より、19％となるから、正解は**3**である。

No.21　正解　4　TAC生の正答率 66%

1　×　令和2年度の国民医療費の合計に占める薬局調剤の国民医療費の割合は、$\frac{76{,}480[\text{億円}]}{307{,}813+30{,}022+76{,}480+7{,}494+3{,}254+4{,}602[\text{億円}]}=\frac{76{,}480}{429{,}665}$である。一方、平成29年度のそれの割合は$\frac{78{,}108[\text{億円}]}{308{,}335+29{,}003+78{,}108+7{,}954+2{,}023+5{,}287[\text{億円}]}=\frac{78{,}108}{430{,}710}$である。$\frac{76{,}480}{429{,}665}$と$\frac{78{,}108}{430{,}710}$の

前者から後者への分母と分子の増分をとると$\frac{78,108-76,480}{430,710-429,665}=\frac{1,628}{1,045}$で、$\frac{76,480}{429,665}$と$\frac{1,628}{1,045}$を比較する。$\frac{76,480}{429,665}<1$、$\frac{1,628}{1,045}>1$より、$\frac{76,480}{429,665}<\frac{1,628}{1,045}$であるから、$\frac{76,480}{429,665}<\frac{78,108}{430,710}$となる。以上より、国民医療費の合計に占める薬局調剤の国民医療費の割合が最も大きいのは、令和２年度ではない。

2　×　令和２年度の医科診療の国民医療費は307,813億円で、令和３年度は324,025－307,813＝16,212[億円]増加しているから、対前年増加率は$\frac{16,212}{307,813}$である。307,813の１％が約3,078で、６％が3,078×6＝18,468であるから、$\frac{16,212}{307,813}$は６％より小さい。一方、令和２年度の療養費等の国民医療費は4,602億円で、令和３年度は4,725－4,602＝123[億円]増加しているから、対前年増加率は$\frac{123}{4,602}$で、その2.5倍は$\frac{123}{4,602}\times2.5=\frac{307.5}{4,602}$である。4,602の１％が約46で、６％が46×6＝276であるから、$\frac{307.5}{4,602}$は６％より大きい。よって、医科診療の国民診療の対前年増加率は、療養費等の国民医療費のそれの2.5倍より大きくはない。

3　×　基準を100としたときの指数が52を上回っているということは、基準の52％を上回っているということと同じである。令和３年度の訪問看護の国民医療費は3,929億円で、その52％は3,929×52％＝3,929×(50＋2)％≒3,929÷2＋39×2≒2,043[億円]である。それに対し、平成29年度の訪問看護の国民医療費は2,023億円であるから、平成29年度の訪問看護の国民医療費は、令和３年度のそれの52％を上回ってはいない。

4　○　令和元年度において、訪問看護の国民医療費の対前年増加額は2,727－2,355＝372[億円]である。一方、入院時食事・生活の国民医療費の対前年減少額は7,917－7,901＝16[億円]で、その25倍は16×25＝400[億円]である。よって、訪問看護の国民医療費の対前年増加額は、入院時食事・生活の国民医療費の対前年減少額の25倍より小さい。

5　×　平成29年度から令和３年度までの５年度における歯科診療の国民医療費の１年度当たりの平均が３[兆円]＝30,000[億円]を下回っているということは、５年度の合計が30,000×5＝150,000[億円]を下回っているということと同じである。５年度の歯科診療の国民医療費の合計は29,003＋29,579＋30,150＋30,022＋31,479＝150,233[億円]であるから、150,000億円を下回ってはいない。

No.22　正解　1　　TAC生の正答率　34%

1　○　平成29年の「紅茶」の輸入量を100とすると、平成30年は＋4.7％の増加であるから、指数は100×(100＋4.7)％＝104.7で、令和元年は＋13.4％の増加であるから、指数は104.7×(100＋13.4)％≒118.7である。100から118.7に増加したので、「紅茶」の増加率は18.7％である。一方、平成29年の「コーヒー豆」の輸入量を100とすると、平成30年は－1.3％の増加であるから、指数は100×(100－1.3)％＝98.7で、令和元年は＋8.8％の増加であるから、指数は98.7×(100＋8.8)％≒107.4である。100から107.4に増加したので、「コーヒー豆」の増加率は7.4％で、その2.3倍は7.4×2.3＝17.02％である。18.7＞17.02より、「紅茶」の増加率は「コーヒー豆」の増加率の2.3倍より大きい。

2　×　平成29年の「緑茶」の輸入量を100とすると、平成30年は＋19.1％の増加であるから、指数は100×(100＋19.1)％＝119.1で、令和元年は－7.2％の増加であるから、指数は119.1×(100－7.2)％≒110.5で、令和２年は－10.8％の増加であるから、指数は110.5×(100－10.8)％＝98.6である。よって、令和２年の「緑茶」の指数は100を上回ってはいない。

3 × 各品目の輸入量の具体的な値が示されていないので、異なる品目の輸入量を比較することはできない。

4 × 平成29年の「ココアペースト」の輸入量を100とすると、平成30年は＋7.7％の増加であるから、指数は100×(100＋7.7)％＝107.7で、令和元年は－1.9％の増加であるから、指数は107.7×(100－1.9)％≒105.7で、令和２年は－22.8％の増加であるから、指数は105.7×(100－22.8)％＝81.6である。よって、令和２年と平成29年の「ココアペースト」の輸入量の比は81.6：100となる。令和２年の輸入量を100としたときの平成29年の指数をxとすると、100：x＝81.6：100が成り立つ。$x=\frac{100\times100}{81.6}\fallingdotseq122.5$より、指数は123を上回ってはいない。

5 × 「ココアペースト」について、平成30年の輸入量を100とすると、令和元年は－1.9％の増加であるから、指数は100×(100－1.9)％＝98.1である。また、令和２年のマイナスの増加率と令和３年のプラスの増加率の大きさ（絶対値）を比べると、マイナスの増加率の方が大きいから、令和元年の値に対して令和３年の値は小さくなる。よって、令和３年の指数は98.1より小さくなり、「ココアペースト」の輸入量は、平成30年のそれを上回ってはいない。

No.23　正解　1　TAC生の正答率 57%

1 ○ 基準を100としたときの指数が111を下回っているということは、基準の111％を下回っているということと同じである。平成30年のフィリピン国籍の在留外国人数は271,289人で、その111％は271,289×111％＝271,289×(100＋10＋1)％≒271,289＋27,129＋2,713＝301,131[人]である。令和４年のフィリピン国籍の在留外国人数は298,740人であるから、平成30年の111％を下回っている。

2 × 平成30年から令和４年までの５年におけるベトナム国籍の在留外国人数の１年当たりの平均が42[万人]＝420,000[人]を下回っているということは、５年の合計が420,000×5＝2,100,000[人]を下回っているということと同じである。ベトナム国籍の在留外国人数の５年の合計は330,835＋411,968＋448,053＋432,934＋489,312＝2,113,102[人]であるので、2,100,000人を下回ってはいない。

3 × 令和元年において、図中の在留外国人数の合計は813,675＋411,968＋446,364＋282,798＝1,954,805[人]で、その42％は1,954,805×42％＝1,954,805×(40＋2)％≒195,481×4＋19,548×2＝821,020[人]である。中国国籍の在留外国人数は813,675人であるから、割合は42％を超えていない。

4 × 令和２年の韓国国籍の在留外国人数は426,908人で、令和３年は426,908－409,855＝17,053[人]減少しているから、減少率は$\frac{17,053}{426,908}$である。426,908の１％が約4,269で、４％が4,269×4＝17,076であるから、$\frac{17,053}{426,908}$は４％より小さい。よって、令和３年における韓国国籍の在留外国人数の対前年減少率は、4.2％を超えてはいない。

5 × 令和４年におけるフィリピン国籍の在留外国人数の対前年増加量は298,740－276,615＝22,125[人]である。一方、韓国国籍のそれは411,312－409,855＝1,457[人]で、その11倍は1,457×11＝16,027[人]である。よって、令和４年におけるフィリピン国籍の在留外国人数の対前年増加量は、韓国国籍のそれの11倍を下回ってはいない。

No.24　正解　3

TAC生の正答率　48%

1　×　令和元年度の社会福祉費は149,410×23.9%≒35,709[億円]で、令和３年度のそれは185,555×27.3%≒50,657[億円]であるから、増加率は$\frac{50,657-35,709}{35,709}=\frac{14,948}{35,709}$となる。35,709の45%は35,709×45%＝35,709×(50－5)%≒35,709÷2－3,571÷2＝16,069であるから、$\frac{14,948}{35,709}$は45%よりも小さい。よって、増加率は45%を上回っていない。

2　×　令和元年度の老人福祉費は149,410[億円]×1.4%で、149,410×1.4%＞145,000×1.4%＝290,000×0.7%＝29,000×7%＝2,030より、2,030億円よりも大きい。よって、令和元年度の老人福祉費は2,000億円を下回ってはいない。

3　○　令和元年度における児童福祉費に対する老人福祉費の比率は$\frac{149,410[億円]\times 1.4\%}{149,410[億円]\times 44.0\%}=\frac{1.4}{44.0}$で、令和３年度におけるそれは$\frac{185,555[億円]\times 1.0\%}{185,555[億円]\times 46.1\%}=\frac{1.0}{46.1}$である。$\frac{1.4}{44.0}$と$\frac{1.0}{46.1}$では前者の方が、分母が小さく、分子が大きいから、分数の値は大きい。よって、令和元年度における児童福祉費に対する老人福祉費の比率は、令和３年度におけるそれを上回っている。

4　×　地方財政費の扶助費の総額の令和元年度に対する令和３年度の増加額は185,555－149,410＝36,145[億円]で、児童福祉費のそれは185,555[億円]×46.1%－149,410[億円]×44.0%≒85,541－65,740＝19,801[億円]である。割合は$\frac{19,801}{36,145}$で、36,145の10%が約3,615で、60%が3,615×6＝21,690であるから、$\frac{19,801}{36,145}$は60%より小さい。よって、地方財政費の扶助費の総額の令和元年度に対する令和３年度の増加額に占める児童福祉費のそれの割合は、60%を超えていない。

5　×　令和元年度の生活保護費は149,410×24.3%≒36,307[億円]で、令和３年度の生活保護費は185,555×19.2%≒35,627[億円]である。よって、減少額は36,307－35,627＝680[億円]であるから、生活保護費の令和元年度に対する令和３年度の減少額は700億円を上回ってはいない。

No.25　正解　2

TAC生の正答率　32%

一筆書きが成立するには、奇点の数が０または２である必要がある。問題図において、奇点であるのは○の10か所である（図１）。

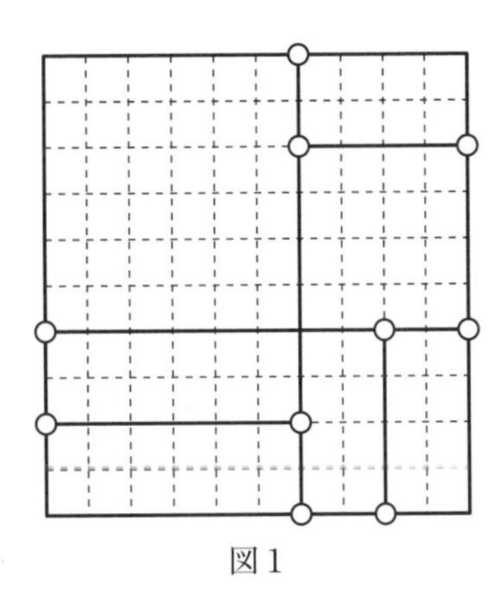

図1

線を消去する場合、奇点どうしを結ぶ線分を消去すると、線分の両端が奇点から偶点に変わる。1本の線分を消去するごとに2つの奇点が偶点に変わるから、奇点を2まで減らすには、(10−2)÷2＝4[本]消去すればよい。そのうち消去する線分の長さをなるべく短くする場合、奇点どうしを結ぶ線分のうち、長さが2cmである5本のうち4本を消去すればよい。図2はその一例である。

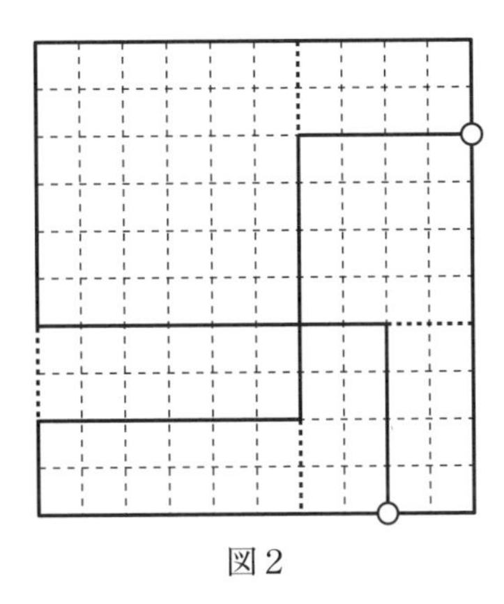

図2

以上より、消去する太線の最短の長さは2×4＝8[cm]となるので、正解は**2**である。

No.26　正解　1　TAC生の正答率 30%

切り取る数が多い、8枚の方で考える。8枚の入場券を中央から切り取った場合、残りの入場券が左右2片に分かれるので、左端または右端から切り取る必要がある。左端から切り取った場合、図の上下の入場券のうちそれぞれ何枚切り取るかで場合分けすると、上が1枚から7枚の7通りの切り取り方がある（次図①～⑦：色塗り部が8枚）。

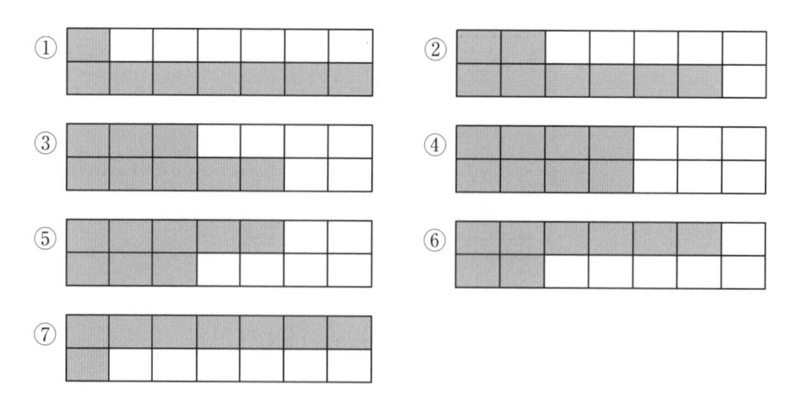

右端から切り取る場合は①～⑦の左右対称となるから、切り取り方は全部で7×2＝14［通り］ある。
よって、正解は**1**である。

No.27　正解　2　TAC生の正答率 25%

上から見た図において、点A、点B及び線分ABは図1のようになる。

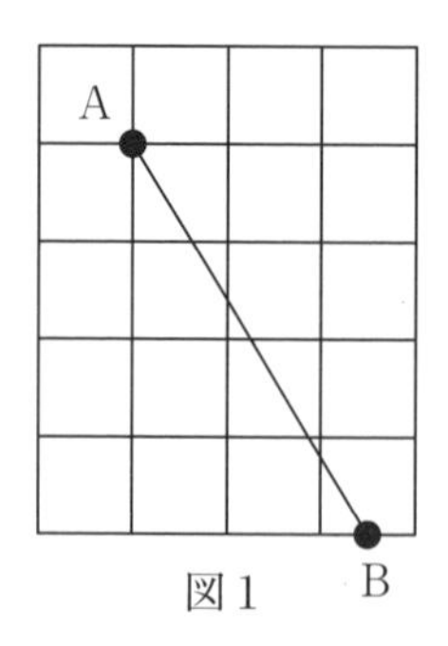

図1

段ごとに考えると、この線分は、上から1段目、2段目、3段目に対して3等分される（図2）。

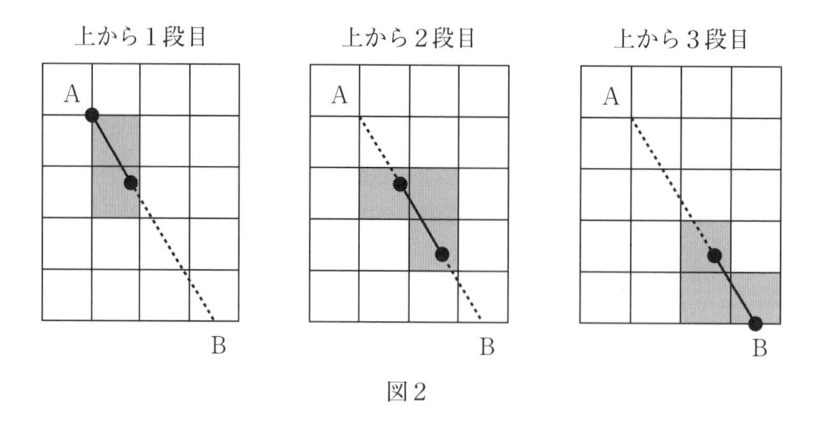

図2

図2のグレーの正方形が、直線ABが貫いた立方体を表すので、上から1段目が2個、2段目が3個、3段目が3個であるので、貫かれた立方体は、2＋3＋3＝8［個］となる。
よって、正解は**2**である。

No.28 正解 5

TAC生の正答率 39%

スタート時、台形の辺と接しているのはニハにある辺であり、滑ることなく1回回転させると次に台形の辺と接するのはハロの辺である。同様に回転させていくと、1回目から「ハロ→ロイ→イホ→ホニ→ニハ→…」の順に繰り返し台形と接することになる。このとき、接する辺は5回ごとに繰り返す。また、一辺が接するように回転させるごとに正五角形はaの長さだけ進み、周の長さ7aの台形を2周するから、正五角形は全部で14回回転することになる。5回ごとに繰り返すので、14回では14÷5＝2余り4より、最後の回転では4番目、すなわちホニにある辺が台形と接することになる（下図）。

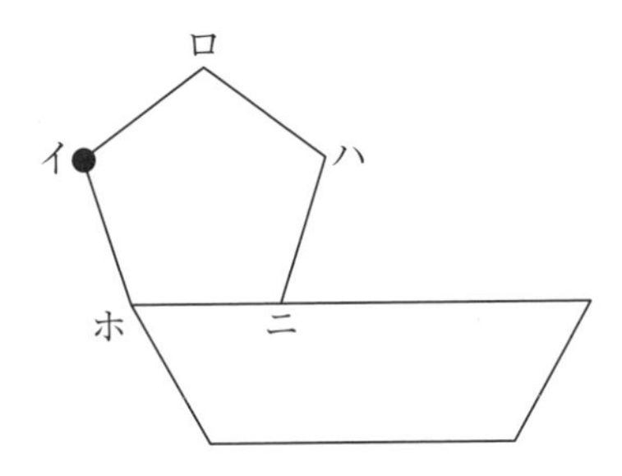

元々イにあった点Pは、2周後は元のホの位置にくるから、正解は**5**である。

No.29 正解 1

TAC生の選択率 87%　TAC生の正答率 60%

1 ○　グロティウスの説明として妥当な内容である。

2 ×　国際人道法は戦時国際法と呼ばれる、戦争状態においても国家に限らずあらゆる軍事組織が遵守するべき国際法のことである。また、戦争法、戦時法とも呼ばれることがある。

3 ×　国際慣習法は成文化（条文化）の作業が進められている。例えば、記述にある外交特権は「外交関係に関するウィーン条約（外交関係条約）」に明記されている。また、「公海自由の原則」は国連海洋法条約において明記されている。

4 ×　国際司法裁判所の国家間の裁判は、原則当事国の合意がないと裁判を始めることができない。

5 ×　国際刑事裁判所にアメリカは加盟していない。

No.30 正解 4

TAC生の選択率 89%　TAC生の正答率 46%

1 ×　まず、1967年に制定されたのは、「環境基本法」ではなく「公害対策基本法」である。環境基本法は、公害対策基本法を発展的に継承する形で1993年に制定された。また、四大公害訴訟のうち、公害対策基本法（1967年7月成立）の制定前に訴訟が起こされたのは新潟水俣病訴訟（1967年6月）のみであり、四日市大気汚染訴訟（1967年9月）、富山イタイイタイ病訴訟（1968年）、水俣病訴訟（1969年）は制定後であることから、「四大公害訴訟が起こされるなど大きな社会問題となったことから、…制定され」という時系列の因果関係もずれている。

2 ×　大気汚染防止法及び水質汚濁防止法では、汚染者負担の原則とともに、無過失責任の原則もとられている。

3 × まず、大規模な地域開発が環境にどのような影響を与えたのかを調査することを義務付けられているのは、「地方公共団体」ではなく「事業者」である。また、調査は「事後」ではなく「事前」に実施する。

4 ○ グリーン購入法は、国等の公的機関が率先して環境物品等（環境負荷低減に資する製品・サービス）の調達を推進するとともに、環境物品等に関する適切な情報提供を促進することにより、需要の転換を図り、持続的発展が可能な社会の構築を推進することを目的とした法律である。

5 × 大阪空港公害訴訟において、最高裁判所は、過去の損害賠償は認めたが将来の損害賠償は認めなかった。また、高等裁判所では認められていた夜間飛行の差し止め請求は棄却した。

No.31 正解 3

TAC生の選択率 89% TAC生の正答率 37%

1 × 脱退した国々と不参加の国が逆である。国際連盟に日本、ドイツ、イタリアは参加していた時期がある（最終的に３か国とも脱退）。また、アメリカは一貫して不参加だったので、当然脱退したこともない。

2 × 国際連合憲章が採択されたのはサンフランシスコ会議においてである。ダンバートン・オークス会議は、サンフランシスコ会議の前年である1944年に開催された、国際連合憲章の草案を作成するための国際法の専門家による実務者会議である。また、この会議はアメリカ、イギリス、ソ連、のちにソ連の代わりに中国（中華民国）が参加したものであった。

3 ○ 国連安全保障理事会の決定（採決）の仕組みについての妥当な内容である。

4 × 国連平和維持活動（PKO）と国連軍（UNF）は別のものである。そもそも、国連軍は未だに組織・展開されたことがない。また、PKOの武力行使が認められるのは自衛の時もしくは差し迫った身体的暴力の脅威にさらされる市民を保護する場合などにおいて、国連憲章の第７章の強制措置規定を援用することで認められるもので、相手を制裁するために展開されるものではない。

5 × 「平和のための結集」決議に基づいて開催されるのは緊急特別総会であり、特別総会とは別のものである。また、細かい話ではあるが、武力行使をも含む集団措置の勧告は出席かつ投票した国の３分の２以上の賛成で可能となる。

No.32 正解 3

TAC生の選択率 77% TAC生の正答率 24%

1 × ブレトンウッズ体制では金１オンス＝35ドル、１ドル360円を平価とした固定相場制であった。また為替相場の変動幅は上下１％以内とされた。

2 × ルーブル合意は1987年に行われた、プラザ合意（1985年）によってドル高是正の協調介入が行われたことに対して、行き過ぎたドル安を是正することに関する合意をいう。また、1971年のニクソンショックと同年に成立した合意はスミソニアン合意（協定）で、金価格に対してドルを切り下げ、金１オンス＝38ドル、１ドル308円を平価とした固定相場制を再構築することに関するものである。

3 ○

4 × 1985年のプラザ合意はドル高是正の協調介入に関するものである。

5 × 知的財産の保護について合意されたのは、東京ラウンドではなくウルグアイラウンドである。

No.33 正解 3

TAC生の選択率 53%　TAC生の正答率 20%

A × 「死にいたる病」はキルケゴールの著書であるが、「理性と実存」はヤスパースの著書である。

B ○

C × どちらもデューイの著書であるが、デューイは実存主義の思想家ではなくプラグマティズムの思想家である。

D ○

E × 「存在と無」はサルトルの著書であるが、「第二の性」はボーヴォワールの著書である。

BとDが正しい組み合わせなので、**3**が妥当である。

No.34 正解 2

TAC生の選択率 70%　TAC生の正答率 27%

1 × 北畠親房が南朝の正統性を説いたのは「太平記」ではなく「神皇正統記」である。またこれは軍記物ではなく歴史書に分類される。「太平記」は作者は特定されていないが、南北朝の争乱を描いた軍記物である。

2 ○

3 × 村田珠光が始めたのは「闘茶」ではなく「侘び茶」である。「闘茶」とは、茶を飲んで産地や品種を当てて競い合ったものであり、鎌倉～室町時代に流行した。

4 × 御伽草子についての選択肢前半の説明は妥当だが、宗祇が普及に努めたわけではなく、町衆や地方の人々に広がっていったものとされている。宗祇は室町時代に活躍した連歌師である。

5 × 足利義政が造営した慈照寺銀閣は、北山文化ではなく東山文化を代表する建物である。北山文化を代表する建物は足利義満が造営した鹿苑寺金閣である。

No.35 正解 5

TAC生の選択率 43%　TAC生の正答率 15%

1 × コルベールはルイ14世の財務総監であり、ルイ16世の時代に登用されたのは重農主義者テュルゴーである。

2 × 「国民議会」ではなく「三部会」であり、「国民公会」ではなく「国民議会」が妥当な記述である。三部会が開会されると、第一・第二身分と第三身分が対立し、第三身分代表は国民議会の開催を宣言し、憲法制定まで議会を解散しないことを誓った。国民公会は1792年９月男子普通選挙により招集された議会である。

3 ✕ 「独立宣言」ではなく「人権宣言」が妥当な記述である。1789年８月26日にラ＝ファイエットらが起草した人権宣言では、国民の自由と平等や、圧政に対する抵抗権等が規定された。

4 ✕ ロベスピエールを中心とするのは「ジロンド派」ではなく「ジャコバン派」である。ジャコバン派がジロンド派を議会から追放した。

5 ○

No.36 正解 3 TAC生の選択率 52% TAC生の正答率 15%

特別区人事委員会からの指示により、本問は掲載を差し控えます。

No.37 正解 3 TAC生の選択率 95% TAC生の正答率 29%

A ○ G7広島サミットの行事の一つとして行われた。

B ✕ 特に北朝鮮とは名指しせず、データを提供したアメリカ、フランス、イギリス以外の核保有国にデータの提供を求めた。

C ✕ ウクライナのゼレンスキー大統領が来日した交通手段はフランス政府の専用機であった。

D ○ この担当閣僚での議論は断続的に行われ、2023年12月に「広島AIプロセス包括的政策枠組み」がとりまとめられ、G7首脳に承認された。

以上により、AとDが正しい記述となり、**3**が正解である。

No.38 正解 5 TAC生の選択率 85% TAC生の正答率 19%

A ✕ まず、定額減税は「１世帯当たり」ではなく「１人当たり」とした。また、住民税非課税世帯への給付は「１人当たり」ではなく「１世帯当たり」、給付額は「７万円」ではなく「10万円」とした。

B ○ 宇宙戦略基金について、防衛省等の宇宙分野における取組と連携し、政府全体として適切な支援とするとした。

C ✕ 「海外で」が誤り。同対策では、「国内で自ら研究開発した特許権等の知的財産から生じる所得に対して優遇するイノベーションボックス税制を創設する」とした。

D ○

以上の組合せにより、**5**が正解となる。

No.39 正解 1 TAC生の選択率 82% TAC生の正答率 42%

A ○ 同パッケージでは、宅配の再配達率の半減を目指している。

B　×　トラックＧメンは、物流経営責任者（事業者）が選任する役職ではなく、国土交通省の職員（公務員）が担当する役職である。

C　×　「船舶輸送から転換」ではなく「自動車輸送から転換」である。ここで「モーダルシフト」とは、自動車による輸送から環境負荷の低い船舶・鉄道による輸送へと転換することを指す。

D　×　「過剰」ではなく「不足」になると試算した。トラック運転手の残業規制が適用されると運転手一人当たりの労働時間が短くなるわけだから、トラックの輸送力は不足するはずである。

以上の組合せにより、**1**が正解となる。

No.40　正解　2

TAC生の選択率　66%　TAC生の正答率　25%

1　○　カンヌ映画祭で日本人の俳優が最優秀男優賞を受賞するのは、19年ぶり２人目である。

2　×　役所氏が演じる平山の職業は、「小学校教師」ではなく「清掃員」である。

3　○　是枝裕和監督はカンヌ国際映画祭とのゆかりが深く、2004年に監督作品「誰も知らない」で主演の柳楽優弥氏が日本人として初めて最優秀男優賞を受賞、2018年には監督作品「万引き家族」が最高賞のパルムドールを受賞している。

4　○　なお、カンヌ国際映画祭では日本作品の同時受賞は初めてだが、米国アカデミー賞では2009年と2024年に同時受賞を達成している。

5　○　フランスのジュスティーヌ・トリエ監督は、法廷スリラー「アナトミー・オブ・ア・フォール」で女性監督として３人目のパルムドール受賞者となった。

No.41　正解　3

TAC生の選択率　11%　TAC生の正答率　49%

熱平衡に達したときの温度をt[℃]とする。熱量は$Q=mc\Delta T$、熱量保存の法則より、容器が失った熱量＝水が得た熱量となるので、$200\times0.45\times(100-t)=50\times4.2\times(t-10)$ となる。

よって、これを解くと、$t=37$[℃]となるので、正解は**3**である。

No.42　正解　2

TAC生の選択率　9%　TAC生の正答率　30%

自己インダクタンスをL[H]、電流をI[A]としたとき、コイルに蓄えられるエネルギーは、$\frac{1}{2}LI^2$と表すことができる。

よって、$L=0.2$、$I=0.5$より、$\frac{1}{2}\times0.2\times(0.5)^2=0.025=2.5\times10^{-2}$[J]となるので、正解は**2**である。

No.43　正解　3

TAC生の選択率　16%　TAC生の正答率　61%

アは安息香酸、イはサリチル酸、ウはナフタレン、エはピクリン酸であるので、正解は**3**である。

No.44　正解　4

TAC生の選択率 25%　TAC生の正答率 34%

1 × 1 Paの定義は、面積 1 m^2当たりに 1 Nの力がはたらくときの圧力である。

2 × 海水面における標準大気圧は、約1013hPa（1.013×10^5Pa）である。

3 × 沸騰は、液体の蒸気圧が外圧より大きくなる時に起こる。

4 ○

5 × 蒸発熱は、液体 1 molが気体になるときに吸収する熱量であり、凝縮熱は、気体 1 molが液体になるときに放出する熱量である。

No.45　正解　4

TAC生の選択率 52%　TAC生の正答率 15%

1 × シュペーマンは、イモリの原腸胚を実験に用いた。

2 × 大腸菌を用いた実験で、半保存的複製を証明したのは、メセルソンとスタールである。

3 × UUUというコドンは、フェニルアラニンを指定している。

4 ○

5 × 山中伸弥らが用いたのは、マウスの皮膚細胞である。

No.46　正解　5

TAC生の選択率 68%　TAC生の正答率 63%

1 × 生得的行動に関する記述である。

2 × かぎ刺激に関する記述である。

3 × 正と負の記述が逆である。

4 × 近い場合と遠い場合の行動が逆である。

5 ○

No.47　正解　1

TAC生の選択率 58%　TAC生の正答率 27%

1 ○

2 × 星間雲が恒星の光を受けて輝くと、散光星雲として観測される。なお惑星状星雲とは、恒星の末期に、ヘリウムが燃え尽きたあと、外層のガスが放出されたものである。

3 × 星間雲の中心部分には原始星が形成される。

4 × 主系列星に関する記述である。

5 × 赤色巨星に関する記述である。

No.48　正解　1

TAC生の選択率　44%　TAC生の正答率　22%

1　**○**

2　**×**　原生代に関する記述である。

3　**×**　海水に溶けている鉄は、大気中の酸素と結合することで酸化鉄となった。

4　**×**　最古の原核生物と考えられる化石は、オーストラリアの35億年前の地層から発見されている。

5　**×**　エディアカラ生物群では、多細胞生物の化石が見つかっている。

2024年度　専門試験　解答解説

No.1　正解　4　TAC生の選択率 89%　TAC生の正答率 59%

1 × 「憲法上、当然に保障されるとした」という部分が妥当でない。判例は、非現業の国家公務員につき、その勤務条件は、憲法上、国民全体の意思を代表する国会において法律、予算の形で決定すべきものであり、労使間の自由な団体交渉に基づく合意によって決定すべきものではなく、私企業の労働者の場合のように、労使による勤務条件の共同決定を内容とする団体交渉権の保障はないとする。その上で、勤務条件の共同決定のための団体交渉過程の一環として予定されている争議権もまた、憲法上、当然に保障されているものとはいえないとする。そして、このことは、公共企業体等労働関係法（当時）の適用を受ける五現業及び三公社の職員についても、直ちに又は基本的に妥当するとしている（最大判昭52.5.4、全逓名古屋中郵事件）。

2 × 「前者が後者に対して絶対的優位を有することを認めているので、労働者が使用者側の自由意見を抑圧し、財産に対する支配を阻止することは許されるとした」という部分が妥当でない。判例は、憲法は勤労者に対して団結権、団体交渉権その他の団体行動権を保障すると共に、すべての国民に対して平等権、自由権、財産権等の基本的人権を保障しているとして、争議権に対して絶対的優位を認めていない。その上で、使用者側の自由意思を抑圧し、財産に対する支配を阻止することは許されないとしている（最大判昭25.11.15、山田鋼業事件）。

3 × 「一般の勤労者と同様の取扱いを受けることは当然であるとした」という部分が妥当でない。判例は、国家公務員は、国民全体の奉仕者として公共の利益のために勤務し、かつ職務の遂行に当たっては全力を挙げてこれに専念しなければならない性質のものであるから、団結権、団体交渉権等についても、一般の勤労者とは違って特別の取扱いを受けることがあるのは当然であるとしている（最大判昭28.4.8、政令201号事件）。

4 ○ 判例により妥当である。判例は、争議行為の遂行を共謀し、唆し、又はあおる等の行為に対する刑事制裁を定めた地方公務員法61条4号（当時）の規定について、争議行為に違法性の強いものと弱いものとを区別して、前者のみが同条号にいう争議行為にあたるものとすべきではなく、また、争議行為遂行の共謀、そそのかし、あおる等の争議行為に通常随伴する行為を、単なる争議参加行為と同じく可罰性を有しないものとして同条号の規定の適用外に置くべきとすることはできないとしている（最大判昭51.5.21、岩手県教組学力テスト事件）。

5 × 「組合の統制権の限界を超えるものとして違法であるとした」という部分が妥当でない。判例は、公職選挙における立候補の自由は、憲法15条1項の趣旨に照らし、基本的人権の一つとして、憲法の保障する重要な権利であるから、これに対する制約は、特に慎重でなければならず、組合の団結を維持するための統制権の行使に基づく制約であっても、その必要性と立候補の自由の重要性とを比較衡量して、その許否を決すべきであるとする。その上で、統一候補以外の組合員で立候補しようとする者に対し、組合が所期の目的を達成するために、立候補を思いとどまるよう、勧告又は説得をすることは、組合としても、当然なし得るところであるとしている（最大判昭43.12.4、三井美唄労組事件）。

No.2　正解　4　TAC生の選択率 97%　TAC生の正答率 89%

A × 「保障が与えられているとした」という部分が妥当でない。判例は、外国人に対する基本的人権の保障は、外国人在留制度の枠内で与えられているにすぎないため、憲法の保障を受ける行為を在留期間の更新の際に消極的な事情として斟酌されないことまでの保障が与えられているものと解することはできないとしている（最大判昭53.10.4、マクリーン事件）。

B　○　判例により妥当である。判例は、社会保障上の施策において在留外国人をどのように処遇するかについては、国は、特別の条約の存しない限り、当該外国人の属する国との外交関係、変動する国際情勢、国内の政治・経済・社会的諸事情等に照らしながら、その政治的判断によりこれを決することができるとする。そして、限られた財源の下で福祉的給付を行うに当たり、自国民を在留外国人より優先的に扱うことも、許されるべきことと解されるとしている（最判平1.3.2、塩見訴訟）。

C　○　判例により妥当である。判例は、憲法93条２項の「住民」に外国人は含まれず、地方公共団体における選挙の権利は外国人には保障されないとする。もっとも、我が国に在留する外国人であっても永住者等のように、その居住区域の地方公共団体と特段に緊密な関係を持つに至ったと認められる者について、法律をもって、地方公共団体の長、その議会の議員等に対する選挙権を付与することは、憲法上禁止されていないとしている（最判平7.2.28）。

D　×「外国籍を有する者が就任することが想定されていると見るべきであり」、「我が国の法体系として想定しておかなければならないとした」という部分が妥当でない。判例は、国民主権の原理に基づき、国及び普通地方公共団体による統治の在り方については日本国の統治者としての国民が最終的な責任を負うべきものであること（１条、15条１項参照）に照らし、原則として日本の国籍を有する者が公権力行使等地方公務員に就任することが想定されているとみるべきであり、外国人が公権力行使等地方公務員に就任することは、本来我が国の法体系の想定するところではないとしている（最大判平17.1.26）。

以上より、妥当なものはB、Cであり、正解は**4**となる。

No.3　正解　4　TAC生の選択率 97%　TAC生の正答率 68%

1　×「衆議院はこの両院協議会の請求を拒むことができない」という部分が妥当でない。法律案について、衆議院で可決し、参議院でこれと異なった議決をした場合、法律の定めるところにより、衆議院が、両議院の協議会（両院協議会）を開くことを求めることを妨げない（59条３項）。したがって、法律案につき異なった議決をした場合、両院協議会の開催は任意であるから、衆議院は参議院からの両院協議会の請求を拒むことができる。なお、参議院から衆議院に対して両院協議会の開催を請求すること自体は可能である（国会法83条の２第２項参照）。

2　×「及び決算」（２箇所）という部分が妥当でない。先に衆議院に提出しなければならないのは予算であり（60条１項）、決算についてこのような規定はなく、先に衆議院に提出する必要はない。また、参議院で衆議院と異なった議決をした場合において、両院協議会を開いても意見が一致しないときは、衆議院の議決を国会の議決とするのも予算であり（60条２項）、決算についてこのような規定はない。決算の手続に関して憲法上定められているのは、すべて毎年会計検査院がこれを検査し、内閣は、次の年度に、その検査報告とともに、これを国会に提出しなければならないということだけである（憲法90条１項）。その後の手続については憲法上の規定はないものの、国会に決算を提出する目的は国会の審議・議決にあるが、議決には法律的効果はなく内閣の政治責任を問うためのものであるから、国会の審査は、両院交渉の議案としてなされる必要はなく、各議院でそれぞれ行えばよいと解されている（議院議決説）。なお、国会実務では、明治憲法下の慣行を踏襲して、決算は、内閣から両議院に同時に提出され、両議院は各々別々にこれを審査し、両院交渉の議案としてではなく、報告案件として扱っている。

3　×　「両院協議会を開かずに、衆議院の議決を国会の議決とすることができる」という部分が妥当でない。条約の締結に必要な国会の承認について、①参議院で衆議院と異なった議決をした場合において、両院協議会を開いても意見が一致しないとき、又は、②参議院が衆議院の可決したものを受け取った後、国会休会中の期間を除いて30日以内に議決しないときは、衆議院の議決を国会の議決とする（61条、60条２項）。本記述は参議院で衆議院と異なった議決をしており、①に該当することから、衆議院の議決を国会の議決とするには両院協議会の開催が必要である。

4　○　条文により妥当である。内閣総理大臣の指名について、①衆議院と参議院とが異なった議決をした場合において、両院協議会を開いても意見が一致しないとき、又は、②衆議院が指名の議決をした後、国会休会中の期間を除いて10日以内に参議院が指名の議決しないときは、衆議院の議決を国会の議決とする（67条２項）。本記述は参議院が指名の議決をしておらず、②に該当することから妥当である。

5　×　「内閣は必ず衆議院を解散しなければならない」という部分が妥当でない。内閣は、衆議院で不信任の決議案を可決し、又は信任の決議案を否決したときは、10日以内に衆議院が解散されない限り、総辞職をしなければならない（69条）。したがって、衆議院が内閣の信任の決議案を否決したときも、内閣は衆議院の解散又は総辞職をしなければならないから、衆議院を解散せずに総辞職をすることもできる。

No.4　正解　1

TAC生の選択率　97%　TAC生の正答率　76%

1　○　条文により妥当である。憲法66条１項は、「内閣は、法律の定めるところにより、その首長たる内閣総理大臣及びその他の国務大臣でこれを組織する。」と規定しており、内閣法は、各大臣は主任の大臣として行政事務を分担管理するとしつつ（内閣法３条１項）、行政事務を分担管理しない大臣（いわゆる無任所大臣）の存することを妨げるものではないとして（同法３条２項）、無任所大臣を置くことも可能としている。

2　×　「内閣法で規定されている」という部分が妥当でない。憲法上、内閣は、行政権の行使について、国会に対し連帯責任を負うが（66条３項）、閣議の議決方法については、憲法にも内閣法にも規定が存在しない。この点については、内閣の一体性を確保するため、明治憲法下からの慣例に従って、閣議の議決方式は全員一致が要求されている。

3　×　「国務大臣の罷免には天皇の認証は必要としない」という部分が妥当でない。内閣総理大臣は、任意に国務大臣を罷免する権限を有し（68条２項）、これは内閣総理大臣の専権である。もっとも、国務大臣の任免の認証は天皇の国事行為とされているから（７条５号）、事後に天皇の認証を受けなければならない。

4　×　「公訴時効の進行は停止しない」という部分が妥当でない。国務大臣は、その在任中、内閣総理大臣の同意がなければ訴追されない（75条本文）。しかし、同意を得られずに訴追できなかったとしても、訴追する権利自体が害されるわけではないので（75条但書）、公訴時効の進行は停止する。

5 ×「法律及び政令の効力は否定される」という部分が妥当でない。法律及び政令には、すべて主任の国務大臣が署名し、内閣総理大臣が連署することを必要とする（74条）。署名や連署は、内閣の法律執行責任と政令制定・執行責任を明確化する趣旨から要求されているにすぎないので、これを欠いても法律及び政令の効力には関係がないと解されている。

No.5 正解 2 TAC生の選択率 96% TAC生の正答率 82%

1 ×「その本質は一種の処分に含まれないとし、違憲審査の対象とならないとした」という部分が妥当でない。判例は、裁判は一般的抽象的規範を制定するものではなく、個々の事件について具体的処置をつけるものであり、その本質は一種の処分であるとして、一切の処分は、行政処分であるか裁判であるかを問わず、終審として最高裁判所の違憲審査権に服するとしている（最大判昭23.7.7）。

2 ○ 判例により妥当である。判例は、裁判所が現行の制度上与えられているのは司法権を行う権限であり、そして司法権が発動するためには具体的な争訟事件が提起されることが必要であるとする。その上で、現行の制度の下においては、特定の者の具体的な法律関係につき紛争の存する場合においてのみ裁判所にその判断を求めることができるのであり、裁判所が具体的事件を離れて抽象的に法律命令等の合憲性を判断する権限を有するとの見解には、憲法上及び法令上何等の根拠も存しないとしている（最大判昭27.10.8、警察予備隊違憲訴訟）。

3 ×「下級裁判所が違憲審査権を有することを否定する趣旨をもっているものとした」という部分が妥当でない。判例は、憲法81条は、最高裁判所が違憲審査権を有する終審裁判所であることを明らかにした規定であって、下級裁判所が違憲審査権を有することを否定する趣旨をもっているものではないとしている（最大判昭25.2.1）。

4 ×「例外的な場合に限り」という部分が妥当でない。判例は、国会議員は立法行為に関しては、原則として国民全体に対する関係で政治的責任を負うにとどまるものであり、国会議員の立法行為は、立法の内容が憲法の一義的な文言に違反しているにもかかわらず国会があえて当該立法を行うという、容易に想定し難いような例外的な場合でない限り、国家賠償法の規定の適用上、違法の評価を受けないものとしている（最判昭60.11.21、在宅投票制度廃止事件）。言い換えれば、国会議員の立法行為は、容易に想定し難いような例外的な場合に限り、国家賠償法の規定の適用上、違法の評価を受けることになる。

5 ×「かかる国家行為は裁判所の審査権の対象となるとした」という部分が妥当でない。判例は、衆議院の解散の効力が争われた事件において、直接国家統治の基本に関する高度に政治性のある国家行為は、たとえそれが法律上の争訟となり、これに対する有効無効の判断が法律上可能である場合であっても、かかる国家行為は裁判所の審査権の外にあるとして、衆議院の解散には裁判所の審査権が及ばないとしている（最大判昭35.6.8、苫米地事件）。

No.6 正解 1 TAC生の選択率 91% TAC生の正答率 9%

1 ○ 通説により妥当である。特許とは、特定人のために人が本来生まれながらには有していない新たな権利を設定し、または法律上の力、法律上の地位を付与する行為である。特許の具体例として、道路・河川の占用許可、鉱業権設定の許可、公務員の任命、公益法人の設立の認可（社会福祉法に基づく社会福祉法人の設立の認可など)、公有水面埋立の免許などが挙げられる。

2 × 「選挙人名簿への登録や」という部分が妥当でない。確認とは、特定の事実又は法律関係の存否について公の権威をもって判断する行為である。具体例として、当選人の決定や恩給の裁定、市町村の境界の設定などが挙げられる。選挙人名簿への登録は、特定の事実又は法律関係の存在を公に証明する行為である公証の具体例である。

3 × 「公有水面埋立の竣功の認可」という部分が妥当でない。認可とは、第三者の行為を補充してその法律上の効果を完成させる行為のことである。具体例として、農地の権利移転の許可や河川占用権の譲渡の承認などが挙げられる。公有水面埋立の竣功の認可(免許)は、特許の具体例である。

4 × 「道路の占有許可や河川占有権の譲渡の承認がこれにあたる」という部分が妥当でない。許可とは、法令等による一般的禁止を特定の場合に解除する行為である。具体例として、公衆浴場法に基づく公衆浴場の許可、道路交通法に基づく自動車運転免許などが挙げられる。道路の占有(占用)許可は特許の具体例であり、河川占有権(占用権)の譲渡の承認は認可の具体例である。

5 × 「納税の督促」という部分が妥当でない。下命とは、国民に対して、一定の作為・不作為・給付・受忍の義務を課する行為である。具体例として、営業停止命令、租税賦課処分、違法建築物の除却命令などが挙げられる。納税の督促は、特定又は不特定の国民に対して、行政庁の一定の判断や事項を知らせる行為である通知の具体例である。

No.7 正解 3

TAC生の選択率 92% TAC生の正答率 54%

A ○ 判例により妥当である。判例は、瑕疵が明白であるというのは、処分成立の当初から、誤認であることが外形上、客観的に明白である場合を指すものとする。その上で、瑕疵が明白であるかどうかは、処分の外形上、客観的に、誤認が一見看取し得るものであるかどうかにより決すべきものであって、行政庁が怠慢により調査すべき資料を見落したかどうかは、処分に外形上客観的に明白な瑕疵があるかどうかの判定に直接関係を有するものではないとする。そして、行政庁がその怠慢により調査すべき資料を見落したかどうかにかかわらず、外形上、客観的に誤認が明白であると認められる場合には、明白な瑕疵があるというを妨げないとしている(最判昭36.3.7)。

B × 「抽象的事実」、「処分の取消原因が当然に無効原因を構成するものと主張することで足りると解すべきであるとした」という部分が妥当でない。判例は、行政処分の無効原因の主張としては、誤認が重大・明白であることを具体的事実(例えば、地上に堅固な建物の建っているような純然たる宅地を農地と誤認して買収したということ)に基づいて主張すべきであり、単に抽象的に処分に重大・明白な瑕疵があると主張したり、若しくは処分の取消原因が当然に無効原因を構成するものと主張することだけでは足りないとしている(最判昭34.9.22)。

C × 「当該処分は、当然無効と解しないのが相当であるとした」という部分が妥当でない。判例は、一般に、課税処分が課税庁と被課税者との間にのみ存するもので、処分の存在を信頼する第三者の保護を考慮する必要のないこと等を勘案すれば、当該処分における内容上の過誤が課税要件の根幹についてのそれであって、徴税行政の安定とその円滑な運営の要請を斟酌してもなお、不服申立期間の徒過による不可争的効果の発生を理由として被課税者に処分による不利益を甘受させることが、著しく不当と認められるような例外的な事情のある場合には、前記の過誤による瑕疵は、当該処分を当然無効ならしめるものと解するのが相当であるとしている（最判昭48.4.26）。

D　○　判例は、法人税青色申告についてした更正処分の通知書が、各加算項目の記載をもってしては、更正にかかる金額がいかにして算出されたのか、それがなにゆえに会社の課税所得とされるのか等の具体的根拠を知るに由ないものといわざるをえない場合、更正の附記理由には不備の違法があるとする。その上で、更正における附記理由不備の瑕疵は、後日これに対する審査請求に係る裁決において、当該処分の具体的根拠が明らかにされた場合でも、それにより治癒されるものではないとしている（最判昭47.12.5）。裁決の段階で処分の具体的根拠を知らされたのでは、それ以前の審査手続において十分な不服理由を主張できず、審査請求人に不利益となるからである。

以上より、妥当なものはA、Dであり、正解は**3**となる。

No.8　正解　4

TAC生の選択率 92%　TAC生の正答率 73%

1　×　「代執行に要する費用の概算による見積額を義務者に通知する必要はない」という部分が妥当でない。義務者が、文書による戒告を受けて、指定の期限までにその義務を履行しないときは、行政庁は、代執行令書をもって、代執行をなすべき時期、代執行のために派遣する執行責任者の氏名及び代執行に要する費用の概算による見積額を義務者に通知しなければならない（行政代執行法3条2項）。

2　×　「要求がなくとも、これを呈示しなければならない」という部分が妥当でない。代執行のために現場に派遣される執行責任者は、その者が執行責任者たる本人であることを示すべき証票を携帯し、要求があるときは、何時でも証票を呈示しなければならない（行政代執行法4条）。要求がないときに証票を呈示することは義務付けられていない。

3　×　「非代替的作為義務」という部分が妥当でない。行政代執行とは、法律により直接に命ぜられ、又は法律に基づき行政庁により命ぜられた代替的作為義務について義務者が履行しない場合に、行政庁が自ら義務者のなすべき行為をなし、又は第三者をしてこれをなさしめ、その費用を義務者から徴収する手続のことである（行政代執行法2条）。したがって、非代替的作為義務については代執行の対象とはならない。

4　○　条文により妥当である。非常の場合又は危険切迫の場合において、代執行の急速な実施について緊急の必要があり、義務者に対して文書による戒告と代執行令書による通知の手続をとる暇がないときは、その手続を経ないで代執行をすることができる（行政代執行法3条3項、緊急執行）。

5　×　「国税及び地方税に優先して」という部分が妥当でない。代執行に要した費用は、国税滞納処分の例により、これを徴収することができる（行政代執行法6条1項）。この規定は、義務者が代執行の費用を任意に納付しない場合を想定したものである。そして、代執行に要した費用について、行政庁は、国税及び地方税に次ぐ順位の先取特権を有する（同法6条2項）。

No.9　正解　5

TAC生の選択率 93%　TAC生の正答率 79%

A　×　「個々人の個別的利益をも保護すべきものとする趣旨を含むと解されるため」、「原告適格を有するとした」という部分が妥当でない。判例は、風俗営業の許可の基準を定める規定は、公益に加えて個々人の個別的利益をも保護するものとすることを禁じているとまでは解されないものの、良好な風俗環境の保全という公益的な見地から風俗営業制限地域の指定を行うことを予定しているものと解されるのであって、当該規定自体が風俗営業制限地域の居住者個々人の個別的利益をも保護することを目的としているものとは解し難いとし、風俗営業制限地域に住居する者は、風俗営業の許可の取消しを求める原告適格を有するとはいえないとしている（最判平10.12.17）。

B　○　判例により妥当である。判例は、静岡県文化財保護条例及び文化財保護法は、文化財の保存・活用から個々の県民あるいは国民が受ける利益については、同条例及び同法がその目的としている公益の中に吸収解消させ、その保護は、専ら当該公益の実現を通じて図ることとしており、文化財の学術研究者の学問研究上の利益の保護について特段の配慮をしていると解し得る規定を見いだすことはできないから、同条例による県指定史跡を研究対象としてきた学術研究者には、当該史跡の指定解除処分の取消訴訟の原告適格は認められないとしている（最判平1.6.20、伊場遺跡訴訟）。

C　×「当該場外施設の敷地の周辺から1,000m以内の地域において居住し又は事業を営む住民は、一律に当該設置許可の取消しを求める原告適格を有するとした」という部分が妥当でない。判例は、見取図は、これに記載された個々の医療施設等に業務上の支障が生ずるか否かを審査する際の資料の一つとなり得るものではあるが、場外施設の設置、運営が周辺の医療施設等に対して及ぼす影響はその周辺の地理的状況等に応じて一様ではなく、医療等の事業を営むすべての者の利益を個別的利益としても保護する趣旨を含むとまでは解し難いのであるから、このような地理的状況等を一切問題とすることなく、敷地の周辺から1,000m以内の地域において医療等の事業を営む者すべてに一律に原告適格が認められるとすることはできないとしている（最判平21.10.15、サテライト大阪事件）。

D　○　判例により妥当である。判例は、地方鉄道法による地方鉄道業者の特別急行料金の改定（変更）の認可処分の取消訴訟につき、当該地方鉄道業者の路線の周辺に居住し通勤定期券を購入するなどしてその特別急行旅客列車（特急列車）を利用している者は、当該処分によって自己の権利利益を侵害され又は必然的に侵害されるおそれのある者に当たるということができず、当該訴訟の原告適格を有しないとしている（最判平1.4.13、近鉄特急事件）。

以上より、妥当なものはB、Dであり、正解は**5**となる。

No.10　正解　5

TAC生の選択率 93%　TAC生の正答率 48%

1　×「違法」という部分が妥当でない。損失補償とは、適法な公権力の行使により、特定の者に財産上の特別の犠牲が生じた場合に、その損失を補填する制度である。これは、公平の理念に基づき、特定人の負担を社会全体の負担に転嫁することを趣旨とする。違法な公権力の行使により特定人に発生した損害を補填する制度は、国家賠償制度である。

2　×「立法指針説」という部分が妥当でない。立法指針説とは、憲法29条３項は、立法上の指針を示した規定にすぎず、具体的規定ではないため、法律上損失補償の規定がない場合には、憲法29条３項を直接の根拠として損失補償を請求することはできないとする見解である。法律上損失補償の規定がない場合でも、憲法29条３項を直接の根拠として損失補償を請求することができるとする通説的見解は、直接請求権発生説という名称が付けられている。

3　×「補償請求の余地はないとした」という部分が妥当でない。判例は、財産上の犠牲が単に一般的に当然に受忍すべきものとされる制限の範囲をこえ、特別の犠牲を課したものである場合には、これについて損失補償に関する規定がなくても、直接憲法29条３項を根拠にして、補償請求をする余地がないではないとしている（最大判昭43.11.27、河川附近地制限令事件）。

4 ×「収用の前後を通じて被収用者の財産価値を等しくならしめるような完全な補償までは必要としないとした」という部分が妥当でない。判例は、土地収用法における損失の補償は、その収用によって当該土地の所有者等が被る特別な犠牲の回復をはかることを目的とするものであるから、完全な補償、すなわち、収用の前後を通じて被収用者の財産価値を等しくならしめるような補償をなすべきであるとしている（最判昭48.10.18、土地収用法事件）。

5 ○ 判例により妥当である。判例は、憲法の規定は、補償の時期について少しも言明していないので、補償が財産の供与と交換的に同時に履行されるべきことについては、憲法の保障するところではないとしている（最大判昭24.7.13）。

No.11 正解 4

TAC生の選択率 89%　TAC生の正答率 60%

1 ×「保佐開始の審判をしなければならない」という部分が妥当でない。精神上の障害により事理を弁識する能力を欠く常況にある者については、家庭裁判所は、後見開始の審判をすることができる（７条）。なお、後見開始の審判の請求主体は、問題文に列挙された者に留まらず、保佐人、保佐監督人も含まれる（７条）。

2 ×「処分することができない」という部分が妥当でない。法定代理人が目的を定めて処分を許した財産は、その目的の範囲内において、未成年者が自由に処分することができる（５条３項前段）。また、目的を定めないで処分を許した財産を処分するときも、同様とする（５条３項後段）。したがって、目的を定めないで処分を許した財産は、未成年者が自由に処分することができる。

3 ×「保佐人の同意に代わる許可を与えることはできない」という部分が妥当でない。保佐人の同意を得なければならない行為について、保佐人が被保佐人の利益を害するおそれがないにもかかわらず同意をしないときは、家庭裁判所は、被保佐人の請求により、保佐人の同意に代わる許可を与えることができる（13条３項）。

4 ○ 条文により妥当である。行為能力の制限によって取り消すことができる行為は、制限行為能力者（他の制限行為能力者の法定代理人としてした行為にあっては、当該他の制限行為能力者を含む）又はその代理人、承継人若しくは同意をすることができる者に限り、取り消すことができる（120条１項）。

5 ×「当該保佐人の同意を得る必要はない」という部分が妥当でない。不動産その他重要な財産に関する権利の得喪を目的とする行為をすることも、新築、改築、増築又は大修繕をすることも、いずれも被保佐人が保佐人の同意を得なければならない行為である（13条１項３号、８号）。

No.12 正解 4

TAC生の選択率 92%　TAC生の正答率 36%

1 ×「無効」、「有効」という部分が妥当でない。意思表示は、表意者がその真意ではないことを知ってしたときであっても、そのためにその効力を妨げられない（93条１項本文）。ただし、相手方がその意思表示が表意者の真意でないことを知り、又は知ることができたときは、その意思表示は無効である（93条１項ただし書）。表意者が真意ではないことを知りながら意思表示をする（心裡留保）場合、意思と表示の不一致を表意者が認識している以上、表示を信頼した相手方を犠牲にしてまでも表意者を保護する必要がないから、意思表示は有効となる。しかし、相手方が表意者の真意ではないことを知り、又は知ることができたときは、相手方を保護する必要がないので、意思表示を無効とするのである。

2 **×** 「善意でかつ過失がない第三者に対抗することができない」という部分が妥当でない。強迫による意思表示は、取り消すことができる（96条１項）。そして、強迫による意思表示の取消しは、常に第三者に対抗することができる（96条３項反対解釈、大判明39.12.13）。詐欺による意思表示の取消しは、善意無過失の第三者に対抗することができないが（96条３項）、強迫の場合は、詐欺の場合と比べて、意思形成過程において自由への抑圧が大きいとして、より厚く保護されている。

3 **×** 「相手方が表意者に錯誤があることを知り、又は重大な過失によって知らなかったときに限り」という部分が妥当でない。錯誤が表意者の重大な過失によるものであった場合は、その意思表示は取り消すことができない（95条３項柱書）。ただし、表意者に重大な過失がある場合であっても、①相手方が表意者に錯誤があることを知り、又は重大な過失によって知らなかったとき、②相手方が表意者と同一の錯誤に陥っていたとき（共通錯誤）のいずれかに当てはまるときは、表意者は錯誤による意思表示を取り消すことができる（95条３項１号、２号）。このような場合であれば、取消しを認めても相手方に不利益とはいえないためである。

4 **○** 判例により妥当である。判例は、通謀による虚偽の意思表示は必ずしも双方行為に限らず、相手方ある単独行為についても成立し得るものと解すべきであるとしている（最判昭31.12.28）。

5 **×** 「相手方の了知可能な状態に置かれることでは足りず、相手方本人がその通知を受領する必要があるとした」という部分が妥当でない。意思表示は、その通知が相手方に到達した時からその効力を生じる（97条１項）。判例は、民法97条１項にいう到達とは、相手方によって受領され、あるいは了知されることを要するものではなく、相手方にとって了知可能の状態に置かれたことを意味するものと解すべきであり、換言すれば意思表示の書面が相手方のいわゆる勢力範囲（支配圏）内に置かれることをもって足りるものと解すべきとしている（最判昭36.4.20）。

No.13　正解　5

TAC生の選択率 76%　TAC生の正答率 63%

1 **×** 「請求することができない」という部分が妥当でない。地上権者が土地の所有者に定期の地代を支払わなければならない場合で、地上権者が引き続き２年以上地代の支払を怠ったときは、土地の所有者は、地上権の消滅を請求することができる（266条１項、276条）。

2 **×** 全体が妥当でない。地上権を成立させるために、必ずしも地代を支払わなければならないわけではなく、地上権を有償で設定することもできるし、無償で設定することもできる（266条１項参照）。

3 **×** 「その土地を原状に復す必要はない」という部分が妥当でない。地上権者は、その権利が消滅した時に、土地を原状に復してその工作物及び竹木を収去することができるが（269条１項本文）、これと異なる慣習があるときは、その慣習に従う（269条２項）。条文上は「することができる」とあるが、収去と原状回復は地上権者の権利にとどまらず義務でもあると解されている。

4 **×** 「請求することができる」という部分が妥当でない。地上権者が土地の所有者に定期の地代を支払わなければならない場合で、不可抗力により収益について損失を受けたときであっても、地代の免除又は減額を請求することができない（266条1項、274条）。

5 ○ 条文により妥当である。地下又は空間は、工作物を所有するため、上下の範囲を定めて地上権の目的とすることができる（269条の2第1項前段、地下又は空間を目的とする地上権）。また、地下又は空間を目的とする地上権は、第三者がその土地の使用又は収益をする権利を有する場合においても、その権利又はこれを目的とする権利を有するすべての者の承諾があるときは、設定することができる（269条の2第2項前段）。

No.14 正解 4

TAC生の選択率 76%　TAC生の正答率 42%

1 × 「賃貸借契約における賃借人の占有は自主占有である」という部分が妥当でない。判例は、賃貸借契約が締結されたが、効力発生要件を欠くために有効とはならなかった事案に関し、所有の意思の有無は、占有取得の原因たる事実によって外形的客観的に定められるべきものであるから、賃貸借が法律上効力を生じない場合であっても、賃貸借により取得した賃借人の占有は他主占有（所有の意思のない占有）であるとしている（最判昭45.6.18）。

2 × 「土地の直接占有者は当該代表者であって、土地を所持するものと認めるべき特段の事情がない限り、会社は占有者たる地位にないとした」という部分が妥当でない。判例は、株式会社の代表取締役が会社の代表者として土地を所持する場合、代表者は会社の機関として土地を所持するにとどまり（占有機関、**5**の解説参照）、土地の直接占有者は会社自身であるから、代表者は、個人のためにもこれを所持するものと認めるべき特段の事情がないかぎり、個人として占有者たる地位にあるものとはいえないとしている（最判昭32.2.15）。

3 × 「占有取得時から」という部分が妥当でない。家畜以外の動物で他人が飼育していたものを占有する者は、その占有の開始の時に善意であり、かつ、その動物が飼主の占有を離れた時から1か月以内に飼主から回復の請求を受けなかったときは、その動物について行使する権利を取得する（195条）。

4 ○ 判例により妥当である。判例は、建物の所有者が占有者に対して、建物に居住していた間の使用利益である家賃相当額の返還を請求した事案において、家賃は建物より生じる法定果実であって、仮に善意の占有者が建物を他人に賃貸していたとしたら、建物の所有者は占有者に対して家賃の返還を請求できない（189条1項、善意占有者の果実取得権）ことを前提に、建物の使用利益返還請求の是非を検討しており、建物の占有者の居住による使用利益は、民法189条1項にいう果実にあたるとしている（最判昭37.2.27）。

5 × 「占有改定が成立する」という部分が妥当でない。占有機関（占有補助者）とは、他人の指示に従い、その手足として物を所持する者をいう（ex.法人の代表者、建物賃借人の配偶者や子など）。本人の占有に従属的であることなどから、占有機関には占有権が認められず、本人のみに占有権が認められる。したがって、譲渡人が譲受人の占有機関として物を占有する場合、譲渡人には占有権が認められず、譲受人の自己占有（直接占有）のみが認められるから、代理占有（間接占有）を伴う占有改定は成立していない。

No.15　正解　2　TAC生の選択率 73%　TAC生の正答率 51%

1　×　「利害関係を有する者の承諾を得ることなく」という部分が妥当でない。抵当権の順位は、各抵当権者の合意によって変更することができる（374条1項本文、抵当権の順位の変更）。ただし、利害関係を有する者があるときは、その承諾を得なければならない（374条1項ただし書）。

2　○　条文により妥当である。抵当権者は、抵当権の処分の一つとして、同一の債務者に対する他の債権者の利益のためにその抵当権を譲渡することができる（376条1項、抵当権の譲渡）。

3　×　「後順位の抵当権者が先順位の抵当権者の利益のために」という部分が妥当でない。抵当権の順位（抵当不動産から優先弁済を受けることができる順位）の放棄（376条1項）とは、同一の債務者に対する先順位の抵当権者が、後順位の抵当権者の利益のために、抵当権の順位を放棄することをいう。後順位の抵当権者が先順位の抵当権者のために抵当権の順位を放棄しても無意味なので（先順位の抵当権者が優先弁済を受けることのできる金額が増えない）、抵当権の順位の放棄は「先順位」の抵当権者が行うことができる。

4　×　「抵当権者に対抗することができる」という部分が妥当でない。地上権又は永小作権を抵当権の目的とした地上権者又は永小作人は、その権利を放棄しても、これをもって抵当権者に対抗することができない（398条）。

5　×　「その後に生じた抵当不動産の果実には及ばない」という部分が妥当でない。抵当権は、その担保する債権（被担保債権）について不履行があったときは、その後に生じた抵当不動産の果実に及ぶ（371条）。

No.16　正解　2　TAC生の選択率 86%　TAC生の正答率 65%

1　○　条文により妥当である。債務の履行について不確定期限があるときは、債務者は、①その期限の到来した後に履行の請求を受けた時、②その期限の到来したことを知った時、のいずれか早い時から遅滞の責任を負う（412条2項）。

2　×　「取引上の社会通念に照らして定まる善良な管理者の注意をもって」という部分が妥当でない。債権者が債務の履行を受けることを拒み、又は受けることができない場合において、その債務の目的が特定物の引渡しであるときは、債務者は、履行の提供をした時からその引渡しをするまで、自己の財産に対するのと同一の注意をもって、その物を保存すれば足りる（413条1項）。特定物の引渡し債務を負う債務者は、原則として善管注意義務を負うが（400条）、受領遅滞が成立した場合においては、債務者の注意義務を自己の財産に対するのと同一の注意義務に軽減する規定である。

3　○　条文により妥当である。債務不履行に対する損害賠償の請求は、通常生ずべき損害の賠償をさせることをその目的とするので（416条1項）、特別の事情によって生じた損害に対する賠償請求は原則として認められない。もっとも、特別の事情によって生じた損害であっても、当事者がその事情（特別の事情）を予見すべきであったときには、債権者は、その賠償を請求することができる（416条2項）。

4　○　条文により妥当である。債務者がその債務について遅滞の責任を負っている間に当事者双方の責めに帰することができない事由によってその債務の履行が不能となったときは、その履行の不能は、債務者の責めに帰すべき事由によるものとみなす（413条の2第1項）。既に債務者が履行遅滞に陥っている点から、履行不能について、たとえ債務者に帰責性がなかったとしても債務者に責任を負わせるべく、帰責性を擬制した規定である。

5 ○ 条文により妥当である。債務者が、その債務の履行が不能となったのと同一の原因により債務の目的物の代償である権利又は利益を取得したときは、債権者は、その受けた損害の額の限度において、債務者に対し、その権利の移転又はその利益の償還を請求することができる（422条の2、代償請求権）。

No.17 正解 4

TAC生の選択率 81%　TAC生の正答率 80%

1 ×「債権者代位権を行使することができる」という部分が妥当でない。債権者は、自己の債権を保全するため必要があるときは、債務者に属する権利（被代位権利）を行使することができる（423条1項本文）。ただし、債務者の一身に専属する権利及び差押えを禁じられた権利は、この限りでない（423条1項ただし書）。したがって、差押えを禁じられた権利を被代位権利として債権者代位権を行使することはできない。

2 ×「その引渡しを自己に対してすることを求めることができない」という部分が妥当でない。債権者は、被代位権利を行使する場合において、被代位権利が金銭の支払又は動産の引渡しを目的とするものであるときは、相手方に対し、その支払又は引渡しを自己に対してすることを求めることができる（423条の3前段）。

3 ×「被代位権利を行使することができない」という部分が妥当でない。債権者は、その債権の期限が到来しない間は、被代位権利を行使することができない（423条2項本文）。ただし、保存行為は、この限りでない（423条2項ただし書）。したがって、保存行為については、その債権の期限が到来しない間であっても、被代位権利を行使することができる。

4 ○ 条文により妥当である。債権者が被代位権利を行使した場合、相手方は、債務者に対して主張することができる抗弁（例えば、同時履行の抗弁権、相殺の抗弁）をもって、債権者に対抗することができる（423条の4）。債権者は債務者に属する権利を行使しているのであって、債務者が自ら権利を行使する場合に比べて、相手方が不利な地位に置かれるべきではないからである。

5 ×「自ら取立てその他の処分をすることはできず」、「債務者に対して履行をすることができない」という部分が妥当でない。債権者が被代位権利を行使した場合であっても、債務者は、被代位権利について、自ら取立てその他の処分をすることを妨げられない（423条の5前段）。この場合においては、相手方も、被代位権利について、債務者に対して履行をすることを妨げられない（423条の5後段）。

No.18 正解 5

TAC生の選択率 80%　TAC生の正答率 38%

1 ○ 条文により妥当である。注文者の責めに帰することができない事由によって仕事の完成ができなくなった場合において、請負人が既にした仕事の結果のうち可分な部分の給付によって注文者が利益を受けるときは、その部分を仕事の完成とみなし、請負人は、注文者が受ける利益の割合に応じて報酬を請求することができる（634条１号）。

2 ○ 条文により妥当である。注文者が破産手続開始の決定を受けたときは、請負人又は破産管財人は、請負契約の解除をすることができる（642条１項本文）。ただし、仕事を完成した後は、請負人については、注文者が破産手続開始の決定を受けたことを理由とする請負契約の解除ができなくなる（642条１項ただし書）。

3 ○ 条文により妥当である。受任者は、委任事務の履行に対して報酬が支払われる場合（履行割合型）、委任事務を履行した後でなければ報酬を請求することができない（648条２項本文）。しかし、①委任者の責めに帰することができない事由によって委任事務の履行をすることができなくなったとき、②委任が履行の中途で終了したとき、のいずれかに当てはまるときは、既にした履行の割合に応じて報酬を請求することができる（648条３項）。

4 ○ 条文により妥当である。委任事務の履行により得られる成果に対して報酬を支払うことを約した場合（成果完成型）において、その成果が引渡しを要するときは、報酬は、その成果の引渡しと同時に、支払わなければならない（648条の２第１項）。なお、成果完成型であっても委任事務の成果の引渡しを要しないときは、受任者は、委任事務の履行によって成果が得られた後でなければ、報酬を請求することができないのを原則とする（648条２項本文）。

5 × 「必要な処分をする義務はない」という部分が妥当でない。委任が終了した場合において、急迫の事情があるときは、受任者又はその相続人もしくは法定代理人は、委任者又はその相続人若しくは法定代理人が委任事務を処理することができるに至るまで、必要な処分をしなければならない（654条）。委任契約が終了しても委任事務は継続中の場合もあるため（委任していた取引の交渉がまだ途中である場合など）、委任者等が不測の損害を被ることを防止する趣旨である。

No.19　正解　3

TAC生の選択率 75%　TAC生の正答率 51%

1 × 「賃貸人に修繕が必要である旨を通知したにもかかわらず、賃貸人が相当の期間内に必要な修繕をしないときに限り」という部分が妥当でない。賃借物の修繕が必要である場合において、①賃借人が賃貸人に修繕が必要である旨を通知し、又は賃貸人がその旨を知ったにもかかわらず、賃貸人が相当の期間内に必要な修繕をしないとき、又は、②急迫の事情があるときは、賃借人は、その修繕をすることができる（607条の２）。本記述は、賃借人が賃借物（目的物）の修繕をすることができる場合を、①の一部に限定していることが妥当でない。

2 × 「建物の所有を目的とする土地の賃貸借を除く」、「これより長い期間を定めることができる」という部分が妥当でない。民法に規定する賃貸借の存続期間は、50年を超えることができず、契約でこれより長い期間を定めたときであっても、その期間は、50年とする（604条１項）。民法に規定する賃貸借の存続期間は、目的物の種類を問わず、最長50年とされている（最短期間の制限はない）。なお、建物の所有を目的とする土地の賃貸借（借地権）の存続期間は、借地借家法が適用されて最短30年となり、契約で30年より長い期間を定めたときは、その期間となる（借地借家法３条）。すなわち、借地権については最長期間の制限がない。

3 ○ 判例により妥当である。判例は、更新料がいかなる性質を有するかは、賃貸借契約成立前後の当事者双方の事情、更新料条項が成立するに至った経緯その他諸般の事情を総合考量し、具体的事実関係に即して判断されるべきであるとする。もっとも、更新料は、賃料と共に賃貸人の事業の収益の一部を構成するのが通常で、その支払により賃借人は円満に物件の使用を継続することができる点からすると、更新料は、一般に、賃料の補充ないし前払、賃貸借契約を継続するための対価等の趣旨を含む複合的な性質を有するものと解するのが相当であるとしている（最判平23.7.15）。

4 × 全体が妥当でない。判例は、民法612条は、賃借人は賃貸人の承諾がなければ賃借権を譲渡することができず、賃借人がこれに反して賃借物を第三者に使用又は収益させたときは、賃貸人は賃貸借契約を解除することができる旨を定めているとする。そして、賃借権の譲渡が賃借人から第三者への賃借権の譲渡を意味するところ、賃借人が法人である場合において、当該法人の構成員や機関に変動が生じても、法人格の同一性が失われるものではないから、賃借権の譲渡には当たらないと解すべきであるとしている（最判平8.10.14）。したがって、民法は賃借権の無断譲渡があっただけで解除することができるとしているわけではなく、また本記述の事案は賃借権の譲渡には当たらない。

5 × 「一個の双務契約によって生じた対価的債務の関係にあり、特別の約定のない限り、同時履行の関係に立つとした」という部分が妥当でない。判例は、敷金契約は、賃貸人が賃借人に対して取得することのある債権を担保するために締結されるものであって、賃貸借契約に附随するものではあるが、賃貸借契約そのものではないから、賃貸借の終了に伴う賃借人の家屋明渡債務と賃貸人の敷金返還債務とは、一個の双務契約によって生じた対価的債務の関係にあるものとすることはできないとして、賃貸借終了に伴う賃借人の家屋明渡債務と賃貸人の敷金返還債務とは、特別の約定のない限り、同時履行の関係に立つものではないとしている（最判昭49.9.2）。

No.20 正解 5

TAC生の選択率 69%　TAC生の正答率 20%

1 × 「法定代理人」という部分が妥当でない。成年被後見人が事理を弁識する能力を一時回復した時において遺言をするには、医師２人以上の立会いがなければならない（973条１項）。

2 × 「遺言の証人又は立会人となることができる」という部分が妥当でない。未成年者は、遺言の証人及び立会人の欠格事由に該当するため、証人又は立会人になることはできない（974条１号）。なお、成年被後見人、被保佐人、被補助人は、証人及び立会人の欠格事由に含まれていない。

3 × 「その遺言を撤回する権利を放棄することもできる」という部分が妥当でない。遺言者は、その遺言を撤回する権利を放棄することができない（1026条）。遺言の目的は、遺言者の最終意思を実現することにあるから、遺言の撤回は自由になし得るという原則（1022条）を確認したものである。

4 × 「自書の要件に欠けるとした」という部分が妥当でない。自筆証書によって遺言をするには、遺言者が、その全文、日付及び氏名を自書し、これに印を押さなければならない（968条１項）。ここにいう自書について判例は、カーボン紙を用いることも自書の方法として許されないものではないとして、遺言の全文、日付及び氏名をカーボン紙を用いて複写の方法で記載した遺言書は、民法968条１項の自書の要件に欠けるところはないとしている（最判平5.10.19）。

5 ○ 判例により妥当である。２人以上の者が同一の証書で遺言をすることはできない（975条、共同遺言の禁止）。各遺言者の意思が不明確になるとともに、遺言の撤回が困難になるためである。判例は、同一証書に２人の遺言が記載されている場合は、そのうちの一方に氏名を自書しない方式の違背があるときでも、当該遺言は、民法975条により禁止された共同遺言に当たると解するのが相当であるとしている（最判昭56.9.11）。

No.21 正解 4

TAC生の選択率 49%　TAC生の正答率 70%

1日24時間を余暇か労働に充てるから、労働時間は$24-L$[時間]である。また、実質賃金率は1だから、所得（実質所得）は以下で表される。

$Y=1\times(24-L)=24-L$

この条件（予算制約）を効用関数に代入すると、

$U=8\sqrt{L}+(24-L)$

であるから、Uを余暇L(時間）について最大化すればよい。

ここで、計算の簡略化のため、$x=\sqrt{L}$と置くと、$L=x^2$であるから、効用関数は、

$U=8x-x^2+24$

と書き直すことができる。xについて微分してゼロと置き、最適なLを求めると、

$U'=8-2x=0 \rightarrow x=4 \rightarrow L=x^2=16$

である。よって、最適な労働時間は、

$24-L=8$[時間]

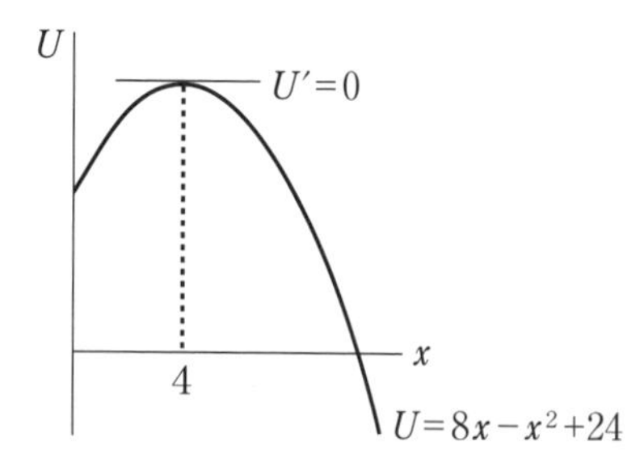

No.22 正解 5

TAC生の選択率 81%　TAC生の正答率 90%

限界費用を求め、与えられた価格と一致させる。総費用関数を生産量について微分すると、限界費用は、

$MC(=TC')=3X^2-12X+24=3(X^2-4X+8)$

これを価格$P=120$と一致させると、

$3(X^2-4X+8)=120 \rightarrow X^2-4X+8=40 \rightarrow (X-8)(X+4)=0$

が導かれる。$X\geqq0$だから、$X=8$が解である。

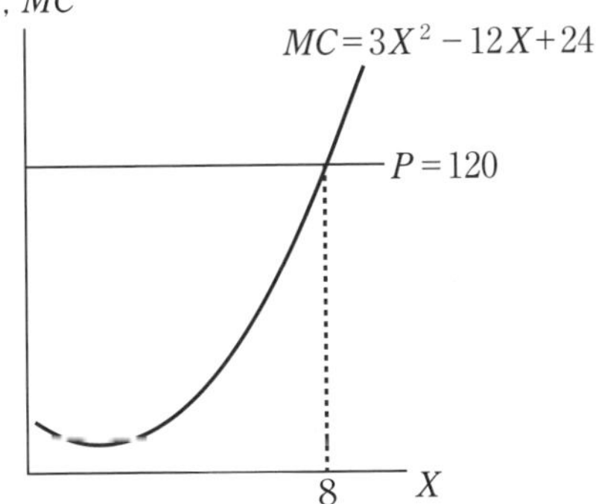

No.23　正解　1

TAC生の選択率 73%　TAC生の正答率 77%

まず、独占均衡を求める。需要曲線から、

$P=36-4Q \rightarrow MR=36-2\cdot4Q=2(18-4Q)$

が独占企業の限界収入であり、また、平均費用曲線から、総費用は$AC\cdot Q=(Q+6)Q$であり、

$MC=(AC\cdot Q)'=2Q+6=2(Q+3)$

が独占企業の限界費用である。両者を一致させて、

$MR=MC \rightarrow 2(18-4Q)=2(Q+3) \rightarrow Q=3$

が独占企業の最適生産量となる。

需要曲線から、価格は、

$P=36-4Q=36-12=24$

である。また、限界費用は、

$MC=2(Q+3)=12$

であるから、ラーナーの独占度は、求めた価格と限界費用を使って、

$$\frac{P-MC}{P}=\frac{24-12}{24}=\frac{1}{2}$$

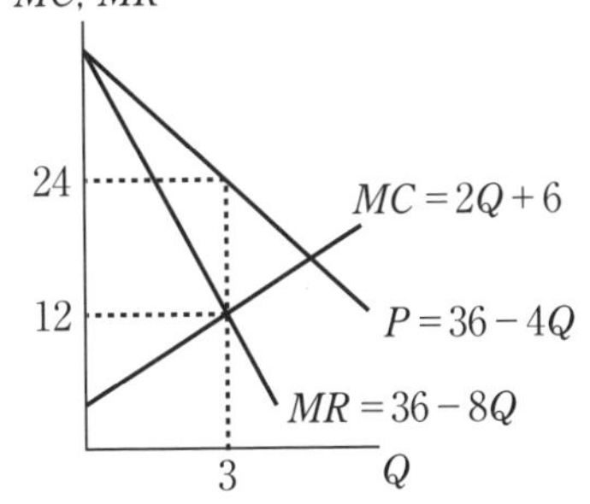

No.24　正解　2

TAC生の選択率 75%　TAC生の正答率 44%

供給曲線SS（実線）と需要曲線DD（破線とする）が図のように交差しているものとして解答する。この場合、各均衡点について、左側と右側で安定または不安定が必ず一致する。

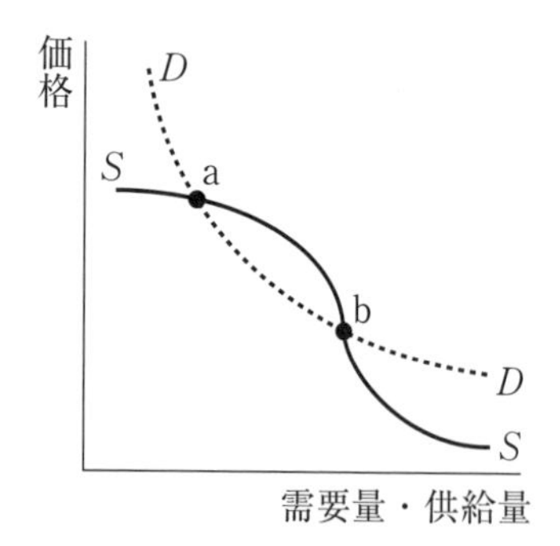

マーシャル的調整過程では、均衡点の近傍（付近）において、需要価格（DDの高さ）＞供給価格（SSの高さ）のとき、数量が増加し、逆に、需要価格（DDの高さ）＜供給価格（SSの高さ）のとき、数量が減少することで調整される。

均衡点aの左側では数量が増加し、右側では数量が減少するから、この均衡点は安定である。

また、均衡点bの左側では数量が減少し、右側では数量が増加するから、この均衡点は不安定である。

No.25　正解　2

TAC生の選択率 45%　TAC生の正答率 34%

生産量を求める場合、両国の労働力の総量（労働賦存量）が必要になる。各国の労働に関する資源制約（生産可能性フロンティア）は、与件を用いて、

$45x_A+40y_A=L_A \cdots (1)$

$50x_B+60y_B=L_B \cdots (2)$

と表せる。ただし、x_iは各国のブドウ酒の生産量、y_iは各国の毛織物の生産量、そして、L_iは各国の労働賦存量である（$i=A,\ B$）。

特化前は両国とも各財を1単位ずつ生産していることから、各国について、(1)、(2) を用いて、

$45\cdot 1+40\cdot 1=L_A \ \rightarrow \ L_A=\ 85 \cdots (3)$

$50\cdot 1+60\cdot 1=L_B \ \rightarrow \ L_B=110 \cdots (4)$

が成り立つ。

与えられた表（単位当たり必要労働量）から、ブドウ酒生産の機会費用を比較すると、

$\frac{45}{40}>\frac{50}{60}$

であるから、A国は毛織物の生産に、B国はブドウ酒の生産にそれぞれ比較優位を持つ。

ここで、各国が比較優位を持つ財の生産に特化（完全特化）すると、(1)～(4) より、

$45\cdot 0+40y_A=85 \ \rightarrow \ y_A=\frac{85}{40}=2.125$

$50x_B+60\cdot 0=110 \ \rightarrow \ x_B=\frac{110}{50}=2.2$

が各財の2国合計の生産量となる。特化前の各財の2国合計の生産量はともに2であるから（∵両国はそれぞれ各財を1単位ずつ生産）、ブドウ酒の増加分は0.2単位、毛織物の増加分は0.125単位である。

No.26 正解 1

TAC生の選択率 73% TAC生の正答率 77%

均衡において国民所得140（完全雇用国民所得）をもたらす租税の大きさを求める。租税を未定として、他の条件を財市場の均衡条件に代入すると、

$$Y=\overbrace{0.8(Y-T)+20}^{C}+\overbrace{20}^{I}+\overbrace{20}^{G} \rightarrow 0.2Y=60-0.8T \rightarrow T=\frac{60-0.2Y}{0.8}$$

ここで、$Y=140$とすれば、

$$T=\frac{60-28}{0.8}=40$$

を得る。当初の租税は45であるから、必要な減税は５である。

No.27 正解 3

TAC生の選択率 72% TAC生の正答率 56%

トービンのqは、企業の市場価値と資本ストックの再取得費用の比率で表される。

q ＝ A. $\dfrac{\text{企業の市場価値}}{\text{資本ストックの再取得費用}}$

ここで、q >1のとき、投資がB. 行われる。

また、トービンのq理論は投資に伴うC. 調整費用を考慮した理論である。

No.28 正解 4

TAC生の選択率 63% TAC生の正答率 65%

初めの預金（本源的な預金）を$H=500$[億円]として、預金準備率$r=0.2$のとき、本源的預金と信用創造によって生み出される預金の総額Mは、

$$M=\frac{1}{r}H=\frac{1}{0.2}\times500=5\times500\text{[億円]}$$

となる。このうち、信用創造によって生じた預金は、本源的預金を除く、

$$M-H=5\times500-500=2000\text{[億円]}$$

である。

No.29 正解 3

TAC生の選択率 64% TAC生の正答率 90%

貨幣市場の均衡（LM曲線）について、実質利子率の大きさがわかれば物価水準を求めることができる。

ここで、財市場の均衡（IS曲線）について与件を用いて実質利子率を求めると、$Y=130(=Y_F)$のとき、

$$Y=\overbrace{30+0.4Y}^{C}+\overbrace{50-r}^{I} \rightarrow r=80-0.6\times\underbrace{130}_{Y}=2$$

したがって、財市場とともに貨幣市場も$Y=130(=Y_F)$で均衡するとき、

$$\overbrace{\frac{600}{P}}^{M}=\overbrace{180+0.2\times\underbrace{130}_{Y}-3\times\underbrace{2}_{r}}^{L} \rightarrow P=\frac{600}{200}=3$$

No.30　正解　2

TAC生の選択率 62%　TAC生の正答率 39%

与えられた表には在庫品増加がないため、これをゼロとして解く（あるいは、国内総資本形成は国内総固定資本形成と在庫品増加の和だから、表の国内総固定資本形成を国内総資本形成とする）。以下、各項目を表のように表す。

①民間最終消費支出	700
②政府最終消費支出	200
③国内総固定資本形成	260
④在庫品増加	0
⑤固定資本減耗	180
⑥財貨・サービスの輸出	210
⑦財貨・サービスの輸入	170
⑧間接税	140
⑨補助金	90
⑩海外からの要素所得の受取り	70
⑪海外への要素所得の支払い	60

国民所得NIは、国内総生産GDP、国民総所得GNIおよび表の各項目とともに、次の恒等式を満たす。ただし、統計上の不突合はゼロとする。

GDP＋⑩－⑪＝GNI＝NI＋⑧－⑨＋⑤

よって、

NI＝(GDP＋⑩－⑪)－(⑧－⑨＋⑤)

右辺について、三面等価の原則により、国内総支出GDEはGDPに等しいから、これを求めると、

GDE＝①＋②＋③＋④＋⑥－⑦＝700＋200＋260＋0＋210－170＝1,200

したがって、国民所得は、

NI＝(1,200＋70－60)－(140－90＋180)＝980

No.31　正解　3

TAC生の選択率 63%　TAC生の正答率 52%

1　×　財政投融資計画は（原資ごとに国会の議決を受けるため、財政投融資計画自体の議決は要しないが）国会への提出が義務付けられている。

2　×　財投機関が発行する債券は財投機関債と呼ばれ、財投機関債のうち政府が元利払いに対して保証を付したものを政府保証債、一方、政府保証が付されないものを非政府保証債という。財政融資とは、財政投融資特別会計が発行する財投債（国債）を原資として財投機関に対して融資を行うことを指す。

3　○

4　×　**2**の解説で示した政府保証（債）に関しては財政投融資計画に含まれるが、非政府保証債については財政投融資計画に含まれない（財政投融資計画は国（政府）が関与するものを記したものであるため、財投機関が独自に資金調達する非政府保証債に関する内容が含まれないのは当然といえよう）。

5 × 政府保証の限度額も50%の範囲内で増額可能となっている。

No.32 正解 2

TAC生の選択率 48% TAC生の正答率 55%

A ○

B ○

C × 財政健全化法第7条では「総務大臣又は都道府県知事は、前条第一項前段の規定による報告を受けた財政健全化団体の財政健全化計画の実施状況を踏まえ、当該財政健全化団体の財政の早期健全化が著しく困難であると認められるときは、当該財政健全化団体の長に対し、必要な勧告をすることができる。」としている。地方債の起債に際して都道府県・政令市は総務大臣、市町村・特別区は都道府県知事に届出もしくは協議、許可を経る仕組みがあることに鑑みれば、都道府県・政令市の財政状況については総務大臣、市町村・特別区の財政状況は都道府県知事が監督していると判断できるはずである。よって、都道府県知事が必要な勧告を行えないというのは不自然であると判断できよう。

D × 財政健全化法第5条では「財政健全化計画は、地方公共団体の長が作成し、議会の議決を経て定めなければならない。財政健全化計画を変更する場合も、同様とする。」としている。議会の議決を経て定めたものを変更する際に議会の議決が不要となる理屈がおかしいと判断しよう。

No.33 正解 2

TAC生の選択率 69% TAC生の正答率 27%

A ○ 普遍性の原則の定義は暗記しておこう。その他は捨て置いてよい。

B × 安定性の原則とは景気変動に対して安定的に税収を確保することができるような税制体系を構築することをいう。その他は捨て置いてよい。

C ○ (負担) 分任の原則の定義は暗記しておこう。その他は捨て置いてよい。

D × 法定外普通税・法定外目的税の新設について条例を定め、総務大事との協議を行い同意を得る必要がある (同意を要する協議制)。よって、総務大臣の許可が必要という記述は不適切である。

No.34 正解 3

TAC生の選択率 69% TAC生の正答率 20%

1 × クラブ財は、消費の排除性と非競合性を併せ持ち、コモンズ (共有財、混雑可能な財) は消費の競合性と非排除性を併せ持つ。

2 × サミュエルソン条件は、各個人の公共財に対する限界便益 (限界評価) の和と公共財供給の限界費用の一致で表される。

3 ○

4 × 通常、公共財の費用負担に対して自らの評価を偽り、過小に申告することはあっても、過大に申告するインセンティブがない。

なお、クラーク・メカニズムでは、各消費者の申告は虚偽であっても構わないが、公共財供給の費用から自分以外の公共財に対する評価額を除いた残額がその人の費用負担となるため、各消費者は虚偽の申告をするインセンティブを持たない。

5 **×** 公共財の費用負担をゲーム理論で考えた場合、囚人のジレンマとなるため、(純粋戦略) ナッシュ均衡はパレート最適にならない。

No.35 正解 2

TAC生の選択率 41% TAC生の正答率 60%

一般に、ローレンツ曲線は長さ1 (100%) の正方形に収まるように定義されるが、ジニ係数を求める場合には比率を取るため、図のように考えることができ、ジニ係数Gは、

$$G=\frac{a}{a+b}$$

に等しい。ただし、辺OXの長さは累積世帯数 (人数) 5、辺XYの長さは累積所得100 (=4+14+20+28+34) であり、面積bは多角形 (網掛部分) の面積、$a+b=250$は直角三角形OXYの面積である。面積bがわかればジニ係数を求めることができる。

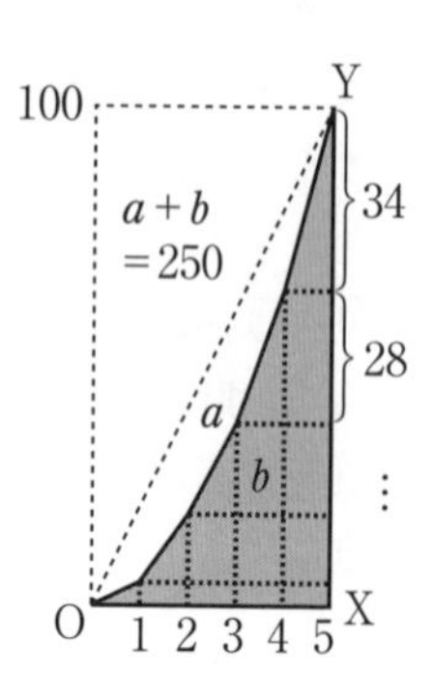

網掛部分の多角形を便宜的に次の図のように表す。各所得の世帯数はそれぞれ1であるから、台形A～Dと三角形Eについて、

Eの底辺=1

Dの上底と下底の和=3

Cの上底と下底の和=5

…が成り立つ (連続した奇数で表せる)。よって、

$$b=E+D+C+B+A=\frac{1\cdot34+3\cdot28+5\cdot20+7\cdot14+9\cdot4}{2}$$

$$=\frac{352}{2}=176$$

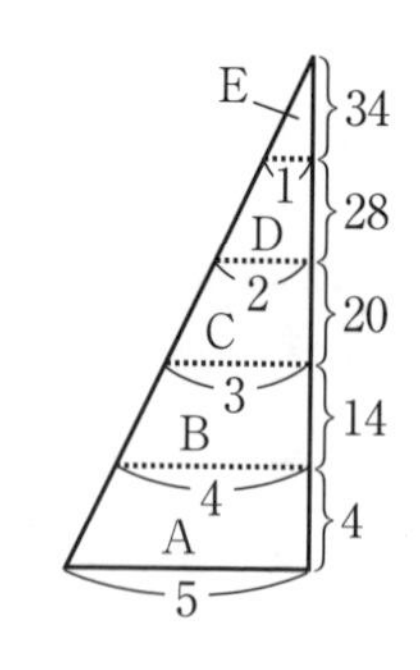

ここで、最初の図に戻って、$a+b=250$、$b=176$であるから、

$$a=250-b=74$$

である。よって、ジニ係数は、

$$G=\frac{a}{a+b}=\frac{74}{250}=0.296$$

なお、通常のローレンツ曲線は次の図の通りである (折れ線部分)。

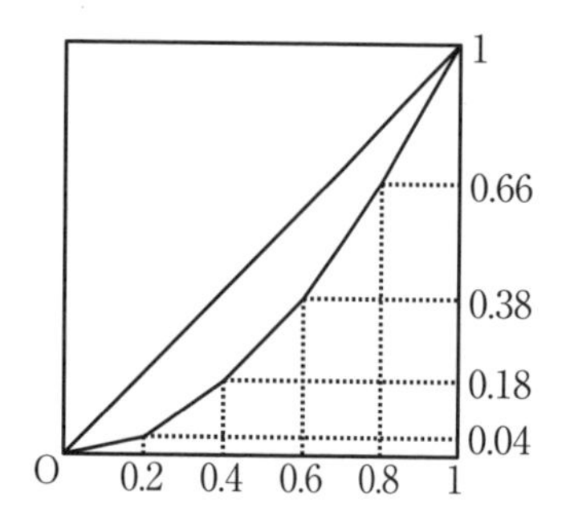

No.36　正解　5　TAC生の選択率 56%　TAC生の正答率 44%

1 ×　マズローの欲求段階説（欲求階層説）においては、最高次の「自己実現欲求」は「欠乏欲求」ではなく「成長要求（成長動機）」に位置付けられている。マズローによれば、低次の欲求が満たされると、より高次の欲求が生じるが、最高次の「自己実現欲求」が完全に満たされることはないという。

2 ×　マグレガーによれば、伝統的管理はX理論、「目標による管理」(MBO）はY理論に位置付けられる。マズローのいう低次の欲求が満たされている現代においては、X理論ではなくY理論が有効だとマグレガーは主張した。

3 ×　選択肢の記述は「満足要因」と「不満足要因」の内容説明が逆になっている。ハーズバーグは、職務に関する「不満足」が生じる要因を「衛生要因」、「満足」が生じる要因を「動機づけ要因」と呼んだ。

4 ×　アージリスは未成熟－成熟理論において、人間（個人）のパーソナリティは、命令などがなければ行動しない「受動的」な未成熟段階から、自律的に行動する「能動的」な成熟段階に成長すると主張した。

5 ○　マズローの欲求段階説では動機づけについて低次の欲求から高次の欲求に変化するとされたのに対して、アルダファーのERG理論では、人間の欲求を生存（Existence）・人間関係（Relationship）・成長（Growth）の３つに分類したうえで、これらの要求が常に同じ方向にむけて変化するのではなく、併存したり、独立して発生したりすることがあるとされている。

No.37　正解　5　TAC生の選択率 53%　TAC生の正答率 80%

1 ×　企業買収のために株式の公開買付を行う手法は、「LBO」ではなく「TOB」という。

2 ×　被買収企業の資産や将来のキャッシュフローを担保として調達した資金を使った企業買収は、「TOB」ではなく「LBO」という。

3 ×　敵対的買収に対する防衛策として、敵対的買収によって経営陣が解任させられたときに割増退職金を支払うことを事前に定めることを「ゴールデン・パラシュート」という。それに対して「クラウン・ジュエル」とは、敵対的買収を仕掛けられた際に、自社の優良部門を意図的に第三者に売却するなどして自社の買収価値を低下させる行動を指す。

4 ×　敵対的買収の防衛策として、友好的な企業に自社を買収してもらうことを「ホワイトナイト」という。

5 ○　攻守の立場が入れ替わる様子が、往年のコンピュータゲーム「パックマン」に類似していることから、「パックマン・ディフェンス」という名称がある。

No.38　正解　1　TAC生の選択率 56%　TAC生の正答率 27%

1 ○　労働基準法11条では、労働の対価として使用者が労働者に支払うものは「賃金」と定義されており、「給料」だけでなくボーナスなどの「賞与」も「賃金」に含まれる。

2 × 日本の企業の多くは、選択肢の記述にある「職務給」ではなく、「職能給」制度を採用している。また、勤続年数に応じて賃金が上昇する「年功的賃金」（年功給）になりやすいのは、「職務給」よりも、**3**の「職能給」のほうである。

3 × 「職能給」は、欧米ではなく日本の企業で主に採用されている。また、「職能給」の算定基準には、本人の潜在的な職務遂行能力も含まれる。

4 × 賃金を１年単位で前年度の業績、本人の仕事上の役割や能力等によって定める制度は、「年功給」ではなく「年俸制」という。

5 × 日本で実施される「ベースアップ」（略称「ベア」）とは、物価上昇に基づく昇給を指す。「賃金表」などの所定の基準によって毎年行われる昇給は、「定期昇給」（略称「定昇」）と呼ばれている。

No.39 正解 1 TAC生の選択率 56% TAC生の正答率 61%

A ○ 「リーダー」は、その業界のなかで最大の市場シェアを持った企業を指す。「リーダー」は、自社のシェア拡大とともに市場全体の拡大を目指すとされている。

B × 業界２番手で「リーダー」に挑戦している企業は、「フォロワー」ではなく「チャレンジャー」と呼ばれている。

C × 「ニッチャー」とは、すきま市場で独自の製品・サービスを提供する「ニッチ戦略」を採用する企業を指す。リーダーに追随し、上位企業を模倣化する戦略を採用する企業は「フォロワー」と呼ばれている。

D × すきま市場でニッチ戦略を採用する企業は「ニッチャー」と呼ばれている。「チャレンジャー」とはリーダー企業に挑戦する業界２番手の企業を指す。

以上から、**1**が正解となる。

No.40 正解 1 TAC生の選択率 30% TAC生の正答率 51%

1 ○ パールミュッターは、経営者の基本姿勢によって本国志向型（Ethnocentric）、現地志向型（Polycentric）、地域志向型（Regiocentric）、世界志向型（Geocentric）の４つに多国籍企業を分類するEPRGプロファイルを提示した。

2 × 企業の国際化が６段階で進展すると主張したのは、ロビンソンである。

3 × 「活動の配置」と「活動の調整」という２軸によって、企業の国際戦略をシンプル・グローバル戦略（単純なグローバル戦略）やマルチ・ドメスティック戦略などに類型化したのは、ポーターである。

4 × プロダクト（ライフ）サイクル・モデルによって生産拠点の移転のプロセスから経営の国際化を説明したのは、バーノンである。

5 × 「グローバルな効率性（グローバル統合）」、「現地への適応能力」、「イノベーションと学習

（知識移転）」によって多国籍企業を分類し、この3要素が全て高い組織を「トランスナショナル企業」と呼んだのは、バートレット＝ゴシャールである。彼らは、米国に多い「インターナショナル型」、欧州に多い「マルチナショナル型」、日本に多い「グローバル型」の3つに多国籍企業を分類したことでも知られている。

No.41　正解　2　TAC生の選択率 56%　TAC生の正答率 39%

A　○　『福祉資本主義の三つの世界』は、エスピン＝アンデルセンの代表作である。

B　○　自由主義レジームにはアメリカ等のアングロ・サクソン系諸国（イギリスを除く）が、保守主義レジームにはドイツ等の欧州大陸諸国が、社会民主主義レジームにはスウェーデン等の北欧諸国が該当する。

C　×　これは、アメリカの社会学者H.ウィレンスキーに関する記述である。初期の福祉国家研究では、各国は経済成長に応じて単線的に福祉国家を発展させているとする収斂理論が支配的であり、ウィレンスキーは、64か国の社会保障支出の対GNP比の差異を説明する独立変数としては経済水準が最も重要であり、また人口の高齢化も非常に重要である一方、イデオロギーや政治体制の差異は説明変数として有意ではないと指摘している。

D　×　「脱家族化」と「脱商品化」が逆である。エスピン＝アンデルセンは、『福祉資本主義の三つの世界』の段階では（社会）階層化と脱商品化の2つの指標の高低等により福祉国家を分析していたが、後に「脱家族化」指標も追加している。

以上の組合せにより、**2**が正解となる。

No.42　正解　5　TAC生の選択率 81%　TAC生の正答率 67%

以下の計算より、各党への議席配分は、A党6議席、B党4議席、C党2議席、D党1議席となり、**5**が正解となる。

政党	A党	B党	C党	D党
得票数	8,000	5,400	3,200	2,500
÷1	❶ 8,000	❷ 5,400	❹ 3,200	❼ 2,500
÷2	❸ 4,000	❺ 2,700	❿ 1,600	1,250
÷3	❻ 2,667	❾ 1,800	1,067	833
÷4	❽ 2,000	⓬ 1,350	800	625
÷5	❿ 1,600	1,080	640	500
÷6	⓭ 1,333	900	533	417
÷7	1,143	771	457	357

※丸数字は当選順位

No.43　正解　3　TAC生の選択率 72%　TAC生の正答率 61%

A　○　イデオロギーとは、広義には信念・態度・意見など人間の意識活動の総体を意味する概念だが、狭義には政治的意見・思想傾向を指し、ある主張・行動を特定の政治的立場からのものとして否定的・批判的に表す場合にも用いられる。

B × 「伝統的秩序や伝統的価値体系を尊重」までは保守主義に関する記述となっている。ただし、マルクスは社会主義の代表者である。また、保守主義はエリート主義的な傾向を持つため、一般市民の政治参加には消極的な態度を採る。

C × これは、社会主義に関する記述となっている。ただし、バークは保守主義の代表者である。

D ○ ファシズムは1920年代から1945年までの間に最も勢力を伸ばしており、対外的には排他的なナショナリズムを特徴とする。

以上の組合せにより、**3**が正解となる。

No.44 正解 3

TAC生の選択率 59% TAC生の正答率 70%

1 × 民友社を結成したのは、福沢諭吉ではなく徳富蘇峰である。

2 × 政教社を創立したのは、徳富蘇峰ではなく三宅雪嶺や志賀重昂などである。

3 ○ 「東洋のルソー」と呼ばれた中江兆民は、政府から与えられた恩賜的民権を、民衆自らが勝ち取る恢復的民権にまで育て上げることを主張した。

4 × 「国民新聞」を創刊したのは、陸羯南ではなく徳富蘇峰である。

5 × 新聞「日本」を創刊したのは、幸徳秋水ではなく陸羯南などである。

No.45 正解 2

TAC生の選択率 78% TAC生の正答率 69%

A ○ ウォーラスは、19世紀までの政治学は主知主義的な前提を置いていたとして、人間の非合理主義的行動も含めて分析する新たな政治学を提唱した。

B × 「政治システムは」以降は、コーンハウザーではなくD.イーストンに関する記述である。

C ○ ベントレーは、19世紀までの政治学は制度論的な側面だけから政治を分析していたとして批判し、政治を集団の相互作用の過程として捉える新たな政治学を提唱しており、ウォーラスと並んで現代政治学の始祖とされる。

D × まず、『世論』を著したのは、リースマンではなくリップマンである。また、マス・メディアからの情報で出来事を認識している環境は、「現実環境」ではなく「擬似環境」と呼ばれる。

以上の組合せにより、**2**が正解となる。

No.46 正解 1

TAC生の選択率 60% TAC生の正答率 26%

A ○ 内閣府の外局として2016年に設置された個人情報保護委員会は、個人情報（特定個人情報を含む。）の有用性に配慮しつつ、個人の権利利益を保護するため、個人情報の適正な取扱いの確保を図ることを任務とする機関である。

B　×　法務省の外局として1952年に設置された公安審査委員会は、破壊活動防止法及び無差別大量殺人行為を行った団体の規制に関する法律の規定により、公共の安全の確保に寄与するために、破壊的団体及び無差別大量殺人行為を行った団体の規制に関し、適正な審査及び決定を行うことを任務とする機関である。

C　×　環境省の外局として2012年に設置された原子力規制委員会は、原子力に対する確かな規制を通じて、人と環境を守ることを任務とする機関である。それまでの「原子力安全委員会（内閣府）」や「原子力安全・保安院（経済産業省）」が独立したかたちである。

D　×　公害等調整委員会は、1972年に総理府の外局として設置され、2001年の中央省庁等改革に伴い総務省の外局となった機関であり、1）調停や裁定などによって公害紛争の迅速・適正な解決を図ること、2）鉱業、採石業又は砂利採取業と一般公益等との調整を図ることの2つを主な任務としている。

以上の組合せにより、**1**が正解となる。

No.47　正解　3　TAC生の選択率 74%　TAC生の正答率 44%

A 「PFI」が該当する。指定管理者制度は2003年の地方自治法改正により導入された制度であり、指定管理者は公共施設等の維持管理や運営等は行うが、建設は行わない。

B 「独立行政法人」が該当する。市場化テストは、公共サービスについて、「官」と「民」が対等な立場で競争入札に参加し、価格・質の両面で最も優れた者がそのサービスの提供を担っていくこととする制度である。

C 「エージェンシー制度」が該当する。SPC（Special Purpose Company：特別目的会社）とは、ある特別の事業を行うために設立された事業会社のことであり、PFIでは公募提案する共同企業体（コンソーシアム）がSPCを設立して建設・運営・管理にあたることが多い。

以上の組合せにより、**3**が正解となる。

No.48　正解　1　TAC生の選択率 58%　TAC生の正答率 63%

A　○　『決定の本質』という著作名は、正誤判断に関わることもあるので覚えておこう。

B　×　これは、合理的行為者モデルに関する記述である。「政府を単一の行為主体」、「国益の最大化を選択」で判別できる。同モデルは、政府を単一の行為主体として捉えて政策決定を説明するマクロ的なモデルである。

C　×　これは、政府内（官僚）政治モデルに関する記述である。「個々のプレーヤー間」、「駆け引きや妥協の結果」で判別できる。同モデルは、個人と個人とのやり取りの組合せから政策決定を説明するミクロ的なモデルである。

D　×　これは、組織過程モデルに関する記述である。「複数の組織の緩やかな連合体」、「組織内の標準作業手続き」で判別できる。同モデルは、組織レベルの決定の組合せから政策決定を説明する（ミクロとマクロの）中間的なレベルのモデルである。

以上の組合せにより、**1**が正解となる。

No.49　正解　4

TAC生の選択率 64%　TAC生の正答率 23%

1　×　『経営行動』は、H.A.サイモンの著作である。バーナードの著作名としては『経営者の役割』を覚えておこう。

2　×　これは、L.ギューリックに関する記述である。「命令系統の一元化の原理」、「統制範囲の原理」、「同質性による分業の原理」で判別できる。

3　×　後段は、有効性ではなく能率性に関する記述である。バーナードにおける有効性とは、組織の共通目的の達成度を指す。

4　○　バーナードは、部下が上司の命令を受け入れるかどうか、つまり上司の権威が成り立つかどうかは受け入れる側の部下の同意に依存しているという権威受容説を唱えており、さらに命令が受け入れられる場合の権威を「機能の権威」と「地位の権威」に分類している。また、バーナードは、このような「権威による支配」とは別に「権限による支配」も論じている。

5　×　これは、サイモンに関する記述である。「価値前提と事実前提」で判別できる。

No.50　正解　1

TAC生の選択率 54%　TAC生の正答率 31%

A　**○**　ただし、後段の内容はかなり細かいので、行政学の対策としては覚える必要はない。

B　**×**　これは、住民監査請求に関する記述である。事務の監査請求の対象は、財務会計上の行為に限定されず、事務全般にわたる。

C　**×**　普通地方公共団体の長の解職請求は、当該普通地方公共団体の議会の議長に対してではなく選挙管理委員会に対して行う。また、長の解職の是非は、議会の採決で決めるのではなく住民投票で決める。

D　**×**　普通地方公共団体の議会の解散請求は、当該普通地方公共団体の長に対してではなく選挙管理委員会に対して行う。

以上の組合せにより、**1**が正解となる。

No.51　正解　2

TAC生の選択率 52%　TAC生の正答率 77%

1　×　これは、ギュルヴィッチではなくテンニースに関する記述である。「ゲマインシャフトとゲゼルシャフト」で判別できる。なお、公務員試験の社会学でギュルヴィッチが出題されることは稀なので、彼の学説を覚える必要はない。

2　○　生成社会は前近代的な社会集団、組成社会は近代的な社会集団に対応する。

3　×　これは、サムナーではなくマッキーヴァーに関する記述である。「コミュニティとアソシエーション」で判別できる。

4 × 第一次集団の概念を提示したのはクーリー、そして第一次集団と対比して第二次集団の概念を提示したのはK.ヤングやK.デービスなどである。

5 × これは、クーリーではなくサムナーに関する記述である。「内集団と外集団」で判別できる。

No.52 正解 5 TAC生の選択率 40% TAC生の正答率 59%

A × 『メリトクラシー』(1958年)はイギリスの社会学者M.ヤングが著した空想小説であり、「メリトクラシー」という造語はこの時に初めて用いられた。ただし、ヤングの小説では、メリトクラシーの徹底により階層間の流動性は失われ、むしろ階層の格差は固定されるという結末になっている。

B ○ ブルデューは、文化資本は、基本形態である「身体化された形態」(ハビトゥス、知識・教養・技能・言語能力など)、「客体化された形態」(書物・絵画・道具・機械など)、「制度化された形態」(学歴や様々な資格など)の3つの形態を採るとしている。

C ○ ブルデューは、文化資本の影響を通じて親世代の社会階層的地位・職業的地位が子世代に引き継がれることを文化的再生産と呼んだ。

以上の組合せにより、**5**が正解となる。

No.53 正解 4 TAC生の選択率 56% TAC生の正答率 61%

1 × 産業的段階と法律的段階が逆である。コントは産業者を重視して産業社会の発展を目指していたという点から、最終段階は産業的段階だと覚えておこう。

2 × 複合社会と単純社会が逆である。スペンサーのこの分類はややマイナーだが、近代化の流れとして単純な社会に移行していくことはありそうにないと推測できるようにしたい。

3 × 非物質文化と物質文化が逆である。オグバーンの文化遅滞説が出題される際には、この入れ替えは定番となっている。

4 ○ ロストウの5段階説のうち、第3段階の離陸期と第5段階の高度大衆消費時代(高度大衆消費社会)の2つの名称は覚えておこう。

5 × サービスと財貨が逆である。ベルの発展段階論において、工業社会は第二次産業(製造業)が中心となる社会、脱工業社会は第三次産業(サービス業)などが中心となる社会であるという点から、この部分が逆だと推測できるようにしたい。

No.54 正解 1 TAC生の選択率 62% TAC生の正答率 55%

A 「H.S.ベッカー」が該当する。アメリカの社会学者E.ゴッフマンは、ドラマトゥルギー(演劇論的アプローチ)と呼ばれる立場から、人々を社会という劇場で役割演技する俳優に喩えて捉えて相互行為を分析し、人々がお互いにコミュニケーションする過程で、見られたいように自分を見せる自己呈示をしていると考えた。

B 「社会集団」が該当する。

C 「規則」が該当する。ラベリング理論によれば、規則は客観的・中立的なものではなく政治過程の中で生み出されるものであることから、当該社会の多数派集団が定めた同調・逸脱の線引きの恣意的な適用により、少数者に対して逸脱者のラベルが貼られる。

D 「違反者」が該当する。これは「逸脱者」でも間違いとはいえないが、空欄Aが「H. S. ベッカー」である**1**と**5**はいずれも空欄Dが「違反者」となっている。

以上の組合せにより、**1**が正解となる。

No.55 正解 4

TAC生の選択率 58% TAC生の正答率 76%

1 × これは、参与観察法ではなく生活史法に関する記述である。生活史法は、調査対象者が残した記録を用いて調査者がそれを再構成する手法である点で、他の調査手法と大きく異なる。

2 × これは、面接調査法ではなく集合調査法に関する記述である。集合調査法も調査対象者と直接会って調査する手法であることから、広い意味では面接調査法に含まれるものの、両者は区別するのが一般的である。

3 × 「生じることはない」が誤り。標本調査は調査対象（母集団）の一部分だけを抽出する調査手法であるため、抽出した標本（サンプル）の特性が調査対象全体（母集団）の特性とずれてしまう可能性は必ずつきまとう。

4 ○ 留置（調査）法は、配票（調査）法とも呼ぶ。

5 × これは、生活史法ではなく参与観察法に関する記述である。**1**でも述べたように、生活史法において調査者は調査対象者と直接接することはない。